D1538004

OCÉAN ARCTIQUE

EUROPE

ASIE

BELGIQUE
LUXEMBOURG
Jersey
SUISSE
Paris
Vallée d'Aoste
FRANCE
MONACO
ANDORRE
Corse
Alger
Tunis
Rabat
TUNISIE
LIBAN
MAROC

ALGÉRIE

❶ SAHARA OCCIDENTAL

AFRIQUE

MAURITANIE
MALI
NIGER
SÉNÉGAL
TCHAD
DJIBOUTI
GUINÉE
❷
❺
RÉPUBLIQUE CENTRAFRICAINE
❸ ❹
❼
❻
OCÉAN ATLANTIQUE
GABON
CONGO
RWANDA
BURUNDI

LAOS
Hanoi
Vientiane
CAMBODGE
VIETNAM
Pondichéry
Phnom Penh

OCÉAN PACIFIQUE

❶ SAHARA OCCIDENTAL
❷ BURKINA FASO
❸ CÔTE D'IVOIRE
❹ TOGO
❺ BÉNIN
❻ CAMEROUN
❼ GUINÉE ÉQUATORIALE

RÉPUBLIQUE DÉMOCRATIQUE DU CONGO

SEYCHELLES

COMORES
Mayotte

OCÉAN INDIEN

MAURICE
Antananarivo
Réunion

MADAGASCAR

AUSTRALIE

VANUATU

Nouvelle-Calédonie

Légende

Pays et régions où le français est langue officielle et/ou maternelle

Pays et régions où le français est langue co-officielle ou administrative

Pays et régions où le français est langue d'enseignement privilégiée

Pays et régions où il y a des minorités francophones

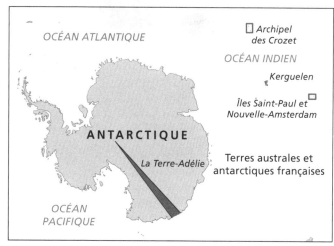

OCÉAN ATLANTIQUE

☐ Archipel des Crozet

OCÉAN INDIEN

Kerguelen

Îles Saint-Paul et Nouvelle-Amsterdam

ANTARCTIQUE

La Terre-Adélie

Terres australes et antarctiques françaises

OCÉAN PACIFIQUE

FIRST CANADIAN EDITION

HORIZONS

Joan H. Manley
University of Texas — El Paso, Emeritus

Stuart Smith
Austin Community College

John T. McMinn
Austin Community College

Marc A. Prévost
Austin Community College

Patricia Lee Men Chin
Dalhousie University

NELSON
EDUCATION

NELSON EDUCATION

Horizons, First Canadian Edition

by Joan H. Manley, Stuart Smith,
John T. McMinn, Marc A. Prévost,
Patricia Lee Men Chin

VP, Product and Partnership Solutions:
Anne Williams

Publisher, Digital and Print Content:
Anne-Marie Taylor

Executive Marketing Manager:
Amanda Henry

Technical Reviewer:
Kathleen Bush

Content Development Manager:
Theresa Fitzgerald

Photo Researchers:
Marc-André Brouillard
Jessica Freedman

Permissions Coordinator:
Daniela Glass

Production Project Managers:
Susan Lee
Imoinda Romain

Copy Editors:
Isabelle Rolland
Tannys Williams

Proofreader:
Maude Lessard

Indexer:
Zoë Waller

Design Director:
Ken Phipps

Managing Designer:
Franca Amore

Interior Design:
Sharon Lucas

Cover Design:
Courtney Hellam

Asset Coordinator:
Sue Peden

Illustrators:
Crowle Art
Michael Borop
Dave Sullivan

Compositors:
Carol Magee
Zenaida Diores

Library and Archives Canada Cataloguing in Publication Data

Manley, Joan H., author
Horizons / Joan H. Manley [and four others]. -- 1ère édition canadienne.

Includes index.
ISBN 978-0-17-654088-3 (bound)

1. French language--Textbooks for second language learners--English speakers. I. Title.

PC2129.E5M36 2016 448.2'421
C2015-903625-9 P92.C3M46 2002
302.23'0971   C2001-903232-3

ISBN-13: 978-0-17-654088-3
ISBN-10: 0-17-654088-1

Credits:
Cover: (French café) Rrrainbow/Shutterstock, (Eiffel Tower) Roman Sigaev/Shutterstock, (lavender fields) StevanZZ/Shutterstock, (backpackers) © vgajic/iStockphoto, (colourful houses) © Oliver Hoffmann/iStockphoto, (castle) Sergio Gutierrez Getino/Shutterstock, (girl with camera) © Photolyric/iStockphoto, (fair ride) Annette Shaff/Shutterstock, (girl blowing bubbles) © Photolyric/iStockphoto, (lighthouses) Ronald Sumners/Shutterstock, (girl in mirror) © Photolyric/iStockphoto, (bike on street) © pierredesvarre/iStockphoto, (sparklers) © Photolyric/iStockphoto, (road) Chase Clausen/Shutterstock; p. 32: (Canadian flag) The Department of Canadian Heritage; p. 68: (Québec flag) Ministère de la Justice - Gouvernement du Québec; p. 106: (Franco-Ontarian flag) Courtesy of Association canadienne-française de l'Ontario du grand Sudbury; p. 178: (Franco-Columbian flag) Courtesy of Fédération des francophones de la Colombie-Britannique, (Franco-Albertan flag) Courtesy of Association Canadienne Française de l'Alberta, (Franco-Manitoban flag) Courtesy of Société franco-manitobaine; p. 216: (Franco-Ténois flag) Courtesy of La Fédération Franco-Ténoise, (Franco-Yukonnais flag) Courtesy of Association franco-yukonnaise, (Franco-Nunavois flag) Courtesy of Association des francophones du Nunavut

■ Sommaire

Preview   xvii

Preface   xxiv

Chapitre préliminaire : La France et le monde francophone : On commence !   2

Chapitre 1 : La francophonie canadienne : À l'université   30

Chapitre 2 : Le Québec : Après les cours   66

Chapitre 3 : L'Ontario : Un nouvel appartement   104

Chapitre 4 : L'Acadie : En famille   140

Chapitre 5 : L'Ouest francophone : Les projets   176

Chapitre 6 : Les territoires du Canada : Les sorties   214

Chapitre 7 : L'Europe francophone : La vie quotidienne   250

Chapitre 8 : L'Asie francophone : La bonne cuisine   292

Chapitre 9 : La France d'outre-mer : En vacances   334

Chapitre 10 : L'Afrique francophone : À l'hôtel   370

Chapitre de révision : Un drôle de mystère   408

Appendice A : L'alphabet phonétique   427

Appendice B : Tableau des conjugaisons   428

Vocabulaire français–anglais   440

Vocabulaire anglais–français   456

Index   470

Table des matières

La France et le monde francophone	Themes and Functions	Vocabulary	Culture
CHAPITRE PRÉLIMINAIRE **On commence ! 2**			
COMPÉTENCE 1	**Greeting people**	Les formules de politesse 6 Les salutations familières 8	
COMPÉTENCE 2	**Counting and describing your week**	Les chiffres de zéro à trente 10 Les jours de la semaine 12	
COMPÉTENCE 3	**Talking about yourself and your schedule**	Un autoportrait 14 L'heure 16	
COMPÉTENCE 4	**Communicating in class**	En cours 20 Des expressions utiles et l'alphabet 22	
			Une Canadienne à la tête de l'Organisation internationale de la Francophonie 24 *Se présenter* 25 *Les papiers d'identités* 26 *Quel est ce pays de la Francophonie ?* 27
Espace culturel 24			
Vocabulaire 28			

La francophonie canadienne

CHAPITRE 1
À l'université 30

	Themes and Functions	Vocabulary
COMPÉTENCE 1	**Identifying people and describing appearance**	Les gens à l'université 34
COMPÉTENCE 2	**Describing personality**	Les personnalités 40
COMPÉTENCE 3	**Describing the university area**	Le campus et le quartier 46
COMPÉTENCE 4	**Talking about your studies**	L'université et les cours 52

Espace culturel 58

Résumé de grammaire 62

Vocabulaire 64

Le Québec

CHAPITRE 2
Après les cours 66

	Themes and Functions	Vocabulary
COMPÉTENCE 1	**Saying what you like to do**	Les passe-temps 70
COMPÉTENCE 2	**Saying how you spend your free time**	La fin de semaine 76
COMPÉTENCE 3	**Asking about someone's day**	La journée 84
COMPÉTENCE 4	**Going to the café**	Au café 90

Espace culturel 96

Résumé de grammaire 100

Vocabulaire 102

Structures	Culture	Learning Strategies, Readings, Listening Passages, Writing Strategies
		Stratégies et Lecture 38 **Pour mieux lire** : *Using cognates and familiar words to read for the gist* 38 **Lecture** : « Qui est-ce ? » 38
Les adjectifs et **il est / elle est** + adjectif ou **c'est** + nom 36		
Les pronoms sujets, le verbe être, la négation et d'autres adjectifs 42 Les questions 44		
Le genre, l'article indéfini et l'expression **il y a** 48 **C'est** ou **il est / elle est** et la place de l'adjectif 50		
L'article défini 54 Reprise *Les Stagiaires (The Interns)* 56		
	Pour mieux interagir : *Les études à l'université* 60 **Pour mieux découvrir** : *Quel est ce pays de la Francophonie ?* 61	**Pour mieux lire** : *Scanning to preview a text* 58 **Lecture** : *Lan Anh Nguyen* 58 **Pour mieux écrire** : *Using and combining what you know* 59 **Composition** : « Un autoportrait » 59

Structures	Culture	Learning Strategies, Readings, Listening Passages, Writing Strategies
		Stratégies et Compréhension auditive 74 **Pour mieux comprendre** : *Listening for specific information* **Compréhension auditive** : « On sort ensemble ? » 75
L'infinitif 72		
Les verbes en **-er** et les adverbes 78 Quelques verbes à changements orthographiques 82		
Les mots interrogatifs 86		
Les questions par inversion 88		
Les chiffres de trente à cent et l'argent 92 Reprise *Les Stagiaires* 94		
	Pour mieux interagir : La télévision francophone au Canada 98 **Pour mieux découvrir** : Quel est ce pays de la Francophonie ? 99	**Pour mieux lire** : *Making intelligent guesses* 96 **Lecture** : « *Café Le Trapèze* » (menu) 96 **Pour mieux écrire** : *Using logical order and standard phrases* 97 **Composition** : « Au café » 97

L'Ontario
CHAPITRE 3
Un nouvel appartement 104

	Themes and Functions	Vocabulary
COMPÉTENCE 1	**Talking about where you live**	Le logement 108
COMPÉTENCE 2	**Talking about your possessions**	Les effets personnels 114
COMPÉTENCE 3	**Describing your room**	Les meubles et les couleurs 120
COMPÉTENCE 4	**Giving your address and phone number**	Des renseignements 126

Espace culturel 132

Résumé de grammaire 136

Vocabulaire 138

L'Acadie
CHAPITRE 4
En famille 140

	Themes and Functions	Vocabulary
COMPÉTENCE 1	**Describing your family**	Ma famille 144
COMPÉTENCE 2	**Saying where you go in your free time**	Le temps libre 150
COMPÉTENCE 3	**Saying what you are going to do**	La fin de semaine prochaine 156
COMPÉTENCE 4	**Planning how to get there**	Les moyens de transport 162

Espace culturel 168

Résumé de grammaire 172

Vocabulaire 174

Structures	Culture	Learning Strategies, Readings, Listening Passages, Writing Strategies
		Stratégies et Lecture 112 **Pour mieux lire :** *Guessing meaning from context* 112 **Lecture :** « Un nouvel appartement » 112
Les nombres au-dessus de 100 et les nombres ordinaux 110		
Le verbe **avoir** 116 Quelques prépositions 118		
La possession et les adjectifs possessifs **mon, ton** et **son** 122 Les adjectifs possessifs **notre, votre** et **leur** 124		
Les adjectifs **quel** et **ce** 128 Reprise *Les Stagiaires* 130		
	Pour mieux interagir : Appartements à louer au Québec 134 **Pour mieux découvrir :** Quel est ce pays de la Francophonie ? 135	**Pour mieux lire :** *Previewing Content* 132 **Lecture :** « Les couleurs et leurs effets sur la nature humaine » (article) 132 **Pour mieux écrire :** *Brainstorming* 133 **Composition :** « Un courriel » 133

Structures	Culture	Learning Strategies, Readings, Listening Passages, Writing Strategies
		Stratégies et Compréhension auditive 148 **Pour mieux comprendre :** *Asking for clarification* 148 **Compréhension auditive :** « La famille de Robert » 149
Les expressions avec **avoir** 146		
Le verbe **aller,** la préposition **à** et le pronom **y** 152 Le pronom sujet **on** et l'impératif 154		
Le futur proche 158 Les dates 160		
Les verbes **prendre** et **venir** et les moyens de transport 164 Reprise *Les Stagiaires* 166		
	Pour mieux interagir : Le Festival acadien de Caraquet 170 **Pour mieux découvrir :** Quel est ce pays de la Francophonie ? 171	**Pour mieux lire :** *Using word families* 168 **Lecture :** « L'histoire des Cadiens » 168 **Pour mieux écrire :** *Visualizing your topic* 169 **Composition :** « Ma famille » 169

L'Ouest francophone	Themes and Functions	Vocabulary
CHAPITRE 5 **Les projets 176**		
COMPÉTENCE 1	**Saying what you did**	La fin de semaine dernière 180
COMPÉTENCE 2	**Telling where you went**	Je suis parti(e) en voyage 186
COMPÉTENCE 3	**Discussing the weather and your activities**	Le temps et les projets 192
COMPÉTENCE 4	**Deciding what to wear and buying clothes**	Les vêtements 198

Espace culturel 206

Résumé de grammaire 210

Vocabulaire 212

Les territoires du Canada	Themes and Functions	Vocabulary
CHAPITRE 6 **Les sorties 214**		
COMPÉTENCE 1	**Inviting someone to go out**	Les invitations 218
COMPÉTENCE 2	**Talking about how you spend and used to spend your time**	Aujourd'hui et dans le passé 224
COMPÉTENCE 3	**Talking about the past**	Une sortie 230
COMPÉTENCE 4	**Narrating in the past**	Les contes 236

Espace culturel 242

Résumé de grammaire 246

Vocabulaire 248

Structures	Culture	Learning Strategies, Readings, Listening Passages, Writing Strategies
		Stratégies et Lecture 184 **Pour mieux lire :** *Using the sequence of events to make logical guesses* 184 **Lecture :** « Qu'est-ce qu'elle a fait ? » 185
Le passé composé avec **avoir** 182		
Le passé composé avec **être** 188 Les expressions qui désignent le passé et reprise du passé composé 190		
Le verbe **faire**, l'expression **ne... rien** et les expressions pour décrire le temps 194 Les expressions avec **faire** 196		
Les pronoms **le, la, l'** et **les** 200 Reprise *Les Stagiaires* 204		
	Pour mieux interagir : Le Cercle Molière 208 **Pour mieux découvrir :** Quel est ce pays de la Francophonie ? 209	**Pour mieux lire :** *Using visuals to make guesses* 206 **Lecture :** « L'hiver canadien » 206 **Pour mieux écrire :** *Using standard organizing techniques* 207 **Composition :** « Un voyage à Calgary » 207

Structures	Culture	Learning Strategies, Readings, Listening Passages, Writing Strategies
		Stratégies et Compréhension auditive 222 **Pour mieux comprendre :** *Noting the important information* 222 **Compréhension auditive :** « On va au cinéma ? » 223
Les verbes **vouloir, pouvoir** et **devoir** 220		
L'imparfait 226 Les verbes **sortir, partir** et **dormir** 228		
L'imparfait et le passé composé 232 Le passé composé et l'imparfait 234		
Le passé composé et l'imparfait (reprise) 238 Reprise *Les Stagiaires* 240		
	Pour mieux interagir : Une francophonie vibrante au Yukon 244 **Pour mieux découvrir :** Quel est ce pays de la Francophonie ? 245	**Pour mieux lire :** *Using real-world knowledge* 242 **Lecture :** « Les normes sociales et les attentes » 242 **Pour mieux écrire :** *Writing for social media* 243 **Composition :** « Un blogue personnel » 243

L'Europe francophone
CHAPITRE 7
La vie quotidienne 250

	Themes and Functions	Vocabulary
COMPÉTENCE 1	**Describing your daily routine**	La vie de tous les jours 254
COMPÉTENCE 2	**Talking about relationships**	La vie sentimentale 262
COMPÉTENCE 3	**Talking about what you did and used to do**	Les activités d'hier 270
COMPÉTENCE 4	**Describing traits and characteristics**	Le caractère 278

Espace culturel 284

Résumé de grammaire 288

Vocabulaire 290

L'Asie francophone
CHAPITRE 8
La bonne cuisine 292

	Themes and Functions	Vocabulary
COMPÉTENCE 1	**Ordering at a restaurant**	Au restaurant 296
COMPÉTENCE 2	**Buying food**	Les courses 304
COMPÉTENCE 3	**Talking about meals**	Les repas 312
COMPÉTENCE 4	**Choosing a healthy lifestyle**	Une bonne santé 318

Espace culturel 326

Résumé de grammaire 330

Vocabulaire 332

Structures	Culture	Learning Strategies, Readings, Listening Passages, Writing Strategies
		Stratégies et Lecture 260 **Pour mieux lire :** *Using word families and watching out for* faux amis 260 **Lecture :** « Il n'est jamais trop tard ! » 260
Les verbes pronominaux au présent 256		
Les verbes pronominaux au futur proche 264 Les verbes en **–re** 268		
Les verbes pronominaux au passé compose 272 Les verbes pronominaux à l'imparfait et reprise de l'usage du passé composé et de l'imparfait 276		
Les pronoms relatifs **qui, que** et **dont** 280 Reprise *Les Stagiaires* 282		
	Pour mieux interagir : Rompre sur les médias sociaux 286 **Pour mieux découvrir :** Quel est ce pays de la Francophonie ? 287	**Pour mieux lire :** *Developing a positive attitude* 284 **Lecture :** « La Roumanie, un pays francophile » 284 **Pour mieux écrire :** *Organizing a paragraph* 285 **Composition :** « La routine matinale » 285

Structures	Culture	Learning Strategies, Readings, Listening Passages, Writing Strategies
		Stratégies et Compréhension auditive 302 **Pour mieux comprendre :** *Planning and predicting* 302 **Compréhension auditive :** « Au restaurant » 302
Le partitif 300		
Les expressions de quantité 308 L'usage des articles 310		
Le pronom **en** et le verbe **boire** 314 Les verbes en **–ir** 316		
Le conditionnel 320 Reprise *Les Stagiaires* 324		
	Pour mieux interagir : La manière de manger 328 **Pour mieux découvrir :** Quel est ce pays de la Francophonie ? 329	**Pour mieux lire :** *Expanding your vocabulary* 326 **Lecture :** « Quel restaurant choisir ? » 326 **Pour mieux écrire :** *Finding the right word* 327 **Composition :** « Une critique gastronomique » 327

La France d'outre-mer
CHAPITRE 9
En vacances 334

	Themes and Functions	Vocabulary
COMPÉTENCE 1	**Talking about vacation**	Les vacances 338
COMPÉTENCE 2	**Preparing for a trip**	Les préparatifs 344
COMPÉTENCE 3	**Buying your ticket**	À l'agence de voyages 350
COMPÉTENCE 4	**Deciding where to go on a trip**	Un voyage 356

Espace culturel 362

Résumé de grammaire 366

Vocabulaire 368

L'Afrique francophone
CHAPITRE 10
À l'hôtel 370

	Themes and Functions	Vocabulary
COMPÉTENCE 1	**Deciding where to stay**	Le logement 374
COMPÉTENCE 2	**Going to the doctor**	Chez le médecin 380
COMPÉTENCE 3	**Running errands on a trip**	Des courses en voyage 386
COMPÉTENCE 4	**Giving directions**	Les indications 394

Espace culturel 400

Résumé de grammaire 404

Vocabulaire 406

Structures	Culture	Learning Strategies, Readings, Listening Passages, Writing Strategies
		Stratégies et Lecture 342 **Pour mieux lire :** *Recognizing compound tenses* 342 **Lecture :** « Quelle aventure ! » 343
Le futur 340		
Les verbes **dire, lire** et **écrire** 346 Les pronoms compléments d'objet indirect (**lui, leur**) et reprise des pronoms compléments d'objet direct (**le, la, l', les**) 348		
Les verbes **savoir** et **connaître** 352 Les pronoms **me, te, nous** et **vous** 354		
Les expressions géographiques 358 Reprise *Les Stagiaires* 360		
	Pour mieux interagir : Le créole 364 **Pour mieux découvrir :** Quel est ce pays de la Francophonie ? 365	**Pour mieux lire :** *Understanding words with multiple meanings* 362 **Lecture :** « L'écotourisme » 362 **Pour mieux écrire :** *Revising what you write* 363 **Composition :** « Un invitation au tourisme d'aventure » 363

Structures	Culture	Learning Strategies, Readings, Listening Passages, Writing Strategies
		Stratégies et Compréhension auditive 378 **Pour mieux comprendre :** *Anticipating a response* 378 **Compréhension auditive :** « À la réception » 378
Les expressions impersonnelles et l'infinitif 376		
Les expressions impersonnelles et les verbes réguliers au subjonctif 382 Les verbes irréguliers au subjonctif 384		
Les expressions d'émotion et de volonté et le subjonctif 388 Le subjonctif ou l'infinitif ? 392		
Reprise de l'impératif et les pronoms avec l'impératif 396 Reprise *Les Stagiaires* 398		
	Pour mieux interagir : La musique franco-phone : les influences africaines et antillaises 402 **Pour mieux découvrir :** Quel est ce pays de la Francophonie ? 403	**Pour mieux lire :** *Using your knowledge of the world* 400 **Lecture :** « Le commerce équitable » 400 **Pour mieux écrire :** *Softening or hardening your tone* 401 **Composition :** « Il faut changer le monde ! » 401

Un drôle de mystère

CHAPITRE DE RÉVISION

Un drôle de mystère 408

Les personnages 410
Un mystère dans les Ardennes 412
Épilogue 425

Appendice A : L'alphabet phonétique 427

Appendice B : Tableau des conjugaisons 428

Vocabulaire français–anglais 440

Vocabulaire anglais–français 456

Index 470

■ Preview

Horizons motivates, inspires, and makes language learning easy and engaging.

With its clear, easy-to-follow structure and step-by-step skill-building approach, *Horizons* carefully guides students through their first year of French study. Through interactive, varied activities and clear explanations of grammar, it helps students communicate effectively in French while connecting culturally to the francophone world.

New to this edition ...

- **Cultural and geographical themes:** Each chapter opens with colourful photos and information to focus on a geographical theme. This first Canadian edition has been designed to focus on the francophone culture and communities in different regions of Canada and of the world. Whereas the Preliminary Chapter introduces France and the broader francophone world, Chapter 1 moves to the Canadian *Francophonie* and subsequent chapters present francophone communities in Canada: *le Québec* (Chapter 2), *l'Ontario* (Chapter 3), *l'Acadie* (Chapter 4), *l'Ouest francophone* (Chapter 5), and *les territoires du Canada* (Chapter 6). The cultural openers of the remaining chapters present aspects of the francophone culture in different parts of the world: *l'Europe* (Chapter 7), *l'Asie* (Chapter 8), *la France d'outre-mer* (Chapter 9), and *l'Afrique francophone* (Chapter 10).

- *Espace culturel:* This section is composed of four segments aimed at developing cultural competence about the francophone culture in Canada and around the world. Readings and activities focus on:

  - **an aspect of the Francophone culture in Canada:** *Une Canadienne à la tête de l'Organisation internationale de la Francophonie* (Preliminary Chapter); *La télévision francophone au Canada* (Chapter 2); *Appartements à louer au Québec* (Chapter 3); *L'histoire des Cadiens / Le Festival acadien de Caraquet* (Chapter 4); *Le cercle Molière* (Chapter 5); *Une francophonie vibrante au Yukon* (Chapter 6); **OR**

  - **an aspect of daily life in Canada:** *Les études à l'université* (Chapter 1); *L'hiver canadien* (Chapter 5); *Les normes et les attentes sociales* (Chapter 6); *Quel restaurant choisir ?* (Chapter 8); **OR**

  - **contemporary issues:** *Rompre sur les réseaux sociaux* (Chapter 7); *La manière de manger* (Chapter 8); *L'écotourisme* (Chapter 9); *Le commerce équitable* (Chapter 10).

Progressing from *Compétence* to *Compétence*

The easy-to-follow structure develops real-world language skills.

Chapters are organized in four colour-coded *Compétence* sections that are each based on a specific real-world language function, such as "*Inviting someone to go out,*" "*Saying what you did,*" and "*Ordering at a restaurant.*" Organization by *Compétence* facilitates instruction and helps students study more effectively.

Full-colour illustrations throughout engage students in each chapter's *Compétences*, exercises, and activities.

> *I have used the textbook* Horizons *previously in teaching academic and corporate courses. I found the book to be well organized, and the learning path helped students achieve a degree of autonomy in speaking, understanding, and writing French.*
>
> **— Fam Loutfi, University of New Brunswick, Saint John**

The video series *Les Stagiaires* integrates the vocabulary and grammar of each chapter.

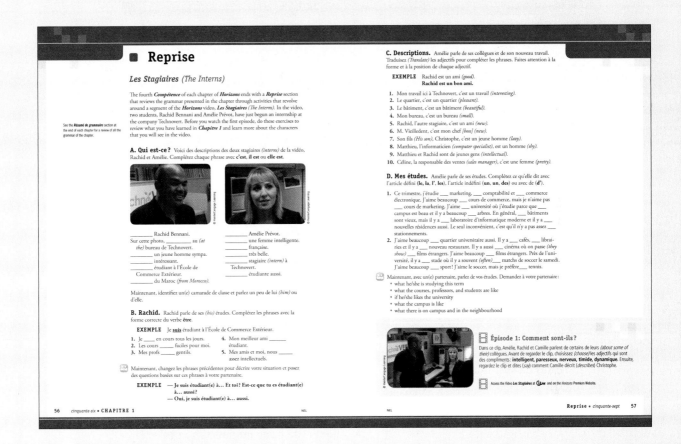

Created specifically for *Horizons*, the video series *Les Stagiaires* is featured in the *Reprise* section of each textbook chapter. Integrating each chapter's grammar and vocabulary, the video follows the adventures of two students interning at an office. Captivating and engaging, *Les Stagiaires* depicts the daily interactions of the two interns with their co-workers, showing students' real-life uses of French in a variety of situations. Each chapter's *Reprise* section also includes a variety of viewing activities.

 Accessible in a variety of ways, the video series *Les Stagiaires* is available on DVD, on the book's Premium Website, and on iLrn™. The video script is available on the Instructor's Resources Website.

Building Skills and Communication

Students develop vocabulary, grammar, and pronunciation skills within rich, real-world contexts.

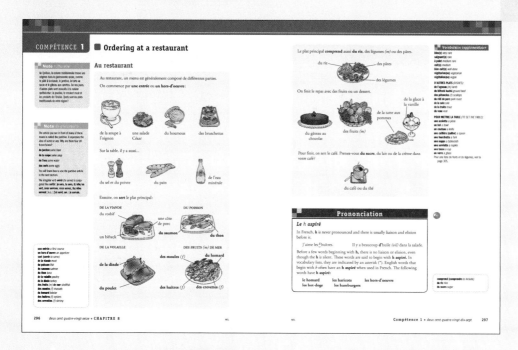

Provides a solid foundation for building communication skills. New vocabulary is introduced through images or dialogue. A glossary box in the margin provides the English translation. These glossary boxes appear throughout the four *Compétences* of the chapter to provide the active vocabulary needed to complete the exercises and to successfully communicate on the topic.

Familiarizes students with sounds, words, and expressions that are challenging. The *Prononciation* box in each chapter highlights the basic pronunciation rules of the French language and includes pointers on pronunciation, linking, and intonation. Audio recordings of the *Prononciation* text boxes are available online.

▶ *I like the fact that students can review the vocabulary at the end of each chapter and that the words are grouped under the communicative objectives.*

— Melanie Collado, University of Lethbridge

Effective reading and writing strategies enhance students' grasp of the language.

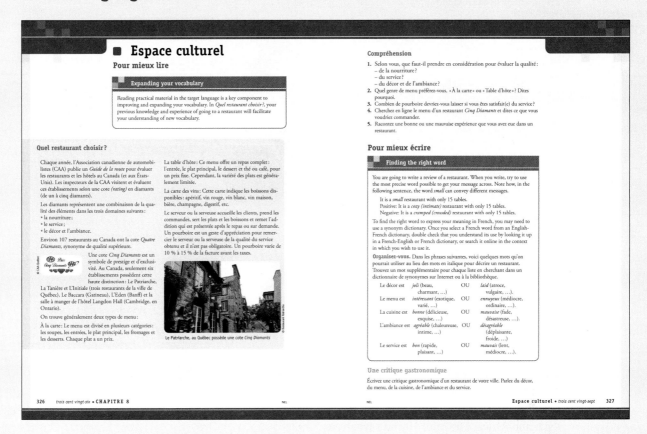

In the *Pour mieux lire* activity in the *Espace culturel* section of each chapter, students apply reading strategies to brief texts. The second part of this section, *Pour mieux écrire*, contains writing tasks accompanied by a series of writing strategies, going from simple to more complex, that guide students through the writing process as they make notes, exchange compositions with classmates and produce short pieces of written work that can become part of a portfolio.

> *The material chosen (cultural notes, readings, illustrations, communicative activities) is very appealing and relevant to our students' lives and interests. This is no doubt one of this textbook's strong points.*
>
> **— Renata Knos, Grant MacEwan University**

Connecting Language and Culture

Activity-based culture sections immerse students in the francophone world.

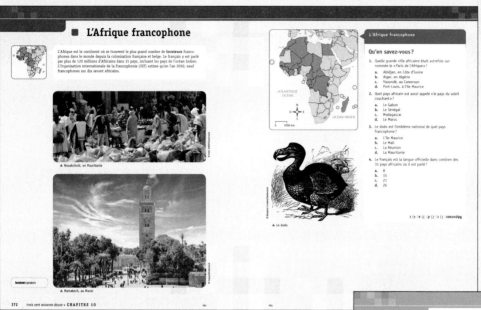

Captivating geo-cultural chapter openers explore different parts of the francophone world — including the francophone areas within Canada. The latter chapters focus on the broader francophone world in Europe, Asia, and Africa. The brief "Qu'en savez-vous?" quiz provides more details on the region for that chapter. The quiz is provided in English for only the Preliminary Chapter and Chapter 1. Subsequent chapters offer the quiz in French only.

Short marginal *Notes culturelles* give students interesting bits of cultural information related to the topic at hand.

The focus on the usage of French and on cultural components in Canada as well as in countries worldwide will give students a more in-depth understanding of their own culture and of the Francophonie.

— **Astrid Heyer, Brock University**

The rich variety of cultures in the francophone world is introduced to students.

Espace culturel offers four sections that bring the francophone culture to life through readings, composition, instructions, and photos: *Pour mieux lire* provides students with the opportunity to develop their reading comprehension; *Pour mieux écrire* encourages the use of new vocabulary in writing exercises; *Pour mieux interagir* encourages students to develop their ability to grasp new terms through their context; and *Pour mieux découvrir* offers a brief visual quiz to uncover the identity of one country in the *Francophonie*.

■ Preface

Welcome to *Horizons*, First Canadian Edition.

Introduction

Horizons is a first-year university French program for Canadian students. It promotes communicative and cultural proficiency in the Canadian context. Designed to teach everyday uses of the language, it stresses functional situations, such as getting to know people, issuing invitations, or buying things. Grammar and vocabulary, essential in the acquisition of language, are presented as the tools for communication rather than as ends in themselves. Each chapter focuses on a different region of the *Francophonie* in Canada and around the world. By stressing the importance of French in Canada and as an international language, *Horizons* exposes students to the richness and diversity of francophone culture, encourages them to make cross-cultural comparisons, and helps prepare and motivate them to use the language in the Canadian context and in the real world.

    Horizons takes into account that French is an official language of Canada, not a foreign language, and is geared toward students with the following academic profile:

- Absolute beginners (such as International students studying in Canada who have never been in contact with the French language)
- False beginners (students in the Canadian system who have studied Core French for a few years)

New to This Edition

- **Cultural opener**: Each chapter opens with colourful photos and information focusing on a geographical theme. This first Canadian edition has been designed to focus on the francophone culture and communities in different regions of Canada and of the world. Whereas the Preliminary Chapter introduces France and the francophone world, Chapter 1 moves to the Canadian *Francophonie* and subsequent chapters present francophone communities in Canada: *le Québec* (Chapter 2), *l'Ontario* (Chapter 3), *l'Acadie* (Chapter 4), *l'Ouest francophone* (Chapter 5), and *les territoires du Canada* (Chapter 6). The cultural openers of the remaining chapters present aspects of the francophone culture in different parts of the world: *l'Europe* (Chapter 7), *l'Asie* (Chapter 8), *la France d'outre-mer* (Chapter 9), and *l'Afrique francophone* (Chapter 10).
- *Espace culturel:* This section is composed of four segments aimed at developing cultural competence about the francophone culture in Canada and around the world. Readings and activities focus on:
  - **an aspect of the francophone culture in Canada:** *Une Canadienne à la tête de l'Organisation internationale de la Francophonie* (Preliminary Chapter); *La télévision francophone au Canada* (Chapter 2); *Appartements à louer au Québec* (Chapter 3); *L'histoire des Cadiens / Le Festival acadien de Caraquet* (Chapter 4); *Le cercle Molière* (Chapter 5); *Une francophonie vibrante au Yukon* (Chapter 6); **OR**
  - **an aspect of daily life in Canada:** *Les études à l'université* (Chapter 1); *L'hiver canadien* (Chapter 5); *Les normes et les attentes sociales* (Chapter 6); *Quel restaurant choisir ?* (Chapter 8); **OR**
  - **contemporary issues:** *Rompre sur les réseaux sociaux* (Chapter 7); *La manière de manger* (Chapter 8); *L'écotourisme* (Chapter 9); *Le commerce équitable* (Chapter 10).

The *Horizons* Program

In writing *Horizons*, it was our goal to create a program to help teachers address the "five Cs": communication, culture, comparisons, connections, and community. We wanted to create the kind of book we ourselves wanted to use: a communication-based program with a global francophone focus that provides a clear presentation of vocabulary, grammar, and pronunciation, along with multiple opportunities for students to function in that language.

The *Horizons* textbook contains 10 standard chapters plus a preliminary chapter and a review chapter. A chapter is made up of four *Compétences*, each based on a specific language function. The four *Compétences* in the preliminary chapter have two vocabulary presentations each. This chapter is designed to get students communicating in French as soon as possible and covers basic functions such as greeting people, spelling, counting, and getting acquainted in class. The review chapter is a mystery story. Students work through a series of review exercises to discover "whodunnit." The four *Compétences* of the 10 principal chapters each contain three parts. The first *Compétence* is composed of a vocabulary presentation followed by one structure presentation and a *Lecture / Compréhension auditive* section, which consists of either pre-reading and reading practice or pre-listening and listening practice using reading or listening strategies. Each of the next two *Compétences* consists of a vocabulary presentation followed by two structure presentations. The last *Compétence* is composed of a vocabulary presentation followed by one structure presentation and a *Reprise* section in which review activities are integrated with episodes from the *Horizons* video, *Les Stagiaires*. The new *Espace culturel* wraps up each chapter and presents cultural activities in four sections: *Pour mieux lire, Pour mieux écrire, Pour mieux interagir,* and *Pour mieux découvrir*. Each reading or activity has a predefined objective:

- *Pour mieux lire* is a reading activity aimed at developing reading strategies in a second language.
- *Pour mieux écrire* is a segment where students develop their writing skills using a writing strategy and working through a series of process-writing tasks. This leads to various writing activities, such as *Un blogue personnel* (Chapter 6), *La routine matinale* (Chapter 7), and *Une critique gastronomique* (Chapter 8).
- *Pour mieux interagir* is another reading segment for vocabulary enrichment, comprehension, and discussion related to the text.
- *Pour mieux découvrir* : *Quel est ce pays de la Francophonie ?* is an activity to get to know francophone countries and communities around the world.

This is followed by the *Résumé de grammaire*, which summarizes all of the grammar from the chapter on a two-page spread, and then by the end-of-chapter *Vocabulaire*, which contains the active vocabulary from each *Compétence*.

The Features

With our communicative and cultural goals in mind, we have included the following elements in our program.

A modular design. *Horizons* has a clear, easy-to-follow structure. Each new vocabulary and grammar section is laid out across two pages, so that presentation of vocabulary and grammar always appears on the left-hand page and exercises on the right. This format enhances the teaching flexibility and enables students to find the new information they need to study more easily. When topics require more practice, a section is expanded to four pages or the topic is recycled across several sections.

A manageable scope and sequence. *Horizons* emphasizes the structures needed for common communication situations. The hallmark of *Horizons* remains its focus on building the skills needed for everyday communication.

Visual and contextualized presentation of new vocabulary and structures. All new material is presented in context, making learning easier and facilitating true communication. Grammar explanations are concise and clear, and students are given self-check questions so they can verify their own comprehension of new rules and forms. Functional dialogues illustrate new structures in context and also supply students with models of how to fulfill certain functions in specific contexts.

Interesting and realistic exercises that progress from recognition to production and from more structured to increasingly open-ended. In *Horizons*, material is presented so that it helps increase students' confidence as their skills develop. New material is first presented in context, followed by recognition activities to familiarize students with it. After the recognition activities, new structures are explained and students work with them in numerous, varied activities. Production activities build from simple exercises, where students answer with a word or a phrase, to realistic role plays. Personalized exercises encourage students to express their own thoughts in French. All activities create meaningful communication; even the simplest have been designed so that students must understand what they are saying. Students use grammar, vocabulary, and pronunciation as the tools of communication, not as ends in themselves. A unique feature in *Horizons* is its presentation of pronunciation, which is integrated into explanations of structures. For example, the vowel sounds of *le* and *les* are taught with the definite article in the context of distinguishing singular and plural nouns.

Learning strategies with activities. Students develop skills more quickly when taught strategies. In the last section of the first *Compétence* of each chapter of *Horizons*, students are explicitly taught reading and listening strategies and are given activities to practise them. These strategies are then recycled and practiced again in the *Student Activities Manual*. In the *Pour mieux lire* section of *Espace culturel*, students are asked to expand and reapply the reading strategies they have learned to a variety of texts. In the *Pour mieux écrire* section, students learn and practise writing strategies.

Process-writing activities. In the *Pour mieux écrire* sections, pre-writing activities guide students as they organize their thoughts before writing compositions.

A focus on the francophone world and activity-based culture sections. Each chapter of *Horizons* revolves around a different part of the francophone world, with a special emphasis on the Canadian *Francophonie*. Each chapter opens with a photo exposé of the region with geographical information and accompanying activities to set the scene and give students a visual representation of the area. As students follow the characters through the region, they learn about its culture: the customs, perspectives, and daily life of the people. Chapters end with the *Espace culturel* section, which gives students information about various aspects of francophone culture. Shorter *Notes culturelles* are interspersed in the margin of the text to catch the student's eye and to provide interesting bits of information.

Integrated review sections. At the end of the chapter, the *Résumé de grammaire* is a useful study tool that summarizes all of the grammar topics presented in the chapter on a concise two-page spread. Both the *Résumé de grammaire* and the review activities that close the fourth *Compétence* of each chapter are designed to help students become responsible for their own learning and review for exams.

Video program. The video series *Les Stagiaires*, created specifically for *Horizons*, integrates the vocabulary and grammar from each chapter into a series of vignettes about two new interns working in an office. Their daily interactions and adventures with their co-workers depict real-life uses of French in a variety of situations, allowing students to practise listening skills with the vocabulary and structures they have studied up to that point. A short scene is integrated with the chapter's review activities in the *Reprise* section of the fourth *Compétence*.

A robust book-specific website. The text's premium website is a one-stop portal to an online suite of digital resources. Students have complimentary access to the complete in-text audio program, auto-graded vocabulary and grammar quizzes, and cultural Web search activities. Premium password-protected resources include the complete *Student Activities Manual* audio program, the complete *Les Stagiaires* video program, audio-enhanced flashcards, vocabulary and grammar podcasts, and over 30 grammar tutorial videos.

Language learning through technology. The iLrn Heinle Learning Center allows instructors to assign, assess, and track students' progress with a click of the mouse. With the iLrn Heinle Learning Center, everything students need to master the skills and concepts of the course is built right into the dynamic learning environment. The iLrn Heinle Learning Center includes an audio- and video-enhanced ebook, assignable textbook activities partnered with voice-recorded activities, an online *Student Activities Manual* with audio, interactive enrichment activities, and a diagnostic study tool to better prepare students for exams.

Supplementary Materials for the Student

In-Text Audio Program (www.NELSONbrain.com)

On the premium website and on the iLrn Heinle Learning Center, the in-text audio program provides recordings for the dialogues opening each *Compétence*, the *Prononciation* text boxes, pronunciation exercises, auditory comprehension exercises, and readings in the textbook. These MP3 recordings are designed to maximize exposure to the sounds of natural spoken French and to help improve pronunciation.

Student Activities Manual (SAM)

The *Student Activities Manual* (SAM) (ISBN: 978-0-17-655925-0) supports the *Horizons* textbook and provides an opportunity for students to develop the skills needed for effective communication in French. With the exception of the *Chapitre de révision*, each chapter in the *Student Activities Manual* has four *Compétences* corresponding to a chapter of the textbook. For each *Compétence* of the *Student Activities Manual,* there are four pages of writing activities followed by two pages of listening activities. These activities give students the opportunity to practise the grammatical structures, vocabulary, and learning skills presented in the textbook. The two pages of listening activities at the end of each *Compétence* also provide the chance to improve pronunciation and understanding of spoken French. At the end of every other *Compétence* in the writing activities, there is a journal entry writing exercise. Each entry is a guided composition that combines all activities that the students have learned in a global, communicative writing activity.

Horizons Premium Website (www.NELSONbrain.com)

The *Horizons* premium website brings course concepts to life with interactive learning, study, and exam preparation tools that support the printed textbook. The premium website includes the following components:

Quizzes — Practice quizzes, covering the vocabulary and key grammar concepts presented in each lesson, ensure that students are well prepared for a test or exam. 🔒

Audio Flashcards — Flashcards with integrated audio help students learn the active vocabulary presented in each lesson. 🔒

In-Text Audio — Audio files are provided for the dialogues opening each *Compétence*, the *Prononciation* text boxes, pronunciation exercises, auditory comprehension exercises, and readings in the textbook. These files are provided in MP3 format and can be downloaded or accessed online.

SAM Audio Activities — Audio files for the *Partie auditive* activities in the SAM are available in MP3 format and can be downloaded or accessed online. 🔒

 Videos — The video program offers two components. *Les Stagiaires*, comprising 10 episodes, provides learners with further listening practice. Transcripts in French can be downloaded to use in conjunction with the videos. All videos are provided in MP4 format and can be downloaded or accessed online. 🔒

 Tutorials — Video tutorials provide an engaging presentation of key grammar concepts presented in each lesson. 🔒

 Games — Concentration games provide students with an enjoyable means of learning vocabulary. 🔒

Az **Chapter Glossary** — The active vocabulary terms from the chapter are available for students to practise and integrate into the spoken and written exercises. 🔒

Other resources available on the premium website include grammar and pronunciation podcasts and a full glossary.

An additional cost will apply to access the premium assets indicated by the lock symbol in the chart above.

 ## iLrn™: Heinle Learning Center

With iLrn Heinle Learning Center, everything students need to master the skills and contents of the course is built right into this dynamic audio- and video-enhanced learning environment. It offers a rich set of resources, including an interactive diagnostic study tool that helps students prepare for exams and an online workbook and lab manual with audio that allows them to receive immediate feedback on their work. Students will also have access to an audio- and video-enhanced ebook; integrated textbook activities; partnered, voice-recorded activities; and companion videos with pre- and post-viewing activities. Visit http://iLrn.heinle.com for more information and to access iLrn if an instant access code was included with the text. Instant access may be purchased if the code was not provided with the text. (Instant Access ISBN: 978-0-17-667468-7.)

Quia eSAM

The Quia *Electronic Student Activities Manual* (eSAM) (Instant Access ISBN: 978-0-17-667470-0) provides the convenience of having the pronunciation and listening comprehension activities and the SAM audio files online in one place, for an additional charge.

Supplementary Materials for Instructors

 ## About the Nelson Education Teaching Advantage (NETA)

The Nelson Education Teaching Advantage (NETA) program delivers research-based instructor resources that promote student engagement and higher-order thinking to enable the success of Canadian students and educators. Visit Nelson Education's Inspired Instruction website at http://www.nelson.com/inspired/ to find out more about NETA.

The following instructor resources have been created for *Horizons*, First Canadian Edition. Access these ultimate tools for customizing lectures and presentations at www.nelson.com/instructor.

Instructor Resources

All of the teaching and learning resources that accompany *Horizons*, with the exception of the audio and video programs, can be found on the new Instructor's Resource Centre at www.nelson.com/Horizons1Ce. In this easy-to-navigate resource centre, you will find all the resources listed below as well as additional in-class activities, maps, handouts, games, technology correlation guides, teaching suggestions, and much more. Please contact your local Nelson representative to gain access to this site.

NETA Assessment Program

The *Horizons* assessment program is flexible enough to accommodate a range of scheduling factors, contact hours, and ability levels without sacrificing coverage of the key grammatical structures essential to communication in French. The program includes two complete test banks (versions A and B) that cover all key competences (listening, speaking, reading, and writing). The test banks offer more than 20 audio files and 1000 questions in a variety of formats, along with two cumulative final exams in each bank. All test bank components have been comprehensively updated to include Canadian content and vocabulary. Audio transcripts and answer keys are provided for each chapter and for the cumulative exams.

NETA PowerPoint

Microsoft® PowerPoint ® lecture slides have been created for every chapter, many featuring key verb and grammar charts, illustrations, and photographs from *Horizons*. NETA principles of clear design and engaging content have been incorporated throughout, making it simple for instructors to customize the deck for their courses.

Image Library

This resource consists of digital copies of illustrations, photographs, maps, and tables that appear in the textbook. Instructors may use these jpegs to customize the NETA PowerPoint or create their own PowerPoint presentations.

NETA Activities Manual

This manual offers instructors a variety of teaching suggestions that create positive classroom environments and foster student-centred learning through deep learning, and active learning. Drawing on their extensive experience as instructors, the authors offer instructors advice on how to increase student motivation, overcome barriers to learning, develop engagement strategies, and tailor assessment tools to their pedagogical goals. The NETA Activities Manual is intended to be used as a toolbox from which instructors may select the tactics and strategies that are most appropriate for their classroom.

Answer Keys

The answer keys for the exercises contained in the textbook, the workbook activities, and the testing program have been independently checked for accuracy.

Additional teaching resources found on the Instructor's Resource Centre include:

- a complete set of 120 **Situation Cards**, each of which focuses on a clearly defined, realistic communicative task, providing instructors with opportunities to evaluate their students' oral skills
- **grammar worksheets** with approximately 60 questions per chapter, along with corresponding answer keys
- **active learning activities**, **sample lesson plans**, **suggested classroom activities**, and additional handouts

- **transcriptions** for the audio files for the textbook, the workbook listening exercises, the testing audio, the videos associated with the textbook, and the Grammar Tutorials available on the premium website

Common European Framework of Reference (CEFR) Guide

The CEFR Guide provides an outline of the chapter contents based on the four digestible benchmarks of the CEFR.

Day One

Day One — Prof InClass is a PowerPoint presentation that instructors can customize to orient students to the class and their text at the beginning of the course.

Audio Program

SAM Audio Program (www.NELSONbrain.com) (ISBN: 978-0-17-656066-9)

The audio program for the listening activities in the *Student Activities Manual* is available both digitally on the premium website and the iLrn and also on CD for instructors' convenience. The audio files for the listening activities are designed to maximize students' exposure to natural spoken French and to help improve pronunciation.

Video Program

The *Horizons* Video Program, *Les Stagiaires* (ISBN: 978-0-17-656065-2)

Les Stagiaires was written by the *Horizons* authors to offer students more exposure to the text's vocabulary and grammar in a seamlessly integrated manner. The video, comprising 10 episodes, provides learners with further listening practice. Students have the opportunity to learn about and experience French culture in the context of a storyline that involves seven characters and their interactions in a French office environment. The activities in each chapter's *Reprise* section are designed with pre- and post-viewing activities. In addition, these activities simultaneously review the entire chapter's vocabulary and grammar. The video program is available both digitally on the premium website and the iLrn and also on DVD for instructors' convenience.

Acknowledgments

I wish to thank the American authors, Joan H. Manley, Stuart Smith, John T. McMinn, and Marc A. Prévost, for their brilliant work on the American edition and for giving me the opportunity to contribute as the Canadian author.

I would like to express my heartfelt gratitude and appreciation to Theresa Fitzgerald, the Developmental Editor, for her enthusiasm and expertise throughout this project and for keeping me grounded and focused many a time.

Many thanks to Rohini Bannerjee, Saint Mary's University; Susan Bauman, Seneca College; Iris Black, Dalhousie University; Melanie Collado, University of Lethbridge; Barbara Dickinson, University of Lethbridge; Suzanne Hayman, MacEwan University; Astrid Heyer, Brock University; Renata Knos, Grant MacEwan University; Fam Loutfi, University of New Brunswick, Saint John; Sébastien Sacré, University of Toronto; and Lynne Stewart, University of Regina, who have reviewed the manuscript and have provided diligent and insightful feedback to improve the textbook.

Patricia Lee Men Chin
Dalhousie University

LA FRANCE ET LE MONDE FRANCOPHONE

On commence !

COMPÉTENCES

1 Greeting people
Les formules de politesse
Les salutations familières

2 Counting and describing your week
Les nombres de zéro à trente
Les jours de la semaine

3 Talking about yourself and your schedule
Un autoportrait
L'heure

4 Communicating in class
En cours
Des expressions utiles et l'alphabet

Espace culturel
Pour mieux lire *Une Canadienne à la tête de l'Organisation internationale de la Francophonie*
Pour mieux écrire *Se présenter*
Pour mieux interagir *Les papiers d'identité*
Pour mieux découvrir *Quel est ce pays de la Francophonie?*

Vocabulaire

© Sergey Kelin/Shutterstock

Bienvenue dans le monde francophone !

French is spoken on all seven continents.

Here are a few important historical developments in the history of the French language that have led to its widespread use:

17th century	• French replaces Latin as the language of diplomacy and international relations.
	• The French colonial empire is established in North America.
18th century	• French becomes the Lingua Franca (the language of communication between people who do not share the same mother tongue) in Europe.
19th century	• French establishes itself in Africa and Asia, during the expansion of overseas colonies and protectorates.

Today, "la francophonie" refers to the French-speaking communities in the world. French is spoken on every continent. The *Organisation internationale de la Francophonie* (also known as *la Francophonie*) has 77 countries as members. Its motto, *"égalité, complémentarité, solidarité"* (an allusion to France's motto, *"liberté, égalité, fraternité"*) illustrates its respect for cultural diversity and its mission to promote cooperation among its members.

La Journée internationale de la Francophonie is celebrated every year on March 20.

© Avatar_023/Shutterstock

▲ On parle français en Suisse...

Bienvenue *Welcome*
monde francophone *French-speaking world*
et à *and in*
Qu'en savez-vous ? *What do you know?*

Look in the front of the book at the map of the countries and regions where French is spoken. Are you surprised that some of these countries and regions are francophone? Pick one of them and research its history on the Web to find out why people speak French there, and if they speak any other languages.

▲ au Canada...

▲ et à Madagascar!

ORGANISATION INTERNATIONALE DE
la francophonie

▲ Emblème de la Francophonie

Did you know that French is spoken by more than 275 million people throughout the world? Discover French — a language you can use right here in Canada, and across the continents!

Qu'en savez-vous ?

What makes French one of the most important global languages? Take this quiz and find out. If you don't know, try to guess.

1. Look at the map in the front of the book to answer questions i–iv.
   i. In, or near, which continents does French have a linguistic or cultural influence?
      a. Europe and Africa **b.** Europe, Africa, and the Americas **c.** Europe, Africa, and Asia **d.** every continent
   ii. Where are most of the francophone countries located in Africa?
      a. the north and east **b.** the north and west
      c. the south and east **d.** the south and west
   iii. Which U.S. state had an important French influence?
      a. Louisiana **b.** Maine **c.** Vermont **d.** North Carolina
   iv. Where in the Caribbean is French an important language?
      a. Haiti **b.** Guadeloupe **c.** Martinique, **d.** all of the above

2. What is the second-largest French-speaking city in the world (Paris being the first-largest)?
   a. Montréal (Canada) **b.** Brussels (capital of Belgium) **c.** Kinshasa (capital of the Democratic Republic of Congo) **d.** Beirut (capital of Lebanon)

3. About how many French speakers are there in Canada?
   a. 3 million **b.** 5 million **c.** 7 million **d.** 10 million

4. The top two most frequently studied foreign languages worldwide are _____ and _____.

5. L'*Université Senghor*, an international francophone university, was created in 1990 to serve the development of African countries. In which country is it located?
   a. Senegal **b.** Egypt **c.** Cameroon **d.** Morocco

6. French is an official language of: **a.** the United Nations **b.** the International Olympic Committee, **c.** UNESCO **d.** NATO **e.** the European Union **f.** all of the above

Réponses : 1) **i.** d, **ii.** b, **iii.** a, **iv.** d, 2) c, 3) d, 4) English, French, 5) b, 6) f

Greeting people

> **Note** *de vocabulaire*
>
> **1.** Use **mademoiselle** instead of **madame** with younger unmarried women.
> **2. Bonjour** can be used to say *hello* at any time of day, but **bonsoir** can only be used to say *good evening*.
> **3.** Use **je vais** to say how you are feeling. Use **je suis** to say who you are or to describe yourself.

Les formules de politesse

To greet adult strangers and those to whom you show respect, say:

— Bonjour, madame.
— Bonjour, monsieur. Je suis Marie-Hélène Côté. Et vous, **comment vous appelez-vous?**
— **Je m'appelle** Jean-Marc Bouchard.

— Bonsoir, monsieur. **Comment allez-vous?**
— Bonsoir, mademoiselle. **Je vais très bien, merci.** Et vous?
— **Assez** bien.

Et vous? Comment allez-vous?

Je vais très bien.   Assez bien. / **Pas mal.**   Pas très bien.

Prononciation

Les consonnes muettes et la liaison

In French, consonants at the end of words are often silent and **h** is always silent, as it is in some English words such as *hour* and *honest*. The consonants **c, r, f,** and **l** (CaReFuL) are the only consonants that are generally pronounced at the end of a word. However, do not pronounce the final **r** of **monsieur**.

Marc	bonjour	actif	Chantal

— Bonjour, monsieur. Je m'appelle Paul Richard. Et vous, comment vous appelez-vous?

— Je m'appelle Henri Dulac. Comment allez-vous?

— Je vais très bien, merci.

If a consonant at the end of a word is followed by a word beginning with a vowel sound (**a, e, i, o, u, y**) or a mute **h**, the final consonant sound is often pronounced and is linked to the beginning of the next word. This linking is called **liaison.** In liaison, a single **s** is pronounced like a **z.**

Comment vous‿appelez-vous? Comment‿allez-vous?

A. Prononcez bien! Copy these sentences, crossing out the consonants that should not be pronounced and marking where liaison would occur.

EXEMPLE Comment_allez-vous, monsieur?

1. Je suis Chantal Hubert.
2. Bonjour, madame. Comment allez-vous?
3. Très bien, monsieur. Comment vous appelez-vous?
4. Je m'appelle Henri Dufour. Et vous?

B. Réponses logiques. How would you respond if someone said the following to you? Practise with a partner.

1. Bonjour, madame (mademoiselle / monsieur).
2. Bonsoir, madame (mademoiselle / monsieur).
3. Comment vous appelez-vous?
4. Comment allez-vous?

C. Que dit-on? Complete the conversations and act them out with a partner. Expand them and present them to the class.

1.

2.

3.

D. Bonsoir! Imagine that you are at a formal reception. Go around the room and greet at least three people, exchanging names, and finding out how they are doing. Be sure to shake hands.

Note *culturelle*

People in French-speaking cultures generally shake hands when they meet and they do not usually just say *bonjour*. Instead, they include the word *monsieur*, *madame*, or *mademoiselle*, or the person's name. Traditionally, French first names often have religious, historical, or legendary origins. Hyphenated names, such as *Jean-Marc*, *Marie-Cécile* and *Pierre-Antoine*, are also popular. Many French names have both masculine and feminine forms. Do you have similar patterns in your first language?

Adrien / Adrienne
André / Andrée
Christian / Christiane
Claude / Claude
Daniel / Danièle, Danielle
Denis / Denise
Dominique / Dominique
François / Françoise
Gabriel / Gabrielle
Jean / Jeanne
Martin / Martine
Michel / Michèle, Michelle
René / Renée
Simon / Simone
Yves / Yvette

Les salutations familières

To greet classmates, friends, family members, or children, say:

— Salut, Jean-Pierre. **Ça va**?
— Salut, Micheline. **Ça va**. Et toi, **comment ça va?**
— Pas mal.

— Bonjour, je m'appelle Anne-Marie. Et toi, tu t'appelles comment?
— Moi, je m'appelle Robert.

Here are several ways to say goodbye. Use **À plus!** *only in familiar situations. The other expressions may be used in either formal or familiar situations.*

> Au revoir! *Goodbye!*
> À tout à l'heure! *See you in a little while!*
> À bientôt! *See you soon!*
> À demain! *See you tomorrow!*
> À plus tard! / À plus! *See you later!*

Vocabulaire supplémentaire

Comment t'appelles-tu? / **Comment tu t'appelles?** *What's your name?* (familiar)
Comment vas-tu? *How are you?* (familiar)
Salut! *Hi!* (familiar)
Bon week-end! *Have a good weekend!*
Bonne fin de semaine! *Have a good weekend* **(Fr. Can.)***
Bonne journée! *Have a good day!*

Prononciation

Les voyelles *a, e, i, o, u* **et** *é*

When you pronounce vowels in English, your tongue or lips move as you say them, so that the position of your mouth is not the same at the end of a vowel as at the beginning. In French, you hold your tongue and mouth firmly in one place while pronouncing vowels. This gives vowels a tenser sound. Practise saying these sounds.

a [a]:	à	ça	va	madame	mal	assez
e [ə]:	je	ne	que	de	demain	devoirs
é [e]:	café	pâté	bébé	été	préféré	répété
i [i]:	quiche	idéal	Paris	machine	six	merci
o [o]:	opéra	vélo	hôtel	kilo	mots	trop
u [y]:	tu	salut	Luc	super	du	université

The vowel **o** has two pronunciations, [o] or [ɔ], and the vowel **e** has three pronunciations, [ə], [e], or [ɛ]. You will learn more about this in ***Chapitre 3***. Final *unaccented* **e** is not generally pronounced, unless it is the only vowel in a word, as in **je**.

> France madame appelle une Anne

Compare these words:

> Marie marié divorce divorcé fatigue fatigué

Ça va? *How's it going?*
Ça va. *It's going fine.*
Comment ça va? *How's it going?*

A. Prononcez bien! First, work with a partner to pronounce each pair of words that follows. Then, listen as you hear one of the words from each pair and write the one you hear on a sheet of paper.

1. ta	tôt	**3.** ma	mis	**5.** le	la	**7.** rat	rue	**9.** de	du
2. de	dit	**4.** me	mot	**6.** lit	lot	**8.** rit	rue	**10.** parle	parlé

B. Dans quelle situation? Read each of these phrases aloud and say whether you would be more likely to hear it in situation **A** or **B**.

A

B

1. Bonsoir, madame.
2. Salut, Thomas.
3. Très bien, merci. Et vous?
4. Tu t'appelles comment?

5. À plus!
6. Comment allez-vous?
7. Ça va. Et toi?
8. Comment vous appelez-vous?

Now, give a logical response to each of the phrases above.

C. On dit... What would you say in French ...

1. to greet your professor?
2. to ask your professor's name? to tell him/her your name?
3. to ask your professor how he/she is doing?
4. to say that you are doing very well? fairly well? not too badly? not very well?
5. to greet a classmate? to ask a classmate's name?
6. to ask a friend how it's going? to tell him/her that it's going well?
7. to say goodbye to someone? to say that you will see him/her tomorrow? soon? later today?

 D. Que disent-ils? Imagine that you and a classmate are meeting for the first time in class. Prepare a brief conversation with a partner in which you greet each other, exchange names, ask and say how it is going, and say goodbye. Shake hands or exchange **bises**.

Now redo the conversation as strangers meeting at a formal conference.

☐ Counting and describing your week

Les nombres de zéro à trente

Comptez de zéro **à** trente, **s'il vous plaît!**

0 zéro		
1 un	**11** onze	**21** vingt et un
2 deux	**12** douze	**22** vingt-deux
3 trois	**13** treize	**23** vingt-trois
4 quatre	**14** quatorze	**24** vingt-quatre
5 cinq	**15** quinze	**25** vingt-cinq
6 six	**16** seize	**26** vingt-six
7 sept	**17** dix-sept	**27** vingt-sept
8 huit	**18** dix-huit	**28** vingt-huit
9 neuf	**19** dix-neuf	**29** vingt-neuf
10 dix	**20** vingt	**30** trente

2 + 2 = 4   **Combien** font deux et deux?
Deux et deux font quatre.
10 − 3 = 7   Combien font dix moins trois?
Dix moins trois font sept.

Prononciation

Les nombres et les voyelles nasales

Although final consonants are generally silent in French, they are pronounced in the following numbers when counting. In **sept**, the **p** is silent, but the final **t** is pronounced. The final **x** in **six** and **dix** is pronounced like the **s** in *so*.

cinq   six   sep̸t   huit   neuf   dix

Many numbers also contain nasal vowels. In French, when a vowel is followed by the letter **m** or **n** in the same syllable, the **m** or **n** is silent and the vowel is nasal. Use the words below as models of how to pronounce each of the nasal sounds. The letter combinations that are grouped together are all pronounced alike.

[ɑ̃]:	**an / am**	blanc	anglais	dimanche	chambre
	en / em	trente	comment	ensemble	embêtant
[ɛ̃]:	**in / im**	cinq	quinze	vingt	important
	un / um	un	lundi	brun	parfum
	ain / aim	demain	américain	mexicain	faim
[ɔ̃]:	**on / om**	onze	bonjour	non	nom
[jɛ̃]:	**ien**	bien	combien	canadien	rien
[wɛ̃]:	**oin**	moins	loin	coin	soin

Comptez! *Count!*
de *from*
à *to*
s'il vous plaît *please*
Combien *How much, How many*

A. Prononcez bien ! First, work with a partner to pronounce each pair of words that follows. Then, listen as you hear one of the words from each pair and write it on a sheet of paper.

1.	mon	ment		**6.**	un	en
2.	fin	fond		**7.**	pend	pont
3.	enfant	enfin		**8.**	vin	vont
4.	rend	rond		**9.**	ton	pain
5.	bon	bain		**10.**	loin	lien

 B. C'est logique ! Complete each list with the logical numbers. Practise reading them aloud with a partner.

1. 1, 3, 5, ?, 9, 11, ?, 15, 17, ?
2. 2, 4, ?, 8, 10, ?, 14, ?, 18, 20
3. 20, 19, 18, ?, 16, 15, ?
4. 11, 13, 15, ?, 19, 21, 23, 25, ?

C. Combien font... ?

1. 2 + 3 =
2. 18 + 12 =
3. 15 + 11 =
4. 13 − 5 =
5. 17 − 11 =
6. 30 − 13 =

D. En taxi. You're taking a taxi in Montréal. Tell the driver the address of your destination.

> **EXEMPLE** 28, rue Sherbrooke
> **Vingt-huit rue Sherbrooke, s'il vous plaît.**

1. 27, boulevard René-Lévesque
2. 11, boulevard De Maisonneuve
3. 16, rue Saint-Jacques
4. 25, rue Bélanger
5. 15, avenue Papineau
6. 12, rue Fleury
7. 30, boulevard Saint-Laurent
8. 7, avenue Christophe-Colomb

À Montréal

E. Comparaisons culturelles. According to the *Organisation internationale de la Francophonie*, there are more than 275 million French speakers in the world, of which 65 million live in France. Here are the eight countries with the largest number of French speakers after France. Try to match each country with their approximate number of French speakers.

7 millions	7 millions	11 millions	10 millions
6,5 millions	8 millions	31 millions	10 millions

1. Le Canada
2. La République démocratique du Congo
3. La Côte d'Ivoire
4. La Belgique
5. L'Algérie
6. Le Maroc
7. La Tunisie
8. Le Cameroun

Les jours de la semaine

To ask and tell the day of the week, say:

— **C'est quel jour aujourd'hui?**

— C'est lundi.

lundi	mardi	mercredi	jeudi	vendredi	samedi	dimanche
(17)	18	19	20	21	22	23
24	25	26	27	28	29	30

Vocabulaire supplémentaire

pendant la semaine *during the week*
sauf *except*

*Do not translate the word **on** to say that you do something **on** a certain day. To say that you do something **every** Monday (or another day), use **le** with the day of the week.*

Je travaille **lundi**.	I work <u>on</u> Monday. (this Monday)
Je travaille **le lundi**.	I work <u>on</u> Mondays. (every Monday)

*To say **from** what day **to** what day you do something every week, use **du… au…** Use **tous les jours** to say you do something **every day**.*

Je travaille **du** lundi **au** vendredi.	I work Mondays to Fridays. (every week)
Je travaille **tous les jours**.	I work every day.

*Use **le matin, l'après-midi**, or **le soir** to say you do something **in the morning, in the afternoon**, or **in the evening**, and **la fin de semaine** to say **on the weekend**. Use **avant** to say **before** and **après** to say **after**.*

Le matin, je suis **à la maison** avant **le cours de français.**

L'après-midi, **je ne suis pas** à la maison. Je suis **en cours** de français et après, je suis **dans un autre cours.**

Le soir, **je travaille.**

La fin de semaine, **je ne travaille pas.** Je suis à la maison.

Two friends are talking about their schedule this term.

— **Tu es** en cours quels jours **ce trimestre**?

— Je suis en cours le lundi, le mercredi et le vendredi.

— Tu travailles **aussi**?

— **Oui**, je travaille le mardi matin, le jeudi matin et la fin de semaine.

A. Salut! Say goodbye to a friend and say that you'll see him on the indicated day.

EXEMPLE   Monday   **Au revoir! À lundi!**

1. Sunday
2. Friday
3. Thursday
4. Tuesday
5. Saturday
6. Wednesday

B. C'est quel jour?

1. Aujourd'hui, c'est…
2. Demain, c'est…
3. Après-demain, c'est…
4. Les jours de la fin de semaine sont…
5. Après la fin de semaine, c'est…
6. Les jours du cours de français sont…
7. Je suis en cours…
8. Je travaille…

C. Emploi du temps. A student is talking about her week. Select the option in parentheses that is logical in each sentence.

1. Aujourd'hui, c'est (jeudi, le jeudi) et demain, c'est (vendredi, le vendredi).
2. Ce trimestre, je suis en cours tous les jours du lundi au jeudi. Je ne suis pas en cours (vendredi, le vendredi).
3. Je suis en cours de français (après-midi, l'après-midi).
4. La fin de semaine, je travaille (samedi, le samedi) ce trimestre.
5. Cette fin de semaine, je travaille (lundi, dimanche) aussi.

D. Quand? First, read each sentence aloud and say whether or not it's true for you, using *C'est vrai* or *Ce n'est pas vrai*.

1. Je suis à l'université *du lundi au vendredi*.
2. Je travaille *le mardi matin, le jeudi matin et la fin de semaine*.
3. Aujourd'hui, c'est *lundi* et après le cours de français, je *suis dans un autre cours*.
4. Je *suis à la maison tous les jours* avant le cours de français.
5. Je suis souvent *(often)* à la maison *la fin de semaine*.
6. Je suis rarement *(rarely)* à la maison *le vendredi soir*.

Now go back and change the words in italics so that each statement is true for you. If a statement is already true, read it as it is.

 E. À vous! With a partner, read aloud the conversation at the top of the page, paying particular attention to the pronunciation. Then act it out, adapting it to make it true for you. Switch roles and do it again.

> **Tu es** *You are*
> **ce trimestre** *this term*
> **aussi** *also, too*
> **Oui** *Yes*

Talking about yourself and your schedule

Un autoportrait

Use these expressions to talk about yourself. Include the ending in parentheses if you are female.

Je suis…	étudiant(e).
Je ne suis pas…	professeur(e).
	canadien(ne).
	américain(ne).
	de Calgary
	d'ici.

Je suis canadienne, d'Edmonton, mais j'habite à Québec maintenant. Je parle anglais et français.

J'habite…	à Toronto.
Je n'habite pas…	**seul(e).**
	avec **un ami / une amie.**
	avec deux amis / deux amies.
	avec ma famille.
	avec **un colocataire / une colocataire.**
	avec **un camarade de chambre / une camarade de chambre.**

Je travaille…	**beaucoup.**
Je ne travaille pas…	à l'université.
	pour le gouvernement fédéral.

Je parle…	anglais.
Je ne parle pas…	français.
	espagnol.
	beaucoup en cours.

Je pense que le français est…	intéressant.
	assez **facile.**
	un peu difficile.
	super!

In the following conversation, two people meet at a cultural event in Montréal.

— **Vous êtes** canadien?

— Oui, je suis d'ici. Et vous, vous êtes canadienne aussi?

— Non, je suis des États-Unis.

— **Mais** vous parlez très bien français! Vous habitez ici **maintenant**?

— Oui, **parce que** je suis étudiante à l'université. Et vous, vous travaillez ici?

— Non, je suis étudiant **aussi**.

de (d') *from*
d'ici *from here*
J'habite *I live*
seul(e) *alone*
un ami *a friend (male)*
une amie *a friend (female)*
un colocataire *a housemate (male)*
une colocataire *a housemate (female)*
un camarade de chambre *a roommate (male)*
une camarade de chambre *a roommate (female)*
beaucoup *a lot*
pour *for*
Je parle *I speak, I talk*
Je pense que *I think that*
facile *easy*
un peu *a little*
Vous êtes *You are (formal)*
Mais *But*
maintenant *now*
parce que *because*
aussi *also, too*

A. Moi, je... Choose the words in parentheses so that each sentence describes you.

1. (Je suis / Je ne suis pas) étudiant(e).
2. (Je suis / Je ne suis pas) de Vancouver.
3. (Je suis / Je ne suis pas) canadien(ne).
4. (J'habite / Je n'habite pas) à Halifax.
5. (J'habite / Je n'habite pas) avec ma famille maintenant.
6. (Je travaille / Je ne travaille pas) à l'université.
7. (Je parle / Je ne parle pas) très bien français.

B. Nationalités. Some international students from different francophone countries are talking about themselves. Can you find the sentences from each column that go together?

EXEMPLE   **Je m'appelle Pierre Noiret. J'habite à Nantes. Je suis français.**

1. Je m'appelle Sabah Metlej. J'habite à Beyrouth.
2. Je m'appelle Christine Dubois. J'habite à Bruxelles.
3. Je m'appelle Driss Aïssaoui. J'habite à Casablanca.
4. Je m'appelle Vincent Simédoh. J'habite à Lomé.
5. Je m'appelle Henri Biahé. J'habite à Yaoundé.
6. Je m'appelle Lan Anh Nguyen. J'habite à Hanoï.
7. Je m'appelle Rohini Bannerjee. J'habite à Port-Louis.

a. Je suis marocain.
b. Je suis mauricienne.
c. Je suis libanaise.
d. Je suis belge.
e. Je suis vietnamienne.
f. Je suis camerounais.
g. Je suis togolais.

C. Descriptions. A student is talking about himself. Change the words in italics as needed to make the paragraph true for you.

Je m'appelle *Sylvain Rouleau*. Je suis *canadien* et je suis de *Toronto*. Maintenant, j'habite *avec un colocataire* à *Ottawa*. Je suis étudiant à *l'Université d'Ottawa*. Je parle français. Je parle aussi *anglais et un peu espagnol*. Je pense que le français est *très facile*.

 D. Et vous? Imagine that you and your partner have just met at an international professional conference in Montréal. Take turns asking and answering these questions.

1. Comment vous appelez-vous?
2. Comment allez-vous?
3. Vous êtes étudiant(e)?
4. Vous travaillez aussi?
5. Vous êtes canadien(ne)?
6. Vous êtes d'ici?
7. Vous habitez à Montréal maintenant?
8. Vous parlez espagnol?

 E. À vous! With a partner, read aloud the conversation on the preceding page, paying particular attention to the pronunciation. Then act it out, adapting it to make it true for you. Afterward, switch roles and do it again.

Note *culturelle*

In France, all students finishing secondary school have studied several years of a foreign language and many have studied more than one. How does this compare to the situation in your region, province, or country?

Quelle heure est-il?   *What time is it?*

*To tell time **on the hour**, use:*

Il est + *number* + **heure(s).**	**Il est trois heures.**	*It's 3:00.*

*When telling the time, use **une** for one. The word **heures** has an **s** except in* **une heure.**

Don't use **heure** *after* **midi** *and* **minuit.**

Il est une heure.   Il est deux heures.   Il est midi.   Il est minuit.

Prononciation

L'heure et la liaison

Notice that there is liaison before the word **heure(s)** and that the pronunciation of some numbers changes in this liaison. Practise pronouncing these times.

Quelle heure est-il?

Il est ^{t}une heure.   Il est sept ^{t}heures.
Il est deux ^{z}heures.   Il est huit ^{t}heures.
Il est trois ^{z}heures.   Il est neuf ^{v}heures.
Il est quatre heures.   Il est dix ^{z}heures.
Il est cinq ^{k}heures.   Il est onze heures.
Il est six ^{z}heures.

*To tell time **after the hour up to the half hour**, use:*

Il est + *number* + **heure(s)** + *minutes.*	**Il est trois heures cinq.**	*It's 3:05.*

*For **a quarter after**, use **et quart** and for half after, use **et demie**. With **midi** and **minuit**, use **et demi** without the final **e**. These are the only times **et** is used in telling time.*

Il est une heure dix.   Il est une heure et quart.   Il est une heure et demie.   Il est midi et demi.   Il est minuit et demi.

*To tell time **after the half hour**, use:*

Il est + *number* + **heure(s) moins** + *minutes until the hour.*	**Il est six heures moins cinq.**	*It's 5:55.*

*For **a quarter until the hour**, use **moins le quart**. This is the only time **le** is used in telling time.*

Il est deux heures. moins vingt-cinq.

Il est deux heures moins vingt.

Il est deux heures moins le quart.

*Instead of using **a.m.** and **p.m.**, use the expressions that follow, except with **midi** or **minuit**.*

du matin (*after midnight until noon*)	Il est une heure **du matin.**
de l'après-midi (*after noon until 6 p.m.*)	Il est une heure **de l'après-midi.**
du soir (*6 p.m. until midnight*)	Il est neuf heures **du soir.**

*Use **à** to ask or tell **at what time** something takes place.*

Le cours de français est **à quelle heure**?

Le cours de français **commence** à une heure.

Le cours de français **finit** à deux heures et quart.

*To say that you do something **from** a certain time **to** another, use **de... à.***

Le lundi, je suis en cours **de** neuf heures **à** une heure.

commence *begins*
finit *finishes, ends*

Au musée d'Orsay

A. Prononcez bien ! For each time shown, ask your partner what time it is, using the two expressions given. Pay particular attention to the pronunciation. Your partner will respond with the appropriate expression. Change roles after each item.

EXEMPLE *4 h 30* Il est quatre heures. / Il est quatre heures et demie.
— **Il est quatre heures ou *(or)* il est quatre heures et demie ?**
— **Il est quatre heures et demie.**

1. *2 h 10* Il est deux heures dix. / Il est deux heures et quart.
2. *3 h 15* Il est trois heures vingt. / Il est trois heures et quart.
3. *4 h 20* Il est quatre heures vingt-cinq. / Il est quatre heures vingt.
4. *6 h 45* Il est six heures moins le quart. / Il est sept heures moins le quart.
5. *8 h 35* Il est neuf heures moins vingt-cinq. / Il est huit heures moins vingt-cinq.
6. *9 h 50* Il est neuf heures moins dix. / Il est dix heures moins dix.
7. *11 h 30* Il est onze heures et demie. / Il est onze heures et quart.
8. *12 h a.m.* Il est midi. / Il est minuit.

B. Quelle heure est-il ? Take turns asking and telling the time with a partner.

EXEMPLE   — **Quelle heure est-il ?**
— **Il est une heure de l'après-midi.**

1.   2.    3.    4.

5.    6.    7.

C. Où êtes-vous ? Say whether or not you are at the indicated place or doing the indicated thing at the time given.

EXEMPLE Le lundi à 9 h 15 du matin, *je suis / je ne suis pas* en cours.
Le lundi à neuf heures et quart du matin, je suis en cours.
Le lundi à neuf heures et quart du matin, je ne suis pas en cours.

1. Le lundi à 7 h du matin, *je suis / je ne suis pas* à la maison.
2. Le mercredi à 2 h 30 de l'après-midi, *je suis / je ne suis pas* en cours de français.
3. Tous les jours à 5 h 20 de l'après-midi, *je suis / je ne suis pas* dans un autre cours.
4. Le vendredi à midi, *je suis / je ne suis pas* avec des amis.
5. Le samedi à minuit, *je suis / je ne suis pas* seul(e).
6. Le dimanche à 7 h 30 du soir, *je suis / je ne suis pas* avec ma famille.

D. Quelle heure est-il? Write the times you hear. Notice how the word **heure(s)** is abbreviated in French.

> **EXEMPLE** Vous entendez *(YOU HEAR)*: Il est dix heures et quart.
> Vous écrivez *(YOU WRITE)*: **10 h 15**

E. Quand? Complete these sentences so that they are true for you the first day of the week you have your French class.

> **EXEMPLE** Je suis à la maison **avant sept heures et demie.**
> _____*before*_____*[time]*

1. Je suis à la maison _____ _____.
   _____*before*_____*[time]*

2. Je suis à l'université _____ _____. (J'habite sur *[on]* le campus.)
   _____*after*_____*[time]*

3. Le cours de français commence _____ _____.
   _____*at*_____*[time]*

4. Le cours de français finit _____ _____.
   _____*at*_____*[time]*

5. Je suis en cours _____ _____ _____ _____.
   _____*from*___*[time]*_____*to*____*[time]*

6. Je suis à la maison _____ _____.
   _____*after*_____*[time]*

7. Je travaille _____ _____ _____ _____. (Je ne travaille pas.)
   _*from*___*[time]*_____*to*____*[time]*

© wavebreakmedia/Shutterstock

Communicating in class

En cours

Le professeur **dit aux** étudiants:

EN COURS

Ouvrez votre livre
à la page 23.

Fermez votre livre.

Écoutez la question.

Répondez à la
question.

Allez au tableau.

Écrivez la réponse en
phrases complètes.

Prenez une feuille
de papier et un crayon
ou un stylo.

Faites l'exercice A
à la page 21.

Donnez-moi votre
examen.

À LA MAISON

Lisez la page 17 et
apprenez les mots
de vocabulaire.

Préparez l'examen
pour le **prochain**
cours.

Faites **les devoirs**
dans **le cahier
d'exercices.**

dit aux *says to the*
Écoutez *Listen to*
Faites *Do*
Donnez-moi *Give me*
Lisez *Read*
apprenez *learn*
prochain(e) *next*
les devoirs *the homework*
le cahier d'exercices *the workbook*

Prononciation

Les voyelles groupées

Practise the pronunciation of the following vowel combinations. Notice that the combination **eu** has two different sounds, depending on whether it is followed by a pronounced consonant in the same syllable.

- a + u / e + u / o + u

au, eau [o]:	au	aussi	beaucoup	tableau
eu [ø]:	deux	un peu	jeudi	monsieur
eu [œ]:	heure	neuf	professeur(e)	seul(e)
ou [u]:	vous	douze	jour	pour

- a + i / e + i / o + i / u + i

ai [ɛ]:	français	je vais	je sais	vrai
ei [ɛ]:	treize	seize	beige	neige
oi [wa]:	moi	toi	trois	au revoir
ui [ɥi]:	huit	minuit	aujourd'hui	je suis

  A. Prononcez bien! First, work with a partner to practise pronouncing each of these sets of words. Then, listen as you hear one word from each set. On a sheet of paper, write **1, 2,** or **3** to indicate if you heard the first, second, or third word of each set.

1. feux   faux   fou
2. vous   veux   vaut
3. seau   sous   ceux
4. baie   boit   bruit
5. fois   fuit   fais

6. paie   pois   puits
7. maux   mois   mais
8. deux   dois   doux
9. sous   suis   sais

B. Comment dit-on...? Decide which of the words given could be used to make logical commands. Read all of the possibilities aloud.

1. (Allez / Lisez / Écoutez) la phrase.
2. (Faites / Allez / Écrivez) les devoirs.
3. (Écrivez / Ouvrez / Fermez) votre nom.
4. (Comptez / Fermez / Ouvrez) de 0 à 30.
5. (Fermez / Donnez-moi / Allez) le livre.
6. (Allez / Fermez / Ouvrez) au tableau.
7. (Posez / Lisez / Allez) la question.
8. (Répondez / Lisez / Apprenez) les mots de vocabulaire.
9. (Donnez-moi / Éteignez / Ramassez) votre cellulaire.

Des expressions utiles et l'alphabet

When you hear new words, it may be helpful to see how they are spelled. You can ask:

Ça s'écrit comment ?	*How is that written?*
Ça s'écrit avec un accent ou sans accent ?	*Is that written with an accent or without an accent?*
Ça s'écrit avec un **s** ou deux **s** en français / en anglais ?	*Is that written with one s or two in French / in English?*

a	a	**Anne**	**q**	ku	**Quentin**
b	bé	**Bruno**	**r**	erre	**René**
c	cé	**Caroline**	**s**	esse	**Stéphane**
d	dé	**Didier**	**t**	té	**Tristan**
e	e	**Eugène**	**u**	u	**Ursula**
f	effe	**Françoise**	**v**	vé	**Valérie**
g	gé	**Georges**	**w**	double vé	**Wladimir**
h	hache	**Henriette**	**x**	iks	**Xavier**
i	i	**Isabelle**	**y**	i grec	**Yves**
j	ji	**Jeanne**	**z**	zède	**Zoé**
k	ka	**Karima**			
l	elle	**Laura**	**é = e** accent aigu		**ç = c** cédille
m	emme	**Monique**	**è = e** accent grave		**'** = apostrophe
n	enne	**Nicole**	**â = a** accent circonflexe		**-** = trait d'union
o	o	**Olivier**	**ï = i** tréma		**ll** = deux **l**
p	pé	**Pascal**			

You may also need to use these expressions.

Comment ? Répétez, s'il vous plaît.	*Sorry? Please repeat.*
— Vous comprenez ?	*— Do you understand?*
— Oui, je comprends. / Non, je ne comprends pas.	*— Yes, I understand. / No, I don't understand.*
— Comment dit-on *a pen* en français ?	*— How does one say **a pen** in French?*
— On dit **un stylo**.	*— One says **un stylo**.*
— Que veut dire **votre** ?	*— What does **votre** mean?*
— Ça veut dire *your*.	*— It means **your**.*
— Je ne sais pas.	*— I don't know.*
— Merci. / Merci bien.	*— Thank you. / Thanks.*
— De rien.	*— You're welcome.*
— Pardon. / Excusez-moi.	*— Excuse me.*

A. Des animaux. Listen as the names of some animals are spelled out and write them down.

> **EXEMPLE** Vous entendez: A-N-I-M-A-L
> Vous écrivez: **animal**

 B. Comparaisons culturelles. Use the map in the front of the book to determine the complete names of these francophone places. Fill in the missing letter, then spell out the name of the place to your partner.

> **EXEMPLE** _Q_ uébec **Q-U-E accent aigu B-E-C**

1. ___ rance
2. Alg___rie
3. C___te d'Ivoire
4. Ha___ti
5. ___ uadeloupe
6. ___ aroc
7. Belgi__ __ __
8. S___négal
9. Guin__ __ __

Le ksar Ait-Ben-Haddou, au Maroc

© worker/Shutterstock

C. Que veut dire? Comment dit-on...? With a partner, take turns asking and telling what each of the following words or phrases means.

> **EXEMPLE** ouvrez   — **Que veut dire *ouvrez*?**
> — **Ça veut dire *open*!**

ouvrez	fermez	le prochain cours	les mots	apprenez
faites	un crayon	un stylo	l'examen	lisez

Now, ask your partner how to say in French each of the following words or phrases. When he/she tells you, ask how it is spelled.

> **EXEMPLE** *open*   — **Comment dit-on *open* en français?**
> — **On dit *ouvrez*.**
> — **Ça s'écrit comment?**
> — **Ça s'écrit O-U-V-R-E-Z.**

Please	*Thanks!*	*You're welcome.*	*the workbook*
I don't know.	*Excuse me.*	*the homework*	*the next class*

D. Réponses. Look back at the expressions above and below the alphabet box on the preceding page. What would you say in the following situations?

1. You understood the question, but you don't know the answer.
2. You want to know how to say *giraffe* in French.
3. You want to know if *giraffe* is written with one *f* or two in French.
4. You want to know what the word **fou** means in English.
5. You need to pass through a group of students.
6. You stepped on someone's foot.

© wavebreakmedia/Shutterstock

■ Espace culturel

Pour mieux lire

Identifying cognates and textual clues

To learn how to read in another language, it is not important to know every word but it is necessary to develop reading strategies such as guessing, identifying cognates, and using textual clues such as illustrations and subtitles. Skim the text below about Michaëlle Jean and answer the questions that follow in English.

Une Canadienne à la tête de l'Organisation internationale de la Francophonie

© Bertrand Guay/Getty Images

«Servir, contribuer, rassembler, tel est le fil de ma vie.»

Michaëlle Jean est née à Port-au-Prince, en Haïti en 1957.

Elle est arrivée au Québec en 1968 avec ses parents, pour fuir le régime du dictateur François Duvalier.

Elle détient un baccalauréat en langues et littératures hispaniques et italiennes et une maîtrise en littérature comparée.

Elle a enseigné la langue et la littérature italiennes à l'Université de Montréal avant de devenir journaliste à Radio-Canada et à la CBC (Canadian Broadcasting Corporation) de 1988 à 2005. Elle a été le premier reporteur de race noire à Radio-Canada.

ORGANISATION INTERNATIONALE DE la francophonie

© Organisation internationale de la Francophonie

En 2005, Michaëlle Jean est devenue le vingt-septième gouverneur général et commandant en chef du Canada. Elle est la troisième femme (après Jeanne Sauvé et Adrienne Clarkson) et la première personne noire à occuper ce poste.

En 2010, elle a été nommée «Envoyée spéciale» de l'UNESCO pour Haïti pour aider à la reconstruction du pays après le tremblement de terre.

En 2014, Michaëlle Jean est devenue la première Canadienne et la première femme à être nommée au poste de Secrétaire genérale de l'Organisation internationale de la Francophonie. C'est aussi la première fois que l'on choisit un non-Africain pour ce poste prestigieux.

Michaëlle Jean est aussi chancelière de l'Université d'Ottawa, la plus grande université bilingue du monde. Elle parle couramment le français, l'anglais, l'italien, l'espagnol et le créole, et lit le portugais. Elle est mariée au cinéaste, écrivain et philosophe Jean-Daniel Lafond, un Québécois d'origine française. Ils ont une fille, Marie-Éden, adoptée en Haïti.

Compréhension

1. In which country was Michaëlle Jean born?
2. How old was she when her family arrived in Canada?
3. Why did her family leave Haiti?
4. What did she study for her Bachelor's degree? For her Master's?
5. What did Michaëlle Jean teach at the University of Montréal?
6. For how long did she work as a journalist?
7. Who are Jeanne Sauvé and Adrienne Clarkson?
8. What was Michaëlle Jean's role as a special envoy to Haiti?
9. How many languages does Michaëlle Jean speak?
10. How many languages can she read?
11. What is her role at the University of Ottawa?
12. What is her husband's profession(s)?
13. Who is Marie-Éden?
14. Based on the text provided, make a list of firsts for Michaëlle Jean.

Pour mieux écrire

Using standard expressions

Imagine that you are Michaëlle Jean. Complete the following sentences.

Je m'appelle…
Je suis née en…
Je suis née à…
J'ai… ans.
Je suis…
J'ai étudié à…
J'ai étudié…
J'ai travaillé à… avant d'être nommée gouverneure générale du Canada.
Je parle…
Je lis…
Mon mari s'appelle…
Mon mari est…
Ma fille s'appelle…
Je désire…
J'aime…
etc.

Se présenter

Imagine you are Michaëlle Jean. Write a short paragraph to introduce yourself with the sentences above.

Pour mieux interagir
Les papiers d'identité

À l'université, tous les étudiants doivent avoir **une carte étudiante**. Cette carte confirme que vous êtes membre de l'université. Elle est utilisée dans plusieurs services :
- à la bibliothèque
- au service des finances
- au bureau du registraire
- au centre sportif
- à la cafétéria

Elle peut être utilisée comme carte de débit dans les machines distributrices, les photocopieurs et les imprimantes, à la cafétéria et à la librairie. Les étudiants (ou leurs parents) peuvent ajouter de l'argent à une carte étudiante en ligne ou par une machine distributrice.

La carte d'assurance maladie donne accès aux services de santé.

Sur cette carte, il y a les informations suivantes :
- un code à barres,
- un numéro d'assurance maladie,
- l'identité de la personne : nom et prénom,
- la date de naissance et le sexe de la personne,
- l'année et le mois d'expiration de la carte,
- la photographie et la signature de la personne.

Le permis de conduire est une pièce d'identité officielle. Il atteste que cette personne a réussi :
- un examen théorique sur le code de la route,
- un examen pratique de conduite.

Le numéro d'assurance sociale (NAS) est un numéro de neuf chiffres.

Ce document est nécessaire pour :
- travailler au Canada,
- recevoir des prestations gouvernementales,
- remplir une déclaration de revenus.

Le passeport canadien est un document officiel délivré par le gouvernement du Canada à ses citoyens qui désirent se rendre à l'étranger et revenir par la suite au pays.

Vocabulaire

Using the text on the previous page, find out the following terms in French:

1. a library
2. the Registrar's office
3. a debit card
4. a vending machine
5. a photocopying machine
6. a printer
7. a bookstore
8. to add
9. online
10. health care services
11. a bar code
12. the date of birth
13. name and given name
14. the year
15. the month
16. a driving test
17. to receive
18. an income tax return

Compréhension

En anglais...

Answer the following questions based on the information provided in *Les papiers d'identité*:

1. Apart from being an identification card, what are the other uses of *la carte étudiante*?
2. What are the SIX items that appear on the *carte d'assurance maladie*?
3. Give TWO examples of when the Canadian passport is necessary.
4. What are the TWO tests that one has to take in order to obtain *un permis de conduire*?
5. How many digits does the *numéro d'assurance sociale* contain?

En français...

Quelle(s) pièce(s) d'identité devez-vous produire dans les situations suivantes?

1. Aller en Australie.
2. Obtenir un emploi au Canada.
3. Louer une voiture.
4. Suivre un cours de zumba au centre sportif de l'université.
5. Payer vos frais de scolarité.
6. Rentrer au Canada après un voyage à Cuba.
7. Aller chez le médecin.
8. Prouver que vous avez 18 ans.

Pour mieux découvrir

Quel est ce pays de la Francophonie?

Voici quatre photos et descriptions pour vous aider à deviner.

Au marché

Le temple gréco-romain de Bacchus est situé à Baalbek. Il a été construit au IIe siècle.

Le souk de Byblos, une des plus anciennes villes du monde depuis plus de 7000 ans

Beyrouth, la capitale

Est-ce qu'il s'agit...

a. de la Tunisie? **b.** du Maroc? **c.** du Liban? **d.** du Mali?

Réponse : c) Le Liban

Vocabulaire

Greeting people

GREETING PEOPLE

Bonjour.	*Hello, Good morning.*
Bonsoir.	*Good evening.*
monsieur (M.)	*Mr., sir*
madame (Mme)	*Mrs., madam*
mademoiselle (Mlle)	*Miss*
Comment allez-vous ?	*How are you? (formal)*
Je vais très bien.	*I'm doing very well.*
Assez bien.	*Fairly well.*
Pas mal.	*Not too bad.*
Pas très bien.	*Not very well.*
Salut !	*Hi!*
Comment ça va ? / Ça va ?	*How's it going? (familiar)*
Ça va.	*It's going fine.*
et	*and*
Et vous ?	*And you? (formal)*
Et toi ?	*And you? (familiar)*
moi	*me*
Merci	*Thank you, Thanks.*

EXCHANGING NAMES

Comment vous appelez-vous ?	*What's your name? (formal)*
Tu t'appelles comment ?	*What's your name? (familiar)*
Je m'appelle...	*My name is ...*
Je suis...	*I am, I'm ...*

SAYING GOODBYE

À bientôt !	*See you soon!*
À demain !	*See you tomorrow!*
À plus tard ! / À plus !	*See you later!*
À tout à l'heure !	*See you in a little while!*
Au revoir !	*Goodbye!*

Counting and describing your week

COUNTING TO 30

Comptez de... à... s'il vous plaît.	*Count from ... to ... please. (formal)*
un, deux, trois, quatre, cinq, six, sept, huit, neuf, dix, onze, douze, treize, quatorze, quinze, seize, dix-sept, dix-huit, dix-neuf, vingt, vingt et un, vingt-deux, vingt-trois, vingt-quatre, vingt-cinq, vingt-six, vingt-sept, vingt-huit, vingt-neuf, trente	*one, two, three, four, five, six, seven, eight, nine, ten, eleven, twelve, thirteen, fourteen, fifteen, sixteen, seventeen, eighteen, nineteen, twenty, twenty-one, twenty-two, twenty-three, twenty-four, twenty-five, twenty-six, twenty-seven, twenty-eight, twenty-nine, thirty*
un nombre	*a number, a numeral*
Combien font... et... ?	*How much is ... plus ... ?*
... et... font...	*... plus ... equals ...*
Combien font... moins... ?	*How much is ... minus ... ?*
... moins... font...	*... minus ... equals ...*

TELLING THE DAY OF THE WEEK

les jours de la semaine	*the days of the week*
C'est quel jour aujourd'hui ?	*What day is today?*
C'est...	*It's ...*
lundi	*Monday*
mardi	*Tuesday*
mercredi	*Wednesday*
jeudi	*Thursday*
vendredi	*Friday*
samedi	*Saturday*
dimanche	*Sunday*

DESCRIBING YOUR SCHEDULE

Tu es... ?	*Are you ... ?*
Je suis / Je ne suis pas...	*I'm / I'm not ...*
en cours	*in class*
à la maison	*at home*
dans un autre cours	*in another class*
le cours de français	*French class*
Tu travailles ?	*Do you work?*
Je travaille / Je ne travaille pas...	*I work / I don't work ...*
Quels jours... ?	*What days ... ?*
le lundi	*on Mondays*
le lundi matin	*Monday mornings*
du lundi au vendredi	*from Monday to Friday (every week)*
le matin, l'après-midi, le soir	*in the morning, in the afternoon, in the evening*
la semaine	*the week*
tous les jours	*every day*
la fin de semaine	*weekends / on the weekend*
ce trimestre	*this term*
avant	*before*
après	*after*
aussi	*also*
oui	*yes*

Talking about yourself and your schedule

TALKING ABOUT YOURSELF

un autoportrait	*a self-portrait*
Vous êtes... ?	*Are you ... ?*
Je suis / Je ne suis pas...	*I am / I am not ...*
américain(e)	*American*
canadien(ne)	*Canadian*
de (d') ... (+ ville)	*from ... (+ city)*
d'ici	*from here*
étudiant(e)	*a student*
professeur(e)	*a professor*
Vous habitez... ?	*Do you live ... ?*
J'habite / Je n'habite pas...	*I live / I do not live ...*
à... (+ ville)	*in ... (+ city)*
avec ma famille	*with my family*
avec un(e) ami(e)	*with a friend*
avec un(e) camarade de chambre	*with a roommate*
avec un(e) colocataire	*with a housemate*
seul(e)	*alone*
Vous parlez... ?	*Do you speak ... ?*
Je parle / Je ne parle pas...	*I speak / I do not speak ...*
anglais	*English*
espagnol	*Spanish*
français	*French*
beaucoup en cours	*a lot in class*
Je pense que le français est...	*I think that French is ...*
un peu difficile	*a little difficult / hard*
assez facile	*fairly easy*
intéressant	*interesting*
super	*great*
Vous travaillez... ?	*Do you work ... ?*
Je travaille / Je ne travaille pas...	*I work / I do not work ...*
pour...	*for ...*
à l'université	*at the university*
ici	*here*
maintenant	*now*
mais	*but*
non	*no*
oui	*yes*
parce que	*because*

TELLING TIME

l'heure	*the time*
une heure	*an hour*
Quelle heure est-il ?	*What time is it?*
Il est une heure /	*It's one o'clock /*
deux heures	*two o'clock*
midi / minuit	*noon / midnight*
et quart / et demi(e)	*a quarter past / half past*
moins le quart	*a quarter till*
À quelle heure ?	*At what time?*
à... heure(s)	*at ... o'clock*
du matin	*a.m., in the morning [when telling time]*
de l'après-midi	*p.m., in the afternoon [when telling time]*
du soir	*p.m., in the evening [when telling time]*
Le cours de français est...	*French class is ...*
de... à...	*from ... to ...*
Le cours de français commence à... / finit à...	*French class starts at ... / finishes at ...*

Communicating in class

Comment ? Répétez, s'il vous plaît.	*What? Please repeat.*
Vous comprenez ?	*Do you understand?*
Oui, je comprends. / Non, je ne comprends pas.	*Yes, I understand. / No, I don't understand.*
Comment dit-on... en français / en anglais ?	*How does one say ... in French / in English?*
On dit...	*One says ...*
Je ne sais pas.	*I don't know.*
Qu'est-ce que ça veut dire ?	*What does that mean?*
Ça veut dire...	*That means ...*
Ça s'écrit comment ?	*How is that written?*
Ça s'écrit avec un accent ou sans accent ?	*That's written with or without an accent?*
Ça s'écrit...	*That's written ...*
Merci (bien).	*Thank you, Thanks.*
De rien.	*You're welcome.*
Pardon. / Excusez-moi.	*Excuse me.*
Le professeur dit aux étudiants...	*The professor says to the students ...*
Ouvrez votre livre à la page 23.	*Open your book to page 23.*
Fermez votre livre.	*Close your book.*
Écoutez la question.	*Listen to the question.*
Répondez à la question.	*Answer the question.*
Allez au tableau.	*Go to the board.*
Écrivez la réponse en phrases complètes.	*Write the answer in complete sentences.*
Prenez une feuille de papier et un crayon ou un stylo.	*Take out a piece of paper and a pencil or a pen.*
Faites l'exercice A à la page 21.	*Do exercise A on page 21.*
Donnez-moi votre examen.	*Give me your exam.*
Lisez la page 17.	*Read page 17.*
Apprenez les mots de vocabulaire.	*Learn the vocabulary words.*
Préparez l'examen pour le prochain cours.	*Prepare for the exam for the next class.*
Faites les devoirs dans le cahier d'exercices.	*Do the homework in the workbook.*

Pour l'alphabet, voir la page 22.

LA FRANCOPHONIE CANADIENNE

À l'université

COMPÉTENCES

1 **Identifying people and describing appearance**

Les gens à l'université

Identifying and describing people
> *Les adjectifs et **il est / elle est** + adjectif ou **c'est** + nom*

Stratégies et Lecture
> • **Pour mieux lire:** *Using cognates and familiar words to read for the gist*
> • **Lecture:** *Qui est-ce?*

2 **Describing personality**

Les personnalités

Describing people
> *Les pronoms sujets, le verbe **être**, la négation et d'autres adjectifs*

Asking what someone is like
> *Les questions*

3 **Describing the university area**

Le campus et le quartier

Saying what there is
> *Le genre, l'article indéfini et l'expression **il y a***

Identifying and describing people and things
> ***C'est** ou **il est / elle est** et la place de l'adjectif*

4 **Talking about your studies**

L'université et les cours

Identifying people and things
> *L'article défini*

Reprise *Les Stagiaires*

Espace culturel

Pour mieux lire *Lan Anh Nguyen*

Pour mieux écrire *Un autoportrait*

Pour mieux interagir *Les études à l'université*

Pour mieux découvrir *Quel est ce pays de la Francophonie?*

Résumé de grammaire
Vocabulaire

© andre st-louis/Shutterstock

Le Canada et ses régions francophones

La Nouvelle-France (New France) was the name given to a vast territory in North America that was colonized by France. The name was used during the 16th, 17th, and 18th centuries and it referred to a territory extending from Newfoundland and Labrador to the Prairies, and as far south as Louisiana. The only part still under French control is St. Pierre et Miquelon. The capital of New France was Québec City.

Since 1969, at the federal level, Canada has had two official languages: English and French. The status of the French language varies from province to province. In Québec, French is the only official language, and only one province, New Brunswick, is officially bilingual and recognizes English and French as having equal status. However, French is learned and spoken throughout Canada. Francophone communities are located in all provinces and territories.

▲ Regina, en Saskatchewan

▲ Grande-Anse, au Nouveau-Brunswick

▲ Saint-Boniface, au Manitoba

▲ La ville de Québec

There are many opportunities to study French in Canada. Find several possibilities on the Web and report on the two you like best: where and when they are, what the associated costs are, what courses and activities are involved, and what there is to see and do in the region.

Le Canada
Nombre d'habitants: environ 35 000 000
(les Canadiens et Canadiennes)
Capitale: Ottawa

Qu'en savez-vous?

Guess which city or place each sentence below describes.

Port-au-Port (Nfld.) / Sudbury (Ont.) / Saint-Boniface (Man.) / Grand-Pré (N.S.)

1. This city was originally founded in 1883 under the name of Sainte-Anne-des-Pins.

2. UNESCO has registered this site on its World Heritage List, which recognizes cultural and natural heritage properties as having outstanding universal value. The town was founded by Acadian settlers in the 17th century.

3. French and Basque fishermen used this peninsula for seasonal fishing settlements in the 16th and 17th centuries and later began a more permanent settlement. This area has been designated the only bilingual district of its province.

4. Each February, the *Festival du Voyageur* takes place in this part of Winnipeg, to celebrate its fur-trading past and its French heritage.

5. Across Canada, outside the province of Québec, many places have names of French origins. Do you know in which province or territory the following places are located?

   a. Chéticamp
   b. Fond-du-Lac
   c. Grand Bruit
   d. Grande Prairie
   e. L'Anse-au-Loup
   f. Lac-Sainte-Thérèse
   g. Main-à-Dieu
   h. Petitcodiac
   i. Pointe du Bois
   j. Pouce Coupe
   k. Sainte-Rose-du-Lac
   l. Souris

▲ Grand-Pré, en Nouvelle-Ecosse

© Design Pics/Getty Images

Réponses: 1) Sudbury (Ont.), 2) Grand-Pré (N.S.), 3) Port-au-Port (Nfld.), 4) Saint-Boniface (Man.), 5) **a.** NS, **b.** SK, **c.** NL, **d.** AB, **e.** NL, **f.** ON, **g.** NS, **h.** NB, **i.** MB, **j.** BC, **k.** MB, **l.** PE

Identifying people and describing appearance

Les gens à l'université

Ce sont mes amis, Félix et Emma. Ils sont étudiants à l'Université de Montréal.

C'est Félix, **un jeune homme** québécois.
Il est étudiant.
Il est de Gatineau.

C'est Emma, **une jeune femme** ontarienne.
Elle est étudiante.
Elle est de Sault-Sainte-Marie.

C'est Jean, **le frère de** Félix
Il n'est pas étudiant.
Il travaille.

C'est Olivia, **la sœur jumelle d'**Emma.
Elle n'est pas étudiante.
Elle travaille.

Félix et Jean ne sont pas ontariens. Ils sont québécois.
Olivia et Emma ne sont pas québécoises. Elles sont ontariennes.
Emma est à Montréal **pour étudier**. Olivia est à Montréal **pour voir sa** sœur et pour visiter le Québec.

Comment est Félix?

grand? petit?

gros? mince?

jeune? vieux?

Félix est petit, mince et jeune!

Comment est Emma?

grande? petite?

grosse? mince?

jeune? vieille?

Emma est petite, mince et jeune!

Félix et Emma sont **célibataires**. Et vous? Vous êtes célibataire, **comme** Félix et Emma, ou êtes-vous fiancé(e), marié(e) ou divorcé(e)?

Félix **rencontre** Emma pendant **la première semaine des cours**.

FÉLIX : Salut ! Je suis Félix Simard. **Nous sommes** dans le **même** cours de littérature africaine, n'est-ce pas ?

EMMA : Oui, c'est ça, le mardi et le jeudi matin à 10 h. **Alors**, bonjour ! Moi, je m'appelle Emma Clark. Tu es d'ici ?

FÉLIX : Oui, je suis québécois, de Gatineau. Et toi, **tu es d'où** ?

EMMA : Je suis de Sault-Sainte-Marie, mais j'habite ici maintenant parce que je suis étudiante à l'université.

A. Mes amis. Relisez les descriptions de Félix, Emma, Jean et Olivia à la page précédente et choisissez la partie en italique qui complète correctement chaque phrase.

1. Félix est *un jeune homme / une jeune femme*.
2. Il est *américain / français / canadien*.
3. Il est *de Vancouver / de Gatineau*.
4. Emma est *professeure / étudiante* à l'Université de Montréal.
5. C'est *la sœur jumelle / le frère jumeau* d'Olivia.
6. Jean est le frère *de Félix / d'Emma et Olivia*.
7. *Emma / Olivia* est à Montréal pour étudier. *Emma / Olivia* est à Montréal pour voir sa sœur et pour visiter le Québec.
8. Félix est *grand / petit* et *mince*. Il est *jeune / vieux*.
9. Emma est *grande / petite* et *mince*. Elle est *jeune / vieille*.
10. Félix et Emma sont *mariés / célibataires* et moi, je suis *célibataire / fiancé(e) / marié(e) / divorcé(e) / veuf (veuve* [widowed]*)*.

B. Et votre ami(e) ? Faites des phrases pour parler de votre meilleur(e) ami(e) *(your best friend)*.

1. C'est *un homme / une femme*.
2. Il/Elle *est / n'est pas* jeune.
3. Il/Elle *est / n'est pas* d'ici.
4. Il/Elle *est / n'est pas* étudiant(e).
5. Il/Elle *travaille / ne travaille pas*.
6. Il/Elle est *grand(e) / petit(e) / de taille moyenne* (medium-sized).
7. Il/Elle est *célibataire / fiancé(e) / marié(e) / séparé(e) / divorcé(e) / veuf (veuve)* (widowed).

 C. À vous ! Avec un(e) partenaire, relisez à haute voix *(aloud)* la conversation entre Félix et Emma. Ensuite, adaptez la conversation pour décrire *(to describe)* votre propre *(your own)* situation.

> **rencontre (rencontrer** *to meet* [for the first time or by chance], *to run into* [someone])
> **la première semaine des cours** *the first week of classes*
> **Nous sommes** *We are*
> **même** *same*
> **Alors** *So, Then, Therefore*
> **tu es d'où ?** *where are you from?*

These self-check questions are provided throughout the book. Read the entire explanation before trying to answer the questions.

1. What is the base form of an adjective? What do you usually do to make it feminine if it ends in **e**? in **é**? in another vowel? in a consonant?

2. What is the feminine form of **gros**? **canadien**? **beau**? **vieux**?

3. What do you usually do to make an adjective plural? What if it ends in **x** or **s**?

4. What two expressions are used to *identify* who someone is with a *noun*? What are the negative forms of these expressions?

5. When *describing* someone with an *adjective*, how do you say *he is*? *she is*? *they are* for a group of all females? *they are* for a group of all males or for a mixed group? What are the negative forms of these expressions?

6. Is there a difference in pronunciation between **espagnol** and **espagnole**? between **petit** and **petite**? Is the final **s** of the plural form of an adjective pronounced?

Grammar Tutorials

Identifying and describing people

*Les adjectifs et **il est / elle est** + adjectif ou **c'est** + nom*

- Adjective forms vary depending on whether they describe a male or a female and whether they describe one person or more than one.
- The masculine singular form of the adjective is the base form.
- Add an **e** to change this form to feminine, unless it already ends in an *unaccented* **e**.
- If it ends in an *accented* **é**, add another **e** to form the feminine.
- Add an **s** to make an adjective plural, unless it ends in **s** or **x**.

MASCULINE		FEMININE	
Singular	*Plural*	*Singular*	*Plural*
petit	petit**s**	petit**e**	petit**es**
jeune	jeune**s**	jeune	jeune**s**
marié	marié**s**	marié**e**	marié**es**

- **Gros** doubles its final consonant before adding the **e** for the feminine form, as do adjectives ending in **-ien**, like canad**ien.**

MASCULINE		FEMININE	
Singular	*Plural*	*Singular*	*Plural*
gros	gros	gros**se**	gros**ses**
ontarien	ontarien**s**	ontarien**ne**	ontarien**nes**

- The adjectives **beau, jumeau,** and **vieux** are irregular.

MASCULINE		FEMININE	
Singular	*Plural*	*Singular*	*Plural*
beau	beaux	belle	belles
jumeau	jumeaux	jumelle	jumelles
vieux	vieux	vieille	vieilles

- To *describe* people with *adjectives,* use **il est, elle est, ils sont,** and **elles sont.** Use **ils** for a group of males or a mixed group and **elles** for a group of all females.

Il est / Elle est (+ adjective)	*He is* / *She is*	Il n'est pas / Elle n'est pas (+ adjective)	*He isn't* / *She isn't*
Ils sont / **Elles sont** (+ adjective)	*They are* / *They are*	**Ils ne sont pas** / **Elles ne sont pas** (+ adjective)	*They aren't* / *They aren't*

- To *identify* people with *nouns,* use **c'est** and **ce sont** instead. Note their negative forms.

C'est (+ noun)	*He is* / *She is* / *It is* / *This / That is*	**Ce n'est pas** (+ noun)	*He isn't* / *She isn't* / *It isn't* / *This / That isn't*
Ce **sont** (+ noun)	*They are* / *These / Those are*	Ce **ne sont pas** (+ noun)	*They aren't* / *These / Those aren't*

Prononciation

Il est + adjectif / *Elle est* + adjectif

Since most final consonants are silent in French, you will not hear or say the final consonant of masculine adjective forms, unless they end in **c**, **r**, **f**, or **l**. When the **e** is added to make the feminine form, the consonant is no longer final and is pronounced.

petit / petite   français / française

When a masculine adjective form ends in a pronounced final consonant, or in **e** or **é**, however, you will hear no difference between the masculine and feminine forms.

espagnol / espagnole   jeune / jeune   marié / mariée

The final **s** of plurals is not pronounced, nor is a consonant that immediately precedes it, unless it is **c**, **r**, **f**, or **l**. The masculine plural forms sound like the masculine singular forms and the feminine plural forms sound like the feminine singular forms. You must pick up the plurality from the context.

Il est petit. / Ils sont petits.   Elle est petite. / Elles sont petites.

A. Comment sont-ils? Choisissez la bonne forme des adjectifs en italique pour compléter correctement chaque phrase.

1. Emma est *petit et mince / petite et mince*.
2. Emma et Olivia sont *jumeaux / jumelles*.
3. Félix est *beau / belle*.
4. Félix et Jean ne sont pas *vieux / vieilles*.
5. Emma et Olivia ne sont pas *grands / grandes*.
6. Emma n'est pas *vieux / vieille*.
7. Félix n'est pas *marié / mariée*.

B. De quelle province? Félix is introducing some students from different Canadian provinces. Can you match the sentences from the first column with the appropriate descriptive sentence in the second column?

> **EXEMPLE**   **C'est Emma. Elle habite à Sault-Sainte-Marie. Elle est ontarienne.**

1. C'est Alex. Il habite à Halifax.
2. C'est Juliette. Elle habite à Vancouver.
3. C'est Adrien. Il habite à Moncton.
4. C'est Faith. Elle habite à Brandon.
5. C'est Richard. Il habite à Corner Brook.
6. C'est Jacqueline. Elle habite à Regina.
7. C'est Chris. Il habite à Calgary.

a. Il est néo-brunswickois.
b. Elle est manitobaine.
c. Il est terre-neuvien.
d. Elle est britanno-colombienne.
e. Elle est saskatchewanaise.
f. Il est albertain.
g. Il est néo-écossais.

Stratégies et Lecture

It may seem overwhelming to read a lengthier text in French at first. However, there are strategies you can use to learn to read more easily. This section is designed to help you learn to apply these strategies.

Pour mieux lire: *Using cognates and familiar words to read for the gist*

Cognates are words that look the same or similar in two languages and have the same meaning. Take advantage of cognates to help you read French more easily. There are some patterns in cognates. What three patterns do you see here? What do the last two words in each column mean?

soudainement *suddenly*	obligé *obliged*	hôpital *hospital*
décidément *decidedly*	décidé *decided*	île *isle, island*
complètement *???*	compliqué *???*	honnête *???*
généralement *???*	sauvé *???*	forêt *???*

Recognizing words you have already learned in different forms will also help you read. Use the two familiar phrases on the left to guess the meanings of those on the right.

Comment dit-on *pen* en français ? → Qu'est-ce que tu dis ?

Je ne sais pas la réponse. → Olivia ne sait pas quoi répondre.

You will run across many unknown words when reading French, but this should not prevent you from understanding. Be flexible, changing forms of words or word order if necessary, and skip over little words that may not be needed to get the message.

A. Avant de lire. Can you state the general idea of the following sentences? Do not try to read them word by word; rather, focus on the words that you can understand.

Olivia hésite un moment avant de répondre.
C'est juste à ce moment qu'Emma arrive.
Emma sauve la pauvre Olivia.
Félix voit Emma et Olivia et s'exclame : « Je vois double ! »

B. Mots apparentés. Before reading the following text, *Qui est-ce ?*, skim through it and list the cognates you see. You should find about 20.

 Lecture : *Qui est-ce?*

Olivia Clark is visiting her twin sister, Emma, a student at the University of Montréal. As she waits for her sister in front of the **Musée des beaux-arts**, a young man approaches. Since she does not speak French very well, Olivia is unsure what to say when he speaks to her.

— Salut, Emma! Ça va?

Olivia hésite un moment avant de répondre.

— Non, non… euh, ça va, mais… euh… je regrette… je ne suis pas Emma. Je suis Olivia.

— Qu'est-ce que tu dis, Emma?

Olivia pense en elle-même : « *He thinks I'm Emma. How do I tell him … ?* »

— Non, non, répond Olivia. Vous ne comprenez pas. Je ne suis pas Emma.

— Comment ça, tu n'es pas Emma?

Décidément, ce jeune homme ne comprend rien! Olivia répète encore une fois.

— Je ne suis pas Emma. Vous ne comprenez pas! Écoutez! Je ne suis pas Emma! Je ne suis pas étudiante.

— Mais qu'est-ce que tu dis? demande Félix. Tu es malade? C'est moi, Félix. Nous sommes dans le même cours de littérature.

Olivia pense : « *I'm never going to get this guy to understand. He's so sure I'm Emma.* »

C'est juste à ce moment qu'Emma arrive. La pauvre Olivia est sauvée.

— Salut, Olivia! Bonjour, Félix!

Félix, très surpris de voir les deux sœurs jumelles, s'exclame :

— Mais, ce n'est pas possible! Je vois double! Maintenant je comprends. C'est ta sœur jumelle, Emma.

— Mon pauvre Félix! Voilà, je te présente ma sœur, Olivia.

— Bonjour, Olivia. Désolé pour la confusion, mais quelle ressemblance!

A. Avez-vous compris? Qui parle : **Félix, Olivia** ou **Emma**?

1. Vous ne comprenez pas. Je ne suis pas Emma.
2. Mais nous sommes dans le même cours de littérature.
3. Je ne suis pas étudiante à l'Université de Montréal.
4. Je ne parle pas très bien français.
5. Je te présente ma sœur.

B. D'abord… Which happens first, **a** or **b**?

1. **a.** Félix dit bonjour à Olivia.　　**b.** Olivia arrive au Musée des beaux-arts.
2. **a.** Félix dit : « Bonjour, Emma. »　　**b.** Olivia pense : « Il ne comprend pas. »
3. **a.** Olivia hésite à répondre parce qu'elle ne parle pas très bien français.　　**b.** Olivia répond : « Non, non, vous ne comprenez pas. »
4. **a.** Félix comprend qu'Emma et Olivia sont sœurs jumelles.　　**b.** Emma arrive.
5. **a.** Félix dit : « Désolé *(Sorry)* pour la confusion. »　　**b.** Félix comprend la situation.

Describing personality

Vocabulaire supplémentaire

actif (active)
aimable/amical(e)
   friendly
bavard(e) *talkative*
brillant(e)
chaleureux (chaleu-
  reuse) *warm*
créatif (créative)
débrouillard(e)
  resourceful
désordonné(e) *messy*
désorganisé(e)
doué(e) *talented*
excentrique

froid(e) *cold/distant*
indifférent(e)
jaloux (jalouse)
matérialiste
ordonné(e) *tidy*
organisé(e)
ouvert(e) *outgoing*
ponctuel (ponctuelle)
renfermé(e) *withdrawn*
réservé(e) *private*
sérieux (sérieuse)
sociable
têtu(e) *stubborn*

Les personnalités

Je suis très… Je suis **plutôt**… Je suis assez… Je suis un peu… Je **ne** suis **pas (du tout)**…

optimiste / pessimiste, idéaliste / réaliste

timide / ouvert(e)

sympathique (sympa), **gentil (gentille)**, agréable / désagréable, **méchant(e)**

Note *de vocabulaire*

1. With the abbreviated form **sympa**, do not add an **e** to make it feminine, but do add an **s** in the plural.
2. In Canada, use **soccer** for *soccer* and **football** for *football*.
3. There are three ways to say *my* **(mon, ma, mes)** and *your* [singular familiar] **(ton, ta, tes)**, depending on whether the possession you are identifying is masculine or feminine, singular or plural. You will learn about this later.

intelligent(e), intellectuel (intellectuelle) / **bête**

amusant(e), intéressant(e) / ennuyeux (ennuyeuse)

sportif (sportive), **dynamique** / paresseux (paresseuse)

What are you like, compared to your best friend?

    Je suis **plus** dynamique **que mon meilleur ami (ma meilleure amie)**.

    Je suis **aussi** sportif (sportive) **que** mon meilleur ami (ma meilleure amie).

    Je suis **moins** timide **que** mon meilleur ami (ma meilleure amie).

Une **nouvelle** amie, Marie-Louise, parle avec Félix.

plutôt *rather*
ne… pas du tout *not at all*
sympathique *nice*
gentil(le) *nice*
méchant(e) *mean*
bête *stupid, dumb*
dynamique *active*
plus… que *more … than*
mon meilleur ami (ma meilleure amie) *my best friend*
aussi… que *as … as*
moins… que *less … than*
nouveau (nouvelle) *new*
Tes amis *Your friends*
les études *studies, going to school*
ce n'est pas mon fort *it's not my thing*
Tu aimes *You like*

Marie-Louise:	**Tes amis** et toi, vous êtes étudiants, non ?
Félix:	Oui, nous sommes étudiants à l'Université de Montréal.
Marie-Louise:	Vous êtes plutôt intellectuels, alors ?
Félix:	Mes amis sont assez intellectuels, mais moi, je ne suis pas très intellectuel. Et toi ? Tu es étudiante aussi ?
Marie-Louise:	Non, **les études, ce n'est pas mon fort**.
Félix:	Et le sport ? **Tu aimes** le sport ?
Marie-Louise:	Oui, j'aime bien le tennis, mais je n'aime pas beaucoup le soccer.

A. Ils sont comment? Complétez les phrases.

EXEMPLE   Ryan Gosling est (plus, moins, aussi) grand que Tom Cruise.
Ryan Gosling est plus grand que Tom Cruise.

1. Drake est (plus, moins, aussi) beau que Chris Brown.
2. Sidney Crosby est (plus, moins, aussi) sportif que Tiger Woods.
3. Shania Twain est (plus, moins, aussi) âgée que Carly Rae Jepsen.
4. Ellen Page est (plus, moins, aussi) douée que Selena Gomez.
5. David Suzuki est (plus, moins, aussi) intéressant qu'Ellen DeGeneres.

B. Comment sont-ils?   Complétez les phrases suivantes pour parler de vous.

1. Moi, *je suis / je ne suis pas* très ouvert(e).
2. *Je suis / Je ne suis pas* renfermé(e).
3. Mon meilleur ami *est / n'est pas* bête. *Il est / Il n'est pas* intelligent.
4. Mes amis *sont / ne sont pas* sportifs. *Ils sont / Ils ne sont pas* paresseux.
5. Ma famille et moi, *nous sommes / nous ne sommes pas* très dynamiques. *Nous sommes / Nous ne sommes pas* actifs.
6. Et vous, *[name your professor]*, vous *êtes / vous n'êtes pas* très méchant(e)!

C. Et vous?   Comment êtes-vous?

| ← | très | plutôt | assez | un peu | ne... pas du tout | → |

EXEMPLE   optimistic
Je suis très / plutôt / assez / un peu optimiste.
Je ne suis pas (du tout) optimiste.

1. pessimistic
2. mean
3. lazy
4. talented

5. shy
6. resourceful
7. athletic
8. messy

D. Réponses.   Quelle est la réponse logique?

1. Tu es étudiant(e)?
2. Tu aimes le sport?
3. Tes amis et toi, vous êtes sportifs?
4. Tes amis et toi, vous êtes ponctuels?
5. Tes amis sont sociables?
6. Tes amis sont dynamiques?

a. Oui, nous sommes très sportifs.
b. Oui, nous sommes assez ponctuels.
c. Oui, je suis étudiant(e).
d. Non, ils sont plutôt paresseux.
e. Oui, j'aime beaucoup le soccer.
f. Non, ils sont plutôt timides.

E. À vous!   Avec un(e) partenaire, relisez à haute voix *(aloud)* la conversation entre Marie-Louise et Félix. Ensuite, adaptez la conversation pour décrire *(to describe)* votre propre *(own)* situation.

Note *culturelle*

Voici les étapes *(steps)* du système d'éducation au Québec.

• l'éducation préscolaire
la prématernelle (4 ans) et la maternelle (5 ans)

• l'éducation primaire
cycle I (1e et 2e années)
cycle II (3e et 4e années)
cycle III (5e et 6e années)

• l'éducation secondaire
1re à 5e secondaire

• l'éducation collégiale
formation préuniversitaire ou formation technique (durée de 2 ou 3 ans)

• l'éducation universitaire
études du 1er cycle (durée de 3 ou 4 ans menant à un baccalauréat)
études du 2e cycle (maîtrise ou diplôme d'études supérieures spécialisées)
études du 3e cycle (doctorat)

Est-ce différent de votre province ou de votre pays?

1. Would you use **tu** or **vous** to address a child? two children? a salesclerk? an adult you've just met?

2. How do you say **I** in French? When do words like **je**, **ne**, and **que** replace the final **e** with an apostrophe (**j', n', qu'**)? What is this called?

3. How do you say **he** in French? **she**? **they** for a group of all females? **they** for a group of all males or for a mixed group?

4. What is an infinitive? How do you say **to be**? What form of **être** do you use with each subject pronoun?

5. What do you place before a conjugated verb to negate it? What do you place after it? What happens to **ne** when it is followed by a vowel sound?

6. What are five irregular patterns of adjective agreement?

7. What is the feminine form of **gentil**? of **beau**? of **nouveau**?

Grammar Tutorials

Note *de grammaire*

With noun subjects or compound subjects, use the verb form that goes with the corresponding subject pronoun.
Félix is = he is **(il est)** = **Félix est**
Félix and I are = we are **(nous sommes)** = **Félix et moi sommes**
Your friends and you = you (plural) are **(vous êtes)** = **tes ami(e)s et toi, vous êtes**
my friends are = they are **(ils/elles sont)** = **mes ami(e)s sont**

Describing people

*Les pronoms sujets, le verbe **être**, la négation et d'autres adjectifs*

Below are the subject pronouns *(I, you, he …)* and the forms of the verb **être** *(to be)*. Use **tu** to say *you* when speaking to a friend, family member, classmate, animal, or child. Use **vous** to say *you* when speaking to an adult stranger, someone to whom you should show respect, or when talking to more than one person. For **je** and other words that consist of a consonant sound and an **e** (**ne, que, me…**), replace the **e** with an apostrophe before a vowel or mute **h**. This is called elision.

The word **être** is the infinitive, the verb form you will find in the dictionary. Whereas in English the infinitive form of a verb is given in two words *(to be)*, there is only one word in French (être).

The chart below shows the conjugation, the forms you use with different subject pronouns.

ÊTRE *(to be)*					
je	**suis**	*I am*	**nous**	**sommes**	*we are*
tu	**es**	*you are*	**vous**	**êtes**	*you are*
il	**est**	*he is, it is*	**ils**	**sont**	*they are*
elle	**est**	*she is, it is*	**elles**	**sont**	*they are*

To negate a conjugated verb, place **ne… pas** around it. Remember to use **n'** before a vowel sound or mute **h**.

ne (n') + verbe + **pas**		
je **ne** travaille **pas**	je **n'**habite **pas**	je **n'**aime **pas**
je **ne** suis **pas**	tu **n'**es **pas**	il/elle **n'**est **pas**
nous **ne** sommes **pas**	vous **n'**êtes **pas**	ils/elles **ne** sont **pas**

Note the patterns of these common adjective endings.

MASCULINE	FEMININE	MASCULINE		FEMININE	
		Singular	*Plural*	*Singular*	*Plural*
-eux	-eue	paresseux	paresseux	paresseuse	paresseuses
-en	-enne	canadien	canadiens	canadienne	canadiennes
-if	-ive	sportif	sportifs	sportive	sportives
-el	-elle	ponctuel	ponctuels	ponctuelle	ponctuelles
-er	-ère	premier	premiers	première	premières

Gentil doubles the final consonant before adding the **e** for the feminine form (**gentil → gentille**).

The adjectives **beau**, **nouveau**, and **jumeau** are irregular, but follow the same pattern.

MASCULINE		FEMININE	
Singular	*Plural*	*Singular*	*Plural*
beau	beaux	belle	belles
nouveau	nouveaux	nouvelle	nouvelles
jumeau	jumeaux	jumelle	jumelles

A. Tu ou vous? Demandez à ces personnes d'où elles sont *(where they are from)*.

EXEMPLES your classmate: **Tu es d'où?**
your boss: **Vous êtes d'où?**

1. your roommate
2. your teacher
3. a salesclerk
4. two friends
5. your parents
6. an elderly neighbour

B. Quel pronom? Complétez les phrases avec le pronom personnel qui s'impose *(required subject pronoun)*: **je, tu, il, elle, nous, vous, ils, elles**.

1. Félix est étudiant à l'université mais ____ n'est pas très intellectuel. Marie-Louise n'est pas intellectuelle non plus *(either)*. ____ est plutôt sportive!
2. Emma et Olivia ne sont pas paresseuses. ____ sont dynamiques. Félix et Jean sont dynamiques aussi, mais ____ sont moins dynamiques qu'Emma et Olivia. Mes amis et moi, ____ sommes assez dynamiques aussi. Et tes amis et toi, ____ êtes dynamiques?
3. Félix et Emma ne sont pas mariés. ____ sont célibataires. Moi, ____ suis célibataire aussi. Et toi, ____ es célibataire ou marié(e)?

C. Au contraire! Complétez les descriptions avec le verbe être. Donnez la forme négative si nécessaire.

EXEMPLE Les étudiants du cours de français… (paresseux, dynamiques).
Les étudiants du cours de français ne sont pas paresseux. Au contraire, ils sont très dynamiques!

1. Moi, je… (renfermé(e), sociable).
2. En général, mes professeurs… (ennuyeux, intéressants).
3. Mes amis et moi, nous… (méchants, gentils).
4. Mes parents… (froids, chaleureux).
5. Les étudiants du cours de français… (timides, bavards).

D. Descriptions. Décrivez ces personnes.

Moi, je	sommes / ne sommes pas	sportif
Mon meilleur ami		sympathique
Mes amis et moi, nous	suis / ne suis pas	ennuyeux
Les étudiants du cours de français	sont / ne sont pas	marié
	est / n'est pas	célibataire
Les étudiantes du cours de français		timide
		bavard
		réservé

✔ *Pour vérifier*

1. What are three ways of asking a question that can be answered with **oui** or **non**? What happens to your intonation in each case?

2. What happens to **est-ce que** before a vowel sound?

Asking what someone is like

Les questions

There are several ways to ask a question that will be answered with *yes* or *no*.

- You can ask a question with rising intonation. A statement normally has falling intonation.

  Tu es extravertie ?   Tu es sportive ?

- You can ask a question that can be answered with *yes* or *no* by placing **est-ce que** before the subject and the verb and using rising intonation. Note that **est-ce que** becomes **est-ce qu'** before vowel sounds.

  Est-ce que tes amis sont étudiants ?   Est-ce qu'ils sont intellectuels ?

  Est-ce que tu es marié ?   Est-ce qu'elle est étudiante ?

- If you are presuming that someone will probably answer *yes*, you can use either **n'est-ce pas?** *(isn't that right?)* or **non?** at the end of a question with rising intonation.

  Il est marié, n'est-ce pas ?   Il est marié, non ?

A. Et toi? Demandez à un(e) camarade de classe comment il/elle est. Faites attention à la forme de l'adjectif !

> **EXEMPLE**   sportif ou intellectuel
> — **Est-ce que tu es sportif (sportive) ou intellectuel(le) ?**
> — **Je suis plutôt sportif (sportive) / plutôt intellectuel(le) / les deux (both).**

1. timide ou sociable
2. gentil ou méchant
3. intelligent ou bête
4. amusant ou ennuyeux
5. dynamique ou paresseux
6. optimiste ou pessimiste

Maintenant, présentez votre partenaire à la classe en suivant l'exemple.

> **EXEMPLE**   **C'est Mario. Il est intellectuel…**

B. Encore des questions ! Félix pose des questions à Emma. Qu'est-ce qu'il dit ? Formez des questions logiques avec le verbe **être**.

> **EXEMPLE**   **Est-ce que tu es plus jeune que moi ?**

		québécois
		de Toronto
	tes amis...	d'ici
Est-ce	nous...	dans le même cours
que	tu...	plus sociables que toi
	ta sœur...	plus jeune que moi
		en cours à une heure
		aussi intelligente que toi

C. Et Emma ? Emma répond aux questions d'une nouvelle amie. Utilisez ses réponses pour déterminer les questions que son amie lui pose *(asks her)*.

> **EXEMPLE**   — **Est-ce que tu es professeure ?**
> — Non, je ne suis pas professeure.

1. — _____?
   — Oui, je suis étudiante.

2. — _____?
   — Oui, je suis plutôt ponctuelle.

3. — _____?
   — Oui, les cours sont faciles.

4. — _____?
   — Oui, les professeurs sont gentils.

5. _____?
   — Non, Olivia n'est pas étudiante.

6. _____?
   — Oui, elle est sportive.

7. — Et ta sœur et toi ? _____?
   — Non, nous ne sommes pas québécoises.

8. — _____?
   — Oui, nous sommes ontariennes.

D. Entretien. Interviewez votre partenaire.

1. Est-ce que tu es québécois(e) ? Ta famille et toi, vous êtes d'ici ?
2. Est-ce que les études sont faciles ou difficiles pour toi ? Ton meilleur ami (Ta meilleure amie) est étudiant(e) aussi ? Est-ce que tes amis sont amusants ou ennuyeux ?
3. Est-ce que tu aimes le sport ? Tu es plutôt sportif (sportive) ? Est-ce que tu es dynamique ou plutôt paresseux (paresseuse) ?

Describing the university area

Le campus et le quartier

Qu'est-ce qu'il y a sur votre campus?

Sur le campus, **il y a…**

des salles (*f*)
de classe (*f*)

des bureaux (*m*)
pour les
professeurs

un amphithéâtre

une bibliothèque

des résidences (*f*)

un aréna
des matchs (*m*)
de hockey

une librairie

un stationnement

Dans le quartier universitaire, près de l'université, il y a…

des bâtiments
(*m*) modernes

des maisons (*f*)

un parc
des arbres (*m*)

des concerts (*m*)
de rock (*m*)
de jazz (*m*)
de musique (*f*)
populaire
de musique
classique

une boîte de nuit   un théâtre   un cinéma   un centre sportif
des films (m)
étrangers

Vocabulaire supplémentaire

un arrêt d'autobus *a bus stop*
un pavillon administratif *an administration building*
un centre d'étudiants *a student centre*
un court de tennis *a tennis court*
une fontaine *a fountain*
un gymnase *a gym*
une clinique médicale *a health centre*
un laboratoire *a lab*
une piscine *a pool*
un resto rapide *a fast-food restaurant*

Emma et un ami parlent du campus et du quartier.

MICHEL : Comment est **ton** université ? Tu aimes le campus ?

EMMA : Oui, il est très agréable. Les vieux bâtiments sont très **jolis**.

MICHEL : Qu'est-ce qu'il y a sur le campus ?

EMMA : Il y a une grande bibliothèque, plusieurs bâtiments, deux cafétérias, un gymnase, une piscine et beaucoup d'arbres, mais **il n'y a pas assez de** stationnements.

MICHEL : Qu'est-ce qu'il y a dans le quartier ?

EMMA : C'est un joli quartier avec de belles petites maisons, des cafés, deux ou trois **bons** restaurants, une vieille librairie et beaucoup de **mauvais** restos rapides.

A. Chez nous. Décrivez votre université.

1. Sur le campus, il y a *plus de nouveaux bâtiments / plus de vieux bâtiments*.
2. *Il y a / Il n'y a pas* assez de résidences sur le campus.
3. *Il y a / Il n'y a pas* beaucoup d'arbres sur le campus.
4. La cafétéria de l'université, c'est une *bonne / mauvaise* cafétéria. *(Il n'y a pas de cafétéria sur le campus.)*
5. *Il y a / Il n'y a pas* assez de stationnements.
6. La fin de semaine, il y a souvent *(often)* des matchs *de soccer / de hockey*.
7. Dans le quartier près de l'université, il y a *des cafés / un joli parc*.

B. Qu'est-ce qu'il y a ? Complétez ces phrases pour décrire votre quartier universitaire.

1. Sur le campus, il y a… Sur un campus idéal, il y a aussi…
2. Dans le quartier universitaire, il y a… Dans un quartier universitaire idéal, il y a aussi…
3. Dans mon quartier, près de chez moi *(my place)*, il y a… Dans un quartier résidentiel idéal, il y a aussi…

C. À vous !

Avec un(e) partenaire, relisez à haute voix la conversation entre Michel et Emma. Ensuite, adaptez la conversation pour décrire votre propre université.

> **étranger (étrangère)** *foreign*
> **ton (ta, tes)** *your*
> **joli(e)** *pretty*
> **il n'y a pas** *there isn't, there aren't*
> **assez de** *enough*
> **bon(ne)** *good*
> **mauvais(e)** *bad*

1. What are the two forms of the word for *a*? When do you use each? How do you say *some*?

2. How do you say *there is*? *there are*? *there isn't*? *there aren't*?

3. In what three circumstances do you use **de (d')** instead of **un**, **une**, or **des**? What is an exception to replacing **un**, **une**, or **des** with **de (d')** in a negative sentence?

Grammar Tutorials

Saying what there is

*Le genre, l'article indéfini et l'expression **il y a***

To say *there is* or *there are* in French, use the expression **il y a (un, une, des…)**. To say *there isn't* or *there aren't*, use **il n'y a pas (de…)**.

All nouns in French have a gender (masculine or feminine). The categorization of most nouns as masculine or feminine cannot be guessed, unless they represent people.

The short word **un** *(a, an),* **une** *(a, an),* or **des** *(some)* before a noun is called the indefinite article. Use **un** with masculine singular nouns, **une** with feminine singular nouns, and **des** with all plural nouns.

Always learn a new noun as a unit with the article (**un, une**) in order to remember its gender!

	SINGULAR	PLURAL
MASCULINE	un théâtre	des théâtres
FEMININE	une bibliothèque	des bibliothèques

To make a noun plural, add an **s** to the end of it, unless it ends in **s**, **x**, or **z**. Nouns that end in **-eau (bureau)** form their plural with an **x (bureaux)**.

Un, **une**, and **des** change to **de (d')** in the following cases.

- After most negated verbs.

Il y a **un** stade.	Il **n'**y a **pas de** stade.
Il y a **une** résidence.	Il **n'**y a **pas de** résidence.
Écrivez **des** phrases complètes.	**N'**écrivez **pas de** phrases complètes.

But not after the verb **être:**

| C'est **un** bon restaurant. | Ce **n'**est **pas un** bon restaurant. |

- After expressions of quantity, such as **assez**, **beaucoup**, and **combien**.

Il y a **un** stationnement.	Il y a **assez de** stationnements.
Il y a **une** bibliothèque?	Il y a **beaucoup de** bibliothèques.
Il y a **des** cinémas.	Il y a **combien de** cinémas?

- Directly before a plural adjective.

| Il y a **de beaux** arbres. | Il y a **de jolis** bâtiments. |

Prononciation

L'article indéfini

Be careful to pronounce **un** and **une** differently. Use the very tight sound **u** with lips pursed, as in **tu,** to say **une**. To pronounce the **u** sound, position your mouth to pronounce a French **i** with your tongue held high in your mouth. Then, purse your lips. The vowel sound of **un** is nasal. Pronounce the **n** in **un** only when there is **liaison** with a following noun beginning with a vowel sound.

| **une** résidence | **un** bâtiment |
| **une** amie | **un** ami |

A. Prononcez bien ! Complétez ces questions avec **un**, **une** ou **des**. Ensuite, posez les questions à votre partenaire. Faites attention à la prononciation des articles **un**, **une** et **des**.

1. C'est _____ bibliothèque ou _____ cafétéria ?
   Ce sont _____ étudiants ou _____ professeurs ?

2. C'est _____ cinéma ou _____ salle de classe ?
   Ce sont _____ femmes ou _____ hommes ?

3. C'est _____ concert ou _____ film ?
   C'est _____ concert de jazz ou de musique classique ?

4. C'est _____ librairie ou _____ une boîte de nuit ?
   Ce sont _____ gens timides ou _____ gens ouverts ?

B. Comparaisons culturelles. Relisez la *Note culturelle* à la page 46. Sur le campus d'une université française, est-ce qu'il est probable de trouver ces choses *(to find these things)* ?

EXEMPLES une cafétéria   des matchs de soccer
Oui, il y a une cafétéria. **Non, il n'y a pas de matchs de soccer.**

1. des amphithéâtres
2. des bureaux de profs
3. une bibliothèque
4. des résidences
5. des salles de classe
6. une boîte de nuit
7. des matchs de hockey

Maintenant, dites s'il y a ces choses *(these things)* sur votre *(your)* campus.

C. Dans le quartier. Complétez ces questions avec **un**, **une**, **des** ou **de (d')**. Ensuite *(Then),* posez-les à un(e) camarade de classe.

1. Est-ce qu'il y a _____ librairie sur le campus ? Combien _____ bibliothèques est-ce qu'il y a ? Est-ce qu'il y a _____ livres en français à la (in the) bibliothèque ?
2. Est-ce qu'il y a _____ restaurant sur le campus ? Est-ce qu'il y a _____ bons restaurants dans le quartier ? Est-ce qu'il y a beaucoup _____ restaurations rapides près de l'université ?
3. Est-ce qu'il y a _____ vieux bâtiments sur le campus ? Il y a _____ bâtiments modernes ? Il y a _____ jolis arbres ? Est-ce qu'il y a assez _____ stationnements ?
4. Est-ce qu'il y a _____ aréna sur le campus ? Quels jours de la semaine est-ce qu'il y a _____ matchs de hockey ?

1. Do you use **c'est** and **ce sont** or **il est / elle est** and **ils sont / elles sont** with a noun to identify or describe someone or something? with an adjective to describe? with a prepositional phrase? with nationalities, professions, and religions without the indefinite article?

2. Are most adjectives placed before or after the noun they describe? Which adjectives are placed before the noun they describe?

3. What are the alternate masculine singular forms of **beau**, **nouveau**, and **vieux**? When are they used?

Note *de grammaire*

Remember to use **il y a** to say *there is / there are*. Use **c'est / ce sont** and **il est / elle est / ils sont / elles sont** to say *he is / she is / it is* and *they are*.
Sur le campus, **il y a** beaucoup de nouveaux bâtiments. **Ils sont** beaux !
On the campus, **there are** *a lot of new buildings.* **They are** *pretty!*

Identifying and describing people and things

C'est ou *il est / elle est* et la place de l'adjectif

All nouns in French are masculine or feminine. There is no neuter. Generally, use **il** or **elle** to say *it* and **ils** or **elles** to say *they* when talking about things, depending on the gender of the noun being referred to.

Le campus ? **Il** est beau.   Les stationnements ? **Ils** sont petits !
La bibliothèque ? **Elle** est jolie.   Les résidences ? **Elles** sont très vieilles !

Note that **c'est**, as well as **il est / elle est**, can mean *he is / she is / it is,* and **ce sont**, as well as **ils sont / elles sont**, can mean *they are.* These expressions are not interchangeable.

Use **c'est** and **ce sont** :

- with *nouns* to identify or describe
  C'est Félix.
  C'est un jeune homme sympathique.

Use **il est / elle est** and **ils sont / elles sont** :

- with *adjectives* to describe
  Il est grand et beau.
  Il est sympathique.
- with *prepositional phrases*
  Il est de Montréal.
  Il est en cours.
- with *nationalities, professions* (including **étudiant[e]**), and *religions* without the indefinite article
  Il est étudiant.
  Il est français.

In French, most descriptive adjectives are placed *after* the noun they describe.

un campus moderne   une boîte de nuit populaire   des amis sympas

However, these 14 very common adjectives are placed *before* the noun.

beau (belle)	jeune		bon (bonne)	grand(e)	autre
joli(e)	vieux (vieille)	mauvais(e)	petit(e)	même
	nouveau (nouvelle)	gentil(le)	gros(se)	seul(e) *(only)*

un joli campus   une grande boîte de nuit   de bons amis

The adjectives **beau**, **nouveau**, and **vieux** have alternate masculine singular forms, **bel**, **nouvel**, and **vieil**, that are used before nouns beginning with a vowel sound.

MASCULINE SINGULAR (+ consonant sound)	MASCULINE SINGULAR (+ vowel sound)	FEMININE SINGULAR
un beau quartier	un bel ami	une belle amie
un nouveau quartier	un nouvel ami	une nouvelle amie
un vieux quartier	un vieil ami	une vieille amie

A. Qu'est-ce que c'est ? Identifiez ces personnes ou ces choses. Ensuite, décrivez-les avec l'adjectif le plus logique.

EXEMPLES

 café (grand / petit)
C'est un café. Il est petit.

 étudiantes (sympa / méchant)
Ce sont des étudiantes. Elles sont sympas.

1.
maisons (nouveau / vieux)

2.
amphithéâtre (grand / petit)

3.
maison (grand / petit)

4.
femme (sportif / paresseux)

5.
parc (joli / laid)

6.
salle de classe (moderne / vieux)

Maintenant, identifiez et décrivez chacune de ces choses avec le nom et l'adjectif convenable.

> **EXEMPLES** **C'est un petit café.** **Ce sont des étudiantes sympas.**

B. Compliments. Faites des compliments. Écrivez la forme correcte de l'adjectif le plus logique au bon endroit *(in the right position)* dans la phrase pour faire un compliment.

> **EXEMPLE** C'est une___ femme **<u>intelligente</u>**. (intelligent / bête)

1. C'est un _____ restaurant _____. (bon / mauvais)
2. Ce sont de/des _____ étudiantes _____. (sympathique / méchant)
3. C'est un _____ campus _____. (beau / laid)
4. C'est une _____ maison _____. (joli / laid)
5. C'est un _____ appartement _____. (beau / laid)
6. C'est une _____ résidence _____. (nouveau / vieux)

L'université et les cours

On peut faire des
études en :
administration
   publique
anthropologie
arts visuels
biochimie
communication
criminologie
développement
   international et
   mondialisation
*international devel-
   opment and
   globalisation*
droit
law
économie
études anciennes
études asiatiques
études autochtones
aboriginal studies
études canadiennes
études ciné-
   matographiques

études des femmes
finance
génie civil
génie électrique
génie informatique
génie mécanique
gestion
management
éducation
linguistique
microbiologie et
   immunologie
sciences de la
   nutrition
sciences de la santé
sciences de
   l'environnement
sciences du loisir
leisure studies
sciences
   environnementales
sciences infirmières
nursing
traduction
translation

Est-ce que vous aimez l'université?

J'aime beaucoup…	J'aime assez…	Je n'aime pas (du tout)…	Je préfère…
les professeurs	la bibliothèque	les devoirs	**les fêtes**
les étudiants	la cafétéria	les examens	le sport
le campus		le laboratoire	les matchs
		d'informatique	de soccer

Qu'est-ce que vous étudiez?

J'étudie la philosophie.   Je n'étudie pas la littérature.

LES LANGUES *(f)*
l'allemand *(m)*
l'anglais *(m)*
l'espagnol *(m)*
le français

LES SCIENCES HUMAINES *(f)*
l'histoire *(f)*
la psychologie
les sciences politiques *(f)*

LES BEAUX-ARTS *(m)*
le théâtre
la musique

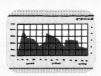

LES COURS DE COMMERCE
la comptabilité
le marketing

LES COURS TECHNIQUES
les mathématiques
   (les maths) *(f)*
l'informatique *(f)*

LES SCIENCES
la biologie
la chimie
la physique

J'aime beaucoup le cours de… Il est facile / difficile / intéressant.

Félix et Emma parlent de **leurs** études.

FÉLIX: Qu'est-ce que tu étudies ce trimestre?
EMMA: J'étudie le français et la littérature africaine. Et toi?
FÉLIX: J'étudie la philosophie et la littérature africaine, comme toi.
EMMA: Comment sont tes cours?
FÉLIX: J'aime beaucoup le cours de littérature africaine. Le professeur
         Simédoh est très intéressant. Je n'aime pas trop le cours de philo-
         sophie. Je trouve ça difficile. Et toi, comment sont tes cours?
EMMA: J'adore mon cours de français. Les étudiants sont très sympa-
         thiques et parfois assez **bavards**.

A. Préférences. Interviewez votre partenaire sur ses préférences.

EXEMPLE le français / les mathématiques
— **Est-ce que tu préfères le français ou les mathématiques ?**
— **Je préfère le français.**

1. les langues / les sciences / les mathématiques / les sciences humaines
2. les cours de commerce / les cours techniques / les beaux-arts
3. le français / l'anglais / l'espagnol / l'allemand
4. l'histoire / les sciences politiques
5. la chimie / la physique / la biologie
6. le théâtre / la musique / le dessin *(drawing)* / la peinture *(painting)*
7. l'informatique / la comptabilité / le marketing
8. les cours à huit heures du matin / les cours à deux heures de l'après-midi / les cours à sept heures du soir
9. les cours dans les grands amphithéâtres / les cours dans les petites salles de classe / les cours dans le laboratoire de langues ou d'informatique
10. les matchs de soccer / les matchs de basketball / les fêtes

Note *culturelle*

En France, comme dans toute l'Union européenne, l'apprentissage d'une langue étrangère *(learning a foreign language)* est une priorité. Près de *(Almost)* 97 % (quatre-vingt-dix-sept pour cent) des élèves du niveau secondaire étudient l'anglais. Est-ce que l'apprentissage d'une deuxième *(second)* langue est aussi une priorité dans votre région ?

B. Et vous ? Changez les mots en italique pour parler de vous et de vos préférences.

1. J'étudie *le français, la biologie et les mathématiques.*
2. À l'université, j'aime *les matchs de football.*
3. Je préfère les cours à *dix heures du matin.*
4. J'aime le cours de *français.* Il est intéressant.
5. Je n'aime pas le cours de *marketing.* Il est ennuyeux.

Un match de football — l'Université Laval contre l'Université Saint-Mary's

 C. Entretien. Interviewez votre partenaire.

1. Qu'est-ce que tu étudies ce trimestre ? Quels cours est-ce que tu préfères ? Pourquoi *(Why)* ?
2. Qu'est-ce que tu aimes à l'université ? Qu'est-ce que tu n'aimes pas ?
3. Pour toi, les maths sont plus faciles ou moins faciles que les sciences ? Les beaux-arts sont plus intéressants ou moins intéressants que l'informatique ? L'histoire est plus ennuyeuse ou moins ennuyeuse que les sciences politiques ?

 D. À vous ! Avec un(e) partenaire, relisez à haute voix la conversation entre Félix et Emma. Ensuite, adaptez la conversation pour décrire vos cours de ce trimestre.

Pour vérifier

1. What are the four forms of the word for *the* in French? When do you use each one?

2. Besides meaning *the*, what are two other uses of the definite article in French?

3. When is the **s** of the plural form *les* pronounced?

Grammar Tutorials

Identifying people and things

L'article défini

The short words **le**, **la**, **l'**, **les** *(the)* before nouns are called definite articles. The form of the definite article you use depends on the noun's gender, whether it starts with a consonant or vowel sound, and whether it is singular or plural.

	SINGULAR BEFORE CONSONANT SOUND	SINGULAR BEFORE VOWEL SOUND	PLURAL
MASCULINE	**le** livre	**l'**homme	**les** livres, **les** hommes
FEMININE	**la** librairie	**l'**étudiante	**les** librairies, **les** étudiantes

Use the definite article before nouns:

- To specify items, as when using *the* in English.
  Apprenez **les** mots de vocabulaire.   *Learn **the** vocabulary words.*
- To say what you like, dislike, or prefer.
  Je n'aime pas **les** devoirs.   *I don't like homework.*
- To talk about something as a general category or an abstract noun.
  Les langues sont faciles pour moi.   *Languages are easy for me.*

In the last two cases, there is no article in English.

Prononciation

La voyelle e et l'article défini

As you know, a *final* unaccented **e** is usually not pronounced, unless it is the only vowel, as in **le**.

    grand**e**   histoir**e**   langu**e**   bibliothèqu**e**   j'aim**e**

Otherwise, an unaccented **e** has three different pronunciations, depending on what follows it.

- In short words like **le** or **je**, or when **e** is followed by a single consonant within a word, pronounce it as in:

    j**e**   n**e**   l**e**   r**e**garde   d**e**voirs

- When, as in **les**, **e** is followed by an unpronounced consonant at the end of a word, pronounce it as in:

    l**es**   m**es**   parl**ez**   aim**ez**   étudi**ez**

- In words like **elle**, where **e** is followed by two consonants within a word, or by a single pronounced consonant at the end of a word, pronounce it as in:

    int**e**llectuel   b**e**lle   qu**e**l   **e**spagnol   bask**e**tball

Since the final **s** of plural nouns is not pronounced, you must pronounce the article correctly to differentiate singular and plural nouns. Listen carefully as you repeat each of the following nouns. Notice the **z** sound of final **s** in liaison.

le livre	la science	l'étudiant	l'étudiante
les livres	les sciences	les ᶻétudiants	les ᶻétudiantes

A. Prononcez bien ! Listen as Félix talks about university life. In each sentence, you will hear the singular or plural form of one of the following nouns. Indicate which form you hear by writing the article on your paper.

1. le professeur — les professeurs
2. le cours — les cours
3. l'étudiant — les étudiants
4. le devoir — les devoirs
5. le livre — les livres
6. l'exercice — les exercices
7. le campus — les campus
8. la bibliothèque — les bibliothèques

B. Vos cours. Est-ce que vous étudiez les matières suivantes *(following subjects)*?

EXEMPLE   **Oui, j'étudie la chimie.**
          Non, je n'étudie pas la chimie.

1.   2.   3.

4.   5.   6.   7.

C. Et vous? Complétez les phrases pour parler de vos cours et de votre université.

1. J'étudie…
2. J'aime beaucoup…
3. J'aime assez…
4. Je n'aime pas beaucoup…
5. Je n'aime pas du tout…
6. Je ne comprends pas…
7. Je comprends bien…
8. Je pense que le cours de… est…

D. Entretien. Complétez les questions suivantes avec l'article défini (**le**, **la**, **l'**, **les**), l'article indéfini (**un**, **une**, **des**) ou de (**d'**). Ensuite, posez ces questions à votre partenaire.

1. Tu aimes _____ sport? Est-ce qu'il y a souvent _____ matchs de hockey sur _____ campus de cette *(this)* université pendant la fin de semaine? Tu préfères _____ soccer ou _____ hockey?
2. Tu aimes _____ musique? Est-ce que tu préfères _____ rock, _____ jazz, _____ musique populaire ou _____ musique classique?
3. Tu comprends bien _____ français? _____ français est facile ou difficile pour toi? Tu aimes _____ cours de français? Combien _____ étudiants est-ce qu'il y a dans la classe? Est-ce qu'il y a _____ examen aujourd'hui?

■ Reprise

Les Stagiaires (The Interns)

The fourth ***Compétence*** of each chapter of ***Horizons*** ends with a ***Reprise*** section that reviews the grammar presented in the chapter through activities that revolve around a segment of the ***Horizons*** video, ***Les Stagiaires (The Interns).*** In the video, two students, Rachid Bennani and Amélie Prévot, have just begun an internship at the company Technovert. Before you watch the first episode, do these exercises to review what you have learned in ***Chapitre 1*** and learn more about the characters that you will see in the video.

See the ***Résumé de grammaire*** section at the end of each chapter for a review of all the grammar of the chapter.

A. Qui est-ce? Voici des descriptions des deux stagiaires *(interns)* de la vidéo, Rachid et Amélie. Complétez chaque phrase avec **c'est**, **il est** ou **elle est**.

© Heinle/Cengage Learning

_____ Rachid Bennani.
Sur cette photo, _____ au *(at the)* bureau de Technovert.
_____ un jeune homme sympa.
_____ intéressant.
_____ étudiant à l'École de Commerce Extérieur.
_____ du Maroc *(from Morocco).*

_____ Amélie Prévot.
_____ une femme intelligente.
_____ française.
_____ très belle.
_____ stagiaire *(intern)* à Technovert.
_____ étudiante aussi.

Maintenant, identifiez un(e) camarade de classe et parlez un peu de lui *(him)* ou d'elle.

B. Rachid. Rachid parle de ses *(his)* études. Complétez les phrases avec la forme correcte du verbe **être**.

EXEMPLE   Je **suis** étudiant à l'École de Commerce Extérieur.

1. Je _____ en cours tous les jours.
2. Les cours _____ faciles pour moi.
3. Mes profs _____ gentils.
4. Mon meilleur ami _____ étudiant.
5. Mes amis et moi, nous _____ assez intellectuels.

 Maintenant, changez les phrases précédentes pour décrire votre situation et posez des questions basées sur ces phrases à votre partenaire.

EXEMPLE   — **Je suis étudiant(e) à… Et toi? Est-ce que tu es étudiant(e) à… aussi?**
— **Oui, je suis étudiant(e) à… aussi.**

C. Descriptions. Amélie parle de ses collègues et de son nouveau travail. Traduisez *(Translate)* les adjectifs pour compléter les phrases. Faites attention à la forme et à la position de chaque adjectif.

> **EXEMPLE** Rachid est un ami *(good)*.
> **Rachid est un bon ami.**

1. Mon travail ici à Technovert, c'est un travail *(interesting)*.
2. Le quartier, c'est un quartier *(pleasant)*.
3. Le bâtiment, c'est un bâtiment *(beautiful)*.
4. Mon bureau, c'est un bureau *(small)*.
5. Rachid, l'autre stagiaire, c'est un ami *(new)*.
6. M. Vieilledent, c'est mon chef *[boss] (new)*.
7. Son fils *(His son)*, Christophe, c'est un jeune homme *(lazy)*.
8. Matthieu, l'informaticien *(computer specialist)*, est un homme *(shy)*.
9. Matthieu et Rachid sont de jeunes gens *(intellectual)*.
10. Céline, la responsable des ventes *(sales manager)*, c'est une femme *(pretty)*.

D. Mes études. Amélie parle de ses études. Complétez ce qu'elle dit avec l'article défini (**le, la, l', les**), l'article indéfini (**un, un, des**) ou avec de (**d'**).

1. Ce trimestre, j'étudie ＿＿ marketing, ＿＿ comptabilité et ＿＿ commerce électronique. J'aime beaucoup ＿＿ cours de commerce, mais je n'aime pas ＿＿ cours de marketing. J'aime ＿＿ université où j'étudie parce que ＿＿ campus est beau et il y a beaucoup ＿＿ arbres. En général, ＿＿ bâtiments sont vieux, mais il y a ＿＿ laboratoire d'informatique moderne et il y a ＿＿ nouvelles résidences aussi. Le seul inconvénient, c'est qu'il n'y a pas assez ＿＿ stationnements.

2. J'aime beaucoup ＿＿ quartier universitaire aussi. Il y a ＿＿ cafés, ＿＿ librairies et il y a ＿＿ nouveau restaurant. Il y a aussi ＿＿ cinéma où on passe *(they show)* ＿＿ films étrangers. J'aime beaucoup ＿＿ films étrangers. Près de l'université, il y a ＿＿ stade où il y a souvent *(often)* ＿＿ matchs de soccer le samedi. J'aime beaucoup ＿＿ sport! J'aime le soccer, mais je préfère ＿＿ tennis.

 Maintenant, avec un(e) partenaire, parlez de vos études. Demandez à votre partenaire:
- what he/she is studying this term
- what the courses, professors, and students are like
- if he/she likes the university
- what the campus is like
- what there is on campus and in the neighbourhood

© Heinle/Cengage Learning

 Épisode 1: Comment sont-ils?

Dans ce clip, Amélie, Rachid et Camille parlent de certains de leurs *(about some of their)* collègues. Avant de regarder le clip, choisissez *(choose)* les adjectifs qui sont des compliments: **intelligent, paresseux, nerveux, timide, dynamique.** Ensuite, regardez le clip et dites *(say)* comment Camille décrit *(describes)* Christophe.

 Access the Video **Les Stagiaires** at **iLrn** and on the *Horizons* Premium Website.

Espace culturel

Pour mieux lire

Scanning to preview a text

You are going to read about Lan Anh Nguyen, a French student who is a French language assistant at Dalhousie University in Halifax. You have learned to use cognates to make reading easier. It is also helpful to scan a text before reading it in order to anticipate its content.

On peut deviner! Scan the text and answer the *Compréhension* questions to prepare yourself for understanding the text.

Lan Anh Nguyen

Courtesy of Lan Anh Nguyen

Je m'appelle Lan Anh Nguyen. J'ai vingt-deux ans. Je suis étudiante à l'Université Denis Diderot - Paris 7. J'habite avec ma famille à Paris. Je parle anglais, français et assez bien le vietnamien parce que mes parents sont d'origine vietnamienne.

Cette année, je suis assistante de français à l'Université Dalhousie, à Halifax. J'adore les étudiants canadiens. Ils sont très sympas.

Ma grande sœur Kim habite à Montréal avec son mari, Pierre, un Québécois.

Mon petit frère Quang a dix-neuf ans. En septembre, il va aller à l'Université d'Ottawa pour faire un bac en administration publique.

Nos cousins et nos cousines habitent à Paris et à Toronto. Mes grands-parents paternels vivent toujours à Hanoï, au Vietnam.

Moi, je suis étudiante en anglais, langue étrangère. L'an prochain, je vais faire un stage d'un an dans un lycée à Paris pour enseigner l'anglais. Après mes études, je voudrais voyager encore pour perfectionner mon anglais.

© Martin Good/Shutterstock

L'Université d'Ottawa

Compréhension

Give the following information about Lan Anh.

1. Parents' nationality
2. Languages Lan Anh speaks
3. Cities in which she has relatives
4. What she is doing this year
5. Her relationship to Quang
6. Her relationship to Pierre
7. Her area of studies
8. Her plans for next year, and after
9. Quang's plans for next year
10. Whether she is the eldest, youngest, or middle child

Pour mieux écrire

Using and combining what you know

Certain strategies can help you learn to write better in a foreign language. When you write, avoid translating. It is very difficult to translate correctly. Use and combine what you already know in French instead. Link sentences with words like **et**, **mais**, **alors**, or **parce que** to make your writing more fluid.

Organisez-vous. Write a short description of yourself and your studies based on the text about Lan Anh Nguyen and grammatical structures learned in this chapter. First, organize your thoughts by completing these sentences in French.

1. Je m'appelle…
2. J'habite…
3. Je suis étudiant(e) à…
4. J'étudie…
5. Mes parents habitent à…
6. Cette année, je suis….
7. L'an prochain, je vais…
8. Je voudrais aussi…
9. Sur le campus, il y a… mais il n'y a pas…
10. J'aime / Je n'aime pas…
11. Dans le quartier universitaire, il y a… mais il n'y a pas…
12. En général, j'aime / je n'aime pas l'université parce que…

Un autoportrait

Write a short paragraph introducing yourself. Use the sentences you completed in *Organisez-vous* above to guide you. Remember to use words like **et**, **mais**, or **parce que** to make your paragraph flow.

EXEMPLE   **Je m'appelle Daniel Ménard. Je suis de la Saskatchewan mais maintenant j'habite à Halifax…**

L'Université McGill

Pour mieux interagir

Les études à l'université

Si vous désirez étudier dans une université, il faut remplir une demande d'admission et soumettre tous les documents nécessaires tels que :

- un relevé de notes des études secondaires
- un curriculum vitae
- une preuve de citoyenneté canadienne ou de statut de résident permanent telle :
  l'acte de naissance
  le certificat de baptême
  la carte de résident permanent
  la carte de citoyenneté
  le passeport
- une déclaration personnelle
- une lettre de recommandation

Il est aussi important d'inclure les frais liés à la demande d'admission.

L'annuaire de l'université est publié par le bureau du registraire et contient des informations importantes :

- les conditions d'admission
- les règlements de l'université
- l'inscription
- les services universitaires
- les frais de scolarité
- les bourses et les prêts
- les résidences universitaires
- le campus

Les étudiants du 1er cycle obtiennent un baccalauréat. Ceux qui sont inscrits aux études supérieures obtiennent une maîtrise or un doctorat.

Les étudiants internationaux doivent obtenir un permis d'études pour étudier au Canada. Dépendant de leur pays d'origine, certains étudiants internationaux ont aussi besoin d'un visa de visiteur pour entrer au Canada. Un étudiant international peut aussi demander un permis de travail pour travailler pendant ses études.

La collation des grades ou la remise des diplômes est une cérémonie qui célèbre la réussite des études universitaires.

Vocabulaire

Find the following terms in French in the text above:

1. an application for admission
2. high school transcript
3. a baptism certificate
4. a birth certificate
5. a letter of intent
6. a bachelor degree
7. university calendar
8. university regulations
9. registration
10. tuition fees
11. scholarships
12. loans
13. a student visa
14. a work permit
15. graduation ceremony
16. success

Compréhension

Choose the correct answer for each question or statement.

1. Les étudiants internationaux doivent obtenir un permis d'études pour…
   a. visiter le Canada
   b. travailler au Canada
   c. habiter au Canada
   d. étudier au Canada

2. Qui a besoin d'un visa de visiteur pour entrer au Canada ?
   a. tous les étudiants internationaux
   b. certains étudiants internationaux, dépendant de leur pays d'origine
   c. les étudiants internationaux qui voyagent seuls
   d. les étudiants internationaux qui ont moins de 18 ans

3. Rachelle fait un baccalauréat en sciences politiques. Elle est étudiante…
   a. au doctorat
   b. à la maîtrise
   c. au 1er cycle
   d. à l'école secondaire

En français…

Quel(s) document(s) devez-vous produire dans les situations suivantes ?

1. Étudier au Canada si vous êtes un/e étudiant/e international/e.
2. Prouver que vous êtes né/e au Canada.
3. Confirmer que vous êtes un citoyen/ne canadien/ne.
4. Attester que vous avez terminé vos études secondaires.
5. Travailler au Canada si vous êtes un/e étudiant/e international/e.

Pour mieux découvrir

Quel est ce pays de la Francophonie ?

Voici quatre photos et descriptions pour vous aider à deviner.

Une allée de baobabs — on les appelle aussi « renala », ce qui signifie « mère de la forêt ».

Le parc national Tsingy de Bemaraha a été déclaré site du patrimoine mondial de l'Unesco en 1990.

Le cimetière des Antandroy (« ceux qui vivent dans les épines »), un peuple qui habite le sud du pays.

Antananarivo, la capitale

Est-ce qu'il s'agit…

a. des Seychelles ?
b. de Madagascar ?
c. du Vanuatu ?
d. du Congo ?

Réponse : b) Madagascar

Résumé de grammaire

Subject pronouns, the verb *être*, and *il y a*

Conjugate verbs by changing their forms to correspond to each of the subject pronouns. Here is the conjugation of **être** *(to be)*.

ÊTRE *(to be)*					
je **suis**	*I am*		nous **sommes**	*we are*	
tu **es**	*you are*		vous **êtes**	*you are*	
il/elle **est**	*he/she/it is*		ils/elles **sont**	*they are*	

Je **suis** timide.
Tu **es** étudiant ?
Le professeur **est** sympa.
Nous **sommes** d'ici.
Vous **êtes** français ?
Ils **sont** en cours.

To negate a verb, place **ne** before it and **pas** after. **Ne** becomes **n'** before vowels or a silent **h**.

Je **ne** suis **pas** optimiste.
Tu **n'**es **pas** bête !

Use **il est / elle est** and **ils sont / elles sont** with *adjectives* or *prepositional phrases* to describe people or things. Use **c'est** and **ce sont** instead of **il est / elle est** and **ils sont / elles sont** to say *he / she / it is* or *they are* when identifying or describing someone with *a noun*.

Il est sympathique.
Il est en cours.
Ce sont mes amis.
C'est un bon ami.

Use **il est / elle est** and **ils sont / elles sont** without the indefinite article to state professions, nationalities, or religions.

Ils sont étudiants.
Elle est française.

Use **il y a** instead of **être** to say *there is* or *there are*. Its negated form is **il n'y a pas**.

– **Il y a** un examen demain ?
– Non, **il n'y a pas** d'examen.

Nouns and articles

Nouns in French are classified as either masculine or feminine. The form of the definite and indefinite articles used depends on a noun's gender and whether it is singular or plural.

INDEFINITE ARTICLE *(a, an, some)*		
	Singular	*Plural*
MASCULINE	**un** cours, **un** examen	**des** cours, **des** examens
FEMININE	**une** classe, **une** étudiante	**des** classes, **des** étudiantes

Il y a **des** restaurants près d'ici ?
Chez Pierre est **un** bon restaurant.
Tu as *(have)* **une** amie ?

The indefinite article changes to **de** (**d'** before vowel sounds) …

- after negated verbs (except after **être**)
- after expressions of quantity like **beaucoup**, **assez**, or **combien**
- directly before plural adjectives

Il **n'**y a **pas de** librairie ici.
(Ce **n'est pas une** librairie.)
Il y a **beaucoup de** devoirs et d'examens.
Ce sont **de bons** amis.

DEFINITE ARTICLE *(the)*		
	Singular	*Plural*
MASCULINE	**le** cours, **l'**examen	**les** cours, **les** examens
FEMININE	**la** classe, **l'**étudiante	**les** classes, **les** étudiantes

Où sont **les** étudiants ?
Ils sont à **la** bibliothèque.

Le and **la** elide to **l'** before vowel sounds. Use the definite article to say *the* and …

- to say what you like or prefer
- to make generalized statements

J'aime **la** musique classique.
Les concerts de rock sont amusants.

Je n'aime pas **la** musique classique.

The definite article *never* changes to **de** (**d'**).

Adjectives

Adjectives have masculine and feminine, singular and plural forms, which correspond to the nouns they describe. Add an **e** to the masculine form of most adjectives to form the feminine, unless it already ends in an *unaccented* **e**. Add an **s** to make an adjective plural, unless it already ends in **s**, **x**, or **z**.

MASCULINE		FEMININE	
Singular	*Plural*	*Singular*	*Plural*
joli	jolis	jolie	jolies
divorcé	divorcés	divorcée	divorcées
français	français	française	françaises
bête	bêtes	bête	bêtes

Le parc est **joli**. / La maison est **jolie**.

Il est **divorcé**. / Elle est **divorcée**.

Mes amis sont **français**. / Mes amies sont **françaises**.

Il n'est pas **bête**. / Elle n'est pas **bête**.

The following adjective endings have other changes before adding the **e** for the feminine form.

	MASCULINE		FEMININE	
	Singular	*Plural*	*Singular*	*Plural*
-eux / -euse :	ennuyeux	ennuyeux	ennuyeuse	ennuyeuses
-en / -enne :	canadien	canadiens	canadienne	canadiennes
-if / -ive :	sportif	sportifs	sportive	sportives
-el / -elle :	intellectuel	intellectuels	intellectuelle	intellectuelles
-er / -ère :	étranger	étrangers	étrangère	étrangères

Le film est **ennuyeux**. / La fête est **ennuyeuse**.

Paul est **canadien**. / Marie est **canadienne**.

Félix est **sportif**. / Olivia est **sportive**.

Ils sont **intellectuels**. / Elles sont **intellectuelles**.

Il est **étranger**. / Elle est **étrangère**.

The adjectives **bon (bonne)**, **gros (grosse)**, and **gentil (gentille)** also double their final consonants.

Il est **bon**. / Elle est **bonne**.

Il est **gros**. / Elle est **grosse**.

Il est **gentil**. / Elle est **gentille**.

Adjectives generally are placed *after* nouns they describe. The following adjectives go *before* nouns.

beau (belle)	jeune	bon (bonne)	grand(e)	autre
joli(e)	vieux (vieille)	mauvais(e)	petit(e)	même
	nouveau (nouvelle)	gentil(le)	gros(se)	seul(e)

C'est un **cours intéressant** mais il y a beaucoup d'**examens difficiles**.

Sur le campus, il y a beaucoup de **nouveaux bâtiments** et une **grande bibliothèque**.

The adjectives **beau**, **nouveau**, and **vieux** have irregular forms. The alternate singular forms **bel**, **nouvel**, and **vieil** are used before masculine singular nouns beginning with a vowel sound.

MASCULINE		FEMININE	
Singular	*Plural*	*Singular*	*Plural*
beau (bel)	beaux	belle	belles
nouveau (nouvel)	nouveaux	nouvelle	nouvelles
vieux (vieil)	vieux	vieille	vieilles

un **beau** parc / un **bel** homme / une **belle** femme

un **nouveau** film / un **nouvel** ami / une **nouvelle** amie

un **vieux** bâtiment / un **vieil** homme / une **vieille** femme

Questions

Questions that are answered with **oui** or **non** have rising intonation. You may just use rising intonation or you may begin the question with **est-ce que**, which elides to **est-ce qu'** before vowel sounds.

If you expect the answer to a question to be **oui**, use **n'est-ce pas?** or **non?** to translate tag questions like *right?, isn't he?, can't you?,* or *won't they?* in English.

Le professeur est bon?

Est-ce qu'il est sympa?

Tu étudies le français, **n'est-ce pas**?

Nous sommes dans le même cours, **non**?

Vocabulaire

Identifying people and describing appearance

NOMS MASCULINS
mes amis	*my friends*
un cours de littérature	*a literature class*
un frère	*a brother*
les gens	*people*
un (jeune) homme	*a (young) man*

NOMS FÉMININS
mes amies	*my friends*
une (jeune) femme	*a (young) woman*
la France	*France*
une semaine	*a week*
une sœur	*a sister*
l'université	*the university*

ADJECTIFS
beau (belle)	*handsome, beautiful*
célibataire	*single*
divorcé(e)	*divorced*
fiancé(e)	*engaged*
français(e)	*French*
grand(e)	*tall, big*
gros(se)	*heavy, big*
jeune	*young*
jumeau (jumelle)	*twin*
laid(e)	*ugly*
marié(e)	*married*
même	*same*
mince	*thin*
petit(e)	*short, small*
premier (première)	*first*
vieux (vieille)	*old*

EXPRESSIONS VERBALES
C'est...	*He is / She is / It is / This is / That is ...*
Ce sont...	*They are / These are / Those are ...*
Ce n'est pas...	*He is not / She is not / It is not / This is not / That is not ...*
Ce ne sont pas...	*They are not / These are not / Those are not ...*
Comment est... ?	*What is ... like?*
Il est / Elle est...	*He is / She is / It is ...*
Ils sont / Elles sont...	*They are ...*
Il n'est pas / Elle n'est pas...	*He is not / She is not / It is not ...*
Ils ne sont pas / Elles ne sont pas...	*They are not ...*
Nous sommes...	*We are ...*
(pour) étudier	*(in order) to study*
(pour) visiter	*(in order) to visit*
(pour) voir	*(in order) to see*
rencontrer	*to meet (for the first time or by chance), to run into*
Tu es...	*You are ...*
Tu es d'où ?	*Where are you from?*

DIVERS
à	*to, at, in*
alors	*so, then, therefore*
comme	*like, as, for*
de	*of, from, about*
d'où	*from where*
non ?	*right?*
son / sa / ses	*his, her, its*

Describing personality

NOMS MASCULINS
tes amis	*your friends*
le soccer	*soccer*
mon meilleur ami	*my best friend*
le sport	*sports*
le tennis	*tennis*

NOMS FÉMININS
tes amies	*your friends*
les études	*studies, going to school*
ma meilleure amie	*my best friend*
la personnalité	*personality*

ADJECTIFS
agréable	*pleasant*
amusant(e)	*fun, amusing*
bavard(e)	*talkative*
bête	*stupid, dumb*
chaleureux (chaleureuse)	*warm*
désagréable	*unpleasant*
dynamique	*active*
ennuyeux (ennuyeuse)	*boring*
extraverti(e)	*extroverted, outgoing*
froid(e)	*cold / distant*
gentil (gentille)	*nice*
idéaliste	*idealistic*
intellectuel(le)	*intellectual*
intelligent(e)	*intelligent*
intéressant(e)	*interesting*
méchant(e)	*mean*
nouveau (nouvelle)	*new*
optimiste	*optimistic*
ouvert(e)	*outgoing*
paresseux (paresseuse)	*lazy*
pessimiste	*pessimistic*
réaliste	*realistic*
renfermé(e)	*withdrawn*
reservé(e)	*private*
sportif (sportive)	*athletic*
sympathique (sympa)	*nice*
timide	*timid, shy*

EXPRESSIONS VERBALES
être	*to be*
je suis...	*I am ...*
tu es...	*you are ...*
il est...	*he is / it is ...*
elle est...	*she is / it is ...*
nous sommes...	*we are ...*
vous êtes...	*you are ...*
ils sont...	*they are ...*
elles sont...	*they are ...*
j'aime / je n'aime pas	*I like / I don't like*
tu aimes	*you like*

DIVERS
assez	*rather*
aussi... que	*as ... as*
Ce n'est pas mon fort.	*That's not my thing.*
Est-ce que...	*(particle used in questions)*
moins... que	*less ... than*
ne... pas	*Not*
ne... pas du tout	*not at all*
n'est-ce pas ?	*right?*
plus... que	*more ... than*
plutôt	*rather*
un peu	*a little*

Describing the university area

NOMS MASCULINS

un amphithéâtre	a lecture hall
un arbre	a tree
un bâtiment	a building
un bureau (pl des bureaux)	an office
un café	a café
un campus	a campus
un cinéma	a movie theatre
un gymnase	a gym
un concert (de jazz, de rock, de musique populaire, de musique classique)	a (jazz, rock, pop music, classical music) concert
un film	a movie, a film
un match de football	a football game
un parc	a park
un stationnement	a parking space
un quartier (universitaire)	a (university) neighbourhood
un resto rapide	a fast food restaurant
un stade	a stadium
un théâtre	a theatre (for live performances)

NOMS FÉMININS

une bibliothèque	a library
une boîte de nuit	a nightclub
une classe	a class
une librairie	a bookstore
une maison	a house
une résidence	a dormitory
une salle de classe	a classroom

ADJECTIFS

bon(ne)	good
étranger (étrangère)	foreign
joli(e)	pretty
mauvais(e)	bad
moderne	modern
populaire	popular
seul(e)	only
universitaire	university

EXPRESSIONS VERBALES

Comment est... ?	What is ... like?
Il y a...	There is, There are ...
Il n'y a pas (de)...	There isn't, There aren't ...
Qu'est-ce qu'il y a... ?	What is there ... ?

DIVERS

assez (de)	enough (of)
beaucoup (de)	a lot (of)
combien (de)	how much (of), how many (of)
dans	in
des	some
près de	near
sur	on
ton, ta, tes	your
un(e)	a, an

Talking about your studies

NOMS MASCULINS

l'allemand	German
l'anglais	English
les beaux-arts	the fine arts
un cours de commerce	a business course
un cours technique	a technical course
les devoirs	homework
l'espagnol	Spanish
un examen	an exam
le français	French
un laboratoire de langues	a language lab
un laboratoire d'informatique	a computer lab
le marketing	marketing
le théâtre	theatre, drama

NOMS FÉMININS

la biologie	biology
la chimie	chemistry
la comptabilité	accounting
une fête	a party
l'histoire	history
l'informatique	computer science
une langue	a language
les mathématiques (les maths)	mathematics (math)
la musique	music
la philosophie	philosophy
la physique	physics
la psychologie	psychology
les sciences (humaines)	(social) science

EXPRESSIONS VERBALES

Comment sont... ?	What are ... like?
Est-ce que vous aimez... ?	Do you like ... ?
J'aime beaucoup / assez...	I like a lot / somewhat
Je n'aime pas (du tout)...	I don't like ... (at all)
Je préfère...	I prefer ...
Qu'est-ce que vous étudiez / tu étudies ?	What are you studying? / What do you study?
J'étudie...	I study ...
Je n'étudie pas...	I don't study ...

DIVERS

bavard	talkative
leur(s)	their

LE QUÉBEC

Après les cours

COMPÉTENCES

1 **Saying what you like to do**

Les passe-temps

Saying what you like to do
L'infinitif

Stratégies et Compréhension auditive
- **Pour mieux comprendre:** *Listening for specific information*
- **Compréhension auditive:** *On sort ensemble?*

2 **Saying how you spend your free time**

La fin de semaine

Telling what you do, how often, and how well
Les verbes en -er et les adverbes

Telling what you do
Quelques verbes à changements orthographiques

3 **Asking about someone's day**

La journée

Asking for information
Les mots interrogatifs

Asking questions
Les questions par inversion

4 **Going to the café**

Au café

Paying the bill
Les nombres de trente à cent et l'argent

Reprise *Les Stagiaires*

Espace culturel

Pour mieux lire *Café Le Trapèze*

Pour mieux écrire *Au café*

Pour mieux interagir *La télévision francophone au Canada*

Pour mieux découvrir *Quel est ce pays de la Francophonie?*

Résumé de grammaire
Vocabulaire

© meunierd/Shutterstock

Le Québec

Quand vous visitez une nouvelle province ou région, qu'est-ce que vous préférez **faire**? Visiter les sites historiques et les musées? **Faire du magasinage**? **Goûter** la cuisine locale? **Profiter** des festivals? **Sortir en boîte de nuit**? **Faire une promenade**? **Apprécier des vues panoramiques**?

Au Québec, il est difficile de **choisir**!

▲ Le village de Percé

▲ Le marché Jean-Talon à Montréal

▲ La ville de Québec

Quand *When*	**la boîte de nuit** *night club*	**un endroit** *place*	**une montgolfière** *a hot air*
faire *to do*	**faire une promenade** *to go for*	**un événement** *event*	*balloon*
faire du magasinage (Fr cana-	*a walk*	**ci-dessous** *below*	**se déroule** *takes place*
dien) *to go shopping*	**apprécier des vues pano-**	**la plus vieille** *the oldest*	**les gens** *people*
goûter *to taste*	**ramiques** *to go sightseeing*	**deuxième** *second*	**un jour férié** *a public holiday*
profiter de *to take advantage of*	**choisir** *to choose*	**chaque année** *each year*	**la lutte** *the fight*
sortir *to go out*	**Quel** *Which*	**le ciel** *the sky*	

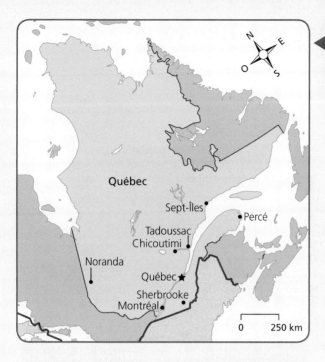

▲ Tadoussac

▲ Mont-Tremblant

Le Québec
Nombre d'habitants : plus de 8 000 000 (les Québécois et Québécoises)
Capitale : Québec

Qu'en savez-vous ?

Quel **endroit** ou **événement** au Québec de la liste **ci-dessous** correspond à chaque description ?

La Saint-Jean-Baptiste / Le Festival Juste pour rire / Le Festival International de montgolfières / La Journée nationale des patriotes / Trois-Rivières/ Montréal / La ville de Québec

1. Fondée en 1608, c'est **la plus vieille** ville du Canada et la capitale de la province de Québec.

2. Fondée en 1634, elle est la **deuxième** plus ancienne ville du Québec.

3. **Chaque année**, pendant 9 jours, le **ciel** de la ville de Saint-Jean-sur-Richelieu est envahi par près de 125 **montgolfières**.

4. C'est le grand centre culturel et commercial du Québec.

5. C'est la **fête nationale du Québec** ; elle est célébrée le 24 juin.

6. Créé en 1983, ce festival **se déroule** à Montréal chaque été. Cet **événement** a une seule mission : « Rendre **les gens** heureux ».

7. Au Québec, c'est **un jour férié** (*public holiday*) en mai. On commémore **la lutte** des rebelles canadiens-français contre le gouvernement colonial britannique.

Réponses : 1) *La ville de Québec*, 2) *Trois-Rivières*, 3) *Le Festival International de montgolfières*, 4) *Montréal*, 5) *La Saint-Jean-Baptiste*, 6) *Le Festival Juste pour rire*, 7) *La Journée nationale des patriotes*

◾ Saying what you like to do

Les passe-temps

— Qu'est-ce que vous aimez faire après les cours?
— J'aime…   — Je n'aime pas…   — Je préfère…

— Qu'est-ce que **vous voudriez** faire aujourd'hui après les cours?
— **Je voudrais…**

SORTIR AVEC DES AMIS

aller au cinéma / (aller) voir un film / (aller) à des événements culturels

aller au café / (aller) **prendre un verre**

aller danser

souper au restaurant

faire du sport
jouer au tennis / au basketball / au volley / au soccer

faire de l'exercice
faire du vélo / faire du jogging

RESTER À LA MAISON

lire

bricoler

dormir

inviter des amis à la maison

parler au téléphone / **envoyer des textos**

jouer de la guitare / **de la batterie** / du piano

vous voudriez *you would like*
Je voudrais *I would like*
sortir *to go out*
aller *to go*
prendre un verre *to have a drink*
faire du vélo *to ride a bike*
rester *to stay, to remain*
bricoler *to do handiwork*
envoyer un texto *to send a text message*
de la batterie *drums*

écouter la radio / de la musique

regarder la télé / un film en ligne

travailler sur l'ordinateur / surfer sur le Net / **écrire des courriels / réseauter avec des amis**

Félix invite Emma à sortir.

FÉLIX : Tu es **libre ce soir**? Tu voudrais faire **quelque chose**?
EMMA : Je voudrais bien. Où est-ce que tu voudrais aller?
FÉLIX : Je ne sais pas. Tu voudrais aller danser ou faire une promenade au centre-ville?
EMMA : Non, **pas vraiment**. Je préfère aller au cinéma.
FÉLIX : Bon, **d'accord**! **On va** prendre un verre avant?
EMMA : **Pourquoi pas? Vers** quelle heure?
FÉLIX : Vers sept heures, sept heures et demie… au café La Martinique?
EMMA : D'accord. Alors, à plus tard!
FÉLIX : Salut! À ce soir!

A. Qu'est-ce que vous aimez faire? Complétez les phrases.

1. Après les cours, j'aime… Aujourd'hui après les cours, je voudrais…
2. Le samedi matin, j'aime… Ce samedi matin, je voudrais…
3. Le samedi soir, j'aime… Ce samedi soir, je voudrais…
4. Le dimanche, je préfère… Ce dimanche, je voudrais…
5. À la maison, j'aime… Je n'aime pas du tout…

B. Invitations. Invitez votre partenaire à faire les choses suivantes.

EXEMPLE (demain) jouer au tennis
— **Tu es libre demain? Tu voudrais jouer au tennis avec moi?**
— **Oui, je voudrais bien. /**
Pas vraiment. Je préfère aller au cinéma.
— **Vers quelle heure?**
— **Vers deux heures.**
— **Bon, d'accord. Alors, à demain!**
— **À demain!**

1. (ce soir) souper au restaurant
2. (vendredi soir) aller voir un film
3. (aujourd'hui après les cours) faire du jogging
4. (demain après-midi) aller prendre un verre

C. À vous! Avec un(e) partenaire, relisez à haute voix la conversation entre Félix et Emma. Ensuite, choisissez une activité et invitez votre partenaire à la faire *(to do it)*.

écrire un courriel
to write an e-mail
réseauter avec des amis *to connect (social networking) with friends*
libre *free*
ce soir *this evening*
quelque chose *something*
pas vraiment *not really*
d'accord *okay*
On va… ? *Shall we go…?*
Pourquoi pas? *Why not?*
Vers *About, Around, Toward*

1. What do you call the basic form of the verb that you find listed in the dictionary?

2. What are the four possible endings for infinitives in French?

3. When you have a sequence of more than one verb in a clause, which one is conjugated? Which ones are in the infinitive?

Vocabulaire supplémentaire

faire...
> **du bateau** *boating*
> **du cheval** *horseback riding*
> **de l'escalade** *rock climbing*
> **des haltères** *weightlifting*
> **du ski**
> **du ski nautique**
> **de la planche à neige** *snowboarding*
> **de la voile** *sailing*
> **du yoga**

jouer...
> **au billard** *pool*
> **aux cartes** *cards*
> **au football**
> **au frisbee**
> **au golf**
> **au hockey**
> **au soccer**
> **au rugby**

jouer...
> **de la clarinette**
> **du clavier** *keyboard*
> **de la flûte**
> **de la guitare électrique**
> **du hautbois** *oboe*
> **de l'orgue** *organ*
> **de la trompette**
> **du tuba**
> **du violon**
> **du violoncelle** *cello*

Saying what you like to do

L'infinitif

To name an activity in French, use the verb in the infinitive. The infinitive is the basic form of the verb that you find listed in the dictionary. French infinitives are single words ending in **-er**, **-ir**, **-oir**, or **-re**, like **jouer** *(to play)*, **dormir** *(to sleep)*, **voir** *(to see)*, or **être** *(to be)*. In French, whenever there are two or more verbs together in a clause, the first verb is conjugated, but verbs that immediately follow are in the infinitive.

> — Qu'est-ce que tu **aimes faire**?   — Est-ce que tu **voudrais sortir**?
> — J'**aime jouer** au soccer.   — Je **préfère rester** à la maison.

Use **jouer** *au* to talk about playing most sports using balls or pucks. Many other sports use **faire** *du / de la / de l' / des.*

> jouer **au** baseball   jouer **au** golf   faire **du** ski   faire **de l'**exercice

Use **jouer** *du / de la / de l' / des* to talk about playing most musical instruments.

> jouer **du** piano   jouer **de la** guitare

As with **un**, **une**, and **des**; **du**, **de la**, and **de l'** change to **de (d')** after a negative expression.

> — Tu joues **de la** guitare?   — Tu fais **du** jogging la fin de semaine?
>
> — Non, je ne joue pas **de** guitare.   — Non, je ne fais pas **de** jogging.

Prononciation

La consonne r et l'infinitif

The consonant **r** is one of the few (CaReFuL) consonants that are often pronounced at the end of words. The final **r** of infinitives ending in **-er**, however, is not pronounced. The **-er** ending is pronounced [e], like the **é** in **café**.

parler	inviter	danser	aller
regarder	jouer	écouter	dîner

The **r** in infinitives ending in **-ir**, **-oir**, or **-re** is pronounced. To pronounce a French **r**, hold the back of your tongue firmly arched upward in the back of your mouth and pronounce a vocalized English *h* sound in your throat.

Pronounce the **-ir** verb ending as [iR], unless the verb ends in **-oir** [waR].

sortir	dormir	voir

The **e** in the infinitive ending of **-re** verbs is pronounced when this ending is preceded by a consonant, but not when it is preceded by a vowel.

faire	lire	être	prendre

A. Prononcez bien! Demandez à votre partenaire quelle activité il/elle préfère. Faites attention à la prononciation de l'infinitif.

EXEMPLE lire / surfer sur le Net
— **Tu préfères lire ou surfer sur le Net?**
— **Je préfère lire.**

> **Note** *de vocabulaire*
>
> To say you don't like either activity, use **ne... ni... ni...** *(neither... nor...)*: **Je n'aime *ni* lire *ni* surfer sur le Net**. To say that you like *both* activities, use **J'aime les deux**.

1. faire de l'exercice / dormir
2. sortir avec des amis / inviter des amis à la maison
3. prendre un verre au café / souper au restaurant
4. jouer au tennis / regarder un match de hockey à la télé
5. regarder la télé / aller au cinéma
6. parler à un ami au téléphone / inviter un ami à la maison
7. regarder des vidéos sur YouTube / échanger avec des amis sur Facebook
8. faire du jogging / faire du vélo

B. Chacun ses goûts. Est-ce que vous aimez ces activités?

J'aime beaucoup…   Je n'aime pas beaucoup…
J'aime assez…   Je n'aime pas du tout…

EXEMPLE **J'aime assez bricoler.**

1.

2.

3.

4.

5.

6.

7.

 C. Entretien. Interviewez votre partenaire.

1. Qu'est-ce que tu aimes faire après les cours? Qu'est-ce que tu voudrais faire aujourd'hui après les cours?
2. Est-ce que tu aimes rester à la maison la fin de semaine? Qu'est-ce que tu aimes faire la fin de semaine? Qu'est-ce que tu voudrais faire cette fin de semaine?
3. Est-ce que tu aimes travailler sur l'ordinateur? Tu aimes surfer sur le Net? Tu préfères envoyer des textos à des amis, regarder des vidéos sur YouTube ou aller sur Facebook?
4. Est-ce que tu voudrais aller au cinéma cette fin de semaine? Quel film est-ce que tu voudrais voir? Tu préfères aller voir un film au cinéma ou regarder un film en ligne à la maison?

Stratégies et Compréhension auditive

Pour mieux comprendre : *Listening for specific information*

It takes time and practice to understand a foreign language when you hear it. However, using listening strategies can help you learn to understand spoken French more quickly.

Often, you do not need to comprehend everything you hear. Practice listening for specific details, such as times, places, or prices. Do not worry about understanding every word.

A. Quand ? Écoutez ces trois scènes. Indiquez le jour et l'heure choisis *(chosen)*.

SCÈNE A: LE JOUR _____
                L'HEURE _____

SCÈNE B: LE JOUR _____
                L'HEURE _____

SCÈNE C: LE JOUR _____
                L'HEURE _____

© Craig Stocks/Getty Images

B. Qu'est-ce qu'elles font ? Emma invite Olivia à sortir. Pour les trois scènes, indiquez ce qu'Olivia préfère faire.

SCÈNE A: _____

SCÈNE B: _____

SCÈNE C: _____

Compréhension auditive : On sort ensemble ?

 Félix, Olivia, and Emma run into two of Félix's friends. Listen to their conversation. Do not try to understand every word. The first time, listen only for the leisure activities they mention. Indicate which of these activities they mention.

_____ aller à la bibliothèque

_____ aller au gym

_____ aller au cinéma

_____ faire de l'exercice

_____ jouer au tennis

_____ aller prendre un verre

A. Vous comprenez ? Écoutez une seconde fois *(time)* la conversation entre Félix et ses amis et indiquez quelle phrase de chaque groupe est vraie.

1.

_____ Thomas et Gisèle sont les amis d'Emma.

_____ Thomas et Gisèle sont les amis de Félix.

_____ Thomas et Gisèle sont les amis d'Olivia.

2.

_____ Les cinq jeunes gens *(The five young people)* décident d'aller au cinéma puis de prendre un verre ensemble *(together)*.

_____ Les cinq jeunes gens décident d'aller prendre un verre ensemble et ensuite Félix, Emma et Olivia vont *(are going)* aller au cinéma.

B. Tu voudrais sortir ? Invitez votre partenaire à faire une des choses suivantes. Utilisez la conversation *B. Invitations* à la page 71 comme modèle.

Voir un film

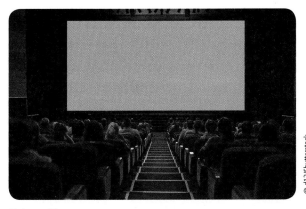

Faire du vélo

Faire du yoga

Saying how you spend your free time

La fin de semaine

Comment est-ce que vous aimez **passer le temps**? Qu'est-ce que **vous faites d'habitude** le samedi? Est-ce que vous passez **la matinée** à la maison?

(presque) toujours	souvent	quelquefois	rarement	ne... jamais
(almost) always	*often*	*sometimes*	*rarely*	*never*

Je reste souvent au lit **jusqu'à** 10 heures.

Le samedi matin, **d'abord** je mange quelque chose.

Quelquefois l'après-midi, je prépare mes cours (j'étudie).

Le soir, je ne reste presque jamais **chez moi. Je vais** souvent au cinéma.

Est-ce que vous aimez faire du sport? de la musique? Est-ce que vous jouez bien?

très bien	assez bien	comme ci comme ça	assez mal	très mal
very well	*fairly well*	*so-so*	*fairly badly*	*very badly*

Je nage assez mal. Je joue **mieux** au hockey **que** je nage.

Je gagne souvent quand je joue au scrabble.

Je joue du piano **comme ci comme ça**.

Je chante assez bien.

passer le temps *to spend time*
vous faites (**faire** *to do, to make*)
d'habitude *usually, generally*
la matinée *the morning*
jusqu'à *until*
d'abord *first*
chez moi *at home, at my house* (**chez...** = *to / at / in / by the house of...*)
Je vais (**aller** *to go*)
mieux (**que**) *better (than)*
je gagne (**gagner** *to win*)
comme ci comme ça *so-so*

Emma et Félix parlent de leurs activités *(f)* de la fin de semaine.

EMMA: Qu'est-ce que **tu fais** d'habitude la fin de semaine ?

FÉLIX: Le samedi matin je reste au lit, le samedi après-midi je joue au tennis et le soir j'aime sortir. Et toi ?

EMMA: Le matin je prépare mes cours, l'après-midi j'aime **faire du magasinage** et le soir, moi aussi, j'aime sortir.

FÉLIX: Alors, tu es libre samedi soir ? Tu voudrais sortir ? Il y a un bon film au ciné-club de l'université. C'est un vieux classique de Denys Arcand.

EMMA: Oui, oui, je voudrais bien.

FÉLIX: Le film commence à huit heures. Je **passe** chez toi vers sept heures ?

EMMA: D'accord ! À samedi, alors !

A. Passe-temps. Complétez ces phrases pour parler de vous.

1. Le samedi matin, je passe *presque toujours / souvent / rarement* la matinée à la maison. *(Je ne passe jamais la matinée à la maison.)*

2. Le samedi matin, je reste au lit jusqu'à *sept heures / dix heures /...*

3. Comme *(As)* exercice, je préfère *faire du sport / faire du jogging / nager /... (Je n'aime pas faire d'exercice.)*

4. Le samedi soir, le plus souvent *je reste à la maison / je travaille / j'invite des amis à la maison / je préfère sortir.*

5. Je vais plus souvent au cinéma *seul(e) / avec des amis / avec mon meilleur ami / avec ma meilleure amie / avec ma famille /...*

6. Je chante *très bien / assez bien / comme ci comme ça /...*

7. Je danse *très bien / assez bien / comme ci comme ça ...*

8. Je joue *du piano / de la guitare / de la batterie /.... (Je ne joue pas d'un instrument de musique.)*

© BlueSkyImage/Shutterstock

B. À vous ! Avec un(e) partenaire, relisez à haute voix la conversation entre Félix et Emma. Ensuite, adaptez la conversation pour décrire vos activités de la fin de semaine et pour inviter votre partenaire à faire une activité que vous voudriez faire.

tu fais (faire *to do, to make)*
faire du magasinage *to go shopping*
passer *to pass (by)*

✔ *Pour vérifier*

1. How do you determine the stem of an **-er** verb? What endings do you add to it?

2. When do you drop the final **e** of words like **je**, **ne**, and **le**?

3. Where do you generally place adverbs such as **bien**? Which three of the adverbs given are exceptions?

4. Which **-er** verb endings are silent? Which ones are pronounced?

Grammar Tutorials

Note *de grammaire*

Verbs whose infinitives do not end in **-er**, and a few irregular verbs whose infinitives do, such as **aller**, do not follow the pattern of conjugation shown here. You will learn how to conjugate such verbs later. You may want to use these forms now to talk about your activities.

I go	**je vais**
I sleep	**je dors**
I do, I make	**je fais**
I read	**je lis**
I write	**j'écris**
I take	**je prends**
I go out	**je sors**

Note *de grammaire*

Notice that **ne... jamais** *(never)* follows the same placement rule as **ne... pas**.
Je **ne** joue **jamais** au golf. *I never play golf.*

Telling what you do, how often, and how well

*Les verbes en **-er** et les adverbes*

Regular verbs are groups of verbs that follow a predictable pattern of conjugation. The largest group of regular verbs have infinitives ending in **-er**. Most verbs ending in **-er** that you have learned, *except* **aller**, are conjugated in the present tense by dropping the **-er** and adding the following endings: **-e**, **-es**, **-e**, **-ons**, **-ez**, **-ent**.

PARLER *(to speak, to talk)*	
je parl**e**	nous parl**ons**
tu parl**es**	vous parl**ez**
il/elle parl**e**	ils/elles parl**ent**

The present tense can be expressed in three ways in English. Express all three of the following English structures with a single verb in French.

I work.
I am working. } Je travaille.
I do work.

He studies.
He is studying. } Il étudie.
He does study.

Here are some of the regular **-er** verbs that you have seen so far.

aimer	*to like, to love*	manger	*to eat*
bricoler	*to do handiwork*	nager	*to swim*
chanter	*to sing*	parler	*to speak, to talk*
commencer	*to begin, to start*	passer	*to pass (by), to spend (time)*
compter	*to count*	penser	*to think*
donner	*to give*	préférer	*to prefer*
donner	*to give*	préparer	*to prepare*
écouter	*to listen (to)*	regarder	*to look (at), to watch*
envoyer	*to send*	répéter	*to repeat*
étudier	*to study*	rester	*to stay, to remain*
fermer	*to close*	surfer	*to surf [the Net]*
habiter	*to live*	travailler	*to work, to study*
jouer	*to play*		

Remember that words such as **je**, **le**, **que**, and **ne** make elision before a vowel sound.

j'aime / je **n'**aime pas   **j'**habite / je **n'**habite pas

Adverbs such as **bien**, **souvent**, **rarement**, and **beaucoup** tell how well, how often, or how much you do something. In French, these adverbs are generally placed directly after the conjugated verb. However, **quelquefois** and **d'habitude** are often placed at the beginning or end of the clause and **comme ci comme ça** is placed at the end.

Thomas regarde **souvent** la télé.	*Thomas **often** watches T.V.*
Quelquefois, je joue **bien** du piano.	***Sometimes**, I play the piano **well**.*
D'habitude, je travaille la fin de semaine.	***Usually**, I work weekends.*
Je joue au tennis **comme ci comme ça**.	*I play tennis **so-so**.*

Prononciation

Les verbes en -er

All the present tense endings of **-er** verbs, except for the **nous (-ons)** and **vous (-ez)** forms, are silent.

je resté	il resté	ils restent
tu restes	elle resté	elles restent

Rely on context to distinguish between **il** and **ils**, or **elle** and **elles**. You will hear a difference only with verbs beginning with a vowel sound.

il travaillé — ils travaillent   il aimé — ils ᶻaiment

The **-ons** ending of the **nous** form rhymes with **maison** and the **-ez** of the **vous** form rhymes with **café** and sounds like the **-er** ending of the infinitive. There is liaison between the **s** of **nous** and **vous** and verbs beginning with vowel sounds.

nous parlons	nous ᶻétudions
vous parlez	vous ᶻétudiez

A. Prononcez bien ! D'abord, complétez chacun des verbes avec la terminaison appropriée. Ensuite, indiquez si cette terminaison est prononcée ou muette. Finalement, lisez chaque phrase à haute voix *(aloud)* et dites si elle est vraie en disant c'est vrai ou ce n'est pas vrai.

> **EXEMPLE**   Le samedi soir, j'aimé rester à la maison.
> - **terminaison muette**
> **C'est vrai. / Ce n'est pas vrai.**

1. Le samedi soir, j'aim__ sortir avec des amis.
2. *[to a classmate]* Et toi, tu aim__ beaucoup sortir, non ?
3. *[to a classmate]* Tes amis et toi, vous invit__ souvent des amis à la maison, non ?
4. Mes amis et moi, nous préfér__ aller danser.
5. Mais mon meilleur ami préfér__ rester à la maison.
6. Les étudiants aim__ mieux sortir que de travailler.

B. Opinions. Comment est le/la colocataire idéal(e) ?

> **EXEMPLE**   travailler beaucoup
> **Il/Elle travaille beaucoup.**
> **Il/Elle ne travaille pas beaucoup.**

1. aimer beaucoup aller en boîte
2. passer beaucoup de temps à la maison
3. inviter souvent des amis à la maison
4. regarder toujours la télé
5. écouter toujours les chansons de Justin Bieber

© CandyBox Images/Shutterstock

C. Le samedi. Est-ce que vous faites toujours, souvent ou rarement ces choses la fin de semaine ? N'oubliez pas *(Don't forget)* de conjuguer le verbe !

| (presque) toujours | souvent | quelquefois | rarement | ne… jamais |

EXEMPLE   le samedi matin : passer la matinée à la maison
Le samedi matin, je passe toujours (souvent…) la matinée à la maison.
Je ne passe jamais la matinée à la maison.

1. Le samedi matin :
   rester au lit jusqu'à midi
   manger à la maison
   préparer mes cours

2. Le samedi après-midi :
   nager
   jouer au soccer

3. Le samedi soir :
   rester chez moi
   danser dans une boîte de nuit
   inviter des amis chez moi

4. Le dimanche :
   passer la matinée avec la famille
   jouer au golf
   manger dans un restaurant

D. C'est vrai ? Formez des phrases pour décrire *(to describe)* votre classe.

EXEMPLE   **nous / parler beaucoup en cours**
Nous parlons beaucoup en cours.
Nous ne parlons pas beaucoup en cours.

1. Le professeur / parler souvent anglais en cours
2. Les étudiants / commencer à parler très bien français
3. Nous / travailler beaucoup en cours
4. Je / aimer dormir en cours
5. Les étudiants / travailler quelquefois ensemble *(together)*
6. Les étudiants / écouter toujours le prof en cours
7. Les étudiants / arriver souvent en retard en cours

E. Talents. Dites si ces personnes font ces choses bien ou mal.

| très bien | assez bien | comme ci comme ça | assez mal | très mal |

EXEMPLE   Ma sœur **joue très bien (assez mal) de la guitare**.
Ma sœur **ne joue pas de guitare**.
Je n'ai pas de sœur. *(I don't have a sister.)*

1. Mon meilleur ami (Ma meilleure amie)…
Mon frère…

2. Mes parents…
Moi, je…

3. Moi, je… Mon ami _____ *[name a friend]*…

4. Mes ami(e)s _____ et _____
[name two friends]…
Mes amis et moi, nous…

 F. Entretien. Interviewez votre partenaire.

1. Tu es musicien(ne)? Est-ce que tu danses bien ou mal? Est-ce que tu chantes bien? Tu préfères écouter la radio ou regarder la télé? Est-ce que tu regardes souvent la télé quand tu manges? Tu écoutes de la musique quand tu étudies?

2. Est-ce que tu es sportif (sportive)? Est-ce que tu aimes le sport? Quel sport est-ce que tu préfères, le soccer, le basketball, le golf ou le hockey? Est-ce que tu joues au tennis? au golf? au volleyball?

G. Qu'est-ce qui se passe? Décrivez la scène chez la famille Li cette fin de semaine. Donnez au moins cinq activités.

Étienne   Monsieur Li   Madame Li

Audrey   Louise   Dominique   Georges   Antoine et le chien

1. In verbs like **préférer**, which forms have a spelling change in the stem in the present tense? What is the change? Which forms have stems like the infinitive?

2. In verbs that end in **–yer**, like **envoyer**, which forms have a spelling change in the stem in the present tense? What is the change? Which forms have stems like the infinitive?

3. What is special about the **nous** form of a verb with an infinitive ending in **-ger**? in **-cer**?

4. What is the difference in pronunciation between **é** and **è**?

> **Note** *de grammaire*
>
> Other -**er** verbs with similar conjugation include: **transférer**, **espérer** *(to hope)*, **compléter**, **suggérer**, **célébrer**, etc.

> **Note** *de grammaire*
>
> Other -**yer** verbs with similar conjugation include: **payer**, **nettoyer** *(to clean)*, **employer**, etc.

Telling what you do

Quelques verbes à changements orthographiques

A few -**er** verbs have spelling changes in their stems in the present tense.

- When the next-to-last syllable of an infinitive has an **e** or **é**, this letter often changes to **è** in all forms except **nous** and **vous**. The stem for the **nous** and **vous** forms is like the infinitive.

PRÉFÉRER *(to prefer)*		RÉPÉTER *(to repeat)*	
je préf**è**re	nous préférons	je rép**è**te	nous répétons
tu préf**è**res	vous préférez	tu rép**è**tes	vous répétez
il/elle préf**è**re	ils/elles préf**è**rent	il/elle rép**è**te	ils/elles rép**è**tent

- In verbs with infinitives ending in -**yer,** the **y** changes to **i** in all forms except **nous** and **vous.**

ENVOYER *(to send)*	
j' envo**i**e	nous envoyons
tu envo**i**es	vous envoyez
il/elle envo**i**e	ils/elles envo**i**ent

- Verbs ending in -**cer** and -**ger** also have spelling changes. With verbs ending in -**ger**, like **manger**, **nager**, and **voyager** *(to travel),* you must insert an **e** before the -**ons** ending in the **nous** form. With verbs ending in -**cer**, like **commencer**, the **c** changes to a **ç** before the -**ons** ending in the **nous** form.

VOYAGER *(to travel)*		COMMENCER *(to start, to begin)*	
je voyage	nous voyag**e**ons	je commence	nous commen**ç**ons
tu voyages	vous voyagez	tu commences	vous commencez
il/elle voyage	ils/elles voyagent	il/elle commence	ils/elles commencent

Prononciation

Les verbes à changements orthographiques

Spelling changes occur in verbs to reflect pronunciation. The letter **é** (**e accent aigu**) sounds like the vowel of **les.**

— Vous préférez passer la matinée à la maison?
— Non, nous préférons passer la matinée au café.

The letter **è** (**e accent grave**) often occurs in the final syllable of words ending in a silent **e** (**Michèle**) and sounds similar to the *e* in the English word *let.*

Je préfère aller à la bibliothèque avec Michèle.

In French, **c** and **g** are pronounced soft (the **c** like an **s** and the **g** like a French **j**) before an **e, i,** or **y.** They are pronounced hard (the **c** like **k** and the **g** similar to the *g* in the English word *go*) before an **a, o, u,** or a consonant.

Soft **g:** Georges, Gérard, Gilbert   Hard **g:** Gabrielle, Hugo, Guillaume
Soft **c:** Cécile, Maurice   Hard **c:** Catherine, Colette

The letter **ç** is used to indicate that a **c** is soft before **a, o,** or **u.** In verb endings, use ç to keep **c** soft before **o,** and introduce an **e** to keep **g** soft before **o.**

commen**ç**ons   man**ge**ons   voya**ge**ons   na**ge**ons

A. Prononcez bien ! Dans les mots suivants, la lettre c est prononcée [s]. Lesquels de ces mots requièrent *(require)* une cédille ?

1. menace / menacant
2. facade / facile
3. commence / commencons

4. France / francais
5. provencal / Provence
6. prononciation / prononcons

Maintenant, dites si vous faites les choses ou les activités suivantes. Faites attention à la prononciation de la lettre *g*.

> **EXEMPLE** jouer bien… au golf / au backgammon
> **Je joue / Je ne joue pas bien au golf.**
> **Je joue / Je ne joue pas bien au backgammon.**

1. voyager souvent… en Gaspésie / à Calgary / à Gatineau / à Regina
2. aimer les gens… imaginatifs / organisés / égoïstes / arrogants

B. Préférences. Complétez ces questions avec le verbe indiqué et interviewez votre partenaire.

1. Avec qui *(With whom)* est-ce que tu _____ (préférer) sortir ?
2. Est-ce que tu _____ (envoyer) souvent des textos à des amis ?
3. Quel jour est-ce que tes amis _____ (préférer) sortir ?
4. Vous _____ (manger) souvent ensemble *(together)* ?
5. Est-ce que vous _____ (préférer) souper ensemble à la maison ou au restaurant ?
6. En général, est-ce que les étudiants _____ (préférer) souper au restaurant ou étudier à la bibliothèque ?
7. Tu _____ (aimer) voyager ? Tu _____ (voyager) souvent ?
8. Tes amis et toi, vous _____ (voyager) souvent ensemble ?
9. Est-ce que tu _____ (nettoyer) souvent ta chambre ou ton appartement ?
10. Ta famille et toi, vous _____ (célébrer) toujours ton anniversaire ?

C. Et vous ? Pour chaque paire d'activités, indiquez l'activité que chacun *(each one)* préfère et dites s'il/si elle la fait bien ou mal.

> **EXEMPLE** Moi, je **préfère danser. Je danse très bien.**

1. Moi, je…
   Mon meilleur ami
   (Ma meilleure
   amie)…

3. Mes amis…
   Mon meilleur ami (Ma meilleure
   amie) et moi…

2. Mes amis…
   Ma famille et moi,
   nous…

■ **Asking about someone's day**

Note *de vocabulaire*

1. The adjective **tout** is placed before a noun's article. It means *the whole* or *all* before singular nouns **(toute la journée)** and *all* or *every* before plural nouns **(tous les jours)**. It has four forms: **tout** *(masc. sing.)*, **toute** *(fem. sing.)*, **tous** *(masc. plur.)*, and **toutes** *(fem. plur.)*.

2. Use **avec lui** to say *with him* and **avec elle** to say *with her*. To say *with them*, use **avec eux** for a group of all males or a mixed group and **avec elles** for a group of all females.

La journée

— Quand est-ce que vous êtes à l'université ?

— Je suis à l'université…   le lundi, le mardi… de dix heures à quatre heures

         le matin, l'après-midi, le soir, tous les jours, **sauf** la fin de semaine, **toute la journée**

— Où est-ce que vous **dînez** d'habitude ?

— Je dîne…   chez moi / chez des amis / chez…

         au restaurant universitaire

         au café Trianon / dans un resto rapide…

— Qu'est-ce que vous aimez faire après les cours ?

— J'aime…   aller au parc / aller à la bibliothèque /aller chez un(e) ami(e)

         rentrer à la maison

         dormir…

— **Avec qui** est-ce que vous **aimez mieux** sortir ?

— J'aime mieux sortir…   avec mon ami(e)…

         avec **mon petit ami (ma petite amie)**

         avec **mon mari (ma femme)**

— Pourquoi est-ce que vous préférez sortir **avec lui / avec elle** ?

— Parce qu'il/elle est…   amusant(e), sexy, riche, sublime, beau (belle)…

— Quand est-ce que vous préférez sortir **ensemble** ?

— Nous préférons sortir… le vendredi soir

         le samedi après-midi…

Jean **demande** à Emma comment elle passe une journée typique.

JEAN :   Quand est-ce que tu es en cours ce trimestre ?

EMMA :   Je suis en cours tous les jours, sauf la fin de semaine. Le lundi, par exemple, je suis en cours de midi à trois heures. Le matin, je prépare mes cours à la bibliothèque.

JEAN :   Et après les cours, qu'est-ce que tu fais en général ?

EMMA :   Après les cours, je rentre à la maison. J'étudie ou **je dors** un peu.

JEAN :   Et le soir ?

EMMA :   Le soir, je reste à la maison et je prépare les cours ou je surfe sur le Net. J'aime regarder des vidéos sur YouTube et souvent **je lis les nouvelles** en ligne. **De temps en temps**, **je vais** sur Facebook pour avoir des nouvelles de mes amis.

sauf except

toute la journée *all day*

dîner *to eat lunch* (Fr Canadian)*

rentrer *to return; to go back (home)*

Avec qui *With whom*

aimer mieux *to like better, to prefer*

mon petit ami (ma petite amie) *my boyfriend (my girlfriend)*

mon mari (ma femme) *my husband (my wife)*

avec lui (avec elle) *with him (with her)*

ensemble *together*

demander *to ask (for)*

je dors (dormir *to sleep)*

je lis (lire *to read)*

les nouvelles *the news*

de temps en temps *from time to time*

je vais (aller *to go)*

A. Précisions.
Demain, Félix dîne avec des amis au café Le Trapèze. Quelle est la réponse logique pour chaque question ?

1. Quel jour est-ce que nous dînons ensemble ?
2. À quelle heure ?
3. Qui dîne avec nous ?
4. Pourquoi est-ce que tu n'invites pas Thomas ?
5. Où est-ce que nous dînons ?
6. Qu'est-ce que tu voudrais faire après le dîner ?

    a. Au café Le Trapèze.
    b. Gisèle et Bruno.
    c. Vendredi.
    d. Aller au cinéma.
    e. Parce qu'il travaille.
    f. À midi et demi.

B. C'est vrai?
Lisez chaque phrase et dites si **c'est vrai** ou si **ce n'est pas vrai**.

1. Je suis à l'université tous les jours, sauf le dimanche.
2. Nous sommes en cours de français le matin, tous les jours sauf la fin de semaine.
3. Le cours de français est de dix heures à onze heures.
4. Les autres étudiants et moi passons beaucoup de temps ensemble après les cours.
5. Le samedi, je travaille toute la journée pour préparer le cours de français.
6. J'aime mieux aller en cours de français que de sortir avec des amis.

Maintenant, corrigez les phrases qui ne sont pas vraies.

C. Entretien.
Interviewez votre partenaire.

1. Quels jours est-ce que tu es à l'université ? De quelle heure à quelle heure est-ce que tu es en cours ? Est-ce que tu restes à l'université toute la journée ? À quelle heure est-ce que tu rentres à la maison ?
2. Quand est-ce que tu étudies ? Où est-ce que tu aimes mieux étudier : chez toi ou à la bibliothèque ? Avec qui est-ce que tu préfères étudier ?
3. Où est-ce que tu aimes mieux dîner ? À quelle heure ? Est-ce que tu dînes souvent chez toi ? Où est-ce que tu préfères manger le soir ? Est-ce que tu soupes plus souvent chez toi ou au restaurant ? Est-ce que tu manges souvent à la cafétéria ? Qu'est-ce que tu préfères : les hamburgers, la pizza, les souvlakis ou les tacos ?
4. Qu'est-ce que tu aimes faire la fin de semaine ? Où est-ce que tu aimes mieux aller avec des amis : au cinéma, au café ou en boîte ? Avec qui est-ce que tu préfères sortir ? Pourquoi est-ce que tu aimes sortir avec lui (elle) ? Quand est-ce que vous aimez mieux sortir ?

D. À vous!
Avec un(e) partenaire, relisez à haute voix la conversation entre Jean et Emma. Ensuite, adaptez la conversation pour décrire votre situation. Changez de rôles.

Note *culturelle*

Dans le monde francophone, les noms des différents repas peuvent varier.

	France et ailleurs dans la Francophonie	Canada, Belgique, Suisse
1er repas de la journée	petit déjeuner	déjeuner
repas du midi	déjeuner	dîner
repas du soir	dîner	souper
repas léger (*snack*)	goûter	collation

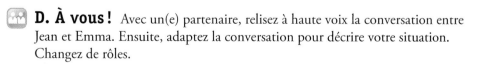

✔ *Pour vérifier*

1. How do you form an information question?

2. Does **qui** or **que** become **qu'** before a vowel?

3. When are three times you do not use **est-ce que**?

4. How do you say *Who is this? What is this?*

Grammar Tutorials

Asking for information

Les mots interrogatifs

You have learned to ask questions with **est-ce que**. To ask for information such as *what, when,* or *why,* add the appropriate question word before **est-ce que**.

où *where*	**Où est-ce que** vous étudiez?
que (qu') *what*	**Qu'est-ce que** vous étudiez?
pourquoi *why*	**Pourquoi est-ce que** vous étudiez le français?
quand *when*	**Quand est-ce que** vous étudiez?
qui / avec qui *who(m) / with whom*	**Avec qui est-ce que** vous étudiez?
comment *how*	**Comment est-ce que** vous passez la journée?
à quelle heure *at what time*	**À quelle heure est-ce que** vous êtes en cours?
quel(s) jour(s) *(on) what / which day(s)*	**Quels jours est-ce que** vous êtes en cours?

Note that **que** makes elision before a vowel sound, but **qui** does not.

Qu'est-ce que vous aimez faire le soir? Avec **qui** est-ce que vous aimez sortir?

Do not use **est-ce que** with **qui** when it is the subject of the verb, or with **où** or **comment** when they are followed directly by **être**.

qui *who*	**Qui** travaille avec toi?
où *where*	**Où est** la bibliothèque?
comment *how*	**Comment est** l'université?

Use **Qui est-ce?** to ask *who* someone is. Use **Qu'est-ce que c'est?** to ask *what* something is.

— Qui est-ce? — Qu'est-ce que c'est?

— C'est Jean. — C'est un livre.

Prononciation

Les lettres qu *et la prononciation du mot* quand *en liaison*

In French, **qu** is usually pronounced as in the word **quiche**. It is generally only pronounced with the *w* sound heard in the English word *quite* when it is followed by **oi**, as in **pourquoi**.

qui que quand quelle heure pourquoi

Note that **d** in liaison is pronounced as a **t**.

Quand‿ᵗest-ce que tu travailles?

A. Prononcez bien ! Des amis décident de dîner ensemble. D'abord, lisez la liste des mots donnés en faisant attention à la prononciation de la combinaison **qu**. Ensuite, complétez les questions avec le mot qui convient et lisez à haute voix la conversation avec votre partenaire.

Qui	Que (Qu')	Quand	Où	Pourquoi	À quelle heure

— Tu voudrais dîner avec nous ?
— (1) _____ ?
— Aujourd'hui.
— Je voudrais bien. (2) _____ ?
— Vers midi.
— (3) _____ est-ce que tu voudrais manger ?
— Chez moi.
— (4) _____ est-ce que tu prépares ?
— Une pizza.
— (5) _____ est-ce que tu invites ?
— Jean-Luc et toi.
— (6) _____ est-ce que tu voudrais faire après le dîner ?
— Aller au cinéma.
— (7) _____ ?
— Parce que je voudrais voir le nouveau film avec Ellen Page.

B. Beaucoup de questions. Formez des questions en utilisant l'équivalent français des mots interrogatifs donnés. Ensuite, posez-les à un(e) camarade de classe.

1. _____ est-ce que tu étudies ? *(What? Where? With whom? When?)*

2. _____ est-ce que tu aimes mieux dîner ? *(At what time? With whom? Where?)*

3. _____ est-ce que tu dînes d'habitude le samedi ? *(Where? With whom? At what time?)*

Où est-ce que vous aimez dîner ?

Pour vérifier

1. How would you invert the question: **Il est ici?**

2. Do you ever use **est-ce que** and inversion in the same question?

3. When do you insert a **-t-** between a verb and an inverted subject pronoun?

4. Generally, can you invert nouns, or only pronouns? What do you do if the subject of the question is a noun? How would you invert the question: **Marie dîne à midi?**

5. What is the inverted form of **il y a?** of **c'est?**

6. How would you invert: **Où est-ce que vous dînez?**

Grammar Tutorials

Asking questions

Les questions par inversion

You can ask a question using rising intonation or **est-ce que**. You can also use inversion; that is, you can invert the subject pronoun and the verb. Add a hyphen when the subject and verb are inverted.

Est-ce que tu travailles le lundi? = **Travailles-tu le lundi?**

- Invert the *conjugated* verb and the *subject pronoun*. Do not invert a following infinitive.

    Aimes-tu aller au cinéma?   Voudriez-vous aller danser?

- Never use both **est-ce que** and inversion in the same question.

    Joues-tu de la guitare?   *OR*   **Est-ce que tu joues** de la guitare?

- You do not normally use inversion with **je**.
- When the subject is **il** or **elle** and *the verb ends in a vowel,* place a **-t-** between the verb and the pronoun. Do not add **-t-** if the verb ends in a consonant.

    Parle-**t**-il anglais?   Est-il d'ici?

    Travaille-**t**-elle ici?   Est-elle d'ici?

- If the subject of the question is a *noun,* rather than a *pronoun,* state the noun first, then supply a matching pronoun for inversion.

    Le prof est-**il** français?   **Marie** parle-t-**elle** français?

    Les cours sont-**ils** difficiles?   **Danielle et Antoinette** étudient-**elles** ici?

- The inverted form of **il y a** is **y a-t-il**. **C'est** becomes **est-ce.**

    Y a-t-il un café dans le quartier?   **Est-ce** un bon café?

- To ask information questions, place the question word before the inverted verb. **Qu'est-ce que** becomes **que (qu')** when using inversion.

    Où voudrais-tu aller? **Que** voudrais-tu faire? **Qu'**aimes-tu faire?

L'inversion et la liaison

When the subject is **il, elle, ils,** or **elles,** there is liaison between the verb and its pronoun in inversion.

Olivia est-$\overset{t}{\smile}$elle américaine?
Félix et Thomas parlent-$\overset{t}{\smile}$ils anglais?

  A. Prononcez bien! D'abord, écoutez et répétez ces questions. Ensuite, posez-les à un(e) camarade de classe. Faites attention à la prononciation!

Thomas et Gisèle

Gisèle, où est-elle ce soir? Est-elle seule? Étudie-t-elle? Thomas et Gisèle aiment-ils la musique? Dansent-ils bien? Et toi? Aimes-tu danser? Dansons-nous en cours quelquefois? Tes amis et toi, aimez-vous aller en boîte ensemble? Aimez-vous mieux aller au cinéma? Y a-t-il un bon cinéma dans le quartier universitaire?

B. Entretien. Changez ces phrases pour parler de vous. Ensuite, posez une question logique à un(e) camarade de classe. Utilisez l'inversion.

> **EXEMPLE**   Je travaille *le matin.* Et toi?…
> **Je travaille le soir. Et toi? Quand travailles-tu?**

1. Je suis en cours *le lundi, le mercredi et le jeudi.* Et toi?…
2. J'étudie *chez moi.* Et toi?…
3. J'étudie *avec des amis.* Et toi?…
4. Je préfère étudier *le français.* Et toi?…
5. Je préfère étudier *le français parce que le cours est intéressant.* Et toi?…

 C. Jouons au tennis! Félix parle avec Olivia. Posez les mêmes questions à un(e) partenaire en utilisant *l'inversion.*

> **EXEMPLE**   Tu es sportive?
> **Es-tu sportive?**

1. Tu aimes jouer au tennis?
2. Est-ce que tu voudrais jouer au tennis avec moi cette fin de semaine?
3. À quelle heure est-ce que tu préfères jouer?
4. Qu'est-ce que tu voudrais faire après le tennis?
5. Tes amis sont sportifs?
6. Est-ce qu'ils jouent au tennis?
7. Ton meilleur ami est sportif aussi?
8. Est-ce qu'il joue bien au tennis?

D. Le samedi. Voici un samedi typique pour Edgar, l'ami de Félix. Posez cinq questions à un(e) camarade de classe sur ce qu'Edgar fait *(on what Edgar does)* le samedi. Utilisez un mot interrogatif dans chaque question. Dites **il fait** pour *he does,* si nécessaire.

qui	que	où	quand	pourquoi	comment

ses copains *(his friends)*

Going to the café

Au café

Vous êtes au café. Qu'est-ce que vous allez prendre?

Je voudrais… Pour moi… Je vais prendre…

un expresso un café au lait une tisane

une eau minérale un jus de fruits ou un jus d'orange coca diète un Orangina

un verre de vin rouge ou un verre de vin blanc une bière

un sandwich au jambon un sandwich au fromage des frites

Félix et Emma **commandent une boisson** au café.

FÉLIX :	**Je n'ai pas très faim**, mais **j'ai soif**. Je vais prendre une limonade. Et toi?
EMMA :	Moi, je voudrais un chocolat **chaud**.
FÉLIX :	Monsieur, s'il vous plaît.
LE SERVEUR :	Bonjour, monsieur, mademoiselle. Vous désirez?
FÉLIX :	Pour moi, une limonade. Et pour mademoiselle, un chocolat chaud.
LE SERVEUR :	Très bien.

commander *to order*
une boisson *a drink, a beverage*
Je n'ai pas très faim (J'ai faim) *I'm not very hungry (I'm hungry)*
j'ai soif *I'm thirsty*
chaud(e) *hot*

Ensuite, Félix et Emma **paient.**

FÉLIX : Ça fait combien, monsieur ?
LE SERVEUR : Ça fait quatre dollars cinquante.
FÉLIX : **Voilà** dix dollars.
LE SERVEUR : Et **voici** votre **monnaie**. Merci bien.

A. Préférences. Offrez les choses suivantes à un(e) camarade de classe.

EXEMPLE — **Tu voudrais une eau minérale ou un coca ?**
— **Je voudrais une eau minérale / un coca.**

1.

2. 3.

4. 5.

B. J'aime... Est-ce que vous aimez les choses indiquées dans l'exercice précédent ? Utilisez **le, la, l'** ou **les** pour indiquer ce que vous aimez ou ce que vous n'aimez pas.

EXEMPLE **J'aime bien l'eau minérale. Je n'aime pas du tout le coca.**

C. À vous ! Avec deux autres étudiants, relisez la conversation au café. Ensuite, adaptez la conversation pour commander ce que *(what)* vous voudriez. La troisième personne va jouer le rôle du serveur / de la serveuse *(server)*. N'oubliez pas de *(Don't forget)* payer.

> **ils paient (payer** *to pay*)
> **Voilà** *there is, there are*
> **voici** *here is, here are*
> **la monnaie** *change*

✔ **Pour vérifier**

1. How do you say **30**? **40**? **50**? **60**? **70**? **80**? **90**?

2. When do you use **et** with numbers? Do you use **et** with 81 and 91?

3. How do you say *one hundred*? Do you translate the word *one*?

4. What is the official currency of France?

Paying the bill

Les nombres de trente à cent et l'argent

— Un café au lait, c'est combien?

— 3,50 $ (trois dollars cinquante).

30 trente	**70** soixante-dix
31 trente et un	**71** soixante et onze
32 trente-deux	**72** soixante-douze
33 trente-trois…	**73** soixante-treize…
40 quarante	**80** quatre-vingts
41 quarante et un	**81** quatre-vingt-un
42 quarante-deux	**82** quatre-vingt-deux
43 quarante-trois…	**83** quatre-vingt-trois…
50 cinquante	**90** quatre-vingt-dix
51 cinquante et un	**91** quatre-vingt-onze
52 cinquante-deux	**92** quatre-vingt-douze
53 cinquante-trois…	**93** quatre-vingt-treize…
60 soixante	**100** cent
61 soixante et un	
62 soixante-deux	
63 soixante-trois…	

France uses the euro, the common currency of most of the European Union, of which France is a part. A euro is divided into 100 cents or *centimes*. € is the symbol for the euro.

Prononciation

Les nombres

Some French numbers are pronounced differently, depending on what follows them.

deux	deux cafés	deux ᶻeuros
trois	trois cafés	trois ᶻeuros
six^s	six cafés	six ᶻeuros
huit^t	huit cafés	huit ^{t}euros
dix^s	dix cafés	dix ᶻeuros

A. Prononcez bien ! Commandez ces boissons. Lisez chacune des expressions à haute voix *(each one aloud)*. Faites attention à la prononciation des nombres.

EXEMPLES trois cocas **Trois cocas, s'il vous plaît.**
trois expressos **Trois expressos, s'il vous plaît.**

| deux cocas | trois cocas | six cocas | huit cocas | dix cocas |
| deux expressos | trois expressos | six expressos | huit expressos | dix expressos |

Maintenant, lisez ces prix *(prices)*. N'oubliez pas *(Don't forget)* de faire la liaison avec le mot **euro** si *(if)* nécessaire.

| 1 € | 11 € | 2 € | 12 € | 3 € | 13 € | 6 € | 16 € | 10 € | 20 € |
| 61 € | 71 € | 82 € | 92 € | 63 € | 73 € | 86 € | 96 € | 100 € | 80 € |

B. Prix indicatifs. Combien coûte chaque chose au Canada ?

EXEMPLE une baguette **C'est trois dollars vingt-cinq.**

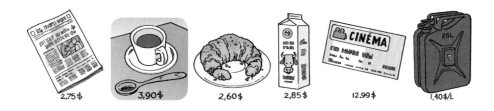

2,75 $ 3,90 $ 2,60 $ 2,85 $ 12,99 $ 1,40 $/L

1. un journal
2. un expresso
3. un croissant
4. un litre de lait
5. un billet de cinéma
6. un litre d'essence *(gasoline)*

C. Votre monnaie. Vous êtes au café et vous payez pour vos amis et vous. Suivez l'exemple.

EXEMPLE 6,85 $ (10 $)
— **C'est combien, monsieur ?**
— **Six dollars quatre-vingt-cinq, mademoiselle.**
— **Voilà dix dollars.**
— **Et voici votre monnaie.**

| 1. 12,85 $ (15 $) | 3. 23,60 $ (30 $) | 5. 36,95 $ (50 $) |
| 2. 32,45 $ (40 $) | 4. 14,70 $ (15 $) | 6. 70,30 $ (71 $) |

D. Euros ou dollars ? Écrivez les prix *(prices)* que vous entendez en euros ou en dollars.

EXEMPLE VOUS ENTENDEZ : C'est dix euros cinquante.
VOUS ÉCRIVEZ : **10,50 €**

Reprise

Les Stagiaires

© Heinle/Cengage Learning

See the **Résumé de grammaire** section at the end of each chapter for a review of all the grammar presented in the chapter.

In *Épisode 2*, Camille realizes that Matthieu, the company's computer specialist, is interested in Amélie, as he tries to find out from her what kinds of things Amélie likes to do. Before you watch the episode, do these exercises to review what you have learned in *Chapitre 2*.

A. Passe-temps préférés.
Camille parle des passe-temps préférés des employés de Technovert. Complétez chaque phrase avec l'expression indiquée.

> **EXEMPLE**   Christophe aime <u>lire</u> *(to read)* des mangas.

1. Matthieu aime _____ *(to play)* à des jeux vidéo et _____ *(to work)* sur l'ordinateur.
2. M. Vielledent aime _____ *(to go)* au café où il aime prendre un café et _____ *(to eat)* des croissants.
3. Rachid aime _____ *(to see)* un film ou _____ *(to dance)* avec ses *(his)* amis.
4. J'aime _____ *(to exercise)*. J'aime surtout *(most of all)* _____ *(to swim)*.
5. Amélie aime _____ *(to go out)* avec des amis. Elle aime _____ *(to have lunch)* au restaurant.
6. Céline aime _____ *(to talk)* au téléphone et _____ *(to write)* des courriels.

Maintenant, demandez à votre partenaire s'il/si elle aime faire les activités mentionnées par Camille.

> **EXEMPLE**   — Est-ce que tu aimes lire des mangas?
> — J'aime lire, mais je n'aime pas les mangas.

B. Qu'est-ce qu'ils font?
Rachid et Amélie parlent ensemble. Imaginez comment ils complètent les phrases suivantes. Complétez chacune logiquement avec un verbe conjugué et un adverbe.

> **EXEMPLE**   mon meilleur ami / jouer au tennis
> **Mon meilleur ami joue assez bien au tennis.**
> **Mon meilleur ami ne joue jamais au tennis.**

toujours	souvent	quelquefois	rarement	ne… jamais
beaucoup	assez	(un) peu	ne… pas du tout	
très bien	assez bien	comme ci comme ça	assez mal	très mal

1. moi, je / nager
2. ma meilleure amie / aimer le sport
3. mes amis / jouer au golf
4. je / manger à la maison
5. ma famille et moi / dîner ensemble
6. nous / manger au restaurant
7. ma famille et moi / aimer voyager
8. nous / voyager ensemble

Maintenant, utilisez les mêmes éléments pour former des phrases pour parler de vous et de vos connaissances *(acquaintances)*.

C. C'est combien? Voilà le menu du café en face de *(across from)* Technovert. Demandez à votre partenaire le prix de cinq ou six choses.

> **EXEMPLE** un café expresso
> — **Un café expresso, c'est combien?**
> — **C'est deux euros quarante-cinq.**

Maintenant, dites ce que vous aimez prendre aux moments donnés.

1. Quand j'ai très soif, j'aime prendre…
2. Le matin, j'aime bien prendre…
3. Maintenant, je voudrais…
4. Avec un hamburger, j'aime prendre…
5. Quand je dîne au restaurant, j'aime prendre… comme *(as a)* boisson.

L'heure du thé
Prix service compris (15%)

Café expresso	2,45	Thé (avec lait ou citron)	3,50
Double expresso	4,10	Thé à la menthe	3,50
Café au lait	3,40	Thé au fruit de la passion	3,50
Infusion	3,50	Thé à la framboise	3,50
(tilleul, verveine, menthe, tilleul-menthe,		Cappuccino	4,30
verveine-menthe, camomille)		Croissant	1,60
Lait chaud	2,90	Confiture	1,40
Café décaféiné	2,60	Tartines beurrées	2,80
Double expresso avec pot de lait	3,60	Grog au rhum	6,10
Chocolat chaud	3,50	Vin chaud	3,75
Café ou chocolat viennois	4,30	Irish Coffee	7,80

D. Questions. Céline et Amélie décident de sortir ensemble. Complétez leur conversation comme indiqué. Utilisez « **est-ce que** » pour poser les questions.

— Je voudrais sortir ce soir.

— _____?
What would you like to do?

— Je voudrais aller voir le film *Star Time*.

— _____?
Why would you like to see Star Time?

— Parce qu'il y a beaucoup d'action. Et toi? _____?
Would you like to see Star Time *too?*

— Oui, beaucoup!

— _____? _____?
Are you free this evening? *Would you like to go to the movies with me?*

— Bon, d'accord._____?
What time does the movie start?

— À 8 h 55. Je passe chez toi vers 8 heures?
— D'accord.

Maintenant, recommencez la conversation. Utilisez l'inversion pour poser les mêmes questions.

Épisode 2: Elle est belle, non?

Dans ce clip, Matthieu pose beaucoup de questions à Camille au sujet d'Amélie. Quand Céline et Camille se rendent compte *(realize)* qu'il s'intéresse à Amélie, elles font un pari *(bet)* de dix euros: aura-t-il *(will he have)* le courage d'inviter Amélie à sortir ou non? Avant de regarder le clip, imaginez une des questions que Matthieu pose à Camille au sujet d'Amélie. Ensuite, regardez le clip et écrivez une des questions posées par *(asked by)* Matthieu.

Access the Video **Les Stagiaires** at **iLrn** and on the *Horizons* Premium Website.

Espace culturel

Pour mieux lire

Making intelligent guesses

By using cognates and what you already know about cafés, you should be able to make intelligent guesses about what is offered on this café menu in Québec City. The following exercise will guide you.

Vous savez déjà... What you already know about cafés and restaurants will help you determine the following information.

Café Le Trapèze

25, rue Saint-Jean
Québec, Qc G1R 1P5
418 789-2025
lundi au vendredi – 6 h 30 à minuit
samedi et dimanche – 7 h 30 à minuit

Les entrées
- potage du jour 4,95
- soupe au potiron 4,95
- soupe à l'oignon gratinée
  au cheddar vieilli 4,95
- quiche lorraine 4,95

Les salades
- salade grecque 6,95
  (tomates, concombres, poivrons,
  fromage feta et vinaigrette maison)
- salade césar 6,95
  (bacon, croûtons, parmesan, mozza
  et vinaigrette maison)
- salade jardinière 6,95
  (laitue, carottes, choux rouge,
  tomates et vinaigrette au miel)

Les sandwichs
servis avec frites ou salade, poutine au choix +3,50
- pâté végétarien, moutarde
  de Dijon et fromage suisse 8,50
- thon blanc et sauce pesto 8,50
- BLT (bacon, laitue, tomate
  et mayonnaise maison) 8,50
- poitrine de dinde, fromage brie,
  laitue et sauce aux canneberges . . . 9,50
- saumon fumé, hoummos et avocat . . 9,50

Les boissons
- boissons gazeuse/eau minérale 1,45
- thé glacé/jus de pomme ou d'orange 1,95
- café régulier/thé/tisane/
  lait au chocolat 1,95
- expresso, cappuccino, café au lait . . 3,75

Compréhension

A. Mots apparentés. Read the menu and use cognates to identify:

1. FOUR sandwiches.
2. THREE items used in each salad.
3. TWO items you could order from the **entrées**.
4. FOUR kinds of cheese.
5. SIX beverages.

B. Lisez bien. Read the menu and answer these questions.

1. C'est combien pour une salade César? pour une quiche lorraine? pour un sandwich au thon? pour un expresso?

2. Dominique est végétarienne. Qu'est-ce qu'elle ne doit pas commander dans le menu?

3. Jacqueline adore le poisson. Qu'est-ce que vous pouvez lui suggérer?

4. Simon est allergique aux produits laitiers. Qu'est-ce qu'il ne peut pas commander?

C. Bon appétit! From the menu, identify what you would like to order for lunch at Café Le Trapèze. Then, with another student who will act as the server, place your order in French.

Pour mieux écrire

Using logical order and standard phrases

When writing about an activity that you have done often, such as ordering at a café or restaurant, it is useful to start by jotting down the usual sequence of events and typical phrases that are used at each step. This will provide you with a basic framework which you can flesh out with details.

Organisez-vous. You are going to prepare a scene in which two friends meet, talk, and order at a café. Before you begin, make sure you remember how to do these things in French.

- How do you greet a friend?
- How do you call the server over and order a drink?
- How do you talk about what you do on the weekend?
- How do you ask what your companion likes to do and say what you like or do not like to do?
- How do you invite a friend to do something?
- How do you pay the bill?
- How do you say goodbye?

Au café

Using your answers from the preceding activity, write a conversation in which two university students meet at a café. They greet each other, order a drink, and start to chat about what they have in common. Remember to add details, such as when they like to do some things or why they do not like to do other things. They finally make plans to do something later, they get the bill, and they pay.

© racorn/Shutterstock

Pour mieux interagir
La télévision francophone au Canada

Plusieurs réseaux de télévision de langue française opèrent au Canada. Voici quelques émissions de langue française qui sont produites au Canada:

Découverte est une émission scientifique du réseau Ici Radio-Canada. On parle de différents sujets scientifiques: la nature, l'environnement, la médecine, l'astronomie, les technologies, etc.

Heure de diffusion: le dimanche à 18 h 30
Durée: 60 min

La Facture est une autre émission produite par Ici Radio-Canada. On défend les intérêts des consommateurs et des consommatrices. On les informe de leurs droits. Cette émission enquête sur des problèmes et des cas de fraude, soumis par les téléspectateurs et les téléspectatrices.

Heure de diffusion: le mardi à 19 h 30
Durée: 30 min

Un souper presque parfait est une téléréalité produite par le réseau V. Cinq inconnus doivent, tour à tour, se recevoir pour un souper. Le meilleur hôte remporte le prix. Les cinq concurrents votent sur la qualité du souper et sur l'ambiance de la soirée.

Heure de diffusion: les jours de semaine à 18 h 30
Durée: 30min

La Voix est un télé-crochet québécois adapté du concept original *The Voice of Holland* et produit par TVA. Des candidats chantent sur une scène pour une audition à l'aveugle – les membres du jury leur tournent le dos. Si un juge aime ce qu'il entend et désire devenir le *coach* de ce candidat, il appuie sur son *buzzer*, une enseigne «Je te veux» s'allume et son fauteuil se retourne.

Heure de diffusion: le dimanche, lundi et mercredi à 19 h 30
Durée: 120 min le dimanche et 30 min le lundi et le mercredi

Vocabulaire

Find the following terms in French from the above text:

1. TV network
2. TV programs
3. investigate
4. consumer interests
5. reality show
6. in turn
7. the best host
8. talent show
9. a stage
10. blind audition
11. a sign
12. an armchair

Compréhension

En anglais...

According to the day and time stated below, check if any of the programs above are on:

- Sunday, 6:45p.m.
- Thursday, 6:30p.m.
- Sunday, 8p.m.
- Wednesday, 8p.m.
- Monday, 6:40p.m.
- Tuesday, 7:30p.m.

En français...

Suggérez une ou plusieurs émissions pour les personnes suivantes selon les descriptions indiquées.

1. Henri aime inviter ses amis à la maison.
2. Marie-Claude veut devenir chanteuse.
3. Bertrand étudie les sciences.
4. Mme Comeau aime faire la cuisine.
5. Marianne s'intéresse aux nouvelles technologies.
6. Robin aime la musique.
7. René n'est pas content de la voiture qu'il vient d'acheter.
8. Nathan étudie le droit et veut défendre les intérêts des consommateurs.

Pour mieux découvrir
Quel est ce pays de la Francophonie ?

Voici quatre photos et descriptions pour vous aider à deviner.

Les vêtements traditionnels

Des cases traditionnelles

La Maison des esclaves à l'île de Gorée, un lieu symbolique de la mémoire de la traite des esclaves en Afrique.

Dakar, la capitale

Est-ce qu'il s'agit...

a. du Sénégal ?
b. du Togo ?
c. de la Mauritanie ?
d. de la Côte d'Ivoire ?

Réponse : a) Le Sénégal

■ Résumé de grammaire

The infinitive, -er verbs, and adverbs

The first verb in a clause is conjugated. Verbs after the first verb are in the infinitive (the base form of the verb). French infinitives end in **-er**, **-ir**, **-oir**, or **-re**.

> **écouter** *to listen to*   **dormir** *to sleep*   **voir** *to see*   **prendre** *to take*

Here is the pattern of conjugation for verbs ending in **-er**, except **aller**.

PARLER *(to speak)*	
je parl**e**	nous parl**ons**
tu parl**es**	vous parl**ez**
il/elle parl**e**	ils/elles parl**ent**

Qu'est-ce que tu aimes **faire** le soir ? J'aime **rester** à la maison et **lire** ou **sortir** pour **aller voir** un film. Mes amis **aiment** sortir mais moi j'**aime** rester à la maison.

With verbs ending in **-ger**, insert an **e** before the **-ons** ending in the **nous** form.

Nous voyag**e**ons souvent ensemble.

With verbs ending in **-cer**, the **c** changes to a **ç** before the **-ons** ending in the **nous** form.

Nous commen**ç**ons l'examen.

If the next-to-last syllable of an **-er** infinitive has an **e** or an **é**, this letter often changes to an **è** in all forms except **nous** and **vous**.

Après les cours, je **préfère** rentrer à la maison. Mais le vendredi après-midi, mes amis et moi **préférons** aller prendre un verre.

PRÉFÉRER *(to prefer)*	
je préf**è**re	nous préférons
tu préf**è**res	vous préférez
il/elle préf**è**re	ils/elles préf**è**rent

With verbs ending in **-yer**, the **y** changes to an **i** in all forms except **nous** and **vous**.

J'**envoie** souvent des textos. Vous **envoyez** rarement des textos.

ENVOYER *(to send)*	
j'envo**i**e	nous envoyons
tu envo**i**es	vous envoyez
il/elle envo**i**e	ils/elles envo**i**ent

The present tense in French is the equivalent of three present tenses in English.

Je parle français. { *I speak French.* / *I am speaking French.* / *I do speak French.* }

Je danse **souvent** la fin de semaine.
Je joue **bien** au tennis.
Je vais au cinéma **quelquefois**.
D'abord, je prépare mes cours.
Je travaille le soir **d'habitude**.
Je joue du piano **comme ci comme ça**.
Je **ne** travaille **jamais** le samedi.

Adverbs that tell how much, how often, or how well you do something are generally placed immediately after the verb. However, **d'abord**, **quelquefois**, and **d'habitude** are normally placed at the beginning or end of the clause and **comme ci comme ça** is placed at the end. **Ne… jamais** surrounds the conjugated verb.

Information questions and inversion

To ask information questions, place the appropriate question word (**où**, **qui**, etc.) before **est-ce que**.

Où est-ce que tu travailles?	*(Where ... ?)*
Qui est-ce que tu voudrais inviter?	*(Who ... ?)*
Avec qui est-ce que tu dînes?	*(With whom ... ?)*
Pourquoi est-ce que tu es ici?	*(Why ... ?)*
Qu'est-ce que tu voudrais?	*(What ... ?)*
Quels jours est-ce que tu es en cours?	*(What / Which days ... ?)*
Comment est-ce que tu aimes passer la matinée?	*(How ... ?)*

Do not use **est-ce que** with **qui** when it is the subject of the verb, or with **où** or **comment** when they are followed by **être**.

You can also form questions by inverting the verb and its subject pronoun. Remember that:

- You do not normally use inversion with **je**.
- If the subject of the verb is a noun, state the noun, then insert the corresponding pronoun to invert with the verb.
- When the inverted subject is **il** or **elle** and the verb ends *in a vowel,* you place a **-t-** between the verb and the pronoun.
- The inverted forms of **il y a** and **c'est** are **y a-t-il** and **est-ce**.

The numbers from 30 to 100 and money

The **euro** is the official currency of France. A euro is composed of 100 **centimes**. Read prices as:

10,10 € = dix euros dix
84,35 € = quatre-vingt-quatre euros trente-cinq
65,75 € = soixante-cinq euros soixante-quinze
100,50 € = cent euros cinquante

The numbers from 30 to 100 are based on:

30 trente
40 quarante
50 cinquante
60 soixante
70 soixante-dix
80 quatre-vingts
90 quatre-vingt-dix
100 cent

Je suis en cours le mardi et le jeudi. Et toi? **Quand est-ce que** tu es en cours?

Qui travaille ici?
Où est le club de gym?
Comment sont tes cours?

Où **travaillez-vous**?
À quelle heure **êtes-vous** en cours?

Je comprends bien?
Les cours **sont-ils** difficiles?

Marie **parle-t-elle** français?
Marie **est-elle** d'ici?
Y a-t-il un café dans le quartier?
Est-ce un bon café?

– C'est combien, un expresso?
– C'est **deux euros quarante**.

Vocabulaire

COMPÉTENCE 1

Saying what you like to do

EXPRESSIONS VERBALES

J'aime...	I like ...
Je préfère...	I prefer ...
Je voudrais (bien)...	I would like ...
aller en boîte / au café /	to go to a club / to the café/
au cinema	to the movies
bricoler	to do handiwork
danser	to dance
dormir	to sleep
écouter la radio	to listen to the radio
écrire un courriel	to write an e-mail
envoyer un texto	to send a text message
faire	to do, to make
faire de l'exercice	to exercise
faire du jogging	to jog, to go jogging
faire du ski	to ski, to go skiing
faire du sport	to play sports
faire du vélo	to ride a bike
faire quelque chose	to do something
inviter des amis à	to invite friends to
la maison	the house
jouer au baseball /	to play baseball /
au basketball / au soccer /	basketball / soccer /
au football /	football /
au golf / au tennis /	golf /tennis /
au volleyball	volleyball
jouer du piano / de la	to play piano / drums /
batterie / de la guitare	guitar
lire	to read
parler au téléphone	to talk on the phone
prendre un verre	to have a drink
regarder la télé(vision)	to watch TV
réseauter avec des amis	to connect (social networking)
	with friends
rester à la maison	to stay home
sortir avec des ami(e)s	to go out with friends
souper au restaurant	to have dinner in a restaurant
surfer sur le Net	to surf the Web
travailler sur l'ordinateur	to work on the computer
voir un film	to watch a movie
On va...?	Shall we go ... ?
Qu'est-ce que vous	What do you like to do?
aimez faire?	
Qu'est-ce que vous	What would you like to do?
voudriez faire?	
Tu voudrais...?	Would you like ... ?

DIVERS

À ce soir!	See you tonight!,
	See you this evening!
après les cours	after class
D'accord!	Okay!
un passe-temps	a pastime
Pourquoi pas?	Why not?
quelque chose	something
Tu es libre ce soir?	Are you free this evening?
vers	about, around, toward
pas vraiment	not really

COMPÉTENCE 2

Saying how you spend your free time

NOMS MASCULINS

le ciné-club	the cinema club
un classique	a classic

NOMS FÉMININS

une activité	an activity

EXPRESSIONS VERBALES

Qu'est-ce que vous faites?	What are you doing?
	What do you do?
Qu'est-ce que tu fais?	What are you doing?
	What do you do?
chanter	to sing
commencer	to begin, to start
faire de la musique	to play music
faire du magasinage	to go shopping
gagner	to win
jouer au hockey	to play hockey
manger	to eat
nager	to swim
passer chez...	to go by ... 's house
passer le temps /	to spend one's time /
la matinée	the morning
préférer	to prefer
préparer mes cours	to prepare for my classes, to
	study
répéter	to repeat
rester au lit	to stay in bed
je vais	I am going, I go
voyager	to travel

ADVERBES

(très / assez) bien	(very / fairly) well
comme ci comme ça	so-so
d'abord	first
d'habitude	usually
jusqu'à	until
(très / assez) mal	(very / fairly) badly
mieux (que)	better (than)
ne... jamais	never
presque	almost
quand	when
quelquefois	sometimes
rarement	rarely
souvent	often
toujours	always

DIVERS

chez...	to / at / in / by ... 's house
le samedi matin /	(on) Saturday mornings /
après-midi / soir	afternoons / evenings
la fin de semaine	the weekend, weekends, on the
	weekend

Asking about someone's day

NOMS MASCULINS

l'après-midi	the afternoon
un resto rapide	a fast-food restaurant
un jour	a day
mon mari	my husband
le matin	the morning
un parc	a park
mon petit ami	my boyfriend
le soir	the evening

NOMS FÉMININS

ma femme	my wife
la journée	the day
les nouvelles	the news
ma petite amie	my girlfriend

EXPRESSIONS VERBALES

aimer mieux	to like better, to prefer
aller au parc	to go to the park
demander	to ask (for)
dîner	to eat lunch
je dors	I am sleeping, I sleep
je lis	I am reading, I read
manger dans un resto rapide	to eat in a fast-food restaurant
rentrer	to return, to go back (home)

EXPRESSIONS ADVERBIALES

l'après-midi	in the afternoon, afternoons
de... heures à... heures	from ... o'clock to ... o'clock
de temps en temps	from time to time
ensemble	together
le matin	in the morning, mornings
le soir	in the evening, evenings
tous les jours	every day
toute la journée	all day

EXPRESSIONS INTERROGATIVES

à quelle heure	at what time
avec qui	with whom
comment	how
où	where
pourquoi (parce que)	why (because)
quand	when
quel(s) jour(s)	(on) what / which day(s)
que (qu'est-ce que)	what
Qu'est-ce que c'est?	What is this/that/it?, What are these/those/they?
qui	who(m)
Qui est-ce?	Who is he/she/it/this/that?, Who are they?

DIVERS

avec elle	with her
avec lui	with him
en général	in general
par exemple	for example
riche	rich
sauf	except
sublime	sublime, amazing

Going to the café

NOMS MASCULINS

l'argent	money, silver
un café (au lait)	a coffee (with milk)
un centime	a centime, a cent
un chocolat (chaud)	a (hot) chocolate
un coca (diète)	a (diet) cola
un euro	a euro
un expresso	an espresso
un serveur	a server
un jus de fruits / d'orange	a fruit / an orange juice
un Orangina	an Orangina
un sandwich au fromage / au jambon	a cheese / ham sandwich
un thé (au citron)	a tea (with lemon)
un verre de vin blanc / rouge	a glass of white / red wine

NOMS FÉMININS

une bière	a beer
une boisson	a drink, a beverage
une eau minérale	a mineral water
des frites	some fries
la monnaie	change

NOMBRES

quarante, quarante et un...	forty, forty-one ...
cinquante, cinquante et un...	fifty, fifty-one ...
soixante, soixante et un...	sixty, sixty-one ...
soixante-dix, soixante et onze...	seventy, seventy-one ...
quatre-vingts, quatre-vingt-un...	eighty, eighty-one ...
quatre-vingt-dix, quatre-vingt-onze...	ninety, ninety-one ...
cent	one hundred

DIVERS

Ça fait combien?	How much is it?
Ça fait... dollars.	That makes ... dollars.
C'est combien?	How much is it?
chaud(e)	hot
commander	to order (food and drink)
J'ai faim. / Je n'ai pas faim.	I'm hungry. / I'm not hungry.
J'ai soif. / Je n'ai pas soif.	I'm thirsty. / I'm not thirsty.
payer	to pay
Qu'est-ce que vous allez prendre?	What are you going to have?
Vous désirez?	What would you like?
Je vais prendre...	I'm going to have ...
Je voudrais...	I would like ...
Pour moi... s'il vous plaît.	For me ... please.
voici	here is, here are
voilà	there is, there are
votre (vos)	your

L'ONTARIO

Un nouvel appartement

© Elena Elisseeva/Shutterstock

COMPÉTENCES

1 **Talking about where you live**

Le logement

Giving prices and other numerical information
Les nombres au-dessus de 100 et les nombres ordinaux

Stratégies et Lecture
- **Pour mieux lire :** *Guessing meaning from context*
- **Lecture :** *Un nouvel appartement*

2 **Talking about your possessions**

Les effets personnels

Saying what you have
Le verbe avoir

Saying where something is
Quelques prépositions

3 **Describing your room**

Les meubles et les couleurs

Identifying your belongings
La possession et les adjectifs possessifs mon, ton et son

Indicating to whom something belongs
Les adjectifs possessifs notre, votre et leur

4 **Giving your address and phone number**

Des renseignements

Telling which one
Les adjectifs quel et ce

Reprise *Les Stagiaires*

Espace culturel

Pour mieux lire *Les couleurs et leurs effets sur la nature humaine*

Pour mieux écrire *Un courriel*

Pour mieux interagir *Appartements à louer au Québec*

Pour mieux découvrir *Quel est ce pays de la Francophonie?*

Résumé de grammaire
Vocabulaire

L'Ontario

**Le drapeau
franco-ontarien**

Saviez-vous que les Franco-Ontariens représentent la deuxième plus grande communauté de Francophones du Canada, hors Québec et qu'ils forment la plus grande minorité linguistique en Ontario ?

Le drapeau franco-ontarien a été **conçu** par un groupe d'étudiants francophones de l'Université Laurentienne, à Sudbury, en 1975. La fleur de lis représente **l'appartenance** des Franco-Ontariens à la francophonie internationale. La fleur de trille est l'emblème de l'Ontario et représente **le foyer** ontarien de la culture francophone. **Le vert** symbolise **les printemps** ontariens et **le blanc**, **les hivers** canadiens.

▲ Un marché en Ontario

▲ Toronto

▲ Le Parlement et le canal Rideau, à Ottawa

le drapeau *the flag*	**les printemps** *the springs*
conçu *conceived*	**le blanc** *the white*
l'appartenance *the belonging*	**les hivers** *the winters*
le foyer *the home*	**ville** *city*
le vert *the green*	

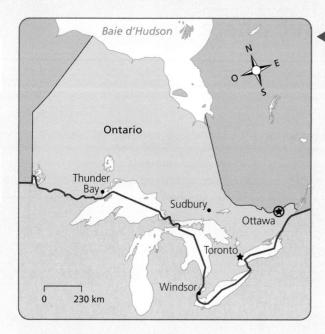

▲ Un vignoble dans la région de Niagara

▲ La culture du canola en Ontario

L'Ontario
Nombre d'habitants : environ 14 000 000 (les Ontariens et Ontariennes)
Capitale : Toronto. Environ 561 000 Ontariens/ Ontariennes ont le français comme langue maternelle (les Franco-Ontariens et Franco-Ontariennes).

Qu'en savez-vous ?

1. Que signifie « Ontario » dans la langue huronne ?
   a. belle étoile du nord
   b. grande terre fertile
   c. belle eau scintillante
   d. nouvelle terre

2. Dans quelle **ville** ontarienne y a-t-il le plus grand nombre de francophones ?
   a. Sudbury
   b. Ottawa
   c. Hearst
   d. Toronto

3. Dans quelle ville se déroule le Festival Franco-Ontarien ?
   a. Ottawa
   b. Sault-Sainte-Marie
   c. Cornwall
   d. Guelph

4. Lesquelles de ces universités ontariennes offrent des programmes d'études en français ?
   a. l'Université Carleton
   b. le Collège Glendon de l'Université York
   c. le Collège universitaire de Hearst
   d. l'Université Waterloo
   e. le Collège universitaire dominicain
   f. l'Université d'Ottawa
   g. l'Université Laurentienne
   h. l'Université Queen's
   i. l'Université Saint-Paul

Réponses : 1) c ; **2)** b ; **3)** b ; **4)** b, c, e, f, g, i

■ **Talking about where you live**

Le logement

J'habite…	dans une maison
	dans un appartement
	dans un grand **immeuble**
	à la résidence universitaire
	chez mes parents

Ma maison est…	grande / petit(e)
Mon appartement est…	moderne / vieux (vieille)
Ma chambre est…	joli(e) / laid(e)
	(trop) cher (chère)
	confortable

J'habite…	sur le campus	**au centre-ville**
	tout près de l'université	**en ville**
	(assez) loin de l'université	**en banlieue**
		à la campagne

Le loyer est de…	550 $ (cinq cent cinquante dollars)	**par mois**
	600 $ (six cents dollars)	
	1 200 $ (mille deux cents dollars)	

Je n'ai pas de loyer!

Chez moi, il y a six **pièces** *(f)*.

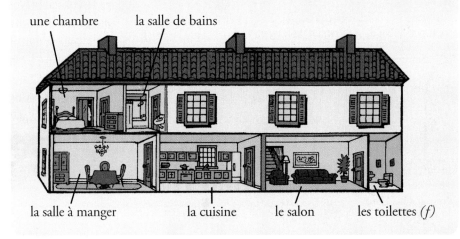

une chambre   la salle de bains

la salle à manger   la cuisine   le salon   les toilettes *(f)*

Philippe, un jeune Parisien, **va** étudier à l'Université d'Ottawa. Il parle au téléphone à son ami Thomas, avec qui il pense habiter.

PHILIPPE : Où est-ce que tu habites ?
THOMAS : J'habite dans un immeuble au centre-ville.
PHILIPPE : **À quel étage ?**
THOMAS : Mon appartement est au deuxième étage.
PHILIPPE : Tu habites seul ?
THOMAS : Non, j'habite avec Claude, mon colocataire.
PHILIPPE : L'université est loin de chez toi ?
THOMAS : Non, pas très loin. Et il y a **un arrêt d'autobus** tout près. C'est très **commode**.
PHILIPPE : Et l'appartement est agréable ?
THOMAS : J'aime beaucoup mon appartement. Il est assez grand et pas trop cher.

A. Et vous ? Complétez les phrases avec les mots en italique qui correspondent le mieux à votre situation.

1. J'habite dans *un appartement / une maison / une chambre.*
2. *Mon appartement / Ma chambre / Ma maison* est *sur le campus / (tout) près de l'université / (très / assez) loin de l'université.*
3. Il/Elle est *au centre-ville / en ville / en banlieue / à la campagne.*
4. Il/Elle est *joli(e) / grand(e) / moderne / confortable / …*
5. Il/Elle *est / n'est pas* trop cher (chère).
6. Le loyer est de *plus / moins* de cinq cents dollars par mois.
7. Chez moi, il y a *une / deux / trois / quatre / …* chambre(s).
8. *Il y a un ascenseur / Il n'y a pas d'ascenseur* dans mon immeuble.

B. Entretien. Interviewez votre partenaire.

1. Est-ce que tu habites chez tes parents ? Est-ce que tu habites dans une maison, dans un appartement ou dans une chambre à la résidence universitaire ? Comment est la maison / la chambre / l'appartement ? Est-ce qu'il est cher / elle est chère ?
2. Tu habites près de l'université, loin de l'université ou sur le campus ? Est-ce que c'est commode ? Est-ce qu'il y a un arrêt d'autobus tout près ?
3. Préfères-tu habiter au centre-ville, en ville, en banlieue ou à la campagne ? Préfères-tu habiter au premier étage ou au dernier étage ?
4. Quelles pièces est-ce qu'il y a chez toi ? Dans quelle pièce aimes-tu passer beaucoup de temps ? Dans quelle pièce préfères-tu faire tes devoirs ?

C. À vous ! Avec un(e) partenaire, relisez à haute voix la conversation entre Philippe et Thomas. Ensuite, adaptez la conversation pour décrire votre propre situation.

va (aller *to go*)
À quel étage ? *On what floor?* (un étage *a floor* [of a building])
un arrêt d'autobus *a bus stop*
commode *convenient*

✔ *Pour vérifier*

1. How do you say 100? 1 000? 1 000 000? Before which two of these numbers do you never put **un**?

2. How do you say 1 503? 12 612?

3. In the numbers 200, 2 000, and 2 000 000, which two words would have an **s**: **cent**, **mille**, or **million**? Which one of those words would drop the **s** if another number followed it?

4. Do you use a period or a comma to express decimals in French?

5. How do you say *first*? *fifth*? How do you say *on the* with a floor?

Vocabulaire supplémentaire

un milliard *one billion*
deux milliards *two billion*

Giving prices and other numerical information

Les nombres au-dessus de 100 et les nombres ordinaux

Here is how to say numbers over 100.

100 cent		**1 000** mille	
101 cent un		**1 001** mille un	
102 cent deux		**1 352** mille trois cent cinquante-deux	
199 cent quatre-vingt-dix-neuf		**2 000** deux mille	
		1 000 000 un million	
200 deux cents		**2 234 692** deux millions deux cent trente-quatre mille six cent quatre-vingt-douze	
201 deux cent un			
999 neuf cent quatre-vingt-dix-neuf			

Note the following about numbers:

- **Cent** means *one hundred,* never say **un cent**. **Mille** means *one thousand,* never say **un mille**. On the other hand, do say **un million**. Use **de (d')** after the word **million(s)** whenever a noun follows it directly.

  cent habitants   **mille habitants**   **un million d'habitants**

- **Million** takes an **s** in the plural. **Cent** generally only takes an **s** when plural if it is not followed by another number. Never add an **s** to **mille**.

  deux **cents** habitants   deux **cent** cinquante habitants
  trois **millions** d'habitants   trois **millions** six **mille** habitants

- There is no hyphen between **cent**, **mille**, or **un million** and another number.

  un million deux cent cinquante-quatre mille habitants

- In France and in Québec, commas are used to denote decimals, and a space (or a period) is used after thousands, millions, etc. Read a decimal as **virgule (1,5 = un virgule cinq)**.

CANADA / USA	FRANCE / QUÉBEC
1.5	1,5
1,000	1 000

Use **À quel étage?** to ask *On what floor?* To say *on the* with a floor, use **au**. When counting floors, use the ordinal numbers.

— **À quel étage habitez-vous?**   — *What floor do you live on?*
— **J'habite au troisième étage.**   — *I live on the third floor.*

In French, to convert cardinal numbers *(two, three, four …)* to ordinal numbers *(second, third, fourth …)*, add the suffix **-ième**. Drop a final **e** from cardinal numbers before adding **-ième**.

deux → deuxième   **quatre → quatrième**   **mille → millième**

These ordinal numbers are irregular: **premier (première)**, **cinquième**, **neuvième**.

A. Le loyer. Quel est le loyer?

EXEMPLE   900 $ **Le loyer est de neuf cents dollars par mois.**

1. 865 $
2. 410 $
3. 750 $
4. 675 $
5. 825 $

6. 1 545 $
7. 1 110 $
8. 2 435 $
9. 3 295 $
10. 1 340 $

B. Et vous? Décrivez l'endroit *(place)* où vous habitez en changeant les nombres et les mots en italique.

1. La population de la ville où j'habite maintenant est de *150 000 / …* habitants.
2. Il y a plus de *15 000 / …* étudiants à notre *(our)* université.
3. Mon loyer est de *400 $ / …* par mois. *(Je n'ai pas de loyer.)*
4. Ma chambre est au *deuxième étage / …*
5. Je préfère habiter au *deuxième étage / …*
6. Maintenant, nous sommes au *troisième étage / …*
7. Le bureau du prof est *au rez-de-chaussée / au deuxième étage / …*

C. Statistiques. Devinez *(Guess)* quel chiffre correspond approximativement à chaque description. Votre professeur dira *(will say)* **plus que ça** ou **moins que ça** pour vous guider jusqu'à la bonne réponse.

1. La population du Canada :
   30 000 000? 35 000 000? 39 000 000? 42 000 000?
2. Le nombre de personnes capables de soutenir une conversation en français au Canada :
   8 000 000? 10 000 000? 12 000 000? 14 000 000?
3. La population de l'Ontario :
   14 000 000? 16 000 000? 17 000 000? 19 000 000?
4. Le nombre de personnes capables de soutenir une conversation en français en Ontario :
   1 450 000? 2 250 000? 4 100 000? 7 575 000?
5. Le nombre de personnes ayant déclaré le français comme langue maternelle en Ontario :
   390 000? 560 000? 685 000? 875 000?
6. La population d'Ottawa :
   590 000? 760 000? 925 000? 1 125 000?

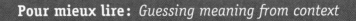

Stratégies et Lecture

You can often guess the meaning of unknown words from context. Read this passage in its entirety, then guess the meaning of the boldfaced words.

L'immeuble de Thomas **se trouve** au centre-ville. Arrivé à l'immeuble, Philippe **entre**, il **monte** l'escalier et il **sonne** à la porte de l'appartement de son ami. Une jeune femme **ouvre** la porte. Après un instant, elle **referme** la porte.

Some words may have different meanings in different contexts. For example, the word **bien** can mean *well* or it can also be used for emphasis, instead of **très** *(very)*. Read the following sentences and use the context to decide if **bien** means *well* or *very*.

> Je comprends bien.
> C'est bien compliqué.
> Le prénom Claude est utilisé aussi bien pour une femme que pour un homme.

🔘 **Lecture:** *Un nouvel appartement*

Philippe, un jeune Parisien, arrive devant l'immeuble où habitent Thomas et son colocataire Claude.

Philippe ouvre la lettre de Thomas, consulte les instructions et vérifie l'adresse. Il lit: *Mon appartement se trouve au 2065, avenue Laurier. C'est un grand immeuble avec une porte bleue. J'habite au deuxième étage.* «Oui, c'est bien là», pense-t-il. Il descend de la voiture, entre dans l'immeuble et monte l'escalier.

Il sonne à la porte de l'appartement. Après quelques instants, une jolie jeune femme lui ouvre la porte.

— Euh… Bonjour, mademoiselle, je suis Philippe. C'est bien ici que Claude et Thomas habitent?
— Claude, c'est moi. Mais…
Philippe, très surpris, l'interrompt et s'exclame:
— Claude, c'est vous? Euh… Mais vous êtes une femme!
— Eh oui, monsieur, je suis bien une femme! répond la jeune femme.
— Euh… je veux dire que… C'est que, vous comprenez, Claude, c'est généralement un prénom masculin, dit Philippe.
— En français, monsieur, le prénom Claude peut être utilisé aussi bien pour une femme que pour un homme, répond la jeune femme.

— Ah, je comprends! Excusez-moi, mademoiselle. Je suis confus. Alors, vous êtes Claude. Moi, je suis Philippe, Philippe Martin. Est-ce que Thomas est ici?

— Thomas? dit-elle d'un air surpris.

— Eh oui, Thomas, mon ami. Il habite ici avec vous, n'est-ce pas?

— Mais certainement pas, monsieur! dit-elle d'un ton énervé.

Quand elle essaie de fermer la porte, Philippe s'exclame:

— Un instant, s'il vous plaît, mademoiselle. Regardez! Voici l'adresse que mon ami m'a donnée.

Elle prend la lettre, lit les instructions et commence à comprendre.

— Oui, monsieur, c'est bien ici le 2065, avenue Laurier, mais vous êtes au troisième étage et votre ami habite au deuxième étage.

— Au troisième étage? Ah! Oui, je comprends maintenant. *First floor*, c'est le rez-de-chaussée et *second floor*, c'est le premier étage. Alors, je descends encore un étage pour trouver l'appartement de mon ami?

— Oui, monsieur, c'est bien ça. Au revoir, et bienvenue à Ottawa!

— Au revoir, mademoiselle, et merci!

A. Vrai ou faux?

1. Philippe arrive au 2065, avenue Laurier, l'adresse de son ami Thomas.
2. Il monte directement au deuxième étage.
3. Il sonne et Claude, la jeune femme qui habite avec Thomas, ouvre la porte.
4. Philippe est surpris de voir une femme.
5. Claude est un prénom masculin et aussi un prénom féminin en français.
6. En France, le *first floor*, c'est le rez-de-chaussée et le *second floor*, c'est le premier étage.
7. Au Canada, le *first floor*, c'est le rez-de-chaussée et aussi le premier étage.

B. Voilà pourquoi. Complétez le paragraphe pour expliquer la confusion de Philippe.

homme	troisième	troisième	deuxième
deuxième	Thomas	Thomas	homme

Philippe entre dans l'immeuble pour trouver l'appartement de __1__. Thomas habite au __2__ étage avec Claude, un ami. Philippe monte au __3__ étage et sonne. Une jeune femme ouvre la porte. C'est Claude, mais elle n'habite pas avec Thomas. Philippe ne comprend pas; il pense que la jeune femme habite avec __4__. Voilà le problème: Philippe est au __5__ étage et Thomas et Claude habitent au __6__ étage. C'est un autre Claude, un jeune __7__, pas une jeune femme, qui habite avec Thomas.

Talking about your possessions

Vocabulaire supplémentaire

une cuisinière *a stove*
un (four à) micro-ondes *a microwave (oven)*
un futon
un lave-vaisselle *a dishwasher*
une laveuse *a washer / washing machine*
un lecteur MP3 *an MP3 player*
une moto *a motorcycle*
un réfrigérateur (un frigo)
une sécheuse *a dryer*
une table basse *a coffee table*

Les effets personnels

Avez-vous beaucoup de **choses**? Moi, **j'ai...**

un lecteur CD
et des CD *(m)*

une lampe
un tableau
un canapé

un fauteuil
un chat
une plante

un lecteur DVD
et des DVD *(m)*
une chaîne hi-fi
une télé

un chien   un tapis   une table   une chaise

beaucoup de   une voiture   un vélo   un portable   un   un iPod
vêtements *(m)*   (un   cellulaire
                                          ordinateur)

Chez Thomas **tout est en ordre** et **bien rangé**. Qu'est-ce qu'il y a...?

dans le coin   à gauche du
canapé   derrière le canapé

devant la
fenêtre
sur la table   à droite du
                                          canapé
à côté du
portable

en face du canapé   entre la table et le fauteuil   sous le canapé

Avez-vous (avoir *to have)*
une chose *a thing*
j'ai (avoir *to have)*
tout est en ordre *everything is in order (in its place)*
bien rangé(e) *orderly, put away, in its place*

Avant d'arriver à Ottawa, Philippe **cherche** un appartement. Il téléphone à Thomas.

THOMAS : Tu cherches un appartement ici à Ottawa? Écoute, tu sais, moi, je **partage** un appartement avec mon ami Claude. **Nous avons** trois chambres; tu voudrais habiter avec nous?

PHILIPPE : **Peut-être**. Comment est **ton** appartement?

THOMAS : Il est assez grand et confortable, mais pas trop cher. Tu aimes les animaux?

PHILIPPE : Oui, pourquoi? **Tu as** des animaux?

THOMAS : Claude **a** un chien et un chat. Ils sont quelquefois **embêtants** et ils aiment dormir **partout**.

PHILIPPE : Pas de problème. J'aime bien les animaux. Vous **fumez**?

THOMAS : Non, je ne fume pas et Claude **non plus**.

PHILIPPE : Bon, moi non plus. Alors ça va.

A. Qu'est-ce que c'est?
Regardez l'illustration du salon de Thomas en bas de la page précédente. Qu'est-ce qu'il y a dans chaque endroit *(place)*?

> **EXEMPLE** sur la table
> **Il y a des livres sur la table.**

1. devant la fenêtre
2. en face du canapé
3. derrière le canapé
4. à côté du portable
5. à gauche du canapé
6. à droite du canapé.
7. entre le fauteuil et la table
8. sous le canapé

 ## B. Entretien.
Interviewez votre partenaire.

1. Tu as beaucoup de choses chez toi? Qu'est-ce qu'il y a dans le salon?
2. Dans ta chambre, est-ce qu'il y a une télé? des affiches? des plantes? un fauteuil? En général, est-ce que tout est en ordre et bien rangé dans ta chambre ou est-ce que ta chambre est souvent en désordre?
3. Est-ce que tu as des animaux? Tu préfères les chiens ou les chats?
4. Est-ce que tu fumes? Est-ce que tu voudrais habiter avec un(e) colocataire qui fume?

 ## C. À vous!
Avec un(e) partenaire, relisez à haute voix la conversation entre Thomas et Philippe. Ensuite, imaginez que votre partenaire voudrait habiter chez vous et adaptez la conversation pour décrire votre propre situation.

> **chercher** *to look for*
> **partager** *to share*
> **Nous avons** (avoir *to have*)
> **Peut-être** *Maybe, Perhaps*
> **ton/ta/tes** *your (singular familiar)*
> **Tu as** (avoir *to have*)
> **a** (avoir *to have*)
> **embêtant(e)** *annoying*
> **partout** *everywhere*
> **fumer** *to smoke*
> **non plus** *neither*

1. What does **avoir** mean? What are its forms? Why might one confuse the **tu** and **ils/elles** forms of **avoir** *(to have)* with those of **être** *(to be)*?

2. What does the indefinite article **(un, une, des)** change to after expressions of quantity such as **combien** or **beaucoup**? When else does this change occur?

3. Which of these nouns would have a plural ending with **-x** instead of **-s**: **un hôpital, un animal, un tableau, un bureau, une table, un canapé**?

Grammar Tutorials

Saying what you have

*Le verbe **avoir***

To say what someone has, use the verb **avoir**. Its conjugation is irregular.

AVOIR *(to have)*	
j' **ai**	nous ᶻ**avons**
tu **as**	vous ᶻ**avez**
il/elle **a**	ils/elles ᶻ**ont**

Remember to use **de (d')** rather than **des** after **combien** *(how much, how many)*, as you do after quantity expressions like **beaucoup** and **assez**. Also remember to use **de (d')** instead of **un, une,** or **des** after most negated verbs other than **être**.

AFFIRMATIVE	NEGATIVE	AFTER A QUANTITY EXPRESSION
J'ai **des** chats. BUT:	Je n'ai pas **de** chats.	Combien **de** chats as-tu?
C'est **un** chat.	Ce n'est pas **un** chat.	C'est beaucoup **de** chats.

Although the plural of most nouns and adjectives is formed by adding **-s**, words ending in **-eau, -au,** or **-eu** usually form their plural with **-x**. Words ending in **-al** often change this ending to **-aux** in the plural. Acronyms like **DVD** and **CD** do not add **-s** in the plural.

un tableau	un bureau	un animal	un CD	un DVD
des tableaux	des bureaux	des animaux	des CD	des DVD

Prononciation

Avoir et être

Be careful to pronounce the forms of the verbs **avoir** and **être** distinctly. Open your mouth wide to pronounce the **a** in **tu as** and **il/elle a.** Contrast this with the vowel sound in **es** and **est.** Pronounce **ils sont** with an **s** sound, and the liaison in **ils ont** with a **z** sound.

être: Tu es professeur. avoir: Tu as beaucoup de cours.
      Elle est professeur.   Elle a beaucoup de cours.
      Ils sont professeurs.   Ils ᶻont beaucoup de cours.

A. Prononcez bien ! *Posez ces questions à un(e) camarade de classe. Faites attention à la prononciation des verbes* **avoir** *et* **être**.

EXEMPLE **a. — Tu es sociable ?**
   — Oui, je suis sociable. / Non, je ne suis pas sociable.
   b. — Tu as beaucoup d'amis ?
   — Oui, j'ai beaucoup d'amis. / Non, je n'ai pas beaucoup d'amis.

1. a. Tu es d'ici ?   **b.** Tu as beaucoup de choses chez toi ?

2. a. Ton meilleur ami est sympa ?   **b.** Il a beaucoup d'amis ?

3. a. Tes parents, ils sont sportifs ?   **b.** Ils ont un vélo ?

4. a. Ils sont d'ici ?   **b.** Ils ont une grande maison ?

B. Qu'est-ce qu'ils ont ? *Complétez ces phrases selon le modèle.*

EXEMPLE Moi, je (j')… (un chat, un chien).
   Moi, j'ai un chat. Je n'ai pas de chien.

1. Chez moi, je (j')… (une télé, un portable, des plantes).
2. Mon meilleur ami (Ma meilleure amie)… (un chien, beaucoup de vêtements, un vélo, une tablette).
3. En cours de français, nous… (beaucoup de devoirs, beaucoup d'examens, cours le lundi, un examen aujourd'hui).
4. Généralement, les étudiants à l'université… (un vélo, une voiture, beaucoup de temps libre).

C. Oui ou non ? *Vous cherchez un nouveau logement et vous parlez à d'autres étudiants qui voudraient partager leur (their) appartement / maison. Complétez leurs phrases avec la forme correcte du verbe* **avoir**. *Ensuite, dites si vous voudriez habiter avec ces personnes. Répondez* **oui**, **non** *ou* **peut-être**.

1. J' _____ un très bel appartement et le loyer n'est pas trop cher.
2. Nous _____ une grande maison près de l'université. Les chambres _____ beaucoup de fenêtres et une belle vue *(view)*.
3. Mon colocataire _____ beaucoup d'amis qui fument dans l'appartement.
4. Tu _____ une voiture ? Mon immeuble n' _____ pas de stationnement mais il est près de tout. Moi, j' _____ un vélo.
5. J' _____ un appartement. Il est au cinquième étage mais nous _____ deux nouveaux ascenseurs.
6. L'immeuble n'_____ pas assez d'eau chaude, mais le loyer est seulement *(only)* de cinq cents dollars par mois et j'_____ un très joli appartement.

Moi, j'ai un vélo.

✔ **Pour vérifier**

1. How do you say *on? under? facing? next to?*
2. What does the preposition **de** mean? With which two forms of the definite article does it combine to form **du** and **des**?

Saying where something is

Quelques prépositions

You can use the following prepositions to tell where something or someone is.

sur *on*	**près (de)** *near*
sous *under*	**loin (de)** *far (from)*
entre *between*	**à côté (de)** *next to, beside*
dans *in*	**à droite (de)** *to the right (of)*
devant *in front of*	**à gauche (de)** *to the left (of)*
derrière *behind*	**en face (de)** *across (from), facing*
	dans le coin (de) *in the corner (of)*

The preposition **de** *(of, from, about)*, which is used as part of some of the prepositions above, contracts with the forms of the definite article **le** and **les**, to become **du** and **des**. It does not change when followed by **la** or **l'**.

CONTRACTIONS WITH *DE*			
de + le	→	du	J'habite près **du** centre-ville.
de + la	→	de la	La salle de classe est près **de la** bibliothèque.
de + l'	→	de l'	Mon appartement est près **de l'**université.
de + les	→	des	Il n'y a pas de stationnement près **des** résidences.

Prononciation

De, du, des

Be careful to pronounce **de**, **du**, and **des** distinctly.

- As you know, the **e** in words like **de**, **le**, and **ne** is pronounced with the lips slightly puckered. The tongue is held firm in the lower part of the mouth.
- The **u** in **du**, as in **tu**, is pronounced with the tongue arched firmly near the roof of the mouth, like the French vowel **i** in **il**, but with the lips puckered.
- The vowel in **des** is a sharp sound like the **é** in **café**, pronounced with the corners of the lips spread.

A. Prononcez bien! Lisez les phases suivantes en faisant attention à la prononciation des mots en caractères gras *(boldface)*. Ensuite *(Then)*, dites si chaque phrase est vraie ou fausse pour votre *(your)* classe et corrigez les phrases qui sont fausses.

1. Je suis assis(e) *(seated)* à côté **de la** porte.
2. La porte est à gauche **du** tableau.
3. Je suis près **du** professeur.
4. Le professeur est en face **de** moi.
5. Il y a un tableau en face **des** étudiants.
6. Le professeur est près **du** tableau.
7. Il y a un ordinateur dans le coin **de la** salle de classe.
8. Il y a des fenêtres à droite **des** étudiants.

B. C'est où? Une amie de Thomas décrit *(is describing)* le salon chez elle. Complétez ses phrases avec la forme convenable de la préposition **de (de, du, de la, de l', des)**. Ensuite *(Then)*, regardez l'illustration et dites si les phrases sont vraies ou fausses. Corrigez les phrases qui sont fausses.

1. Sur la table, les livres sont à gauche _____ ordinateur.
2. L'ordinateur est à côté _____ mes livres.
3. La télé est en face _____ fauteuil.
4. L'escalier est à gauche _____ table.
5. La télé est à côté _____ plantes.
6. La lampe est à côté _____ fauteuil.
7. Le chien est à droite _____ télé.
8. La porte est en face _____ escalier.

C. Descriptions. Faites des phrases pour décrire le salon dans *B. C'est où?*

> **EXEMPLE** les livres / la table
> **Les livres sont sur la table.**

1. le chat / la table
2. la télé / le fauteuil
3. les plantes / la télé
4. le chien / le fauteuil et la télé
5. le chien / le fauteuil
6. la table / le salon
7. la porte / le fauteuil
8. les livres / l'ordinateur
9. l'ordinateur / la table
10. l'escalier / les tableaux

 D. Qui est-ce? Utilisez trois prépositions pour indiquer où un(e) camarade de classe est assis(e) *(seated)* et les autres étudiants devineront *(will guess)* qui est la personne décrite.

> **EXEMPLE** — Elle est assise près de la fenêtre. Elle est à droite de Paul et elle est derrière Catherine.
> — C'est Julie?
> — Oui.

E. À vendre. Avec un(e) partenaire, préparez au moins huit phrases décrivant cette maison.

> **EXEMPLE** Quand vous entrez *(enter)* dans la maison, les toilettes sont à gauche de la porte et le bureau est à droite. Derrière les toilettes il y a...

au rez-de-chaussée

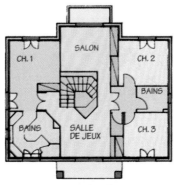

au premier étage

Les meubles et les couleurs

Thomas **montre** les chambres à Philippe.

Voilà **ma** chambre. **Les murs** sont beiges et le tapis et les rideaux sont bleus. **La couverture** est bleue, rouge et verte.

Ma chambre est toujours **propre** et en ordre. Tout est **à sa place**.

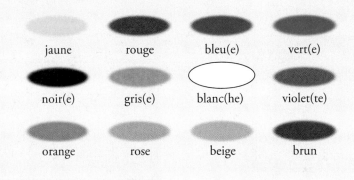

Voilà la chambre de Claude. **Sa** chambre est souvent un peu **sale** et en désordre. Il **laisse** tout **par terre**.

Et vous? Comment est votre chambre, en ordre ou en désordre? De quelle couleur *(f)* est votre tapis? De quelle couleur sont vos murs? Voici des adjectifs pour indiquer la couleur de quelque chose.

jaune	rouge	bleu(e)	vert(e)
noir(e)	gris(e)	blanc(he)	violet(te)
orange	rose	beige	brun

Thomas montre les chambres à Philippe.

THOMAS : Voici la chambre de Claude à côté de la cuisine. Sa chambre est toujours en désordre. Il laisse ses vêtements partout.

PHILIPPE : C'est ta chambre en face de la chambre de Claude ?

THOMAS : Oui, **comme tu vois**, je préfère avoir tout bien rangé et **chaque chose** à sa place.

PHILIPPE : Et ça, c'est ma chambre **au bout du couloir** ?

THOMAS : Oui, **viens voir**… Tu as un lit, un bureau et une grande fenêtre avec **une belle vue**. J'**espère** que **ça te plaît**.

PHILIPPE : Oui, **ça me plaît** beaucoup !

THOMAS : Les murs sont blancs. Tu préfères une autre couleur ?

PHILIPPE : Non, **justement**, le blanc, c'est ma couleur **préférée**.

THOMAS : Moi, je préfère le vert.

A. Chez vous ? Décrivez votre chambre en choisissant l'adverbe qui convient.

(presque) toujours   souvent   quelquefois
Rarement   ne… (presque) jamais

EXEMPLE   Ma chambre est en ordre.
Ma chambre est presque toujours en ordre.
Ma chambre n'est presque jamais en ordre.

1. Ma chambre est propre.
2. Ma chambre est en désordre.
3. Mes livres sont sur l'étagère.
4. Ma chambre est sale.
5. Mes vêtements sont par terre.
6. Mes livres sont sur le lit.
7. Je laisse mes vêtements partout.
8. Mes vêtements sont dans le placard ou dans la commode.

B. Les couleurs. Complétez les phases suivantes avec le nom d'une couleur.

1. Je préfère les vêtements…
2. J'ai beaucoup de vêtements…
3. Les murs de ma chambre sont…
4. La couverture de mon lit est…
5. Je préfère les voitures…
6. Je préfère les meubles…
7. Chez moi, le canapé est…
8. Ma couleur préférée, c'est le…

 C. À vous ! Avec un(e) partenaire, relisez à haute voix la conversation entre Thomas et Philippe. Ensuite, imaginez que votre partenaire va habiter *(is going to live)* chez vous et adaptez la conversation pour décrire votre propre maison / appartement.

comme tu vois *as you see*
chaque chose *each thing*
au bout de *at the end of*
le couloir *the hallway, the corridor*
viens voir *come see*
une vue *a view*
espérer *to hope*
ça te plaît *you like it*
ça me plaît *I like it*
justement *as a matter of fact, precisely, exactly*
préféré(e) *favourite*

✔ *Pour vérifier*

1. How do you say *John's friend* and *Mary's car* in French?

2. With which two forms of the definite article does **de** combine to form the contractions **du** and **des**?

3. How do you say *my*? How do you say *your* (singular familiar)? What are the forms of each word?

4. When do you use **mon**, **ton**, and **son**, instead of **ma**, **ta**, and **sa** before a feminine noun?

5. Does French have different words for *his*, *her*, and *its*? How do you say *his house* and *her house* in French? How do you say *his dog* and *her dog*?

▶ **Grammar Tutorials**

Identifying your belongings

La possession et les adjectifs possessifs **mon**, **ton** et **son**

In French, use a phrase with **de**, rather than *'s* to indicate possession or relationship.

There is Thomas's room.	Voilà la chambre **de** Thomas.
That's Claude's dog.	C'est le chien **de** Claude.

Remember that **de** contracts with the articles **le** and **les** to form **du** and **des**. It does not change when followed by **la** or **l'**.

le livre **du** professeur	les livres **des** étudiants
la porte **de l'**appartement	la porte **de la** cuisine

The possessive adjectives **mon/ma/mes** *(my)*, **ton/ta/tes** *(your* [singular familiar]), and **son/sa/ses** *(his, her, its)* agree in gender and number with the noun they precede. However, use the masculine form before feminine singular nouns that begin with a vowel sound.

	MASCULINE SINGULAR	FEMININE SINGULAR (+ consonant sound)	FEMININE SINGULAR (+ vowel sound)	PLURAL
my	**mon** lit	**ma** commode	**mon** affiche	**mes** rideaux
your	**ton** lit	**ta** commode	**ton** affiche	**tes** rideaux
his/her/its	**son** lit	**sa** commode	**son** affiche	**ses** rideaux

> —C'est **la couverture de Thomas**?
>
> —Non, ce n'est pas **sa** couverture. C'est **ma** couverture. Et ce sont **mes** rideaux aussi.

The use of the forms **son/sa/ses** *(his, her, its)* depends on the gender and number of the object possessed, not the person who owns it. **Son/sa/ses** can all mean *his, her,* or *its*.

C'est **son** fauteuil.

C'est **son** fauteuil.

Et c'est **son** fauteuil aussi.

A. Compliments. Une amie vous montre *(is showing you)* sa maison. Formez la phrase la plus logique pour faire des compliments.

> **EXEMPLE** **maison (jolie, laide)**
> **Ta maison est jolie.**

1. bureau (en désordre, en ordre)
2. tapis (beau, laid)
3. chambre (désagréable, agréable)
4. maison (grande, petite)
5. placards (trop petits, immenses)
6. étagère (en désordre, bien rangée)

B. De quelle couleur? Demandez à votre partenaire de quelle couleur sont ces choses. Utilisez **ton**, **ta** ou **tes**.

> **EXEMPLE** voiture
> — **De quelle couleur est ta voiture?**
> — **Ma voiture est grise. / Je n'ai pas de voiture.**

chambre	canapé	couverture	tapis	rideaux	vêtements	préférés

Maintenant, décrivez les affaires *(belongings)* de votre partenaire à la classe.

> **EXEMPLE** **Sa voiture est grise. / Il/Elle n'a pas de voiture.**

C. C'est à moi! Un locataire change d'appartement et il voudrait tout prendre avec lui *(him)* mais l'autre locataire n'est pas d'accord. Jouez les rôles avec un(e) partenaire.

> **EXEMPLE** la plante
> — **Bon, je prends *(I'm taking)* ma plante.**
> — **Ah non, ce n'est pas ta plante. C'est ma plante!**

1. le bureau
2. les rideaux
3. le tapis
4. la commode
5. le fauteuil
6. l'étagère

D. La chambre de qui? Complétez chaque phrase avec **son**, **sa** ou **ses** et dites si la phrase décrit la chambre de Philippe ou la chambre de Claude.

> **EXEMPLE** <u>Sa</u> chambre est en ordre.
> **La chambre de Philippe est en ordre.**

La chambre de Philippe

1. _____ tapis est jaune.
2. _____ rideaux sont gris.
3. _____ vélo est rouge.
4. _____ couverture est verte.
5. _____ murs sont blancs.
6. Il n'y a pas d'affiches dans _____ chambre.
7. Il y a un livre rouge sous _____ bureau.
8. _____ chambre est un peu sale.

La chambre de Claude

1. How do you say *our, your* (formal, plural), and *their* in French?

2. Do these words have separate forms for masculine and feminine?

Grammar Tutorials

Indicating to whom something belongs

*Les adjectifs possessifs **notre**, **votre** et **leur***

The possessive adjectives for *our, your* (formal or plural), and *their* have only two forms, singular and plural.

	MASCULINE SINGULAR	FEMININE SINGULAR (+ consonant sound)	FEMININE SINGULAR (+ vowel sound)	PLURAL
my	**mon** lit	**ma** chambre	**mon** amie	**mes** livres
your (sing. fam.)	**ton** lit	**ta** chambre	**ton** amie	**tes** livres
his, her, its	**son** lit	**sa** chambre	**son** amie	**ses** livres
our	**notre** lit	**notre** chambre	**notre** amie	**nos** livres
your (pl., form.)	**votre** lit	**votre** chambre	**votre** amie	**vos** livres
their	**leur** lit	**leur** chambre	**leur** amie	**leurs** livres

Prononciation

*La voyelle o de notre / votre **et de** nos / vos*

Compare the **o** sounds in **notre / votre** and **nos / vos**. The lips are puckered to make both of these sounds and the tongue is held firm, but the **o** in **nos / vos** is pronounced with the back of the tongue arched higher in the mouth than for the **o** in **notre** and **votre**. The letter **o** is pronounced with the sound of **nos** when it is the last sound in a syllable, when it is followed by an **s**, or when it is written **ô**. Otherwise, it is pronounced with the more open sound of **notre**.

notre chien / nos chiens   votre chat / vos chats

A. Prononcez bien! Complétez les questions suivantes avec **votre** ou **vos**, puis lisez chacune d'elles. Faites attention à la prononciation de la voyelle **o**.

EXEMPLE   <u>Votre</u> quartier est joli?

1. ___ appartement est très cher?
2. ___ chiens sont méchants?
3. ___ cuisine est grande?
4. ___ parents passent beaucoup de temps à l'appartement?
5. ___ appartement a beaucoup de fenêtres?

 Maintenant, imaginez que deux amis voudraient persuader un troisième ami de partager leur appartement. Comment répondent-ils aux questions? Utilisez **notre** ou **nos** dans les réponses.

EXEMPLE   — <u>Votre</u> quartier est joli?
                — **Oui, notre quartier est très joli.**

B. Tu ou vous? Philippe passe la fin de semaine chez les parents de ses amis Patrick et Antoine Dupont et il veut savoir à qui chaque chose appartient *(wants to know to whom everything belongs)*. Complétez ce qu'il dit avec **ton/ta/tes** ou **votre/vos**.

> **EXEMPLES** Patrick, c'est ____ vélo? Madame Dupont, c'est ___?
> **Patrick, c'est ton vélo? Madame Dupont, c'est votre voiture?**

1. Patrick et Antoine, c'est _____ maison? Ce sont _____ parents?
2. Monsieur Dupont, c'est _____ garage? Ce sont _____ voitures?
3. Monsieur et madame Dupont, j'aime bien _____ quartier. Ce sont _____ voisins *(neighbours)*?
4. Patrick, c'est _____ chambre? Tu laisses souvent _____ vêtements par terre ou ils sont toujours dans _____ placard ou dans _____ commode?
5. Monsieur et madame Dupont, c'est _____ bureau? J'aime bien _____ étagère. Il y a de la place pour tous _____ livres.
6. Patrick et Antoine, c'est _____ salle de jeux. Où sont _____ jeux vidéo? Ah, voila… Ça, Antoine, c'est _____ jeu préféré, non?

C. L'Université d'Ottawa. Comparez votre université avec l'Université d'Ottawa en complétant les phases avec **notre/nos** ou **leur/leurs**.

L'Université d'Ottawa

> **EXEMPLE** Fondée en 1848, l'Université d'Ottawa est la plus grande université bilingue (anglais-français) du monde.
> **Leur** université est plus vieille que **notre** université.
> **Notre** université est plus vieille que **leur** université.

1. Il y a approximativement 42 000 étudiants à l'Université d'Ottawa. _____ université est plus grande que _____ université.
2. Les frais de scolarité *(tuition)* pour les étudiants canadiens à temps plein sont de 6 800 $ par année. _____ université est plus chère que _____ université.
3. Les cours commencent le 3 septembre à l'Université d'Ottawa. _____ cours commencent avant _____ cours.
4. Les tarifs de stationnement *(parking fees)* sont de 700 $ à 1 600 $ par année à l'Université d'Ottawa. _____ tarifs de stationnement sont plus chers que _____ tarifs.
5. L'Université d'Ottawa est située à Ottawa, une ville d'environ 925 000 habitants. _____ ville est plus grande que _____ ville.

D. Préférences. Demandez à un(e) partenaire s'il / si elle aime ces choses. Utilisez **leur/leurs** ou **son/sa/ses** dans les réponses. Répondez **Je ne connais pas**... pour dire *I don't know…*.

> **EXEMPLE** les vieux films avec Fred Astaire et Ginger Rogers
> — **Aimes-tu les vieux films avec Fred Astaire et Ginger Rogers?**
> — **J'aime bien leurs films. / Je n'aime pas beaucoup leurs films. / Je ne connais pas leurs films.**

1. les films avec Ryan Gosling
2. la musique de Nickelback
3. la musique de Justin Bieber
4. les tableaux d'Emily Carr
5. les romans *(novels)* d'Alice Munro
6. les films avec Ellen Page

Giving your address and phone number

Des renseignements

Pour **s'inscrire** à l'université, Philippe **doit** donner les **renseignements suivants**.

Quel est votre nom de famille?	Martin.
Quel est votre prénom?	Philippe.
Quelle est votre adresse?	C'est le 2065, avenue Laurier, Ottawa
Quelle est votre adresse courriel?	Philippe.Martin@mail.fr
Quel est votre numéro de téléphone?	C'est le 613-988-1284.
De quel pays venez-vous?	de la France
Quelle ville?	Paris
Quelle est votre nationalité?	française

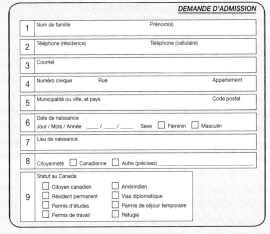

DEMANDE D'ADMISSION

1. Nom de famille / Prénom(s)
2. Téléphone (résidence) / Téléphone (cellulaire)
3. Courriel
4. Numéro civique / Rue / Appartement
5. Municipalité ou ville, et pays / Code postal
6. Date de naissance Jour / Mois / Année ____ / ____ / ____ Sexe ☐ Féminin ☐ Masculin
7. Lieu de naissance
8. Citoyenneté ☐ Canadienne ☐ Autre (précisez) _____
9. Statut au Canada
 ☐ Citoyen canadien   ☐ Amérindien
 ☐ Résident permanent ☐ Visa diplomatique
 ☐ Permis d'études   ☐ Permis de séjour temporaire
 ☐ Permis de travail   ☐ Réfugié

Philippe parle de son appartement et son ami Alain lui **pose des questions**.

ALAIN: Quelle est ton adresse?
PHILIPPE: C'est le 2065, avenue Laurier.
ALAIN: Et c'est quel appartement?
PHILIPPE: C'est l'appartement numéro 2.
ALAIN: Et le code postal?
PHILIPPE: K2P 1W5
ALAIN: Quel est ton numéro de téléphone?
PHILIPPE: C'est le 613-692-2691.
ALAIN: Et comment est **le quartier**?
PHILIPPE: Il est agréable et près de tout.
ALAIN: L'appartement n'est pas trop cher? C'est combien, le loyer?
PHILIPPE: Je partage mon appartement avec deux amis, Thomas et Claude. C'est 1 575 $ par mois, partagés entre nous trois. Alors pour moi, ça fait 525 $.

A. Quels renseignements? Dites quels renseignements sont donnés par Philippe.

EXEMPLE Martin
C'est son nom de famille.

1. Philippe
2. Paris
3. française
4. la France
5. le 2065, avenue Laurier
6. K2P 1W5
7. le 613-692-2691
8. Philippe.Martin@mail.fr
9. 525 $ par mois

B. Et vous? Répondez aux questions suivantes.

1. Quel est votre nom de famille? Quel est votre prénom?
2. Quelle est votre adresse? Vous habitez dans quelle ville? Quel est votre code postal?
3. Quel est votre numéro de téléphone? Quelle est votre adresse courriel?
4. Quelle est votre nationalité?

C. Un abonnement. Vous vendez des abonnements *(are selling subscriptions)* pour la revue *L'Actualité*. Demandez les renseignements nécessaires pour compléter le formulaire d'abonnement à plusieurs camarades de classe.

EXEMPLE — **Quel est ton nom de famille?**
— **Mon nom de famille? C'est Trudel.**

Courtesy of lactualite.com

D. À vous! Avec un(e) partenaire, relisez à haute voix la conversation entre Alain et Philippe. Ensuite, adaptez la conversation pour décrire votre propre situation.

✔ *Pour vérifier*

1. When do you use **quel** to say *what*? When do you use **qu'est-ce que** or **que**? What are the four forms of **quel**?

2. How do you say *this, that, these,* and *those*? When do you use the alternate masculine form **cet**?

Telling which one

Les adjectifs **quel** *et* **ce**

To say *which* or *what* before a noun, use **quel**. The form you use depends on the gender and number of the noun.

	MASCULINE	FEMININE
SINGULAR	quel	quelle
PLURAL	quels	quelles

Vous habitez dans **quel pays**?   Vous êtes de **quelle ville**?
Quels pays voudriez-vous visiter?   **Quelles villes** voudriez-vous voir?

Quel may be separated from the noun by **est** or **sont**, but it still agrees with the noun.

Quel est votre **nom de famille**?   **Quelle** est votre **adresse**?

Remember to use **qu'est-ce que** or **que** to say *what* when it is the object of the verb. They are followed by a subject and a verb.

Qu'est-ce que Philippe aime faire?   **Que** voudrais-tu faire ce soir?

To point out what you are talking about, use the adjective **ce (cet)/cette/ces** to say both *this/these* and *that/those*. The masculine **ce** becomes **cet** before masculine singular nouns beginning with a vowel sound. Use **ces** with all plural nouns.

Tu aimes **cette** voiture?   *Do you like this car?*

	SINGULAR	PLURAL
MASCULINE (*+ consonant sound*)	ce canapé	ces canapés
MASCULINE (*+ vowel sound*)	cet arbre	ces arbres
FEMININE	cette étagère	ces étagères

Prononciation

La voyelle e *de* ce/cet/cette/ces

You already know that a final **e** is usually not pronounced in French, except in short words like **je**. As you notice in **ce/cet/cette/ces**, unaccented **e** has three different pronunciations, depending on what follows it.

In short words like **ce** and **que**, or when **e** is followed by a single consonant within a word, pronounce it as in:

je   ne   le   regarde   vendredi

When, as in **ces**, **e** is followed by an unpronounced consonant at the end of a word, pronounce it as in:

les   mes   parlez   manger   premier

In words like **cette** and **cet**, where **e** is followed by two consonants within a word, or a single pronounced consonant at the end of a word, pronounce it as in:

quel   cher   belle   elle   cherche

A. Prononcez bien !

Demandez à un(e) camarade de classe s'il / si elle aime ces choses. Faites attention à la prononciation de **ce (cet)/cette/ces**.

EXEMPLE — **Tu aimes ce tableau ?**
— **Oui, j'aime bien ce tableau. / Non, je n'aime pas ce tableau.**

EXEMPLE tableau

1. canapé

2. escalier

3. lampe

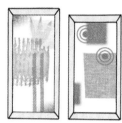
4. affiches

5. étagère

6. rideaux

7. commode

B. Entretien.

Complétez les questions suivantes avec la forme correcte de **quel** ou avec **qu'est-ce que**. Ensuite, posez les questions à votre partenaire.

1. _____ il y a dans ta chambre ?
2. Dans _____ pièce est-ce que tu passes le plus de temps ?
3. _____ tu voudrais acheter *(to buy)* pour ton salon ou pour ta chambre ?
4. Dans _____ rue est-ce que tu habites ?
5. Ta chambre est à _____ étage ?
6. De _____ couleur sont les murs de ta chambre ?
7. _____ tu voudrais changer chez toi ?

C. Histoire du Canada.

Complétez les questions suivantes avec la forme correcte de **quel/quelle/quels/quelles** et **ce (cet)/cette/ces** comme dans l'exemple. Ensuite, répondez aux questions.

EXEMPLE **Quelle** est la province canadienne avec le plus de francophones ?
Cette province est plus grande que l'Alaska.
C'est le Québec.

1. _____ est la plus grande ville du Québec ? _____ ville n'est pas la capitale de la province.
2. _____ est la plus vieille université francophone en Amérique ? Fondée en 1852, _____ université est au Québec.
3. _____ pourcentage *(m)* des Canadiens parlent français comme langue maternelle ? _____ pourcentage est de 20 à 30 pour cent.
4. _____ explorateur a été le premier Français à explorer le Canada ? _____ explorateur est arrivé au Canada en 1534.
5. De _____ couleurs est le drapeau *(flag)* canadien ? _____ couleurs sont le rouge et le blanc.

■ Reprise

See the **Résumé de grammaire** section at the end of each chapter for a review of all the grammar presented in the chapter.

Les Stagiaires

In *Épisode 3* of *Les Stagiaires*, Amélie considers rooming with Céline, who has been looking for someone to share her apartment for a while. Before you watch the episode, review what you learned in *Chapitre 3* by doing these exercises in which Céline discusses her apartment with other prospective apartment mates.

© Heinle/Cengage Learning

A. Quelques questions.
Une amie pose des questions à Céline parce qu'elle pense peut-être habiter chez elle. Complétez les questions avec **de**, **d'**, **du**, **de la**, **de l'** ou **des**.

1. Est-ce que tu habites près ou loin _____ centre-ville?
2. Tu habites près _____ université?
3. Y a-t-il un arrêt d'autobus près _____ appartement?
4. Qu'est-ce qu'il y a en face _____ chez toi de l'autre côté _____ rue?
5. Dans ton appartement, est-ce qu'il y a de la place près _____ fenêtres pour mettre *(to put)* des plantes?
6. Est-ce qu'il y a une salle de bains à côté _____ chambres?

Maintenant, posez ces questions à un(e) partenaire pour parler de sa maison, de son appartement ou de sa résidence.

B. L'appartement de Céline.
Céline décrit son appartement.
Complétez le paragraphe suivant avec les prépositions indiquées et la forme correcte de l'article défini, si nécessaire.

la porte d'entrée

Quand on entre dans mon appartement, la cuisine et le salon sont __1__ *(to the right)* et les deux chambres et la salle de bains sont __2__ *(to the left)*. La porte du salon est __3__ *(facing)* porte d'entrée. Il faut *(One must)* passer par le salon pour aller à la cuisine et il y a une petite salle à manger __4__ *(between)* les deux pièces. La salle de bains est __5__ *(at the end of)* couloir, __6__ *(next to)* deuxième chambre.

Maintenant, décrivez votre appartement / votre maison ou la maison / l'appartement de vos parents à un(e) camarade de classe.

C. Quelques questions.
Une amie voudrait passer chez Céline pour voir son appartement. Quelle question avec **quel/quelle/quels/quelles** est-ce qu'elle pose à Céline pour obtenir les réponses suivantes?

> **EXEMPLE** Le nom de la rue, c'est *rue du Stade*.
> **Quel est le nom de la rue?**

1. L'adresse exacte de l'immeuble, *c'est le 125, rue du Stade*.
2. C'est l'appartement *numéro 12*.
3. Mon numéro de téléphone, c'est *le 02 35 42 89 95*.
4. Je rentre chez moi *vers six heures et demie* ce soir.

D. Qu'est-ce que vous avez ? Céline parle à une amie. Complétez les phrases suivantes avec le verbe **avoir** dans le premier blanc et un adjectif possessif logique dans le deuxième.

EXEMPLE J'**ai** un portable. **Mon** numéro de téléphone, c'est le 06 35 42 89 95.

1. J' _____ un appartement au centre-ville. _____ adresse, c'est le 125, rue du Stade, appartement 12.
2. Le quartier _____ beaucoup de restaurants et de cafés. C'est un quartier très agréable et j'aime beaucoup _____ ambiance.
3. Quelquefois, je passe le week-end chez mes parents. Ils _____ une maison en banlieue. _____ jardin *(yard)* est très joli.
4. Chez moi, j' _____ un petit chien. _____ chien est sympa mais il aboie *(barks)* toujours quand quelqu'un s'approche *(someone approaches)* de la porte.
5. Mes voisins _____ deux chats. _____ chats sont souvent devant ma porte.
6. Le seul inconvénient de mon appartement, c'est que dans le stationnement de mon immeuble, nous n' _____ pas assez de places pour _____ voitures.

Maintenant, changez les phrases pour décrire votre situation.

E. C'est combien ? Céline cherche du mobilier *(furnishings)* pour son appartement dans les petites annonces *(classified ads)*. Donnez le prix de chaque objet, comme dans l'exemple. Utilisez **ce**, **cet**, **cette** ou **ces**.

EXEMPLE MOBILIER DE CUISINE :
table, 6 chaises
Tél : 06 96 78 26 65

Cette table et ces chaises coûtent (*cost*) quatre cent cinquante euros.

1. TABLE DE SALLE À MANGER, laquée noire, 6 chaises laquées noires. Très propres. 1 150 €. Tél : 06 53 44 94 95

2. MOBILIER DE SALON en fleuri (fauteuil, canapé). 550 €. Tél : 06 31 42 51 15

3. TÉLÉ 42", Sony, état neuf. 700 €. Tél : 06 12 21 49 14

4. TRÈS GRAND LIT complet : base, lit en pin, matelas. Le tout en très bon état. 150 €. Tél : 06 11 09 07 67

5. TABLE D'ORDINATEUR, blanche, 3 tiroirs, en bon état. 115 €. Tél : 06 89 85 10 11

6. FAUTEUIL en cuir noir. Excellente condition. 495€. Tél : 06 55 64 69 94

Épisode 3 : Un nouvel appartement

Dans ce clip, Céline demande à Amélie si elle voudrait être sa colocataire. Avant de regarder le clip, pensez à trois questions qu'on pose souvent à un(e) colocataire potentiel(le). Ensuite, regardez le clip et notez trois questions qu'Amélie pose à Céline à propos de l'appartement et de ses habitudes.

Access the Video *Les Stagiaires* at **iLrn** and on the *Horizons* Premium Website.

■ Espace culturel

Pour mieux lire

Previewing Content

Looking at the title of an article and thinking about what you know or think about the topic can help you anticipate its content and read it more easily. You are going to read an article by an interior decorator in Québec about how colours can change your mood. Before you begin to read, look at the title of the article that follows. What is it about? What feelings do you associate with the following colours?

le rouge   le jaune   le rose   le noir   le bleu   le blanc

Associations. Quelle couleur associez-vous le plus aux choses suivantes?

1. la passion
2. la dépression
3. la concentration
4. l'énergie
5. la relaxation
6. la pureté
7. l'appétit
8. l'irritation

Les couleurs et leurs effets sur la nature humaine

Les couleurs changent nos **humeurs** et par conséquent reflètent notre personnalité. **Pour mieux vous faire connaître** les effets qu'ont les couleurs sur la nature humaine, nous avons préparé un guide qui va vous aider à choisir les couleurs pour votre maison ou appartement.

Les couleurs chaudes : le rouge et le jaune
Le rouge stimule le métabolisme, le rythme cardiaque et la température **corporelle**. Le rouge est **perçu comme** une couleur agressive, **forte**, vitale et passionnante. **Puisque** c'est une couleur qui stimule l'appétit, le rouge est souvent utilisé pour les salles à manger et les restaurants.

Le jaune stimule la mémoire, le mouvement, la coordination et le système digestif. Le jaune et le rouge sont considérés comme «énergiques». Mais **faites attention**, le jaune dans une chambre de bébé **peut rendre** l'enfant irritable.

Les couleurs froides : le bleu et le vert
Le bleu encourage la concentration. Le rythme cardiaque et la respiration **ralentissent**. La température du **corps** **baisse**. Cette couleur est très recommandée dans un bureau.

Le vert augmente la relaxation. Le corps et **l'esprit se détendent** dans une atmosphère verte. Le vert diminue l'anxiété, **la peur** et **les cauchemars**. Le vert encourage le sentiment de bien-être. Il est **donc parfait** pour une chambre à coucher.

Les couleurs neutres : le blanc, le gris et le noir
Le blanc stimule les fonctions vitales, par conséquent **le sommeil** n'est pas aussi **bénéfique** dans une chambre blanche. Le blanc est aussi associé à la pureté et à l'honnêteté.

Le gris incite à la dépression et à l'indifférence. Il est préférable de l'utiliser comme accent plutôt que couleur dominante dans votre décor.

Le noir est une couleur distincte, audacieuse et classique. Le noir est un fond idéal **pour faire ressortir** les autres couleurs, mais il peut être **étouffant** en trop grande quantité.

Adapté de Kate Macrae, *Les couleurs et leurs effets sur la nature humaine*.

Compréhension

Quelles couleurs? Complétez les phrases suivantes en indiquant les couleurs appropriées d'après la lecture *Les couleurs et leurs effets sur la nature humaine*.

1. Si vous désirez manger moins, évitez *(avoid)* le _____ pour décorer votre salle à manger.
2. Pour mieux vous concentrer, étudiez dans une pièce _____.
3. Si votre bébé pleure *(cries)* beaucoup, utilisez le _____ dans sa chambre et évitez le _____.
4. Si vous désirez mieux dormir, les murs _____ ne sont pas recommandés dans votre chambre.
5. Si vous souffrez de dépression, évitez le _____ dans votre décor.
6. Si vous avez souvent froid *(feel cold)* chez vous, utilisez le _____ et évitez le _____.

Pour mieux écrire

Brainstorming

Brainstorming on a topic before you begin writing about it can simplify your task. To brainstorm, first think about what general sections you will want to include in your writing, then jot down as many notes for each section as you can. Finally, use these sections to organize your writing.

Organisez-vous. Imagine that you are responding to a roommate ad in Québec. What would you want to know about the apartment and its occupant? Jot down as many words and phrases in French as you can under each heading in this chart, using a separate piece of paper.

location	rooms and furnishings	roommate's personality

Un courriel

You are moving to Québec and respond to an ad for a roommate in the newspaper. Write an e-mail in which you introduce yourself and tell the sort of place you are looking for. Then, write three paragraphs asking about the apartment's location, the rooms and furnishings, and what the roommate is like.

Pour mieux interagir
Appartements à louer au Québec

Au Québec, les appartements à louer sont classés selon des nombres : 1 ½, 2 ½, 3 ½, etc.

Il s'agit du nombre total de pièces. La « ½ » fait référence à la salle de bains.

- un 1½ est un appartement avec une seule pièce comprenant une cuisinette et une salle de bains.
- un 2½ comprend une grande pièce en forme de "L", une cuisinette et une salle de bains.
- un 3½ a une chambre à coucher, un salon, une cuisine et une salle de bains.
- un 4½ a deux chambres à coucher, un salon, une cuisine et une salle de bains.

Le propriétaire est la personne qui possède et loue le logement à un locataire. Le concierge s'occupe de l'immeuble.

Avant de louer un appartement, vérifiez :

- si le propriétaire fournit des électroménagers tels la cuisinière, le réfrigérateur, le four à micro-ondes et le lave-vaisselle ;
- si certains services, comme le chauffage, l'électricité, le câble et Internet sont inclus dans le loyer ;
- s'il y a une buanderie dans l'immeuble ou une laveuse et sécheuse dans l'appartement.

En général, la période de location dure 12 mois, du 1er juillet au 30 juin de l'année suivante. Pour louer un appartement, le locataire signe un bail et donne un dépôt au propriétaire.

Le 1er juillet est appelé « le jour du déménagement » ou « la fête du déménagement ». Avant 1974, ce jour était fixé au 1er mai, mais la date a été modifiée pour éviter que les enfants changent d'école en plein milieu de l'année scolaire.

Vocabulaire

Write down in French the word that fits each of the descriptions below:

- the person who owns the building
- the person who takes care of a building
- the person who rents an apartment
- electrical devices or equipment that perform household tasks such as cleaning and cooking
- the appliance on which one cooks
- the appliance used to dry clothes
- the amount that you pay to the landlord to rent the apartment
- the room in a building where you do your laundry
- the contract that the landlord and tenant sign

Compréhension

En anglais…

1. What does the ½ stand for (in English)?
2. Explain (in English) why the date for *le jour du déménagement* was changed from May 1st to July 1st?
3. Driss Aïssoui has just moved to Montréal from Morocco. What advice would you give him about renting an apartment in Québec?

En français…

1. Vous cherchez un appartement avec quatre chambres à coucher. Est-ce que vous cherchez un 3½, un 4½, un 5½, ou un 6½ ?
2. Léa n'aime pas faire la vaisselle. Elle doit donc chercher un appartement avec _____ .
3. Jacqueline a perdu ses clés. Elle doit contacter _____ .
4. Avant de déménager, Pierre doit signer _____ avec _____ .
5. _____ garde les boissons et la nourriture au froid.
6. Pour laver nos vêtements, nous avons besoin d'_____ et pour les sécher, on les met dans _____ .

Pour mieux découvrir

Quel est ce pays de la Francophonie ?

Voici quatre photos et descriptions pour vous aider à deviner.

Au marché

Sculptures en pierre à Angkor Vat, un temple construit au XIIᵉ siècle.

Un village sur le Tonlé Sap, le plus grand lac d'eau douce d'Asie du Sud-Est.

Le Musée national à Phnom Penh, la capitale du pays.

Est-ce qu'il s'agit…

a. du Laos ?
b. du Vietnam ?
c. de la Thaïlande ?
d. du Cambodge ?

Réponse : d) Le Cambodge

cent = *one hundred*
mille = *one thousand*
un million = *one million*
un million d'habitants

300	=	trois cents
301	=	trois cent un
3 000	=	trois mille
3 100 000	=	trois millions cent mille

Ma rue, c'est la première (deuxième, troisième, quatrième, cinquième, sixième, septième, huitième, neuvième, dixième, onzième, ...) rue à droite.

– J'**ai** un appartement. Et toi? Tu **as** une maison?
– Ma famille **a** une petite maison. J'habite chez mes parents.

– Tu as **des** chats, non?
– Non, ce ne sont pas **des** chats. J'ai **des** chiens.
– Combien **de** chiens as-tu?
– Quatre.
– Tu n'as pas **de** problèmes avec tes colocataires?
– Non, je n'ai pas **de** colocataire.

un tableau → des tableaux
un bureau → des bureaux
un animal → des animaux

Je rentre **de** l'université à cinq heures.

Ma résidence est **près d'**ici, **derrière** la bibliothèque et **à côté de** la librairie.

Numbers above 100

- Use **un** in **un million**, but not before the words **cent** and **mille**. The word **million(s)** is followed by **de (d')** when followed directly by a noun.
- **Million** takes an **s** when plural. **Cent** generally only takes an **s** when plural if not followed by another number. Never add an **s** to **mille**.
- There is no hyphen between the words **cent**, **mille**, or **million** and another number.
- Use commas to denote decimals, and spaces or periods to set off numbers in the thousands, millions, etc.

Ordinal numbers

Use **premier (première)** to say *first*. To form the other ordinal numbers (*second, third, fourth, …*), add the suffix **-ième** to the cardinal numbers (**deux, trois, quatre, …**). Drop the final **e** of cardinal numbers before adding **-ième**. Note the spelling changes in **cinquième** *(fifth)* and **neuvième** *(ninth)*.

Avoir

The verb **avoir** *(to have)* is irregular.

j'	**ai**	nous	**avons**
tu	**as**	vous	**avez**
il/elle	**a**	ils/elles	**ont**

Un, une, des → de (d')

Use **de (d')** rather than **un**, **une**, or **des** after …

- most verbs in the negative form, except **être**.
- quantity expressions like **combien**, **beaucoup**, and **assez**.

Plurals ending with *-x*

In the plural, most words ending in **-eau**, **-au**, or **-eu** end in **-x** rather than **-s**, and the ending **-al** becomes **-aux**.

Prepositions

When used alone, the preposition **de** means *of, from,* or *about*. **De** is also used in some of the following prepositions.

sur	*on*	**près (de)**	*near*
sous	*under*	**loin (de)**	*far (from)*
entre	*between*	**à côté (de)**	*next to, beside*
dans	*in*	**à droite / gauche (de)**	*to the right / left (of)*
devant	*in front of*	**en face (de)**	*across (from), facing*
derrière	*behind*	**dans le coin (de)**	*in the corner (of)*

De contracts with the articles **le** and **les**, but not with **la** or **l'**.

CONTRACTION			NO CONTRACTION		
de + le	→	du	de + le	→	de la
de + les	→	des	de + l'	→	de l'

Possession

De is used instead of *'s* to indicate possession. Remember the contractions

de + **le** → **du** and **de** + **les** → **des**.

le bureau du professeur	*the professor's office*
la voiture de mon frère	*my brother's car*

The possessive adjectives also indicate possession.

	MASCULINE SINGULAR	FEMININE SINGULAR (+ consonant sound)	FEMININE SINGULAR (+ vowel sound)	PLURAL
my	**mon** vélo	**ma** voiture	**mon** adresse	**mes** meubles
your (sing. fam.)	**ton** vélo	**ta** voiture	**ton** adresse	**tes** meubles
his/her/its	**son** vélo	**sa** voiture	**son** adresse	**ses** meubles
our	**notre** vélo	**notre** voiture	**notre** adresse	**nos** meubles
your (form./pl.)	**votre** vélo	**votre** voiture	**votre** adresse	**vos** meubles
their	**leur** vélo	**leur** voiture	**leur** adresse	**leurs** meubles

Use the forms **mon**, **ton**, and **son** rather than **ma**, **ta**, and **sa** before feminine nouns beginning with vowel sounds.

The use of the forms **son/sa/ses** *(his, her, its)* depends on the gender and number of the object possessed, not the person who owns it. **Son/sa/ses** can all mean *his, her,* or *its.*

Quel/quelle/quels/quelles and ce (cet)/cette/ces

Use **quel/quelle/quels/quelles** to say *which* or *what* directly before a noun or the verbs **est** and **sont**. It agrees with the gender and number of the noun it modifies.

	MASCULINE	FEMININE
SINGULAR	quel quartier	quelle ville
PLURAL	quels quartiers	quelles villes

Use the demonstrative adjective **ce (cet)/cette/ces** to say both *this/these* and *that/those*. The masculine **ce** becomes **cet** before masculine singular nouns beginning with a vowel sound.

	SINGULAR	PLURAL
MASCULINE (+ consonant sound)	ce chien	ces chiens
MASCULINE (+ vowel sound)	cet animal	ces animaux
FEMININE	cette étagère	ces étagèress

Je n'aime pas habiter à la résidence parce qu'elle est loin **du** stationnement et ma chambre est en face **des** ascenseurs, à côté **de l'**escalier et loin **de la** salle de bains !

– C'est ta voiture ?
– Non, c'est la voiture **de** mon amie.

– C'est la porte **de la** salle de bains ?
– Non, c'est la porte **du** placard.

– Tu habites encore chez **tes** parents ?
– Non, j'habite chez **mon** frère.
– Où est sa maison ?
– Pas loin de chez **nos** parents.
– Dans quelle rue est la maison de **vos** parents ?
– **Leur** maison est dans la rue Martin.

Mon amie s'appelle Monique.

son quartier = *his/her/its neighbourhood*
sa porte = *his/her/its door*
ses murs = *his/her/its walls*

– Dans **quelle** ville habites-tu ?
– J'habite à Sherbrooke.
– **Quelle** est ton adresse ?
– C'est le 1202, rue Galt.
– **Quel** est ton numéro de téléphone ?
– C'est le 819-569-1208.

– Tu habites dans **cette** rue ?
– Oui, j'aime beaucoup **ce** quartier. Mon appartement est dans **cet** immeuble.
– Mon appartement est derrière **ces** arbres.

◼ Vocabulaire ⧉

Talking about where you live

NOMS MASCULINS

un appartement	an apartment
un arrêt d'autobus	a bus stop
un ascenseur	an elevator
le centre-ville	downtown
un dollar	a dollar
un escalier	stairs, a staircase
un étage	a floor
un immeuble	an apartment building
le logement	lodging, housing
le loyer	the rent
le rez-de-chaussée	the ground floor
un salon	a living room
un sous-sol	a basement

NOMS FÉMININS

la banlieue	the suburbs
la campagne	the country(side)
une chambre	a bedroom
une cuisine	a kitchen
une fenêtre	a window
une maison	a house
une pièce	a room
une porte	a door
une salle à manger	a dining room
une salle de bains	a bathroom
des toilettes	a restroom, a toilet
une ville	a city

ADJECTIFS

cher (chère)	expensive
commode	convenient
confortable	comfortable

DIVERS

à la campagne	in the country
à la résidence universitaire	in the university dorm
À quel étage ?	On what floor?
au sous-sol	in the basement
au rez-de-chaussée	on the ground floor
au premier (deuxième...) étage	on the first (second ...) floor
au centre-ville	downtown
cent	a/one hundred
en banlieue	in the suburbs
en ville	in town
Je n'ai pas de...	I don't have ...
loin (de)	far (from)
mille	a/one thousand
un million (de)	a/one million
par mois	per month
(tout) près (de)	(very) near
trop	too (much)
il/elle va	he/she is going, he/she goes

Pour les nombres ordinaux, voir la page 110.

Talking about your possessions

NOMS MASCULINS

un animal (*pl* des animaux)	an animal
un canapé	a couch
un CD	a CD
un cellulaire	a cell phone
un chat	a cat
un chien	a dog
un DVD	a DVD
des effets personnels	personal belongings
un fauteuil	an armchair
un iPod	an iPod
un lecteur CD/DVD	a CD/DVD player
un ordinateur	a computer
un portable	a laptop
un tableau (*pl* des tableaux)	a painting
un tapis	a rug
un vélo	a bicycle
des vêtements	clothes

NOMS FÉMININS

une chaîne hi-fi	a stereo
une chaise	a chair
une chose	a thing
une lampe	a lamp
une plante	a plant
une table	a table
une télé	a TV
une voiture	a car

PRÉPOSITIONS

à côté (de)	next to, beside
à droite (de)	to the right (of)
à gauche (de)	to the left (of)
dans	in
dans le coin (de)	in the corner (of)
de	of, from, about
derrière	behind
devant	in front of
en face (de)	across from, facing
entre	between
sous	under
sur	on

VERBES

arriver	to arrive
avoir	to have
chercher	to look for
fumer	to smoke
partager	to share
téléphoner (à)	to phone

DIVERS

combien (de)	how many, how much
embêtant(e)	annoying
en ordre	in order, orderly
non plus	neither
partout	everywhere
Pas de problème.	No problem.
peut-être	maybe, perhaps
bien rangé(e)	orderly, put away, in its place
ton/ta/tes	your (sing. fam.)
tout	everything, all

Describing your room

NOMS MASCULINS

un adjectif	*an adjective*
un bureau (*pl* des bureaux)	*a desk*
un couloir	*a hall, a corridor*
un lit	*a bed*
des meubles	*furniture, furnishings*
un mur	*a wall*
un placard	*a closet*
un rideau (*pl* des rideaux)	*a curtain*

NOMS FÉMININS

une affiche	*a poster*
une commode	*a dresser, a chest of drawers*
une couleur	*a colour*
une couverture	*a cover, a blanket*
une étagère	*a bookcase, a shelf*
une vue	*a view*

ADJECTIFS POSSESSIFS

mon/ma/mes	*my*
ton/ta/tes	*your*
son/sa/ses	*his/her/its*
notre/nos	*our*
votre/vos	*your*
leur/leurs	*their*

EXPRESSIONS VERBALES

Ça te plaît. / Ça me plaît.	*You like it. / I like it.*
comme tu vois	*as you see*
espérer	*to hope*
indiquer	*to indicate*
laisser	*to leave*
montrer	*to show*
Viens voir !	*Come see!*

LES COULEURS

De quelle couleur est... ?	*What colour is ... ?*
De quelle couleur sont... ?	*What colour are ... ?*
beige	*beige*
blanc(he)	*white*
bleu(e)	*blue*
brun	*brown*
gris(e)	*gray*
jaune	*yellow*
noir(e)	*black*
orange	*orange*
rose	*pink*
rouge	*red*
vert(e)	*green*
violet(te)	*purple*

DIVERS

à sa place	*in its place*
au bout (de)	*at the end (of)*
chaque chose	*each thing*
en désordre	*in disorder, disorderly*
justement	*as a matter of fact, precisely, exactly*
par terre	*on the floor, on the ground*
préféré(e)	*favourite*
propre	*clean*
sale	*dirty*

Giving your address and phone number

NOMS MASCULINS

un code postal	*a postal code*
un nom (de famille)	*a (sur/last) name, a noun*
un numéro de téléphone	*a telephone number*
un pays	*a country*
un prénom	*a first name*
le quartier	*the neighbourhood*
des renseignements	*information*

NOMS FÉMININS

une adresse courriel	*an e-mail address*
une nationalité	*a nationality*
une province	*a province*
une rue	*a street*

DIVERS

ce (cet)/cette	*this/that*
Ces	*these/those*
il/elle doit...	*he/she must ...*
partagé(e)	*shared, divided*
poser une question	*to ask a question*
quel/quelle/quels/quelles	*which/what*
s'inscrire	*to register*
suivant(e)	*following*

L'ACADIE

En famille

© Ron Watts/Getty Images

COMPÉTENCES

1 **Describing your family**

Ma famille

Describing feelings and appearance
> *Les expressions avec **avoir***

Stratégies et Compréhension auditive
- **Pour mieux comprendre:** *Asking for clarification*
- **Compréhension auditive:** *La famille de Robert*

2 **Saying where you go in your free time**

Le temps libre

Saying where you are going
> *Le verbe **aller**, la préposition **à** et le pronom **y***

Suggesting activities and telling people what to do
> *Le pronom sujet **on** et l'impératif*

3 **Saying what you are going to do**

La fin de semaine prochaine

Saying what you are going to do
> *Le futur proche*

Saying when you are going to do something
> *Les dates*

4 **Planning how to get there**

Les moyens de transport

Deciding how to get there and come back
> *Les verbes **prendre** et **venir** et les moyens de transport*

Reprise *Les Stagiaires*

Espace culturel

Pour mieux lire *L'histoire des Cadiens*
Pour mieux écrire *Ma famille*
Pour mieux interagir *Le Festival acadien de Caraquet*
Pour mieux découvrir *Quel est ce pays de la Francophonie?*

Résumé de grammaire
Vocabulaire

L'Acadie

Le drapeau acadien

L'Acadie fait généralement référence aux régions géographiques **où** habitent les franco-phones des provinces de l'Atlantique : le Nouveau-Brunswick, la Nouvelle-Écosse, l'Île-du-Prince-Édouard et Terre-Neuve-et-Labrador.

« Les Acadiens sont **un peuple**, et un peuple est **plus fort** qu'un Pays. Un Pays est une institution, mais un peuple est plus fort qu'une institution, car il a **une âme**, il a **des rêves**, il est **vivant**.... »

— Antonine Maillet, **romancière** et **dramaturge** acadienne

En s'inspirant du drapeau français, le drapeau acadien **souligne l'attachement** des Acadiens à leurs origines françaises. **L'étoile dorée** représente la **Vierge Marie**, patronne de la communauté acadienne.

© Philippe Renault/Getty Images

▲ Caraquet, au Nouveau-Brunswick

où *where*
un peuple *a nation*
plus fort *stronger*
une âme *a soul*
des rêves *dreams*
vivant *alive*
romancière *novelist*
dramaturge *playwright*
souligne *emphasize*
l'attachement *the bond*
L'étoile dorée *the golden star*
la Vierge Marie *the Virgin Mary*

© Vlad G/Shutterstock

▲ Grande-Anse, au Nouveau-Brunswick

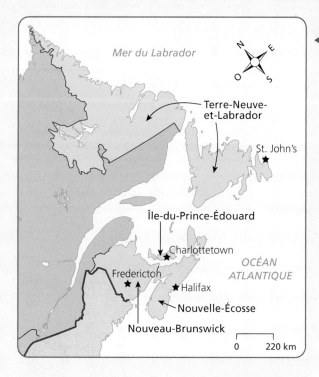

Mer du Labrador

Terre-Neuve-
et-Labrador

St. John's

Île-du-Prince-Édouard

Charlottetown

OCÉAN
ATLANTIQUE

Fredericton

Halifax

Nouvelle-Écosse

Nouveau-Brunswick

0   220 km

© Paul Clarke/Shutterstock

L'Acadie
Nombre d'Acadiens (francophones des provinces
  de l'Atlantique) : environ 125 0000 (les Acadiens et
  Acadiennes)

Qu'en savez-vous ?

Devinez quel mot de la liste correspond à chaque
définition (nos 1-5).

a. **Évangéline**   d. **le 15 août**
b. **les Cadiens ou Cajuns**   e. **Pélagie-la-Charrette**
c. **le Grand Dérangement**

1. Les habitants de la Louisiane qui sont des descendants des Acadiens expulsés par les Anglais du
   Canada.

2. La déportation des Acadiens lors de **la prise de possession** par les Britanniques d'une partie des anciennes colonies françaises en Amérique.

3. La fête nationale de l'Acadie.

4. **Roman** d'Antonine Maillet qui raconte la déportation
   des Acadiens en 1755.

5. Poème épique de Longfellow qui **raconte** l'histoire de
   deux **amants** acadiens séparés par la déportation.

Réponses : 1) b; 2) c; 3) d; 4) e; 5) a

▲ Louisbourg, en Nouvelle-Écosse

© V. J. Matthew/Shutterstock

▲ La Maison Doucet, à Rustico, à l'Île-du-Prince-Édouard

Devinez *Guess*	**un roman** *a novel*	**amants** *lovers*
la prise de possession *the taking over*	**raconte** *tells*	

adopté(e) *adopted*
l'aîné(e) *the oldest child*
un beau-frère *a brother-in-law*
une belle-sœur *a sister-in-law*
le benjamin (la benjamine) *the youngest child (of more than two)*
le cadet (la cadette) *the middle child, the younger child (of two)*
un conjoint de fait (une conjointe de fait) *a common-law partner*
un demi-frère (une demi-sœur) *a stepbrother, a half-brother (a stepsister, a half-sister)*
un ex-mari (une ex-femme) *an ex-husband (an ex-wife)*
une femme *a wife*
un fils unique (une fille unique) *an only child*
un mari *a husband*
une marraine *a godmother*
un parrain *a godfather*
des petits-enfants (un petit-fils, une petite-fille) *grandchildren (a grandson, a granddaughter)*
porter des verres de contact *(f) to wear contact lenses*

■ **Note** *de vocabulaire*

Use **avoir l'air** (+ *adjective*) to say someone *looks young, happy* … Use **ressembler à** to say a person *looks like* someone: **Je ressemble à ma mère.**

avoir l'intention de *to intend to*
les vacances *(f) vacation*
le père *the father*
des enfants *children*
un garçon *a boy*
une fille *a daughter, a girl*
décédé(e) *deceased*
un fils *a son*
avoir... ans *to be ... years old*
environ *about*
encore *still*
avoir l'air... *to look, to seem ...*
de taille moyenne *of medium height*
avoir les cheveux... *to have ... hair*
court(e) *short*
avoir les yeux... *to have ... eyes*
noirs *(with eyes) very dark brown*
noisette *(inv) hazel*
mi-longs *(with hair) shoulder-length*
bruns *(with hair) medium to dark brown*
châtains *(with hair) light to medium brown*
roux *(with hair) red*

Ma famille

Robert et ses amis **ont l'intention de** passer une semaine de **vacances** *(f)* chez **le père** de Robert à Miramichi, au Nouveau-Brunswick. Robert parle de sa famille.

Voici ma famille. Mes parents sont divorcés maintenant. Ils ont quatre **enfants**, trois **garçons** et **une fille**.

(mes grands-parents)

mon grand-père
(Il est **décédé** maintenant.)

ma grand-mère

(mes parents)

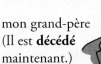

ma mère

mon père

mon oncle ma tante

moi

mes frères   ma sœur

mon cousin ma cousine

le **fils** et la fille de ma sœur
(mon neveu et ma nièce)

1,70 m

Mon père s'appelle Luc.
Il **a environ 50 ans** *(m)*.
Il est **encore** jeune, mais il **a l'air** plus âgé.
Il est **de taille moyenne**.
Il **a les cheveux courts** et gris.

Et vous? Comment êtes-vous?

J'ai **les yeux noirs** / bruns / **noisette** / verts / bleus / gris.
J'ai les cheveux courts / **mi-longs** / longs et noirs / **bruns** / **châtains** / auburn /blonds / gris / blancs / **roux**.

Robert parle de sa famille avec Thomas.

Thomas : Vous êtes combien dans ta famille ?

Robert : Nous sommes sept : mon père, **ma belle-mère**, ma mère, mes deux frères, ma sœur et moi. Ma sœur est mariée et elle habite à Dieppe, au Nouveau-Brunswick.

Thomas : Elle est plus jeune ou **plus âgée que** toi ? Quel âge a-t-elle ?

Robert : Elle a 28 ans.

Thomas : Comment s'appelle-t-elle ?

Robert : Elle s'appelle Sarah.

Thomas : Est-ce qu'elle a des enfants ?

Robert : Oui, elle en a deux, une fille et un garçon.

A. La famille. Donnez l'équivalent féminin.

EXEMPLE le frère **la sœur**

1. le père
2. l'oncle
3. le garçon
4. le neveu
5. le beau-père
6. le cousin
7. le fils
8. le mari
9. le parrain
10. le grand-père

B. Généalogie. Complétez les phrases.

EXEMPLE Les parents de mon père, ce sont **mes grands-parents**.

1. Le père de mon père, c'est _____. Sa femme, c'est _____.
2. La sœur de ma mère, c'est _____. Son mari, c'est _____. Leurs enfants sont _____. Leur fils, c'est _____ et leur fille, c'est _____.
3. Le fils de ma sœur, c'est _____. Sa fille, c'est _____.

C. Mon meilleur ami. Changez les mots en italique pour décrire votre meilleur ami.

1. Il s'appelle *Christian Cormier /…* et il a *18 / 25 / 38 / 45 /…* ans.
2. Il est *grand / petit / de taille moyenne.*
3. Il a les cheveux *longs / mi-longs / courts* et *blonds / noirs /…*
4. Il a les yeux *bruns / gris /…*
5. Il a l'air *intellectuel / sportif / jeune / intelligent /…*

 D. Entretien. Posez ces questions à votre partenaire. Ensuite, changez de rôles.

1. Vous êtes combien dans ta famille ? Tu as des frères ou des sœurs ? (Ils sont plus âgés que toi ou moins âgés ?)
2. Avec quel membre de la famille préfères-tu passer du temps ? Comment s'appelle-t-il/elle ? Quel âge a-t-il/elle ? Il/Elle est grand(e), petit(e) ou de taille moyenne ? Il/Elle a les yeux de quelle couleur ? Il/Elle a les cheveux longs, mi-longs ou courts ? Il/Elle a les cheveux de quelle couleur ?

E. À vous ! Avec un(e) partenaire, relisez à haute voix la conversation entre Thomas et Robert. Ensuite, adaptez la conversation pour parler d'un membre de votre famille.

> **une belle-mère (un beau-père, des beaux-parents)** *a stepmother / a mother-in-law (a stepfather / a father-in-law, stepparents / in-laws)*
> **plus âgé(e) que** *older than*

1. How do you say *I'm hungry? I'm thirsty? I'm hot? I'm cold? I'm sleepy? I'm afraid? I'm right? I'm never wrong? I need to stay home? I feel like staying home? I intend to stay home?*

2. How do you say *How old is he? He's 24? He has short black hair and brown eyes? He seems nice? He has a black beard, a moustache, and glasses?*

Describing feelings and appearance

Les expressions avec **avoir**

Use these expressions with **avoir** to describe people or say how they feel.

avoir (environ)… ans	to be (around) … years old	avoir faim	to be hungry
avoir l'air…	to look … , to seem …	avoir soif	to be thirsty
avoir une barbe / une moustache / des lunettes	to have a beard / a mustache / glasses	avoir froid	to be cold
		avoir chaud	to be hot
		avoir raison	to be right
avoir les yeux noirs / verts…	to have dark brown / green … eyes	avoir tort	to be wrong
		avoir peur (de)	to be afraid (of)
avoir les cheveux longs / roux…	to have long / red … hair	avoir sommeil	to be sleepy

Note *de vocabulaire*

1. Use **les** when talking about someone's hair and eyes. **Les cheveux** and **les yeux** are both masculine plural, so follow them with an adjective in the masculine plural form. **Ma sœur a les cheveux bruns et les yeux verts.** Auburn and **noisette**, however, are invariable.

2. Brown eyes can be **noirs** (*dark brown*) or **noisette** (*light to medium brown*). Brown hair can be **bruns** (*dark or medium brown*) or **châtains** (*light to medium brown*). The words **brun**, **roux**, **auburn**, and **châtain** are mainly used to describe someone's hair.

3. You can say that someone is *blond* or *a blond*, *brunette* or *a brunette*, or *red-headed* or *a redhead*, using **blond(e)**, **brun(e)**, or **roux (rousse)**. **Elle est rousse mais son frère est blond.** *She's a redhead, but her brother's a blond.*

4. To say you are *very hot / cold / hungry* … use **très**. **J'ai *très* chaud.**

— Mon fils **a peur** des chiens.
— Quel **âge** a-t-il? Il **a l'air** très jeune.
— Tu **as raison.** Il **a quatre ans.**

— *My son is afraid of dogs.*
— *How old is he? He looks very young.*
— *You're right. He's four.*

Notice these three expressions that also use **avoir** in French.

avoir besoin de (d') + noun or infinitive	*to need* + noun or infinitive
avoir envie de (d') + noun or infinitive	*to feel like* + noun or verb
avoir l'intention de (d') + infinitive	*to intend* + infinitive

J'**ai besoin de** la voiture. J'**ai besoin de** sortir. J'**ai l'intention de** rentrer à midi.
I need the car. I need to go out. I intend to return at noon.

Tu **as envie de** manger? Tu **as envie d'**un sandwich?
You feel like eating? You feel like a sandwich?

Vocabulaire supplémentaire

avoir un tatouage *to have a tattoo*
avoir un bouc *to have a goatee*
avoir des favoris *(m) to have sideburns*
être chauve *to be bald*
avoir la tête rasée *to have a shaved head*

A. Comment est-il? Répondez aux questions pour faire une description du meilleur ami de Robert.

1. Comment s'appelle-t-il? Quel âge a-t-il?
2. Il a les cheveux de quelle couleur? Il a les cheveux longs ou courts? Il a les yeux de quelle couleur?
3. Il a une barbe ou une moustache? Il porte des lunettes? Il a l'air sympa?

Maintenant changez la description précédente d'Antoine pour parler de vous.

Antoine, 20 ans

EXEMPLE Je m'appelle Pat. J'ai 25 ans. J'ai les cheveux…

B. Les activités de Robert.
Quelles sont les activités que Robert a probablement envie de faire? Quelles sont les activités qu'il a probablement besoin de faire?

EXEMPLES faire ses devoirs **Il a besoin de faire ses devoirs.**
regarder la télé **Il a envie de regarder la télé.**

1. aller au cinéma
2. aller prendre un verre
3. aller travailler
4. étudier
5. sortir avec des amis
6. aller en cours

 Maintenant, demandez à un(e) partenaire s'il/si elle a l'intention de faire les activités mentionnées demain.

EXEMPLE faire tes devoirs
— **As-tu l'intention de faire tes devoirs demain?**
— **Non, je n'ai pas l'intention de faire mes devoirs demain.**

C. Moi, j'ai...
Utilisez une expression avec **avoir** de la liste à la page précédente selon le contexte.

EXEMPLE Je voudrais aller prendre un verre. **J'ai soif.**

1. Brrrr... Fermez la fenêtre.
2. Ah! C'est une moufette!
3. Voilà. Ma réponse est correcte.
4. J'ai envie de manger quelque chose.
5. Je voudrais un soda.
6. J'ai besoin de dormir.

D. Qu'est-ce qu'ils ont?
Aujourd'hui, la fille d'une amie fête ses cinq ans *(is celebrating her fifth birthday)*. Que dit sa mère? Utilisez une expression avec **avoir**.

1. Ma fille...
   aujourd'hui.

2. Ses amis...

3. Mon frère...

4. Mes cousins...

5. Mon mari et
   moi, nous...

6. Moi, j'...

7. Le chien de
   mon fils...

8. Tu... de faire ça
   au chien!

 ## E. Entretien. Interviewez votre partenaire.

1. Qu'est-ce que tu as envie de faire cette fin de semaine? Qu'est-ce que tu as besoin de faire? Qu'est-ce que tu as l'intention de faire dimanche soir?
2. Tu as faim maintenant? Tu as soif? Est-ce que tu as l'intention de manger quelque chose après le cours? As-tu sommeil maintenant?

Stratégies et Compréhension auditive

Pour mieux comprendre : *Asking for clarification*

When you do not understand something, it is useful to be able to ask for clarification. You already know three ways to do this: by asking for something to be repeated, by asking what a word means, or by asking how a word is spelled.

Comment? Répétez, s'il vous plaît.
Je ne comprends pas. Qu'est-ce que ça veut dire **belle-sœur**?
Ça s'écrit comment?

 A. Je ne comprends pas. Listen to three conversations. In each, which method is used to ask for clarification: **a**, **b**, or **c**?

a. asking for something to be repeated **(Comment? Répétez, s'il vous plaît.)**
b. asking the meaning of a word **(Qu'est-ce que ça veut dire…?)**
c. asking the spelling of a word **(Ça s'écrit comment?)**

 B. Comment? Listen to these three other scenes, in which one of the speakers is having difficulty understanding. In each case, what could he or she say to ask for clarification?

Compréhension auditive: La famille de Robert

Robert is describing his family to a friend who is studying French. Use what you know and your ability to guess logically to help you understand what he says. The first time, listen only for the number of times his friend asks for clarification.

A. La famille de Robert. Écoutez encore une fois *(again)* la description de la famille de Robert et complétez l'arbre généalogique *(family tree)* avec les prénoms des membres de sa famille.

Robert

B. C'est qui? Écoutez encore une fois la description de la famille de Robert et répondez aux questions.

1. Qui habite à Miramichi?
2. Qui habite à Halifax?
3. Qui habite à Dieppe?
4. Qui sont divorcés?
5. Comment s'appelle le beau-frère de Robert?
6. Comment dit-on **pédiatre** en anglais?
7. Dans la famille de Robert, qui est pédiatre?
8. Quelle est la profession du père de Robert?
9. Comment s'appelle le neveu de Robert?
10. Qui est Martine?

Saying where you go in your free time

Le temps libre

Vocabulaire supplémentaire

à la synagogue
à la mosquée
au temple to church (Protestant), to temple
au lac to the lake
au bar

Note *de grammaire*

1. Use **pour** before infinitives to say *in order to*. In English, *in order to* may be shortened to just *to: One goes to the bookstore (in order) to buy books.* **On va à la librairie *pour* acheter des livres.**

2. With the verb **retrouver**, say whom you are meeting: **Je retrouve *mes amis* au café.** To say *We meet (each other) at the café*, use **On se retrouve au café.**

3. Notice the accent spelling change in the conjugation of **acheter** (*to buy*).

j'achète	**nous achetons**
tu achètes	**vous achetez**
il/elle achète	**ils/elles achètent**

4. The name of a place generally follows the type of place. For example, for *Alliance Cinema*, say **le cinéma Alliance**.

Chez vous, où est-ce qu'**on va** pour passer **son temps libre**?

On aime beaucoup les activités culturelles et **de temps en temps**, on va…

au musée pour voir **une exposition**

au théâtre pour voir **une pièce**

à un concert ou à un festival de musique

On aime aussi **les activités de plein air** et on va souvent…

au parc pour faire du jogging

à la piscine pour nager

à la plage pour **se détendre**

Pour **retrouver des amis,** on va…

à un match de basketball

en boîte

à l'église

Pour faire du magasinage, on va…

Et pour **acheter** des livres, on va…

au centre commercial

dans les boutiques

à la librairie

on va *one goes*
son temps libre *one's free time*
de temps en temps *from time to time*
une exposition *an exhibit*
une pièce *a play*
les activités de plein air *outdoor activities*
se détendre *to relax*
retrouver des amis *to meet friends*
acheter *to buy*

Robert et Claude parlent de leurs projets *(m)* pour ce soir.

CLAUDE: **On sort** ce soir?

ROBERT: D'accord. **On va** au cinéma?

CLAUDE: Ah, non, je préfère **connaître** un peu la région. **On dit que** la cuisine acadienne est **extra**! **Allons plutôt** au restaurant.

ROBERT: D'accord. Allons souper au restaurant Le Petit Codiac. C'est un très bon restaurant où **on sert** les spécialités de la région. Il y a un concert d'un groupe acadien, *Les Hay Babies*, au centre communautaire. C'est de la musique indie-folk. **Ça te dit**?

CLAUDE: Oui, bonne idée. Allons au restaurant. Je voudrais goûter à la poutine acadienne et après allons écouter *Les Hay Babies*.

ROBERT: Pas de problème. **On peut** toujours **trouver** de la bonne musique acadienne ici!

Les Hay Babies (http://leshaybabies.com/)

© Marc-Étienne Mongrain

A. Où va-t-on pour... Demandez à un(e) partenaire où on va pour faire les choses suivantes.

> **EXEMPLE** lire
> — **Où est-ce qu'on va pour lire?**
> — **On va à la bibliothèque.**

1. dîner
2. voir une pièce
3. retrouver des amis
4. prendre un verre
5. faire du magasinage
6. nager
7. voir une exposition
8. se détendre
9. acheter des livres
10. faire du jogging

au restaurant
au musée
à la piscine
au café
au centre commercial
au parc
au théâtre
à l'église
à la plage
à la librairie
à la bibliothèque

B. Entretien. Interviewez votre partenaire.

1. Où aimes-tu passer ton temps libre? Qu'est-ce que tu aimes faire après les cours? la fin de semaine?
2. Où aimes-tu retrouver tes amis? Où aimez-vous aller ensemble? Aimez-vous les activités de plein air? Préférez-vous aller à la plage, à la piscine ou au parc?
3. Aimes-tu faire du magasinage? Qu'est-ce que tu aimes acheter? Aimes-tu faire des achats en ligne? Quel est ton site préféré pour faire des achats?
4. Aimes-tu les activités culturelles? Préfères-tu aller au musée, au théâtre ou à un concert? Préfères-tu aller voir une pièce, une exposition ou un film?

C. À vous! Avec un(e) partenaire, relisez à haute voix la conversation entre Claude et Robert. Ensuite, imaginez que vous êtes chez un(e) ami(e) dans une autre ville et que vous allez sortir ensemble. Décidez ensemble d'une sorte de cuisine (mexicaine, italienne, française, japonaise, chinoise, etc.) et d'un genre de musique (du rock, du jazz, du hip-hop, etc.) populaire dans votre région et refaites la conversation pour parler de vos projets.

> **On sort...?** *How about going out ... ?*
> **On va...?** *How about going ... ?*
> **connaître** *to know, to get to know*
> **On dit que** *They say that*
> **extra(ordinaire)** *great*
> **Allons...** *Let's go ...*
> **plutôt** *instead, rather*
> **on sert** *they serve* (**servir** *to serve*)
> **Ça te dit?** *How does that sound to you?*
> **On peut** *One can* (**pouvoir** *can, may, to be able*)
> **trouver** *to find*

✔ Pour vérifier

1. What are the forms of **aller**?

2. With which forms of the definite article does **à** contract? What are the contracted forms? With which forms does it not contract? How do you say *to the café? to the library? to the university? to the students?*

3. What does the word **y** mean and how do you pronounce it? What happens to words like **je** and **ne** before **y**?

4. Where do you place **y** in a sentence where there is a verb followed by an infinitive? Where do you place it otherwise?

Grammar Tutorials

Note *de grammaire*

If you use **aller** to talk about going somewhere and don't name the place you are going, use **y** even when the word there would not be used in English.
On **y** va? *Shall we go (there)?*
J'**y** vais. *I'm going (there).*

Saying where you are going

*Le verbe **aller**, la préposition **à** et le pronom **y***

To talk about going places, use the irregular verb **aller** *(to go)*.

ALLER *(to go)*	
je **vais**	nous ‿ **allons**
tu **vas**	vous ‿ **allez**
il/elle **va**	ils/elles **vont**

Use the preposition **à** *(to, at, in)* to say where you are going. When **à** falls before **le** or **les**, the two words contract to **au** and **aux**.

CONTRACTIONS WITH À	
à + le → au	Je vais **au** cinéma.
à + la → à la	Je vais **à la** librairie.
à + l' → à l'	Claude va **à l'**université.
à + les → aux	Robert va **aux** festivals de musique de la région.

The pronoun **y** *(there)* is used to avoid repeating the name of the place where one is going. Pronounce it like the letter **i**. Treat **y** as a vowel sound and use elision and liaison before it.

Je vais **au parc**. J'**y** vais avec mes cousins. Nous ‿ **y** allons à trois heures.

Y is generally placed *immediately* before the verb. It goes before the infinitive if there is one. If not, it goes before the conjugated verb.

— Il voudrait aller **au cinéma**?   — Ils vont **au musée**?
— Oui, il voudrait **y** aller.   — Oui, ils **y** vont.

In the negative, **y** remains *immediately* before the infinitive or the conjugated verb.

— Tu voudrais aller **au parc**?   — Tu **y** vas aujourd'hui?
— Non, je ne voudrais pas **y** aller.   — Non, je n'**y** vais pas.

Prononciation

Les lettres a, au *et* ai

Pronounce **a** or **à** with the mouth wide open as in the word *father*, but with the tongue slightly higher and closer to the front of the mouth.

Ton ami va à Moncton.   Tu vas à Moncton avec ta camarade?

Pronounce **au** like the **o** in **nos.**

Laure va au restaurant?   Les autres y vont aussi?

Pronounce the **ai** of **je vais** like the **ais** of **français.** Be sure to distinguish this sound from the **a** of **tu vas** or **il va.**

Je vais au café.   Tu n'y vas jamais?

A. Prononcez bien ! D'abord, pratiquez la prononciation des formes de la préposition **à** dans la troisième colonne. Ensuite, formez des phrases logiques en vous servant d'un mot de chaque colonne.

EXEMPLE **Mon ami a envie de voir un film. Il va au cinéma.**

Mon ami a envie de voir un film. Il…		piscine
Toi, tu as envie de nager. Tu…	allez	arrêt d'autobus
Nous avons soif. Nous…	vais au	librairie
Mes amis vont en cours. Ils…	va à la	café
Vous voudriez acheter un livre. Vous…	allons à l'	université
Mon frère aime écouter de la	vas aux	cinema
musique. Il…	vont	concerts de ses
Je prends *(am taking)* le bus ce matin. Je…		artistes préférés

B. On sort. Robert parle avec Thomas de ses amis et de sa famille. Complétez ses phrases. Utilisez la forme convenable du verbe **aller** et de la préposition **à (au, à la, à l', aux)**.

EXEMPLE Je **vais à la piscine.**

la piscine

la piscine   l'église   la bibliothèque   l'université
1. Toi et moi,   **2.** Mes cousins…   **3.** Toi, tu…   **4.** Ma sœur…
   nous…

le musée   la librairie   le parc   les matchs de bas-
                                                 ket de l'université

5. Claude et   **6.** Mon père…   **7.** Notre chien…   **8.** La fin de
son frère…   semaine, mes
                                                              amis…

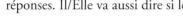 **C. Où aiment-ils aller ?** Demandez à votre partenaire si les personnes indiquées aiment aller aux endroits donnés. Il/Elle va utiliser le pronom **y** dans ses réponses. Il/Elle va aussi dire si les personnes y vont souvent, rarement…

EXEMPLE tu : au musée
— **Tu aimes aller au musée ?**
— **Oui, j'aime y aller. J'y vais souvent / quelquefois / rarement…**
   Non, je n'aime pas y aller. Je n'y vais jamais.

1. tu : à l'opéra, à un match de hockey
2. tes amis et toi : en boîte, au centre commercial
3. ton meilleur ami (ta meilleure amie) : au parc, à l'église
4. tes parents : à la piscine, à un concert hip-hop

✔ *Pour vérifier*

1. What are the three possible uses of the pronoun **on**? What form of the verb do you always use with **on**?

2. How do you form the imperative (commands)? With which verbs do you drop the final **s** in the **tu** form of the imperative?

3. What are the command forms of **avoir** and **être**? How do you tell a friend: *Be on time! Be good! Let's be calm! Have confidence! Let's have patience!*

Grammar Tutorials

Suggesting activities and telling people what to do

*Le pronom sujet **on** et l'impératif*

Use **on** as the subject of a sentence when you are referring to people in general *(one, people, they)*. Consider the difference between these sentences.

À Paris, **on** parle français.　　*In Paris, **they** speak French.* (general group)

Tes amis? **Ils** parlent français?　　*Your friends? Do **they** speak French?* (specific people)

The pronoun **on** is also often used instead of **nous** to say *we*. **On** takes the same form of the verb as **il** and **elle**, regardless of its translation in English.

Claude et moi, **on** aime sortir.　　*Claude and I, we like to go out.*

You can propose doing something with someone *(How about . . . ? Shall we . . . ?)* by asking a question with **on**.

On va au cinéma?　　*How about going to the movies?*
Qu'est-ce qu'**on** fait ce soir?　　*What shall we do this evening?*

The imperative (command form) can also be used to make suggestions, as well as to tell someone else to do something. Use the imperative as follows.

- To make suggestions with *Let's . . . ,* use the **nous** form of the verb, without the pronoun **nous**.

  Allons au cinéma!　　*Let's go to the movies!*
  Ne **restons** pas à la maison!　　*Let's not stay home!*

- To give instructions, or to tell someone to do something, use either the **tu** form of the verb or the **vous** form of the verb, as appropriate, without the pronoun. In **tu** form commands, drop the final **s** of **-er** verbs and of **aller**. However, as you learn other verbs that do not end in **-er**, do not drop the **s** in the commands.

  Va à la bibliothèque! / **Allez** à la bibliothèque! *Go to the library!*
  Ne **mange** pas ça! / Ne **mangez** pas ça!　　*Don't eat that!*

The verbs **être** and **avoir** have irregular command forms.

ÊTRE (be...)		AVOIR (have ...)	
Sois sage!	*Be good!*	**Aie** confiance!	*Have confidence!*
Soyons calmes!	*Let's be calm!*	**Ayons** de la patience!	*Let's have patience!*
Soyez à l'heure!	*Be on time!*	**Ayez** confiance!	*Have confidence!*

A. Tes amis et toi ? Posez ces questions à votre partenaire. Il/Elle va répondre en utilisant le pronom **on**.

> **EXEMPLE** — Tes amis et toi, vous préférez aller à quel restaurant ?
> — **On préfère aller au restaurant Le Petit Codiac.**

1. Tes amis et toi, quand aimez-vous sortir ensemble ?
2. Allez-vous souvent au cinéma ensemble ?
3. Regardez-vous souvent des films ensemble ?
4. Dans quel restaurant mangez-vous le plus souvent ?
5. Est-ce que vous vous envoyez souvent des textos ?

B. On… ? Un(e) ami(e) vous invite *(invites you)* à faire ces choses. Répondez à ses suggestions selon vos goûts *(according to your tastes)*.

> **EXEMPLE** — **On joue à des jeux vidéo ?**
> — **D'accord. Jouons à des jeux vidéo.**
> **Non, ne jouons pas à des jeux vidéo.**
> **Jouons plutôt au scrabble.**

1.  2.  3.  4.

C. Pour réussir. Donnez des conseils à un groupe de nouveaux étudiants. Utilisez l'impératif.

> **EXEMPLE** préparer les examens avec d'autres étudiants
> **Préparez les examens avec d'autres étudiants.**
> **Ne préparez pas les examens avec d'autres étudiants.**

1. aller à tous les cours
2. être à l'heure
3. avoir confiance
4. regarder les examens des autres
5. aller en boîte tous les soirs
6. envoyer des textos en cours
7. avoir peur de parler au prof

D. Des parents difficiles. Des parents disent à leur fils adolescent qu'il doit faire *(must do)* l'une des choses indiquées et qu'il ne doit pas faire l'autre. Qu'est-ce qu'ils lui disent ? Utilisez l'impératif et soyez logique !

> **EXEMPLE** arrêter *(to stop)* de fumer / fumer dans la maison
> **Arrête de fumer ! Ne fume pas dans la maison !**

1. être plus propre / laisser tes vêtements partout
2. rester au lit tout le temps / être plus dynamique
3. passer tout ton temps en ligne / jouer un peu avec ton petit frère
4. aller au resto rapide tous les jours / manger plus sainement

■ Saying what you are going to do

La fin de semaine prochaine

Robert va passer la fin de semaine à Dieppe, au Nouveau-Brunswick. Et vous? Qu'est-ce que vous allez faire?

Je vais… / Je ne vais pas…

quitter la maison **tôt**

partir pour la fin de semaine

visiter une autre ville

faire un tour de la ville

aller **boire** quelque chose au café

rentrer **tard**

Robert et Thomas **font des projets** *(m)* pour **la fin de semaine**.

THOMAS: Qu'est-ce qu'on fait cette fin de semaine?

ROBERT: J'ai beaucoup de projets pour cette fin de semaine. Jeudi matin, on va partir très **tôt** pour Dieppe. **D'abord**, on va visiter la ville. **Ensuite**, on va **aller voir** ma sœur. On va **passer la soirée** chez elle. Vendredi, on va faire un tour **au monument aux anciens combattants**. C'est un monument qui rend hommage aux soldats canadiens qui ont donné leur vie sur les plages de Dieppe, en France.

THOMAS: Et samedi?

ROBERT: À midi, on va dîner au restaurant L'Idylle. C'est un restaurant célèbre pour sa cuisine régionale. **Et puis**, on va passer le reste de la journée à la Francofête. C'est un festival de musique, de théâtre et de danse qui célèbre la culture acadienne. Il y a plusieurs spectacles! On a le choix!

THOMAS: **Super**!

A. La fin de semaine prochaine. Est-ce que vous allez faire les choses suivantes samedi prochain?

EXEMPLE   rester à la maison
Je vais rester à la maison. / Je ne vais pas rester à la maison.

1. quitter la maison tôt
2. partir pour la journée
3. faire du jogging
4. aller voir des amis
5. retrouver des amis en ville
6. aller au cinéma
7. aller au restaurant
8. étudier pour l'examen de français
9. passer la soirée à la maison
10. inviter des amis à la maison

 B. Entretien. Interviewez votre partenaire.

1. Quel(s) jour(s) est-ce que tu quittes la maison tôt? D'habitude, à quelle heure est-ce que tu quittes la maison le lundi? Est-ce que tu rentres tard quelquefois? Quels jours est-ce que tu rentres tard? À quelle heure est-ce que tu rentres?
2. Est-ce que tu aimes partir pour la fin de semaine quelquefois? Quelle ville aimes-tu visiter? Qu'est-ce que tu aimes faire dans cette ville?
3. Vas-tu souvent au café? Qu'est-ce que tu aimes boire le matin? Et quand tu as très soif? Et quand tu as froid? Et quand tu as chaud?
4. En général, quels jours est-ce que tu passes la journée à la maison? Et la soirée? Est-ce que tu passes toute la journée chez toi de temps en temps?

C. À vous! Avec un(e) partenaire, relisez à haute voix la conversation entre Thomas et Robert. Ensuite, imaginez qu'un(e) ami(e) passe la fin de semaine chez vous et que vous allez visiter une autre ville ensemble. Décidez de la ville que vous allez visiter et parlez de vos projets.

Pour vérifier

1. How do you say what you are going to do? How do you say what you are not going to do? How would you say *I'm going to stay home? I'm not going to study? I'm going to go to the mall?*

2. Where do you place the pronoun **y** in the immediate future?

3. What is the immediate future form of **il y a**? How do you negate it?

4. How do you say *today? tomorrow? this morning? tomorrow morning? this month? next month? this year? next year?*

Grammar Tutorials

Saying what you are going to do

Le futur proche

To say what you *are going to do,* use a form of **aller** followed by an infinitive.

je	vais étudier		nous	allons rentrer
tu	vas travailler		vous	allez sortir
il/elle/on	va lire		ils/elles	vont nager

In the negative, put the **ne... pas** around the conjugated form of **aller**.

Je **ne vais pas** sortir ce soir.   *I'm not going to go out tonight.*

Place the pronoun **y**, when needed, *immediately* before the infinitive.

Ma sœur va aller en boîte, mais moi, je **ne vais pas y aller**.

Il y a becomes **il va y avoir** when saying *there is/are going to be.*

Il va y avoir un concert demain. **Il ne va pas y avoir** de film.

Use these expressions to tell when you are going to do something.

maintenant *now*	**plus tard** *later*
aujourd'hui *today*	**demain** *tomorrow*
ce matin *this morning*	**demain matin** *tomorrow morning*
cet après-midi *this afternoon*	**demain après-midi** *tomorrow afternoon*
ce soir *tonight*	**demain soir** *tomorrow evening*
lundi *Monday*	**lundi prochain** *next Monday*
cette fin de semaine *this weekend*	**la fin de semaine prochaine** *next weekend*
cette semaine *this week*	**la semaine prochaine** *next week*
ce mois-ci *this month*	**le mois prochain** *next month*
cette année *this year*	**l'année prochaine** *next year*

A. Que vont-ils faire? Dites si ces gens vont faire les choses indiquées aux moments donnés.

> **EXEMPLE**   Ce soir, moi, je **vais** travailler.
> Ce soir, moi, je **ne vais pas** travailler.

1. Après les cours, mes amis et moi _____ boire quelque chose ensemble.
2. Ce soir, je_____rentrer tard.
3. Demain matin, je_____quitter la maison tôt.
4. Samedi prochain, mes amis et moi_____passer la soirée ensemble.
5. La fin de semaine prochaine, mon meilleur ami (ma meilleure amie) _____ aller voir sa famille.
6. La semaine prochaine, en cours de français, nous_____ avoir un (d') examen.
7. Le mois prochain, les cours universitaires_____ se terminer *(to end).*
8. L'année prochaine, le prof de français_____ continuer à travailler ici.

B. Et ensuite? Qu'est-ce que ces gens vont faire **d'abord** et qu'est-ce qu'ils vont faire **ensuite**?

> **EXEMPLE** moi, je: manger / préparer le dîner
> **D'abord, je vais préparer le dîner et ensuite, je vais manger.**

1. nous: travailler tout l'après-midi / aller prendre un verre
2. moi, je: dormir / rentrer à la maison
3. mon frère: retrouver sa petite amie en ville /souper au restaurant avec elle
4. vous: souper au restaurant / sortir danser
5. mes amis: préparer le dîner / aller au supermarché
6. toi, tu: faire cet exercice / commencer l'exercice suivant

 C. Projets. Demandez à votre partenaire si ces personnes vont faire les choses indiquées aux moments donnés.

> **EXEMPLE** tes amis et toi / jouer au billard ce soir
> — **Tes amis et toi, vous allez jouer au billard ce soir?**
> — **Oui, nous allons jouer au billard ce soir. Non, nous n'allons pas jouer au billard ce soir.**

1. tu / rester au lit demain matin
2. tu / préparer tes cours demain après-midi
3. tu / aller à la plage cette fin de semaine
4. tes amis et toi / aller en boîte samedi prochain

5. tes parents / faire de l'exercice la semaine prochaine
6. tu / retrouver des amis au café la fin de semaine prochaine
7. le professeur de français / travailler ici l'année prochaine

D. Pourquoi y vont-ils? Robert dit où ces personnes vont aller cette fin de semaine et ce qu'elles vont y faire. Complétez ce qu'il dit.

> **EXEMPLE** moi, je / musée (voir une exposition)
> **Moi, je vais aller au musée cette fin de semaine. Je vais y voir une exposition.**

1. je / au centre commercial (faire du magasinage)
2. Yves et moi, nous / à la piscine (rencontrer des amis)
3. Claude / au club sportif (faire du yoga)
4. mes amis / à la librairie (acheter un cadeau pour notre professeur de français)
5. Mes frères / au cinéma (voir un film de science-fiction)

Saying when you are going to do something

✔ *Pour vérifier*

1. Do you generally use cardinal or ordinal numbers to give dates in French? What is the exception?

2. In what two ways can the year 1789 be expressed in French? How do you say the year 2013?

3. How do you say *in* with months and years? How do you say *in January*? *in 2015*?

4. What are these dates in French: 15/3/1951 and 11/1/2022?

▬ **Vocabulaire supplémentaire**

LES FÊTES

un anniversaire de mariage *a wedding anniversary*

la fête de l'Action de grâce *Thanksgiving*

la fête des Mères / Pères

la fête du Canada *Canada Day*

l'Halloween

Hanoukka *(f)*

le (réveillon du) jour de l'An *New Year's (Eve) Day*

Noël *(m) Christmas*

Pâques *(f) Easter*

la Pâque juive *Passover*

le ramadan

la Saint-Valentin

Yom Kippour

Bon anniversaire ! *Happy Birthday!*

Bonne fête ! *Happy Birthday (Fr. Can.)**

Bonne année ! *Happy New Year!*

Joyeux Noël ! *Merry Christmas!*

Les dates

To express the date in French, use **le** and the cardinal numbers (**deux, trois…**), rather than ordinal numbers (**deuxième, troisième…**), except to say *the first* of the month. For *the first*, use **le premier (1ᵉʳ)**.

— Quelle est la date aujourd'hui ?
— C'est le premier… le deux… le trois… le quatre…

janvier	avril	juillet	octobre
février	mai	août	novembre
mars	juin	septembre	décembre

— Quelle est la date de la fête *(holiday)* du Canada ?
— C'est le 1ᵉʳ (premier) juillet.

You can express the years 1100–1999 in French in either of two ways. Years starting at 2000 are only expressed using the word **mille**.

1996 : mille neuf cent quatre-vingt-seize / dix-neuf cent quatre-vingt-seize

2015 : deux mille quinze

Note that the day goes before the month in French.

01/7/1867 = le premier juillet mille huit cent soixante-sept

Use **en** to say *in* what month or year. Do not use a word for *on* when saying *on* a certain date. Continue to use **le**.

— Ton anniversaire *(birthday)*, c'est **en** quel mois ?
— C'est **en** novembre. C'est le 18 novembre. Je vais faire une fête **le** 16 novembre *(I am going to have a party [on] November 16ᵗʰ)*.
— **En** quelle année vas-tu finir tes études ?
— **En** 2019.

A. C'est en quel mois ? Regardez la liste de fêtes dans la marge de cette page et complétez ces phrases avec le nom du mois convenable.

> **EXEMPLE** Le jour de l'An, c'est en **janvier**.

1. Le réveillon du jour de l'An, c'est en…
2. L'année scolaire commence en… Elle finit en…
3. La fête du Canada, c'est en…
4. La Saint-Jean-Baptiste, c'est en…
5. La fête des Mères, c'est en…
6. La fête des Pères, c'est en…
7. Le jour du Souvenir, c'est en ….
8. L'Action de grâce, c'est en…

B. Encore des dates. Demandez à votre partenaire la date des jours indiqués.

> aujourd'hui   demain   de lundi   de ton anniversaire   de notre fête nationale
> de Noël   de l'Halloween   du jour de l'An   *(New Year's Day)*
> de la Saint-Valentin   de ta fête préférée

C. Comparaisons culturelles. Lisez à haute voix ces dates importantes.

EXEMPLE   4/7/1776 (le début de la Révolution américaine)
**le quatre juillet mille sept cent soixante-seize (le quatre juillet
dix-sept cent soixante-seize)**

1. 1/07/1867 (la création de la Confédération canadienne)
2. 14/7/1789 (le début de la Révolution française)
3. 11/11/1918 (le jour de l'Armistice)
4. 6/6/1944 (le jour du débarquement en Normandie)
5. 28/6/1981 (le décès de Terry Fox)

D. À quelle date? Dites si ces personnes vont faire les choses indiquées aux dates données.

EXEMPLE   25/12   je / aller voir mes parents
Le 25 décembre, je vais aller voir mes parents.
**Le 25 décembre, je ne vais pas aller voir mes
parents.**

mes amis / faire un pique-nique
ma famille / aller voir les feux
   d'artifice *(fireworks)*
mes amis et moi / aller à la plage

1. 1/7

mes parents / souper au restaurant
je / sortir avec un(e) ami(e) (des
   amis)
je / acheter des chocolats pour mes
   amis

2. 14/2

je / passer la soirée avec des amis
mes parents / aller voir des amis
mon meilleur ami (ma meilleure
   amie) / rentrer tard

3. 31/12

je / inviter des amis chez moi
mes amis et moi / faire une fête
je / avoir … ans

4. le jour de mon
   anniversaire

E. Entretien. Interviewez votre partenaire.

1. Quelle est la date de ton anniversaire? Qu'est-ce que tu vas probablement faire
   ce jour-là?
2. Quelle est la date du prochain jour férié *(public holiday)*? Qu'est-ce que tu vas
   faire ce jour-là?
3. Quelle est la date de la fête des Mères cette année? Qu'est-ce que tu vas faire
   ce jour-là?

Planning how to get there

Les moyens de transport

Robert et ses amis vont aller à Dieppe en voiture. Et vous? Comment préférez-vous voyager?

Pour visiter une autre ville, je préfère y aller…

en avion *(m)*   en train *(m)*   en bateau *(m)*   en car / en autocar *(m)*

Il y a d'autres possibilités pour aller en ville. Comment **venez-vous** en cours?

Je viens en cours…

à pied *(m)*   à vélo *(m)*   en taxi *(m)*

en voiture *(f)*   en métro *(m)*   en bus / en autobus *(m)*

Robert parle à Thomas du voyage à Dieppe.

ROBERT :   Écoute, demain matin on va partir à Dieppe. Tout est **prêt**?
THOMAS :   Oui. On y va en autocar?
ROBERT :   Non, on va **louer** une voiture, c'est plus commode.
THOMAS :   C'est loin? **Ça prend combien de temps pour y aller** de Miramichi?
ROBERT :   Ça prend environ une heure et quarante-cinq minutes en voiture, **pas plus**.
THOMAS :   Et **on revient** quand?
ROBERT :   On revient vendredi soir.

les moyens *(m)* de transport *means of transportation*
vous venez (venir *to come*)
Je viens (venir *to come*)
prêt(e) *ready*
louer *to rent*
Ça prend combien de temps pour y aller ? *How long does it take to go there?*
pas plus *no more*
on revient (revenir *to come back*)

A. Moyens de transport. Complétez les phrases pour parler de vous.

en avion	en train	en autocar	en bateau	en voiture
en métro	en bus	à pied	à vélo	en taxi

1. Pour faire un long voyage, je préfère voyager…
2. Je n'aime pas beaucoup voyager…
3. Je ne voyage presque jamais…
4. D'habitude, je viens en cours…
5. Je ne viens presque jamais en cours…

B. On y va comment? Dites où chacun va et comment.

EXEMPLE Ils **vont à Dieppe en voiture**.

1. Je…

2. Ils…

3. Vous…

4. Nous…

5. Elle…

C. Entretien. Interviewez votre partenaire.

1. Quelle ville est-ce que tu visites souvent? Comment est-ce que tu préfères y aller? (en voiture? en train? en avion?) Ça prend combien de temps pour y aller?
2. Tu voyages souvent en avion? Tu as peur de voyager en avion? Pour aller à l'aéroport de chez toi, ça prend combien de temps?
3. Quels jours est-ce que tu viens en cours? Comment préfères-tu venir en cours? Comment viens-tu en cours d'habitude? Comment est-ce que tu rentres chez toi?

D. À vous! Avec un(e) partenaire, relisez à haute voix la conversation entre Robert et Thomas. Ensuite, adaptez la conversation pour parler d'un voyage que vous allez faire ensemble pour visiter une autre ville. Précisez comment vous allez voyager et de combien de temps ça va prendre pour y aller.

1. What are the forms of **venir**? of **prendre**? What two verbs are conjugated like **venir**? like **prendre**? What verb do you use to say you are *having* something to eat or drink? When is **apprendre** followed by **à**?

2. In what forms of the verbs **venir** and **prendre** are the vowels nasal? **Je viens / tu viens / il vient** rhyme with what word? **Je prends / tu prends / il prend** rhyme with what word? How do you pronounce the **ils/elles viennent** form? the **ils / elles prennent** form?

Deciding how to get there and come back

Les verbes **prendre** *et* **venir** *et les moyens de transport*

The conjugations of **prendre** *(to take)* and **venir** *(to come)* are irregular.

PRENDRE *(to take)*		VENIR *(to come)*	
je **prends**	nous **prenons**	je **viens**	nous **venons**
tu **prends**	vous **prenez**	tu **viens**	vous **venez**
il/elle/on **prend**	ils/elles **prennent**	il/elle/on **vient**	ils/elles **viennent**

Prendre means *to take.*

> Je **prends** des notes en cours.   **Prenez** votre livre.

Use **prendre** to say that you are *taking* a means of transportation. Remember that you can also use **aller**, **venir**, or **voyager** and the preposition *en* (or *à* with **vélo**) to say that you are *going, coming,* or *traveling by* a particular means of transportation. To say *on foot,* use **à pied**.

> Je **prends** mon vélo.   Je **prends** l'avion.
>
> J'y **vais à vélo**.   Je **voyage en avion**.   Je **viens** en cours **à pied**.

Use **prendre** as *to have* when talking about *having* something to eat or drink.

> Je vais **prendre** un sandwich et une eau minérale.

Use **venir** to say *to come*. **Revenir** *(to come back)* and **devenir** *(to become)* are conjugated like **venir**.

> Elle **revient** tard et il **devient** impatient.

Note *de vocabulaire*

1. Use **en** with **aller**, **venir**, or **voyager** to say you are traveling *by* a means of transportation. **Je viens *en* bus, *en* taxi, *en* train...**

2. Use **prendre** to say what means of transportation you are *taking*. In this case, you can generally use the same article with the noun that you would in English: *I take* **the** *bus, a cab,* **the** *train* ... **Je prends *le* bus, *un* taxi, *le* train...**

Note *de grammaire*

Comprendre *(to understand)* and **apprendre** *(to learn)* are conjugated like **prendre**. When **apprendre** is followed by an infinitive, the infinitive is preceded by **à**.

J'apprends à parler français. Ma sœur **apprend** le français aussi.

Tu **comprends**?

Prononciation

Les verbes *prendre* **et** *venir*

In the **je, tu,** and **il/elle/on** forms of the verb **venir**, the vowel combination **ie** has the nasal sound [jɛ̃]. The consonants after **ie** are all silent. All three forms rhyme with the word **bien**. In the **ils/elles viennent** form, however, the **ie** is not nasal and the **nn** is pronounced.

> **je viens   tu viens   il vient   ils viennent   elles viennent**

Similarly, the **e** in the **je, tu,** and **il/elle/on** forms of the verb **prendre** is nasal and the consonants after the vowel are silent. All three forms rhyme with the word **quand**. In the **ils/elles prennent** form, however, the **e** is not nasal. It is pronounced like the **è** in **mère** and the **nn** is pronounced.

> **je prends   tu prends   il prend   ils prennent   elles prennent**

The **e** in the **nous** and **vous** forms of both verbs is pronounced like the **e** in **je**.

> **nous venons   vous venez   nous prenons   vous prenez**

A. Prononcez bien ! D'abord, écoutez les phrases et indiquez pour chacune si on parle d'**une personne** ou de **plus d'une personne**. Après, écrivez deux phrases avec le verbe **prendre** et deux phrases avec le verbe **venir**. Lisez-les à un(e) partenaire qui va dire si vous parlez **d'une personne** ou de **plus d'une personne**.

B. Qu'est-ce qu'on fait ? Conjuguez les verbes entre parenthèses et posez les questions à votre partenaire.

1. Quels jours est-ce que tu *(venir)* en cours ? Est-ce que tu *(prendre)* le bus pour venir en cours ? Est-ce que tu *(venir)* en cours à pied ou à vélo quelquefois ?

2. Est-ce que les autres étudiants du cours de français *(venir)* toujours en cours ? Est-ce qu'ils *(comprendre)* bien le français ? Est-ce que nous *(apprendre)* beaucoup en cours ?

3. Est-ce que le cours de français *(devenir)* plus difficile ? Est-ce que le (la) prof *(devenir)* impatient(e) quand les étudiants ne préparent pas bien le cours ?

4. Est-ce que tu *(avoir)* l'intention de revenir à cette université l'année prochaine ? Est-ce que les étudiants *(avoir)* l'intention de continuer en français l'année prochaine ?

C. La santé. Votre ami voudrait améliorer sa santé *(to improve his health)*. Donnez-lui des conseils. Utilisez l'impératif.

EXEMPLE

Je prends un soda ou un jus d'orange ?
Prends un jus d'orange ! Ne prends pas de soda !

1. Je prends une bière ou une eau minérale ?
2. Je viens en cours en voiture ou à vélo ?
3. Je prends une salade ou des frites ?
4. Je vais au parc ou je reste à la maison ?
5. Je vais au parc en voiture ou à pied ?
6. Je reste au soleil ou je nage ?

Faire du vélo, c'est bon pour la santé.

■ Reprise

See the **Résumé de grammaire** section at the end of each chapter for a review of all the grammar presented in the chapter.

© Heinle/Cengage Learning

Les Stagiaires

Dans l'*Épisode 4* de la vidéo *Les Stagiaires*, Céline et Amélie parlent de la famille d'Amélie et de celle de *(that of)* Christophe. Avant de regarder l'épisode, faites ces exercices pour réviser ce que vous avez appris dans le *Chapitre 4*.

A. La famille de Christophe. Rachid parle à Christophe de sa famille.
Complétez leur conversation avec les mots logiques.

RACHID : Alors, Christophe, c'est vrai que M. Vieilledent est ton __1__ ?
CHRISTOPHE : Oui, c'est vrai.
RACHID : Tu as une grande __2__ ? Tu as des __3__ et sœurs ?
CHRISTOPHE : Moi, je suis le seul __4__, mais j'ai deux __5__, Léa et Emma.
RACHID : Elles sont plus __6__ ou plus jeunes que toi ?
CHRISTOPHE : Moi, je suis le plus jeune. Elles __7__ vingt-six et vingt-quatre __8__.
RACHID : Et ta __9__, elle s'appelle comment ?
CHRISTOPHE : Elle s'appelle Pauline, mais mes parents ne sont plus ensemble. Ils sont __10__.

Maintenant préparez une conversation avec un(e) partenaire au cours de laquelle *(in which)* vous parlez de vos familles.

B. Aujourd'hui. Utilisez des expressions avec **avoir** pour dire comment l'équipe *(team)* de Technovert se sent *(feels)* aujourd'hui.

EXEMPLE Monsieur Vieilledent voudrait des croissants parce qu'il **a faim**.

1. Camille voudrait boire quelque chose parce qu'elle _____.
2. Matthieu voudrait enlever son pull parce qu'il _____.
3. Amélie a besoin d'un pull parce qu'elle _____.
4. Christophe voudrait faire la sieste *(to take a nap)* parce qu'il _____.
5. Rachid _____ d'étudier parce qu'il a un examen demain.

C. Les anniversaires. Les résultats du trimestre sont tellement bons que M. Vieilledent pense donner un bonus à chaque employé(e) pour son anniversaire. Donnez la date de l'anniversaire de chacun.

EXEMPLE Camille : 25/1
L'anniversaire de Camille, c'est le vingt-cinq janvier.

1. Céline : 30/3
2. Christophe : 16/5
3. Matthieu : 21/8
4. Rachid : 1/6
5. Amélie : 14/2

D. Pauvre Matthieu. Matthieu voudrait sortir avec Amélie, mais il n'a pas le courage de lui parler *(to talk to her)* parce qu'il est trop timide. Est-ce que Camille dit *(tells)* à Matthieu de faire ou de ne pas faire les choses suivantes pour l'encourager *(to encourage him)* ? Utilisez l'impératif des verbes suivants à l'affirmatif ou au négatif pour faire des phrases logiques.

EXEMPLE être timide
Ne sois pas timide !

1. avoir un peu de courage
2. être ridicule
3. avoir peur de parler à Amélie
4. aller à son bureau sans rien dire *(without saying anything)*
5. regarder Amélie tout le temps sans parler
6. parler avec elle de temps en temps
7. prendre l'initiative
8. inviter Amélie au nouveau restaurant au coin de la rue

E. Parlons ensemble.

M. Vieilledent parle aux stagiaires de leur travail. Complétez les phrases suivantes avec l'impératif des verbes entre parenthèses. Mettez l'un des verbes à la forme de **vous** et l'autre à la forme de **nous** pour faire des phrases logiques.

> **EXEMPLE** Rachid et Amélie, **venez** (venir) avec moi, s'il vous plaît.
> **Allons** (aller) dans mon bureau.

1. S'il vous plaît, _____ (entrer) dans mon bureau, tous les deux, et asseyez-vous *(have a seat)*, je vous en prie. Si vous voulez bien, _____ (prendre) un peu de temps pour parler de votre travail à Technovert.
2. _____ (commencer) par vos responsabilités. _____ (ne pas hésiter) à poser des questions si vous ne comprenez pas quelque chose.
3. _____ (venir) me voir *(to see me)* s'il y a un problème et _____ (trouver) une solution ensemble.
4. _____ (partager) vos idées et vos opinions avec moi. _____ (être) toujours ouverts et francs les uns avec les autres.
5. _____ (travailler) tous ensemble! _____ (ne pas avoir) peur de faire des suggestions. Ma porte est toujours ouverte.
6. _____ (revenir) à cette conversation plus tard. Maintenant, _____ (retourner) à vos bureaux, s'il vous plaît.

F. Le week-end.

Rachid pose des questions à Amélie. Complétez chaque question avec la forme correcte du verbe logique entre parenthèses.

1. (aller, venir) Le week-end, est-ce que tu _____ plus souvent chez tes amis ou est-ce que tes amis _____ plutôt chez toi?
2. (aller, prendre) Qui _____ sa voiture généralement quand tes amis et toi _____ en ville le week-end?
3. (aller, avoir) Est-ce que tu _____ envie de sortir samedi soir ou est-ce que tu _____ rester chez toi?
4. (aller, avoir) Et dimanche, qu'est-ce que tu _____ l'intention de faire? Tu _____ étudier?
5. (avoir, devenir) Est-ce que tu _____ une page sur Facebook? On _____ amis sur Facebook?

 **Épisode 4 : Vive la famille!**

Dans ce clip, Céline parle de la famille de Christophe et pose des questions à Amélie au sujet de sa famille. Avant de regarder le clip, imaginez une des questions que Céline pose à Amélie. Ensuite, regardez le clip et dites une chose au sujet de la famille de Christophe et une phrase au sujet de la famille d'Amélie.

 Access the Video *Les Stagiaires* at **iLrn** and on the *Horizons* Premium Website.

© Heinle/Cengage Learning

Espace culturel

Pour mieux lire

Using word families

Cajuns are descendants of Acadian exiles, mainly living in Louisiana. They are a culturally vibrant ethnic group. You are going to read about their story. Recognizing related words that have the same root will help expand your vocabulary and facilitate your reading.

L'histoire des Cadiens

La majorité des Cadiens en Louisiane aujourd'hui sont les descendants des Acadiens, expulsés du Canada par les Anglais au xviiie siècle. (Le mot *cajun* est dérivé du mot *acadien*.)

En 1604, les Français **fondent** la colonie de l'Acadie dans **la partie est** du Canada.

En 1713, les Anglais prennent possession de l'Acadie. En 1755, ils commencent à expulser les Français.

Cette expulsion des Acadiens du Canada est **connue comme** le « Grand Dérangement ».

Après une période noire **pendant laquelle** beaucoup d'Acadiens **meurent**, certains groupes d'Acadiens vont **s'établir dans la partie sud** de la Louisiane. **En raison de** l'inaccessibilité de la région, ces Francophones restent **isolés pendant** plus de 200 ans et leur culture et leur langue restent dominantes dans le sud de la Louisiane.

Vitrail de l'église-souvenir illustrant la déportation des Acadiens

No French to be spoken in school, tableau du peintre louisianais George Rodrigue

Vers la fin du XIXe siècle, **pourtant**, **des vagues** d'Anglophones commencent à arriver dans la région. En 1916, l'État de la Louisiane **exige que la scolarité soit faite** en anglais, et l'anglais devient la langue prédominante chez les jeunes. L'usage du français en Louisiane **diminue**.

Après un certain temps, un mouvement pour la protection de la langue et de la culture françaises **surgit**. L'État établit le Conseil pour le développement du français en Louisiane (CODOFIL), et crée la région d'Acadiana, **comprenant 22 paroisses** francophones au sud de l'État. Un amendement est aussi **ajouté** à la Constitution pour encourager la préservation de la culture française en Louisiane.

Statue d'Évangéline devant l'église-souvenir de Grand-Pré (Nouvelle-Écosse), lieu historique national du Canada et de la culture acadienne

Compréhension

1. La majorité des Cadiens en Louisiane sont les descendants de quel groupe?
2. Qu'est-ce que le « Grand Dérangement » ?
3. Quelle est la différence entre les deux régions d'Acadie et d'Acadiana?
4. Quel est le but *(goal)* de l'organisation CODOFIL?
5. Que pensez-vous de cette idée de créer une agence pour la défense de la langue et de la culture d'une minorité?

Pour mieux écrire

Visualizing your topic

Sometimes it is easier to write a description of people or things if you visualize or look at images of them. An image such as a family tree provides a logical order to a description.

Organisez-vous. Vous allez écrire une description de votre famille. D'abord, tracez *(draw)* un arbre généalogique de votre famille. À côté de chaque membre de votre famille sur l'arbre généalogique, écrivez toutes les informations que vous associez à cette personne :

• son âge
• sa profession
• son apparence physique
• son caractère
• ses activités

Ma famille

Écrivez une description détaillée de votre famille en utilisant les notes ci-dessus.

Pour mieux interagir
Le Festival acadien de Caraquet

Caraquet est une petite ville portuaire qui se trouve dans le nord-est du Nouveau-Brunswick. Les premiers résidents européens sont arrivés en 1730. Le mot *Caraquet* est d'origine Micmac. Il signifie «la rencontre de deux rivières».

Après la déportation (le Grand dérangement) de 1755, 34 familles acadiennes sont arrivées en 1758. Aujourd'hui, Caraquet compte environ 4 100 habitants.

En 2003, la ville de Caraquet recevait la distinction de «Capitale culturelle du Canada» pour sa contribution au développement des arts et de la culture acadienne.

Chaque année, le Festival acadien de Caraquet se déroule au mois d'août. C'est une grande célébration de la culture acadienne. Plus de 200 chanteurs, musiciens, écrivains, comédiens et autres artistes y participent. Ce festival attire plus de 150 000 visiteurs.

Le Grand Tintamarre, qui est une tradition de la culture acadienne, est un grand événement du Festival acadien. C'est un défilé où les participants font du bruit pour manifester leur fierté acadienne.

Le Grand Tintamarre

Le Village Historique Acadien qui est situé près de Caraquet, est un musée où on a reconstitué l'ambiance et l'authenticité de la vie des Acadiens de 1770 à 1939. Il y a plus de 40 bâtiments originaux qui sont habités par des interprètes en costume d'époque. Ils font revivre les coutumes ancestrales et les métiers traditionnels des Acadiens d'autrefois.

Vocabulaire

Find the following terms in French from the text above:

1. port city
2. meeting
3. north-east
4. today
5. to receive
6. approximately
7. to take place
8. writers
9. to attract
10. a parade
11. noise
12. pride
13. to relive
14. ancestral customs
15. traditional trades

Compréhension

En anglais…

Give the following information:

1. The meaning of the name "Caraquet"
2. Its location
3. The origins of the first settlers
4. An important historical event linked to its establishment
5. Its population
6. Month during which the *Festival acadien* usually takes place
7. Types of performers at the *Festival acadien*

En français…

VRAI OU FAUX? Indiquez si chacune des phrases suivantes est vraie ou fausse. Si elle est fausse, donnez la bonne réponse.

1. Les premiers résidents de Caraquet étaient américains.
2. La ville de Caraquet est située près de la mer.
3. Le Village Historique Acadien est situé dans la ville de Caraquet.
4. Tous les bâtiments du Village Historique Acadien sont neufs.
5. Des soldats en uniformes travaillent dans le Village Historique.
6. Le Grand Tintamarre est un événement bruyant.
7. Le Village Historique Acadien a reconstitué la vie des Acadiens du XVIIe siècle.

Pour mieux découvrir

Quel est ce pays de la Francophonie?

Voici quatre photos et descriptions pour vous aider à deviner.

Au marché

Le tajine est un ustensile de cuisine dans ce pays. Il est utilisé pour préparer un plat traditionnel, aussi appelé «le tajine», composé de viande, de volaille ou de poisson, de légumes ou de fruits et d'épices.

La ville de Tétouan dans le nord du pays. Cette ville existe depuis le IIIe siècle avant notre ère.

Rabat, la capitale

Est-ce qu'il s'agit…

a. du Maroc?
b. du Gabon?
c. de l'Égypte?
d. du Tchad?

Réponse: a) Le Maroc

■ Résumé de grammaire

Expressions with *avoir*

J'**ai faim** et **soif**. On va au café ?
Fermons la fenêtre ! Il **a froid.**
Tu **as raison**. Tu comprends bien !
J'**ai sommeil** ! Je vais au lit.
Il **a peur des** chiens.

Ma tante s'appelle Sylvie. Elle **a**
　34 ans. Elle **a les cheveux longs**
　et **les yeux noirs**. Elle a **des**
　lunettes. Elle **a l'air** intellectuel.

– Qu'est-ce que tu **as l'intention de**
　faire ?
– Je ne sais pas. J'**ai besoin de** tra-
　vailler, mais j'**ai envie de** sortir.

The following expressions use **avoir**. Note the use of the definite article with **avoir les yeux / les cheveux**.

avoir faim	*to be hungry*	avoir… ans	*to be … years old*
avoir soif	*to be thirsty*	avoir les cheveux longs	*to have long hair*
avoir chaud	*to be hot*	avoir les yeux noirs	*to have dark brown eyes*
avoir froid	*to be cold*	avoir l'air	*to look …, to seem …*
avoir raison	*to be right*	avoir une barbe /	*to have a beard /*
avoir tort	*to be wrong*	une moustache /	*mustache / glasses*
avoir sommeil	*to be sleepy*	des lunettes	
avoir peur (de)	*to be afraid (of)*		

avoir besoin de (d') + noun or infinitive　　*to need* + noun or infinitive
avoir envie de (d') + noun or infinitive　　*to feel like* + noun or verb
avoir l'intention de (d') + infinitive　　*to intend* + infinitive

The verb *aller,* the preposition *à,* and the pronoun *y*

– Où **vas**-tu cet après-midi ?
– Je **vais au** cinéma. Mes parents
　vont voir les nouvelles expositions
　de deux artistes de la ville et ma
　sœur **va à la** bibliothèque. Et vous
　deux, où **allez**-vous ?
– Nous **allons à l'**église.

Use the verb **aller** and the preposition **à** *(to, at, in)* to say where someone is going. When **à** falls before **le** or **les**, the two words contract to **au** and **aux**.

ALLER (to go)	
je **vais**	nous ᶻ **allons**
tu **vas**	vous ᶻ **allez**
il/elle/on **va**	ils/elles **vont**

– Je vais à l'université. Tu voudrais **y**
　aller avec moi ?
– Non, je n'**y** vais pas aujourd'hui.

Use the pronoun **y** to mean *there,* even when *there* is only implied in English. Place it *immediately* before the infinitive if there is one. Otherwise, place it *immediately* before the conjugated verb. Treat **y** as a vowel for purposes of elision and liaison.

The subject pronoun *on* and command forms (*l'impératif*)

On parle français en Louisiane.
Nous, **on aime** sortir la fin de
　semaine.
– **On sort** ce soir ?
– D'accord. **Allons** au cinéma.
– Non, **n'allons pas** au cinéma.
　Dînons plutôt au restaurant.

Use **on** as the subject of a sentence to refer to people in general *(one, people, they),* or instead of **nous** to say *we.* **On** takes the same verb form as **il/elle**, no matter what the translation in English.

You can invite someone to do something with you by asking a question with **on** (*Shall we … ? / How about … ?*). To say *Let's … ,* use the **nous** form of the appropriate verb without the pronoun **nous**.

To tell someone to do something, use the **tu** or **vous** form of the verb, as appropriate, without the pronoun **tu** or **vous**. In **tu** form commands, drop the final **s** of -**er** verbs and **aller**.

Avoir and **être** have irregular command forms.

ÊTRE (be …)	AVOIR (have …)
sois	aie
soyons	ayons
soyez	ayez

The immediate future *(Le futur proche)*

To talk about what someone *is going to do,* use a conjugated form of the verb **aller** followed by an infinitive. To say what someone is *not* going to do, place **ne… pas** around the conjugated form of **aller**. **Il y a** becomes **il va y avoir**.

Dates

To tell the date, use **le** and the cardinal numbers (**deux**, **trois**, **quatre**…), except for *the first* (**le premier**). The day goes before the month: **30/9/2012**.

You can express the years 1100–1999 in two ways. Years from 2000 on are only expressed using the word **mille**. Use **en** to say *in* what year or month. Do not use a word to say *on* with a date.

The verbs *prendre* and *venir* and means of transportation

Prendre *(to take)* and **venir** *(to come)* are irregular.

PRENDRE (to take)		VENIR (to come)	
je **prends**	nous **prenons**	je **viens**	nous **venons**
tu **prends**	vous **prenez**	tu **viens**	vous **venez**
il/elle/on **prend**	ils/elles **prennent**	il/elle/on **vient**	ils/elles **viennent**

Prendre means *to take.* You can also use it as *to have* when talking about having something to eat or drink. **Comprendre** *(to understand)* and **apprendre** *(to learn)* are conjugated like **prendre**.

Revenir *(to come back)* and **devenir** *(to become)* are conjugated like **venir**.

Use the preposition **en** (or **à** with **vélo**) to say *by* what means you are traveling with verbs like **aller**, **venir**, and **voyager**. When using **prendre** to say what means of transportation you are taking, you can often use the same article with the noun that you would in English.

Va au restaurant Préjean et **mange** les spécialités de la maison.
Mangez bien. **Ne mangez pas** de dessert.

Sois à l'heure pour tes cours.
N'aie pas peur – **aie** confiance !
N'ayons pas peur ! **Soyons** calmes !
Ayez de la patience ! **Ne soyez pas** impatients !

– Qu'est-ce que tu **vas faire** ce soir ? Tu **vas sortir** ?
– Non, je **ne vais pas sortir**. Je **vais rester** à la maison. **Il va y avoir** un film à la télé.

– Quelle est la date aujourd'hui ? C'est **le trente septembre** ?
– Non, c'est **le premier octobre**.

1910 **mille neuf cent dix / dix-neuf cent dix**
Mon anniversaire, c'est **en mars**. Je vais faire une fête le 15 mars.
Je vais finir mes études **en 2016 (deux mille seize)**.

– **Venez**-vous à l'université en voiture ?
– Non, je ne **viens** pas en cours en voiture. Je **prends** mon vélo. **Prenez**-vous votre voiture ?

Le matin, il **prend** un café et un croissant.
Tu **comprends** ?
Nous **apprenons** beaucoup dans ce cours.

Les fils **reviennent** tard et le père **devient** impatient.

D'habitude, ils **voyagent en avion** mais aujourd'hui ils **prennent le train**.

■ Vocabulaire ◻

Describing your family

LA FAMILLE

des beaux-parents /	stepparents, in-laws /
un beau-père /	a stepfather, a father-in-law /
une belle-mère	a stepmother, a mother-in-law
un(e) cousin(e)	a cousin
un(e) enfant	a child
un fils / une fille	a son / a daughter
un frère / une sœur	a brother / a sister
un garçon / une fille	a boy / a girl
des grands-parents /	grandparents /
un grand-père /	a grandfather /
une grand-mère	a grandmother
un neveu (pl des neveux) /	a nephew / a niece
une nièce	
un oncle / une tante	an uncle / an aunt
des parents / un père /	parents / a father /
une mère	a mother

NOMS FÉMININS

une barbe	a beard
des lunettes	glasses
une moustache	a moustache
des vacances	vacation

ADJECTIFS

auburn (inv)	auburn
blond(e)	blond(e)
brun(e)	medium / dark brown (with hair)
châtain	light / medium brown (with hair)
court(e)	short
décédé(e)	deceased
long(ue)	long
mi-longs	shoulder-length (with hair)
noir(e)	black, very dark brown (with eyes)
noisette (inv)	hazel (with eyes)
plus âgé(e) que	older than
roux (rousse)	red (with hair)

EXPRESSIONS VERBALES

avoir besoin de	to need
avoir chaud / froid	to be hot / cold
avoir envie de	to feel like, to want
avoir faim / soif	to be hungry / thirsty
avoir l'air...	to look ... , to seem ...
avoir les cheveux / les yeux...	to have ... hair / eyes
avoir l'intention de	to intend to
avoir peur (de)	to be afraid (of)
avoir raison / tort	to be right / wrong
avoir sommeil	to be sleepy
Comment s'appelle-t-il/elle?	What is his/her name?
Il/Elle s'appelle...	His/Her name is ...
porter	to wear, to carry
Quel âge a...?	How old is ... ?
avoir (environ)... ans	to be (about) ... years old
Vous êtes combien dans	How many people are
votre (ta) famille?	there in your family?
Nous sommes...	There are ... of us.

DIVERS

de taille moyenne	of medium height
encore	still
environ	about

Saying where you go in your free time

NOMS MASCULINS

un centre commercial	a shopping mall
un concert	a concert
un festival	a festival
un musée	a museum
un orchestre	an orchestra, a band
un parc	a park
des projets	plans
le temps libre	free time
un théâtre	a theatre

NOMS FÉMININS

une activité (de plein air)	an (outdoor) activity
une boutique	a store
la cuisine	cooking, cuisine
une église	a church
une exposition	an exhibit
une librairie	a bookstore
une pièce	a play
une piscine	a swimming pool
une plage	a beach
une région	a region
une spécialité	a specialty

EXPRESSIONS VERBALES

acheter	to buy
aie, ayons, ayez	have, let's have, have
aller (à)	to go (to)
avoir confiance	to have confidence
avoir de la patience	to have patience
connaître	to know, to get to know, to be acquainted / familiar with
retrouver des amis	to meet friends
se détendre	to relax
servir	to serve
sois, soyons, soyez	be, let's be, be
trouver	to find

DIVERS

à l'heure	on time
allons	Let's go
bonne idée	good idea
cadien(ne)	Cajun
calme	calm
Ça te dit?	How does that sound?
culturel(le)	cultural
de temps en temps	from time to time
extra(ordinaire)	great
on	one, people, they, we
On...?	Shall we ... ?, How about ... ?
on dit que	they say that
on peut	one can
plutôt	rather, instead
pour	in order to
sage	good, well-behaved
y	there

Saying what you are going to do

NOMS MASCULINS

un anniversaire	*a birthday*
le monument aux anciens combattants	*Veterans' War memorial*

NOMS FÉMININS

une fête	*a holiday, a party*
la soirée	*the evening*

EXPRESSIONS VERBALES

aller voir	*to go see, to visit (a person)*
boire	*to drink*
faire une fête	*to have a party*
faire des projets	*to make plans*
faire un tour	*to take a tour, to go for a ride*
il va y avoir	*there is / are going to be*
partir (pour la fin de semaine)	*to go away, to leave (for the weekend)*
passer la soirée	*to spend the evening*
quitter	*to leave*
visiter	*to visit (a place)*

LES DATES

En quelle année?	*In what year?*
En quel mois?	*In what month?*
Quelle est la date?	*What is the date?*
C'est le premier (deux, trois...)	*It's the first (second, third ...) of*
janvier / février / mars / avril / mai / juin / juillet / août / septembre / octobre / novembre / décembre	*January / February / March / April / May / June / July / August / September / October / November / December*

EXPRESSIONS ADVERBIALES

ce matin	*this morning*
ce mois-ci	*this month*
ce soir	*tonight, this evening*
cette fin de semaine	*this weekend*
cet après-midi	*this afternoon*
cette année	*this year*
cette semaine	*this week*
d'abord	*first*
demain matin / après-midi / soir	*tomorrow morning / afternoon / evening*
ensuite	*then, afterward*
l'année prochaine	*next year*
la semaine prochaine	*next week*
le mois prochain	*next month*
la fin de semaine prochaine	*next weekend*
lundi (mardi...) prochain	*next Monday (Tuesday ...)*
plus tard	*later*
(et) puis	*(and) then*
Super!	*Great!*
tard	*late*
tôt	*early*

DIVERS

célèbre	*famous*
national(e) (*m.pl.* nationaux)	*national*
prochain(e)	*next*
régional(e) (*m.pl.* régionaux)	*regional*

Planning how to get there

NOMS MASCULINS

un (auto)bus	*a bus*
un (auto)car	*a bus*
un avion	*a plane*
un bateau	*a boat*
le métro	*the subway*
un moyen de transport	*a means of transportation*
un taxi	*a cab, a taxi*
un train	*a train*
un voyage	*a trip*

NOMS FÉMININS

une possibilité	*a possibility*
des notes	*notes*

EXPRESSIONS VERBALES

aller à pied	*to go on foot*
à vélo	*by bike*
en (auto)car	*by bus*
en (auto)bus	*by bus*
en avion	*by plane*
en bateau	*by boat*
en métro	*by subway*
en taxi	*by taxi*
en train	*by train*
en voiture	*by car*
apprendre	*to learn*
comprendre	*to understand*
devenir	*to become*
louer	*to rent*
prendre	*to take*
revenir	*to come back*
venir	*to come*

DIVERS

Ça prend combien de temps?	*How long does it take?*
Ça prend...	*It takes ...*
impatient(e)	*impatient*
pas plus	*no more*
prêt(e)	*ready*

L'OUEST FRANCOPHONE

Les projets

COMPÉTENCES

1 **Saying what you did**

La fin de semaine dernière

Saying what you did
> *Le passé composé avec* **avoir**

Stratégies et Lecture
- **Pour mieux lire :** *Using the sequence of events to make logical guesses*
- **Lecture :** *Qu'est-ce qu'elle a fait ?*

2 **Telling where you went**

Je suis parti(e) en voyage

Telling where you went
> *Le passé composé avec* **être**

Telling when you did something
> *Les expressions qui désignent le passé et reprise
> du passé composé*

3 **Discussing the weather and your activities**

Le temps et les projets

Talking about the weather and what you do
> *Le verbe* **faire***, l'expression* **ne... rien** *et les expressions
> pour décrire le temps*

Talking about activities
> *Les expressions avec* **faire**

4 **Deciding what to wear and buying clothes**

Les vêtements

Avoiding repetition
> *Les pronoms* **le***,* **la***,* **l'** *et* **les**

Reprise *Les Stagiaires*

Espace culturel

Pour mieux lire *L'hiver canadien*

Pour mieux écrire *Un voyage à Calgary*

Pour mieux interagir *Le Cercle Molière*

Pour mieux découvrir *Quel est ce pays de la Francophonie ?*

Résumé de grammaire
Vocabulaire

© BGSmith/Shutterstock

L'Ouest francophone

L'Ouest canadien regroupe quatre provinces : la Colombie-Britannique, l'Alberta, la Saskatchewan et le Manitoba. La langue et la culture francophones sont bien **ancrées** et vivantes dans ces régions.

Le drapeau franco-colombien

Le drapeau franco-albertain

Le drapeau fransaskois

Le drapeau franco-manitobain

▲ Victoria, en Colombie-Britannique

▲ Le Palais législatif du Manitoba, à Winnipeg

ancrées *rooted*
les Rocheuses *the Rockies*
journal *newspaper*

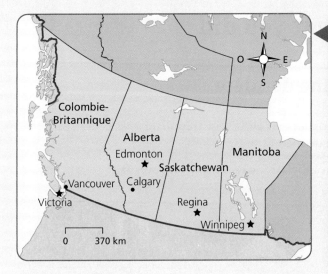

La Colombie-Britannique
Capitale: Victoria
Nombre d'habitants: environ 4 800 000 habitants
- Environ 72 000 Britanno-Colombiens/Britanno-Colombiennes ont le français comme langue maternelle (les Franco-Colombiens et Franco-Colombiennes).

L'Alberta
Capitale: Edmonton
Nombre d'habitants: environ 3 800 000 habitants
- Environ 83 000 Albertains/Albertaines ont le français comme langue maternelle (les Franco-Albertains et Franco-Albertaines).

La Saskatchewan
Capitale: Regina
Nombre d'habitants: environ 1 085 000 habitants
- Environ 19 000 Saskatchewanais/ Saskatchewanaises ont le français comme langue maternelle (les Fransaskois et Fransaskoises).

Le Manitoba
Capitale: Winnipeg
Nombre d'habitants: environ 1 250 000 habitants
- Environ 49 000 Manitobains/Manitobaines ont le français comme langue maternelle (les Franco-Manitobains et Franco-Manitobaines).

Source: Statistique Canada

▲ Des bisons dans le Parc national des Prairies, en Saskatchewan

© BGSmith/Shutterstock

▲ Un train transportant de la marchandise dans les Rocheuses, en Alberta

© Mayskyphoto/Shutterstock

Qu'en savez-vous?

1. Dans quelle région du Manitoba se concentrent majoritairement les Franco-Manitobains?
   - **a.** Winnipeg
   - **b.** Saint-Boniface
   - **c.** Brandon
   - **d.** Portage la Prairie

2. Combien de Canadiens français ont accompagné l'explorateur Alexander Mackenzie en 1792, quand il est parti à la recherche d'un passage vers le Pacifique à travers **les Rocheuses**?
   - **a.** douze
   - **b.** dix
   - **c.** six
   - **d.** cinq

3. Quel est le nom du **journal** francophone de l'Association culturelle franco-canadienne de la Saskatchewan?
   - **a.** L'Eau vive
   - **b.** Le Patriote
   - **c.** La Liberté
   - **d.** Le Fransaskois

4. En quelle année est-ce que la Cour suprême du Canada a jugé inconstitutionnelle la loi de 1890 qui avait aboli le français comme langue officielle au Manitoba?
   - **a.** 1956
   - **b.** 1960
   - **c.** 1979
   - **d.** 1985

Réponses: 1) a; 2) c; 3) a; 4) c

■ Saying what you did

La fin de semaine dernière

Alice Tremblay, **femme d'affaires** québécoise **travaillant** à Vancouver, parle de ses activités de **samedi dernier**. Et vous ?

Où est-ce que vous êtes allé(e) ? Qu'est-ce que vous avez fait ?

Samedi matin...

je ne suis pas sortie, je suis restée chez moi.

J'ai dormi jusqu'à 10 heures.

J'ai **pris** mon **déjeuner.**

Samedi après-midi...

je suis allée en ville.

Je n'ai pas travaillé.

J'ai déjeuné avec une amie et j'ai bien mangé.

Samedi soir...

je suis sortie.

J'ai vu un film au cinéma.

J'ai retrouvé un ami au café.

je suis rentrée chez moi.

J'ai lu le journal.

Je **n'ai rien** fait.

La fin de semaine dernière *Last weekend*
une femme d'affaires (un homme d'affaires) *a businesswoman (a businessman)*
travaillant *working*
samedi dernier *last Saturday*
Où est-ce que vous êtes allé(e) ? *Where did you go?*
Qu'est-ce que vous avez fait ? *What did you do?*
prendre son déjeuner *to have one's breakfast*
ne... rien *nothing*

C'est lundi et Léa, la fille d'Alice, parle avec un ami des activités de la fin de semaine dernière.

Léa :	Tu as passé une bonne fin de semaine ?
Edgar :	Oui, super. Samedi matin, je suis allé à Whistler pour faire du ski et nous sommes rentrés **assez tard**, vers 10 h. C'était très **amusant** !
Léa :	Et **hier** ?
Edgar :	Hier matin, **j'ai fait une promenade** au parc Stanley. **Hier soir**, je suis resté à la maison et j'ai regardé la télé. Et toi ?
Léa :	Moi, j'ai préparé ma valise. Je vais partir à Montréal dans deux jours pour participer au programme Explore.

A. Activités logiques.
Formez des phrases logiques. Complétez les phrases de la première colonne avec un choix logique de la deuxième colonne.

1. Je suis resté(e) au lit et...	j'ai pris un verre.
2. J'ai retrouvé des amis au café où...	j'ai dormi.
3. J'ai dîné au restaurant où...	j'ai beaucoup dansé.
4. Je suis allé(e) au cinéma où...	je n'ai pas gagné.
5. Je suis allé(e) en boîte où...	j'ai vu un film.
6. J'ai joué au tennis avec une amie mais...	j'ai très bien mangé.

B. Et vous ?
Complétez les phrases pour indiquer comment vous avez passé la journée d'hier.

1. J'ai dormi jusqu'à *8 heures / 10 heures /...*
2. J'ai pris le déjeuner *chez moi / au café / chez une amie /...* *(Je n'ai pas pris de déjeuner.)*
3. J'ai lu *le journal / un livre /...* *(Je n'ai rien lu.)*
4. *Je suis allé(e) / Je ne suis pas allé(e)* en cours.
5. J'ai dîné *chez moi / chez des amis / au restaurant /...* *(Je n'ai pas dîné.)*
6. *J'ai travaillé. / Je n'ai pas travaillé.*
7. J'ai soupé *chez moi / chez mes parents /...* *(Je n'ai pas soupé.)*

Whistler, en Colombie-Britannique

© Josef Hanus/Shutterstock/L'Éducation, Canada

C. À vous !
Avec un(e) partenaire, relisez à haute voix la conversation entre Léa et Edgar. Ensuite, adaptez la conversation pour parler de votre fin de semaine passée. *Note: You may not know how to say everything you did. Pick two or three things that you know how to say or ask your instructor for help.*

assez tard *rather late*
amusant *fun*
hier *yesterday*
faire une promenade *to take a walk*
hier soir *last night, yesterday evening*

1. The **passé composé** always has two parts. What are they called?

2. What verb is usually used as the auxiliary verb? Do you conjugate it?

3. How do you form the past participle of all **-er** and most **-ir** verbs? Which verbs that you know have irregular past participles? What are their past participles?

4. How is the negative of verbs formed in the **passé composé**? How do you say *I did nothing / I didn't do anything*?

5. In the **passé composé**, where do you place adverbs like **souvent** or **bien**?

6. What are the three possible English translations of **j'ai mangé**?

Grammar Tutorials

Note *de grammaire*

Some verbs expressing *going, coming,* and *staying,* such as **aller, sortir, rentrer,** and **rester,** have **être,** not **avoir,** as their auxiliary verb. You will learn about them in the next ***Compétence.*** For now, remember to use **je suis allé(e), je suis sorti(e), je suis rentré(e),** and **je suis resté(e)** if you want to say *I went, I went out, I returned,* and *I stayed.* (If you are a female, add an extra **e** to the past participle of these verbs, just as you do with auxiliary **avoir** in this ***Compétence.***)

Saying what you did

Le passé composé avec **avoir**

To say what happened in the past, put the verb in the **passé composé**. It is composed of two parts, the auxiliary verb and the past participle. The auxiliary verb, usually **avoir**, is conjugated. The past participle of all **-er** verbs ends in **-é**, and that of most **-ir** verbs ends in **-i**.

PARLER		DORMIR	
j'**ai parlé**	nous **avons parlé**	j' **ai dormi**	nous **avons dormi**
tu **as parlé**	vous **avez parlé**	tu **as dormi**	vous **avez dormi**
il/elle/on **a parlé**	ils/elles **ont parlé**	il/elle/on **a dormi**	ils/elles **ont dormi**

Many irregular verbs have irregular past participles that must be memorized.

avoir	j'ai **eu**, tu as **eu**...	être	j'ai **été**, tu as **été**...
il y a	il y a **eu**	faire	j'ai **fait**, tu as **fait**...
boire	j'ai **bu**, tu as **bu**...	écrire	j'ai **écrit**, tu as **écrit**...
lire	j'ai **lu**, tu as **lu**...	prendre	j'ai **pris**, tu as **pris**...
voir	j'ai **vu**, tu as **vu**...	apprendre	j'ai **appris**...
		comprendre	j'ai **compris**...

Adverbs indicating how often (**toujours, souvent**...) and how well (**bien, mal**...) are usually placed between the two parts of the verb. To put a verb in the negative form, place **ne** directly after the subject, and place **pas, jamais,** and **rien** just after the auxiliary (the first part of the verb, the conjugated form of **avoir**).

> J'ai **beaucoup** travaillé hier matin. Après, je **n'ai rien** fait.

The **passé composé** can be translated in a variety of ways in English.

> *I took the bus.*
> *I have taken the bus.* } J'ai pris l'autobus.
> *I did take the bus.*

A. La journée de Léa. Voici les activités de Léa la fin de semaine passée. Est-ce qu'elle a fait les choses suivantes?

EXEMPLE Samedi matin, Léa (quitter la maison très tôt)
Samedi matin, Léa n'a pas quitté la maison très tôt.

Samedi matin, Léa... (dormir, travailler, faire du jogging)

Samedi après-midi, elle... (visiter un musée, faire du ski nautique *[to waterski]*, lire un livre)

Samedi soir, Léa et ses amis... (passer la soirée au café, boire un café, beaucoup parler)

B. Qu'avez-vous fait? Dites si ces personnes ont fait les choses suivantes la dernière fois que vous êtes allé(e) *(went)* au cours de français.

> **EXEMPLE** Moi, je (j') / dormir jusqu'à 10 heures
> **Moi, j'ai dormi jusqu'à dix heures.**
> **Moi, je n'ai pas dormi jusqu'à dix heures.**

AVANT LE COURS
Moi, je (j')...

1. téléphoner à ma mère
2. passer la matinée chez moi
3. lire le journal

Mon (Ma) meilleur(e) ami(e)...

4. boire un café avec moi
5. passer la matinée avec moi
6. faire une promenade en ville avec moi

EN COURS
Les étudiants...

7. dormir
8. bien comprendre la leçon
9. boire un café

Nous...

10. avoir un examen
11. voir un film français
12. travailler ensemble

 C. Et toi? Posez des questions à votre partenaire sur ce qu'il/elle a fait hier. Basez vos questions sur les phrases données.

> **EXEMPLE** à quelle heure / quitter la maison
> — **À quelle heure est-ce que tu as quitté la maison hier?**
> — **J'ai quitté la maison vers 9 heures.**
> **Je n'ai pas quitté la maison hier.**

1. jusqu'à quelle heure / dormir
2. quand / quitter la maison
3. où / prendre ton déjeuner
4. avec qui / déjeuner
5. que / étudier
6. que / faire hier soir

Après, décrivez la journée de votre partenaire à la classe.

> **EXEMPLE** **Rachel a dormi jusqu'à sept heures. Elle a quitté la maison...**

 D. Devinez! Dites à votre partenaire combien des activités suivantes vous avez faites récemment *(recently)* avec des ami(e)s. Votre partenaire va deviner lesquelles *(guess which ones)*.

boire un café	voir un film au cinéma	visiter une autre ville
faire une promenade	prendre un verre	souper
dîner	prendre le déjeuner	faire du jogging

> **EXEMPLE** — **Mes amis et moi, on a fait cinq activités de la liste récemment.**
> — **Vous avez bu un café ensemble?**
> — **Oui, on a bu un café. / Non, on n'a pas bu de café.**
> — **Vous avez vu un film au cinéma?...**

Stratégies et Lecture

You can often guess the meaning of unfamiliar verbs in a narrative by thinking about what actions would occur together and in what order. For example, when taking the bus, you wait for the bus first, get on the bus, then get off at your destination. Learn to read a whole sentence or paragraph, rather than one word at a time.

Notice that the prefix **re-** means that an action in a sequence is done again, as in English (*do* and *redo*, *read* and *reread*).

You will also notice that prepositions can indicate relationships between actions. **Pour** means *in order to* when it is followed by a verb. **Sans**, meaning *without,* can also be followed by an infinitive.

A. Devinez ! Use the sequence of events in this passage to guess the meaning of the boldfaced words.

Léa **a ouvert** une enveloppe et elle en **a sorti** une feuille de papier. Elle **a lu** les instructions sur la feuille mais elle n'a pas compris. Alors, elle **a relu** les instructions et elle **a remis** la feuille de papier dans l'enveloppe.

    Léa **a attendu** l'autobus devant la résidence de l'université. Quand il est arrivé, elle **est montée** dedans, et elle **est descendue** quand elle est arrivée à sa destination. Elle **est entrée** dans un café et a commandé un soda. Elle a bu son soda, elle **a payé l'addition** et elle **est repartie**.

    Elle est entrée dans une station de métro où elle a acheté un ticket **au guichet**, mais elle n'a pas pris le métro. Elle **a mis** le ticket dans son enveloppe et elle a quitté la station.

    Devant un magasin de vélos, Léa a admiré un vélo rouge dans **la vitrine**. Elle est entrée dans le magasin et a demandé **le prix** du vélo.

B. Dans l'ordre logique. Mettez les activités suivantes de Léa dans l'ordre logique. La première et la dernière *(last)* sont indiquées.

____ Elle est allée vers la porte.
____ Elle a lu les instructions sur la feuille de papier.
_1_ Léa a vu une enveloppe sur la table.
____ Elle a sorti une feuille de papier de l'enveloppe.
____ Elle a ouvert l'enveloppe.
_7_ Elle a ouvert la porte et elle est sortie.
____ Elle a remis la feuille dans l'enveloppe.

C. Quel verbe ? Complétez ces phrases logiquement. N'oubliez pas *(Don't forget)* que **pour** veut dire *in order to* et **sans** veut dire *without.*

1. Léa a quitté l'appartement sans... (boire son café, ouvrir la porte).
2. Elle a pris l'autobus pour... (rester à la maison, aller en ville).
3. Elle a retrouvé des amis pour... (passer la fin de semaine seule, aller au cinéma).
4. Elle est allée au guichet pour... (acheter des tickets, boire une bière).
5. Elle est rentrée à la maison sans... (quitter le café, prendre l'autobus).

🔊 **Lecture :** *Qu'est-ce qu'elle a fait ?*

Léa, la fille d'Alice Cloutier, est à Montréal. Elle participe au programme Explore pour améliorer son français. Elle est inscrite à l'École de langues de l'Université de Montréal.

Seule dans sa chambre en résidence, Léa Cloutier avait l'air un peu agitée. Elle a pris une enveloppe qui était sur la table et en a sorti une feuille de papier. Elle a lu les instructions et a remis la feuille dans l'enveloppe. Elle a pris l'enveloppe et a quitté sa chambre.

Léa est entrée dans un café où elle a commandé un coca et ensuite, elle a demandé l'addition. Quand l'addition est arrivée, elle a payé le serveur. Elle a ouvert l'enveloppe, a relu les instructions, a mis l'addition dans l'enveloppe et a quitté le café sans boire son coca. C'est bien bizarre ! Pourquoi avait-elle l'air si agitée ?

Ensuite, Léa est allée à la station de métro. Elle est entrée dans la station et, sans regarder le plan, est allée au guichet et a demandé un ticket. Quand on lui a donné son ticket, elle l'a mis dans l'enveloppe, a remonté l'escalier et a quitté la station de métro. Pourquoi a-t-elle acheté un ticket sans prendre le métro ? Tout cela est très bizarre !

Léa a continué sa route jusqu'à un magasin de vélos. Elle a regardé un vélo rouge qui était dans la vitrine. Elle est entrée dans le magasin et elle a demandé le prix du vélo. Elle a écrit le prix du vélo sur une feuille de papier et elle a mis la feuille de papier dans l'enveloppe. Ensuite, elle est sortie du magasin.

Léa est allée au coin de la rue pour attendre l'autobus. Quand l'autobus est arrivé, elle l'a pris et puis elle est descendue à l'université. Elle avait l'air un peu plus calme. Pourquoi a-t-elle fait tout ça ? Pourquoi a-t-elle mis ces choses dans l'enveloppe ? Pourquoi est-elle plus calme maintenant ?

A. Comprenez-vous ? Dites si Léa a fait ces choses ou non.

1. Léa a sorti une feuille de papier d'une enveloppe et a lu des instructions.
2. Elle a quitté la résidence et elle est allée directement à l'université.
3. Au café, elle a retrouvé une amie et elles ont commandé un café au lait.
4. Au café, elle a commandé un coca mais elle est partie sans boire le coca.
5. Elle a acheté un ticket de métro mais elle n'a pas pris le métro.

B. Maintenant... c'est à vous ! Est-ce que vous trouvez les actions de Léa plutôt bizarres ? Pourquoi est-ce qu'elle a fait tout ça ? Imaginez une explication.

Est-ce qu'elle... est agent de police ou détective privée ? souffre d'amnésie ? travaille pour le Service canadien du renseignement de sécurité ? est espionne comme James Bond ? collectionne des souvenirs de Montréal ? fait un exercice pour son cours de français ?

Réponse : Il y a une explication simple et logique ! Léa suit (*is taking*) un cours de français à Montréal. Ses devoirs, dans l'enveloppe, consistent à prouver au professeur qu'elle est capable de commander quelque chose à boire au café, de demander le prix d'un vélo et d'acheter un ticket de métro. Elle doit rapporter (*needs to bring back*) l'addition, le prix du vélo et le ticket de métro à son professeur.

Compétence 1 • *cent quatre-vingt-cinq*

Telling where you went

Je suis parti(e) en voyage

La dernière fois que vous êtes parti(e) en voyage, où est-ce que vous êtes allé(e)? Qu'est-ce que vous avez fait?

Je suis allé(e)	à Regina	**J'y suis allé(e)**	en avion.
	à Calgary		en train.
	…		en autocar.
			en voiture
			(de location).
Je suis parti(e)	en mars.	Je suis arrivé(e)	le même jour.
	le matin.		trois heures plus tard.
	vers trois heures.		**le lendemain.**
	…		…
Je suis descendu(e)	à l'hôtel.	Je suis resté(e)	**une nuit.**
			la fin de semaine.
			trois jours.
Je suis resté(e)	chez des amis.		
	chez des parents.		
Je suis allé(e)	à la plage.	Je suis rentré(e)	trois jours après.
	à un concert.		la semaine suivante.
	au café.		deux semaines plus tard.

Alice est partie en vacances la semaine dernière. Le mardi suivant, elle parle avec son amie Claire du voyage qu'elle a fait la semaine passée.

CLAIRE:	Qu'est-ce que tu as fait la semaine dernière pendant tes vacances?
ALICE:	J'ai pris le train avec des amis pour aller à Jasper, en Alberta.
CLAIRE:	Quand est-ce que tu es partie?
ALICE:	Je suis partie vendredi soir et nous sommes arrivés samedi dans l'après-midi.
CLAIRE:	Quel long vogage! Tu as trouvé un bon hôtel?
ALICE:	Je suis descendue dans un petit hôtel confortable, l'hôtel Astoria, pas trop loin du parc national Jasper.
CLAIRE:	**Quelle chance!** Moi aussi, j'ai envie de visiter le parc national Jasper!

A. En fin de semaine. Décrivez la dernière fois que vous êtes parti(e) en voyage.

1. Je suis allé(e) à (Saint-Boniface, Saskatoon, …).
2. J'y suis allé(e) (en avion, en train, …).
3. Je suis parti(e) (le soir, vers cinq heures, …).
4. Je suis arrivé(e) (une heure, trois jours, …) plus tard.
5. Je suis descendu(e) (à l'hôtel, …).
6. Je suis resté(e) (deux jours, une semaine, …).
7. Je suis revenu(e) (trois jours, une semaine, …) plus tard.

B. Un tour de Québec. En fin de semaine, Léa et ses amis du programme Explore visitent la ville et la région de Québec.

Regardez les photos et complétez les phrases avec une expression de la boîte au-dessous.

1. Ma copine Heather est allée aux Fortifications-de-Québec pour...
2. Les autres amis sont allés à l'Aquarium du Québec pour...
3. Je suis allée à la basilique-cathédrale Notre-Dame de Québec...
4. Nous sommes tous allés au Parc de la Chute-Montmorency pour...

> voir les ours polaires   admirer la chute à partir du pont suspendu
> admirer le panorama   voir son architecture

La chute de Montmorency

La Citadelle de Québec

Un ours polaire

La Basilique-cathédrale Notre-Dame de Québec

C. À vous! Avec un(e) partenaire, relisez à haute voix la conversation entre Claire et Alice. Ensuite, adaptez la conversation pour parler de la dernière fois que vous êtes parti(e) pour la fin de semaine.

Telling where you went

✔ *Pour vérifier*

1. Which verbs have **être** as the auxiliary in the **passé composé**? What do you have to remember to do with the past participle of these verbs that you don't do with verbs that have **avoir** as their auxiliary?

2. How do you say *to enter*? What preposition do you use with it? How do you say *to go out*? *to go out of*?

3. What preposition do you use with **partir** to say *to leave from*? What is the difference between **partir** and **quitter**? between **rentrer** and **retourner**?

4. How do you say *to go / come down*, *to descend*? *to get out of / down from / off of*? *to stay at*? How do you say *to go up*? *to get on / in*?

Grammar Tutorials

Le passé composé avec **être**

The following verbs, many of which have to do with coming and going, have **être** as their auxiliary verb in the **passé composé**. The past participle of these verbs agrees with the subject in number and gender. Do not make this agreement when **avoir** is the auxiliary: **Elle est** *partie* **hier. Elle a** *pris* **le train.**

ALLER → ALLÉ		SORTIR → SORTI	
je **suis allé(e)**	nous **sommes allé(e)s**	je **suis sorti(e)**	nous **sommes sorti(e)s**
tu **es allé(e)**	vous **êtes allé(e)(s)**	tu **es sorti(e)**	vous **êtes sorti(e)(s)**
il **est allé**	ils **sont allés**	il **est sorti**	ils **sont sortis**
elle **est allée**	elles **sont allées**	elle **est sortie**	elles **sont sorties**
on **est allé(e)(s)**		on **est sorti(e)(s)**	

Note *de grammaire*

1. When **on** means *we*, its past participle may either be left in the masculine singular form (**On est sorti.**) or it may agree (**On est sorti[e]s**). Either form is considered correct.
2. **Passer** takes **avoir** in the **passé composé** when it means *to spend time*. It takes **être** when it means *to pass by*. **J'ai passé une semaine à Calgary. Je suis passé(e) chez mes parents.**

aller	je suis allé(e)	*I went*
venir / devenir /	je suis venu(e) /	*I came / became /*
revenir	devenu(e) / revenu(e)	*came back*
arriver	je suis arrivé(e)	*I arrived*
rester	je suis resté(e)	*I stayed, I remained*
entrer (dans)	je suis entré(e) (dans)	*I entered, I went in*
sortir (de)	je suis sorti(e) (de)	*I went out / came out (of)*
partir (de)	je suis parti(e) (de)	*I left*
rentrer	je suis rentré(e)	*I came home, I returned*
retourner	je suis retourné(e)	*I returned, I went back*
monter (dans)	je suis monté(e) (dans)	*I went up, I got on/in*
descendre	je suis descendu(e)	*I came down, I got out of /*
(de / dans / à)	(de / dans / à)	*off (of) (a vehicle), I stayed (at)*
tomber	je suis tombé(e)	*I fell (down)*
naître	je suis né(e)	*I was born*
mourir	il/elle est mort(e)	*he/she died*

Note *de vocabulaire*

1. **Rentrer** means *to return / go back home* (or to the place you are staying). Use **retourner** for *to return* in most other cases.
2. **Partir** and **quitter** both mean *to leave*. **Partir** uses **être** as its auxiliary, but **quitter** takes **avoir** and *must* have a direct object: **Elle est partie tôt. Elle a quitté la maison à six heures.**

Place **y** *(there) immediately* before the auxiliary, in the **passé composé**.

J'**y** suis allé(e). Je n'**y** suis pas allé(e).

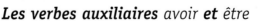

Les verbes auxiliaires avoir *et* être

As you practice when to use **avoir** and when to use **être** to form the **passé composé**, be careful to pronounce the forms of these auxiliary verbs distinctly.

tu as parlé / tu es parti(e)   il a parlé / il est parti   ils ᶻont parlé / ils sont partis

A. Prononcez bien! Écoutez les questions suivantes et écrivez les verbes auxiliaires que vous entendez *(hear)*. Ensuite, posez les questions à un(e) partenaire.

1. Est-ce que tes parents _____ allés à l'Université de Saint-Boniface? Est-ce qu'ils _____ étudié le français? Est-ce qu'ils _____ fait du sport?
2. Où est-ce que ta mère _____ née? Où est-ce qu'elle _____ passé sa jeunesse *(youth)*? Est-ce qu'elle _____ déjà habité en Alberta?

Courtesy of Université de Saint-Boniface

L'Université de Saint-Boniface

B. Qu'est-ce que vous avez fait? Parlez de la dernière fois que vous avez mangé au restaurant avec un(e) ami(e) ou avec des amis.

> **EXEMPLE**   je / sortir (avec qui?)
> **Je suis sorti(e) avec Thomas et Karima.**

1. je / sortir (avec qui?)
2. nous / aller (à quel restaurant?)
3. nous / arriver au restaurant (vers quelle heure?)
4. nous / rester au restaurant (combien de temps?)
5. je / rentrer (vers quelle heure?)

 C. Tu es parti(e) en fin de semaine? Pensez à la dernière fois que vous êtes parti(e) en fin de semaine. Votre partenaire va vous poser des questions au sujet de cette fin de semaine.

> **EXEMPLE**   où / aller
> — **Où est-ce que tu es allé(e)?**
> — **Je suis allé(e) à Edmonton.**

1. quand / partir
2. comment / y aller
3. quand / arriver
4. où / descendre
5. combien de temps / rester
6. quand / rentrer

1. How do you say *last*? What is the feminine form? Does it go before or after the noun in most of these expressions? What is the exception? How do you say *last month*? *last week*? *last year*? Most of the expressions with **dernier (dernière)** are preceded by **le** or **la**. Which one is not?

2. How do you say that you did something *yesterday*? *yesterday morning*? *yesterday evening / last night*?

3. How do you say *for* when talking about time in the past? How would you say *for two hours*?

4. How do you say *ago*? How is the word order different from an expression in English using *ago*? How do you say *a year ago*? *a long time ago*?

5. What do **déjà** and **ne... pas encore** mean? Where do you place them?

Note *de vocabulaire*

1. Use **an** *(m)* instead of **année** *(f)* after a number.
2. To say *a week ago*, you can say **il y a une semaine**. To say *two weeks ago*, use **il y a deux semaines** or **il y a quinze jours**.

Telling when you did something

Les expressions qui désignent le passé et reprise du passé composé

The following expressions are useful when talking about the past.

hier (matin, après-midi)	*yesterday (morning, afternoon)*
hier soir	*last night, yesterday evening*
lundi (mardi...) dernier	*last Monday (Tuesday . . .)*
la fin de semaine dernière	*last weekend*
la semaine dernière	*last week*
le mois dernier	*last month*
l'année dernière	*last year*
la dernière fois	*the last time*
récemment	*recently*
Pendant combien de temps?	*For how long?*
pendant deux heures (longtemps)	*for two hours (a long time)*
Il y a combien de temps?	*How long ago?*
il y a quelques secondes (cinq minutes, trois jours, cinq ans)	*a few seconds (five minutes, three days, five years) ago*
déjà	*already, ever*
ne... pas encore	*not yet*

Most of these time expressions go at the beginning or end of a clause or sentence. However, **déjà** is placed between the two parts of the verb in the **passé composé**. When using **ne... pas encore**, place **ne** immediately after the subject and **pas encore** between the two parts of the verb.

— Tu as **déjà** visité Regina?
    — *Have you **already** visited Regina?*

— Non, je **n'**ai **pas encore** visité Regina.
    — *No, I haven't visited Regina **yet**.*

— Moi, j'ai visité Regina **il y a trois ans**.
    — *I visited Regina **three years ago**.*

A. Et vous? Indiquez la dernière fois que vous avez fait les activités suivantes. Utilisez les expressions qui expriment le passé de la liste précédente ou d'autres expressions du même genre.

    EXEMPLE   aller dans un camping
                Je suis allé(e) dans un camping l'été dernier.
                Je ne suis pas allé(e) dans un camping récemment.
                Je ne suis jamais allé(e) dans un camping.

1. lire un bon livre
2. être chez mes parents
3. descendre à l'hotel

4. sortir avec des amis
5. dormir toute la matinée
6. avoir un accident de voiture

B. Déjà? Demandez à un(e) camarade de classe s'il / si elle a déjà fait les activités indiquées. N'oubliez pas *(Don't forget)* d'utiliser la négation **ne... pas encore.**

> **EXEMPLE** manger une poutine
> — **Tu as déjà mangé une poutine?**
> — **Oui, j'ai déjà mangé une poutine.**
> **Non, je n'ai pas encore mangé de poutine.**

1. visiter le parc provincial Dinosaur
2. aller à Tofino pour faire du surf
3. boire un café chez Tim Hortons
4. faire une promenade dans le parc Stanley
5. être à Moose Jaw en Saskatchewan

 C. Et toi? Posez des questions à vos camarades de classe pour trouver quelqu'un qui a fait chacune des choses suivantes récemment. Après, dites à la classe qui a fait chaque chose et quand il/elle l'a faite.

> **EXEMPLES** voir un bon film
> — **Sam, tu as vu un bon film récemment?**
> — **Non, je n'ai pas vu de bon film récemment.**
> — **Lisa, tu as vu un bon film récemment?**
> — **Oui, j'ai vu un bon film hier soir.**

Après, à la classe: **Lisa a vu un bon film hier soir.**

1. voir un bon film
2. aller au café avec des amis
3. faire du rafting
4. sortir avec des amis
5. partir en fin de semaine
6. être malade *(sick)*

Rafting sur la rivière Bow en Alberta

© Bernhard Richter/Shutterstock

 D. Entretien. Interviewez votre partenaire.

1. Tu es resté(e) chez toi samedi matin? Tu es resté(e) au lit jusqu'à quelle heure? Tu as pris un café? Où est-ce que tu as pris ton déjeuner?
2. Est-ce que tu es allé(e) au cinéma la fin de semaine dernière? Quel film est-ce que tu as vu? Est-ce que tu as aimé ce film?
3. La dernière fois que tu es sorti(e) avec des ami(e)s, où est-ce que vous êtes allé(e)s? Qu'est-ce que vous avez fait ensemble? Est-ce que tu es rentré(e) tard?

Discussing the weather and your activities

Le temps et les projets

Quel temps fait-il aujourd'hui ?

Il fait froid.   Il fait **frais.**   Il fait chaud.

Il fait beau.   Il fait mauvais.   Il fait soleil.

Il vente.   Il pleut.   Il neige.

Quelle **saison** préférez-vous ? Qu'est-ce que vous faites **pendant** cette saison ? Est-ce que vos projets **dépendent du temps qu'il fait** ?

J'adore **l'été** *(m).*
En été...

je vais à la plage.
je fais du bateau et
   du ski nautique.

J'aime l'automne *(m).*
En automne...

je fais du camping.
je **fais du VTT.**

J'aime beaucoup **l'hiver** *(m).*
En hiver...

je vais à la
   montagne.
je fais du ski.

J'adore **le printemps**.
Au printemps...

je vais au parc.
je fais des
   promenades.

Léa est de retour à Vancouver. C'est vendredi après-midi et Alice et Léa parlent de leurs projets pour la fin de semaine.

ALICE: **S'il** fait beau demain, je vais faire une promenade au parc. J'ai besoin de faire de l'exercice. Et toi, qu'est-ce que tu as l'intention de faire?

LÉA: S'il fait beau, j'ai envie de faire du jogging.

ALICE: Et s'il fait mauvais?

LÉA: S'il fait mauvais, je ne vais rien faire de spécial. Je reste à la maison avec un bon livre. Je vais peut-être inviter mon ami Edgar à souper.

A. Et chez vous? Chez vous, en quelle saison fait-il le temps indiqué?

> **EXEMPLE** Il neige.
> **Ici, il neige souvent (rarement, quelquefois) en hiver.**
> **Ici, il ne neige jamais.**

1. Il fait mauvais.
2. Il fait très beau.
3. Il fait froid.
4. Il fait chaud.
5. Il pleut.
6. Il neige.

B. Et vous? Complétez les phrases.

1. Quand il fait beau, j'aime...
2. S'il fait beau cette fin de semaine, j'ai l'intention de...
3. Quand il pleut, je préfère...
4. Quand il fait chaud, j'aime...
5. Je ne fais rien quand...
6. À la plage, j'aime...
7. Aujourd'hui, il fait... et j'ai envie de...

Quel temps fait-il aujourd'hui?

 C. Quel temps fait-il? Demandez à un(e) camarade de classe quel temps il fait aux moments indiqués. Il/Elle doit répondre en utilisant au moins *deux* expressions pour décrire le temps.

> **EXEMPLE** en automne
> **— Quel temps fait-il en automne?**
> **— Il fait beau et il fait frais.**

1. en hiver
2. en été
3. en automne
4. au printemps
5. aujourd'hui

 D. Entretien. Posez ces questions à votre partenaire.

1. Aimes-tu l'été? Aimes-tu aller à la plage? Aimes-tu nager?
2. Aimes-tu l'hiver? Préfères-tu faire des promenades ou faire du ski? As-tu déjà fait de la motoneige ou de la raquette?
3. Qu'est-ce que tu aimes faire quand il fait chaud? Et quand il fait froid? Et quand il neige?
4. Quelle saison préfères-tu? Quel temps fait-il d'habitude? Qu'est-ce que tu aimes faire pendant cette saison?
5. Quel temps fait-il aujourd'hui? Qu'est-ce que tu as envie de faire? Qu'est-ce que tu vas faire après les cours?

E. À vous! Avec un(e) partenaire, relisez à haute voix la conversation entre Alice et Léa. Ensuite, adaptez la conversation pour parler de vos projets pour la fin de semaine.

> **S'il** *If it* (**si** *if*)

1. How do you say *to make* or *to do* in French? What is the present tense of **faire**? How is the **vous** form of this verb different from the usual **vous** form of a verb?

2. How do you say that you are doing *nothing*?

3. How do you say *What is the weather like? The weather is nice? It is raining? It is snowing?* How do you say *What is the weather going to be like? It is going to be nice? It is going to rain? It is going to snow?* How do you say *What was the weather like? It was nice? It rained? It snowed?*

4. How do you say *I like snow? I like rain?*

 Grammar Tutorials

Note *de prononciation*

The **ai** in **fais**, **fait**, and **faites** rhymes with the **ai** in **français** and **française**, but the **ai** of **faisons** rhymes with the **e** in **je**.

Talking about the weather and what you do

Le verbe **faire***, l'expression* **ne... rien** *et les expressions pour décrire le temps*

To say *to make* or *to do*, use the irregular verb **faire**.

FAIRE (to make, to do)	
je **fais**	nous **faisons**
tu **fais**	vous **faites**
Il/elle/on **fait**	ils/elles **font**
PASSÉ COMPOSÉ: **j'ai fait**	

— Qu'est-ce que tu fais ce soir ?

— Je reste à la maison. Je fais mes devoirs.

— Qu'est-ce que papa fait dans la cuisine ?

— Il fait des sandwichs.

To say that you do *nothing* or you do *not* do *anything*, use **ne... rien**. This expression can be the subject or object of the verb, or the object of a preposition.

Rien n'est prêt.   Je n'achète **rien**.   Je n'ai besoin de **rien**.

When negating an infinitive, place both parts of the negative expression before it.

Je préfère **ne pas** sortir ce soir.   Je voudrais **ne rien** faire demain soir.

The verb **faire** is used in many, but not all, weather expressions. You will also need the infinitives and past participles **pleuvoir** *(to rain)* → **plu** and **neiger** *(to snow)* → **neigé**. Use **la pluie** to say *(the) rain* and **la neige** to say *(the) snow*.

AUJOURD'HUI	DEMAIN	HIER
Quel temps fait-il ?	Quel temps va-t-il faire ?	Quel temps a-t-il fait ?
Il fait beau / mauvais...	Il va faire beau / mauvais...	Il a fait beau / mauvais...
Il vente.	Il va venter.	Il a venté.
Il pleut.	Il va pleuvoir.	Il a plu.
Il neige.	Il va neiger.	Il a neigé.

A. Que faites-vous ? Dites ou demandez si ces personnes font les activités indiquées.

1. Moi, je...

   faire souvent des promenades seul(e)
   faire du jogging avec mes amis

2. Mon meilleur ami (Ma meilleure amie)...

   faire beaucoup de choses pour moi
   faire souvent de l'exercice

3. En cours, nous...

   faire beaucoup d'exercices ensemble
   faire les devoirs dans le cahier

4. Mes parents...

   faire du ski ensemble
   faire beaucoup de choses avec moi

B. Quel temps fait-il? Quel temps fait-il aujourd'hui dans ces régions? Quel temps va-t-il faire demain?

À Calgary

À Vancouver

En Saskatchewan

Au Manitoba

C. Qu'est-ce qu'ils ont fait? Alice parle des activités récentes de sa famille et du temps qu'il a fait ce jour-là. Complétez ses phrases.

EXEMPLE Hier, j'**ai lu un livre**. Il **a plu** toute la journée.

EXEMPLE Hier, j'...
Il... toute la journée.

1. Au lac Okanagan,
nous... Il...

2. Vendredi dernier,
Vincent et moi... Il...

3. À Banff, les enfants...
Il...

4. Hier, Vincent...
Il...

5. Ce matin, Vincent et
notre fils... Il...

 D. Entretien. Interviewez votre partenaire.

1. Qu'est-ce que tu aimes faire le vendredi soir? le samedi soir? Qu'est-ce que tu fais d'habitude le dimanche matin? Quand est-ce que tu ne fais rien?

2. Quel temps va-t-il faire cette fin de semaine? Qu'est-ce que tu as envie de faire s'il fait beau? Qu'est-ce que tu as l'intention de faire s'il fait mauvais? Qu'est-ce que tu vas faire samedi soir? Est-ce que tu préfères ne rien faire quelquefois?

> **Note** *de grammaire*
>
> Questions asked with **faire** are often answered with a different verb.
> – **Qu'est-ce que tu fais le samedi matin?**
> – **Je regarde la télé.**

1. How do you say *to go camping? to take a trip? to do housework? to do laundry?*

2. In the expressions with **faire**, which articles change to **de (d')** in a negative sentence? Which do not?

Talking about activities

*Les expressions avec **faire***

The verb **faire** can have a variety of meanings in idiomatic expressions.

LE SPORT ET LES DISTRACTIONS	LE MÉNAGE ET LES COURSES
faire de l'exercice	faire des courses *(to run errands)*
faire du bateau, de la voile *(sailing)*	faire les courses *(to buy groceries)*
faire du camping	faire du jardinage *(to garden)*
faire du jogging	faire la cuisine *(to cook)*
faire du magasinage	faire le lavage *(to do laundry)*
faire du ski (nautique)	faire la vaisselle *(to do the dishes)*
faire du sport (de la raquette, du ski)	faire le ménage *(to do housework)*
faire du vélo	
faire une promenade, une randonnée	

■ **Vocabulaire supplémentaire**

aller à la chasse *to go hunting*
aller à la pêche *to go fishing*
marcher *to walk*
faire du cheval *to go horseback riding*
faire du patin (à glace) *to go (ice-)skating*
faire du roller *to go rollerblading*
faire de la planche à neige *to go snowboarding*
faire la fête *to party*
faire des randonnées *to go hiking*

The **un**, **une**, **des**, **du**, **de la**, and **de l'** in the expressions with **faire** become **de (d')** when the verb is negated. The definite article (**le, la, l', les**) does not change.

Je ne fais pas **de** jogging en hiver.   Nous ne faisons pas **la** cuisine le matin.

A. Un besoin ou une envie? Commencez ces phrases logiquement avec **J'ai envie de…** ou **J'ai besoin de…** et expliquez pourquoi.

EXEMPLES faire des devoirs   **J'ai besoin de faire des devoirs parce que j'ai un examen bientôt.**

faire du ski   **J'ai envie de faire du ski parce que j'adore la neige.**

1. faire des courses
2. faire le lavage
3. faire du vélo
4. faire le ménage
5. faire la cuisine
6. faire la vaisselle

Avez-vous envie de faire du camping?

B. Préférences. Écrivez les activités suivantes dans l'ordre de vos préférences. Votre partenaire va vous poser des questions pour déterminer l'ordre des activités sur votre feuille de papier.

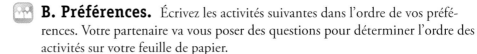

| faire du jogging | faire du camping | faire du jardinage |
| faire la cuisine | faire du vélo | ne rien faire |

EXEMPLE   — **Préfères-tu faire du jogging ou ne rien faire?**
— **Je préfère ne rien faire.**
— **Préfères-tu ne rien faire ou faire la cuisine?…**

C. Que font-ils? Éric parle des projets de la famille pour aujourd'hui. Complétez ses phrases avec une expression avec **faire**.

1. Maman... ce matin.

2. Maman et Michel...
   cet après-midi.

3. Papa...

4. Papa et maman...

5. Léa et moi, nous...

6. Moi, je...

D. Activités. Complétez les phrases avec l'expression logique avec **faire**. Ensuite, dites si c'est vrai pour vos amis et vous. Corrigez les phrases qui sont fausses.

1. Je _____ souvent _____ au centre commercial.
2. Mes amis et moi aimons jouer au tennis et au basket. Nous _____ souvent _____ ensemble.
3. Mes parents ont un joli jardin. Ils aiment _____ .
4. Chez moi, tout est toujours propre parce que je _____ souvent _____.
5. Je vais _____ aujourd'hui après les cours. J'ai besoin d'aller au bureau de poste, à la banque et au supermarché.

E. Conseils. Donnez des conseils à un ami. Utilisez l'impératif.

faire le ménage	faire du magasinage	faire la vaisselle	faire les courses
faire le lavage	faire du vélo ou du jogging	faire la cuisine	

> **EXEMPLE** — La vaisselle est sale.
> **— Eh bien, fais la vaisselle!**

1. J'ai faim.
2. Tous mes vêtements sont sales.
3. J'ai envie de faire de l'exercice.
4. J'ai besoin d'acheter de nouveaux vêtements.
5. Mon appartement est très sale.

Deciding what to wear and buying clothes

Les vêtements

Note *de vocabulaire*

Porter means *to carry* or *to wear* and **mettre** *to put, to put on,* or *to wear.* They can both be used to say what one wears in general, although **mettre** is more commonly used in this case and in the **passé composé**. **Il porte/ met souvent un jean. Il a mis un jean hier.** Use **porter** to say what someone is wearing at a particular moment. **Aujourd'hui, il porte un pantalon blanc.**

The forms of **mettre** are:

je	**mets**	nous	**mettons**
tu	**mets**	vous	**mettez**
il/elle/on	**met**	ils/elles	**mettent**

PASSÉ COMPOSÉ: **j'ai mis**

Qu'est-ce que vous **mettez** pour aller en cours? pour sortir le soir? Qu'est-ce que vous **avez mis** ce matin? hier soir?

Je mets souvent… Je mets **parfois**… Ce matin, j'ai mis…

un jean

un short

un pantalon

une jupe

un chandail

un polo ou un tee-shirt

une chemise et une cravate

une blouse

une robe

un costume

des chaussures *(f),* des baskets *(f),* des bottes *(f)* ou des sandales *(f)*

un survêtement

un anorak

un imperméable

un manteau

un maillot de bain ou un bikini

Portez-vous quelquefois… ?

un parapluie

un sac ou un portefeuille

une montre

des lunettes de soleil

mettez (mettre *to put, to put on)*
avez mis (mettre *past participle:* **mis)**
parfois *sometimes*

Alice Cloutier cherche un nouveau maillot de bain. Elle entre dans un magasin.

LA VENDEUSE : Bonjour, madame. **Je peux vous aider ?**
ALICE : Je cherche un maillot de bain.
LA VENDEUSE : **Quelle taille faites-vous ?**
ALICE : **Je fais du** 10.
LA VENDEUSE : Nous avons **ces** maillots-**ci**. Ils sont très jolis et ils sont **en solde**.
ALICE : J'aime bien ce maillot noir. **Je peux l'essayer ?**
LA VENDEUSE : **Bien sûr**, madame. **La cabine d'essayage** est **par ici**.

Alice sort de la cabine d'essayage.

LA VENDEUSE : Alors, **qu'en pensez-vous ?**
ALICE : **Il me plaît** beaucoup. Il **coûte** combien ?
LA VENDEUSE : **Voyons**, c'est 35 dollars.
ALICE : C'est bien. Alors, je **le** prends.

A. Quel temps fait-il ? Pour chaque saison, décrivez le temps qu'il fait chez vous. Parlez aussi des vêtements que vous portez typiquement en cette saison.

> **EXEMPLE** **Ici, en automne, il fait frais et il vente.**
> **Je mets souvent un jean et un chandail.**

B. Préférences. Complétez les phrases suivantes pour exprimer vos préférences.

1. Je préfère acheter mes vêtements *en solde / dans les meilleurs magasins / dans les boutiques du quartier / dans une friperie (second-hand store) /...*
2. Si quelque chose me plaît, je préfère l'essayer *dans le magasin / à la maison.*
3. Pour sortir le soir, je mets souvent *un jean / un pantalon /...*
4. Pour aller en cours, je mets *un pantalon /...*
5. Quand je suis chez moi, je mets souvent *un jean /...*
6. Je ne mets presque jamais *de short /...*

 ## C. À vous ! Avec un(e) partenaire, relisez à haute voix la conversation entre la vendeuse et Alice. Ensuite, adaptez la conversation pour acheter un jean, un chandail ou un manteau. Ensuite, changez de rôles et jouez le rôle du vendeur (de la vendeuse) pour votre partenaire.

> **une vendeuse (un vendeur)** *a salesclerk*
> **Je peux vous aider ?** *Can I help you?*
> **Quelle taille faites-vous ?** *What size do you wear?*
> **Je fais du...** *I wear size ...*
> **ces... -ci** *these ... over here*
> **en solde** *on sale*
> **Je peux l'essayer ? (essayer)** *Can I try it on? (to try, to try on)*
> **Bien sûr** *Of course*
> **La cabine d'essayage** *The fitting room*
> **par ici** *this way*
> **qu'en pensez-vous ?** *what do you think?*
> **Il me plaît. (plaire)** *I like it. / It pleases me. (to please)*
> **coûter** *to cost*
> **Voyons** *Let's see*
> **le (l')** *it, him* **(la, l'** *it, her)*

Pour vérifier

1. How do you say the direct object pronouns *him, her, it,* and *them* in French?

2. Where do you place the direct object pronouns and **y** when there is an infinitive? in the **passé composé**? Where do you place them otherwise? Where do you place them in a negative sentence?

Avoiding repetition

*Les pronoms **le, la, l'**, et **les***

A direct object is directly linked to the verb. There is NO preposition separating the object from the verb.

— Léa adore sa mère. (sa mère = direct object)

— Léa parle **à** sa mère. (sa mère = indirect object)

Use the direct object pronouns **le, la, l'**, and **les** to replace a person, animal, or thing that is the direct object of the verb. Use **le** *(him, it)* to replace masculine singular nouns, **la** *(her, it)* to replace feminine singular nouns, and **les** *(them)* to replace all plural nouns. **Le** and **la** become **l'** when the following word begins with a vowel or silent **h**.

— Tu prends ce maillot?	— Tu prends cette robe aussi?
— Oui, je **le** prends.	— Oui, je **la** prends.
— Tu achètes cette chemise?	— Tu achètes ces bottes?
— Oui, je **l'**achète.	— Oui, je **les** achète.

	BEFORE A CONSONANT SOUND	BEFORE A VOWEL OR SILENT H
him, it (masculine)	le	l'
her, it (feminine)	la	l'
them	les	les

- Like **y**, these pronouns are generally placed *immediately* before the verb, even in the negative.

— Tu aimes **cette chemise**?	— Tu vas **au centre commercial**?
— Oui, je **l'**aime bien. /	— Oui, j'**y** vais. /
Non, je ne **l'**aime pas.	Non, je n'**y** vais pas.

- Place them *immediately* before an infinitive, if there is one in the clause.

— Tu vas acheter **cette chemise**?

— Oui, je vais **l'**acheter. / Non, je ne vais pas **l'**acheter.

- In the **passé composé**, direct object pronouns and **y** are placed *immediately* before the auxiliary, the conjugated form of **avoir** or **être**.

Je **l'**ai fait	J'**y** suis allé(e).
Je ne **l'**ai pas fait.	Je n'**y** suis pas allé(e).

Generally, in the **passé composé**, the past participle agrees in gender and number with the subject when the auxiliary verb is **être**, but not when it is **avoir**. However, the past participle used with **avoir** will agree with *direct objects*, but only if they *precede* the verb, as with direct object pronouns.

Éric a acheté **cette chemise**. Il **l'**a acheté**e** hier.

Léa a acheté **ces chandails**. Elle **les** a acheté**s** ce matin.

A. À la boutique de vêtements.
Alice et Vincent sont à la boutique de vêtements. Complétez ce que chacun dit avec le pronom convenable (**le, la, l', les**).

1. J'aime cette écharpe. Je peux _____ essayer?
2. J'aime ces bottes. Je _____ prends.
3. Je n'aime pas ces mitaines. Je ne _____ prends pas.
4. Comment trouves-tu cette robe? Voudrais-tu _____ essayer?
5. Je n'aime pas ce chandail. Je ne vais pas _____ prendre.
6. Regarde cette belle cravate! Je _____ trouve super!

B. Au Canada.
Dites si vous reconnaissez *(recognize)* ces sites canadiens.
Utilisez **Je reconnais…** *(I recognize …)* et le pronom convenable (**le, la, l', les**).

> **EXEMPLE**   Cette rue?
> **Oui, je la reconnais. C'est la rue Sainte-Catherine.**
> **Non, je ne la reconnais pas.**

Cet édifice?

Cette tour?

Ces chutes?

Cet endroit?

Ce parc?

Cette ville?

C. Intentions.
 Un(e) ami(e) voudrait savoir ce que vous allez faire avec les choses suivantes. Répondez en utilisant un pronom complément d'objet direct (**le, la, l', les**) et un verbe logique. Jouez les deux rôles avec un(e) partenaire.

> **EXEMPLE**   ces frites
> — **Qu'est-ce que tu vas faire avec ces frites?**
> — **Je vais <u>les</u> manger!**

1. ces vêtements
2. ce jus de fruits
3. ces bottes
4. cette chemise
5. cette eau minérale
6. ce sandwich
7. ce muffin
8. ce journal

D. Et vous ? Avez-vous fait ces choses la fin de semaine dernière ? Répondez en employant le pronom convenable : **y, le, la, l', ou les**.

> **EXEMPLE** Vous avez visité *la Colombie-Britannique* ?
> **Oui, je l'ai visitée.**
> **Non, je ne l'ai pas visitée.**

1. Vous êtes resté(e) *chez vous* toute la fin de semaine ?
2. Vous avez fait *le ménage* ?
3. Vous avez pris *la voiture* ce matin ?
4. Vous avez lu *les romans d'Alice Munro* ?
5. Vous avez fait *vos devoirs* ?
6. Vous avez dîné *au restaurant* ?
7. Vous êtes allé(e) *chez le dentiste* la semaine dernière ?

E. Préférences. Un(e) ami(e) vous pose des questions. Répondez à ses questions en remplaçant les mots en italique par le pronom convenable. Jouez les rôles avec un(e) partenaire.

> **EXEMPLE** — Je prépare mes cours tous les jours. Et toi ?
> — **Moi aussi, je *les* prépare tous les jours.**
> **Moi non, je ne *les* prépare pas tous les jours.**

1. Je regarde souvent *la télé*. Et toi ?
2. J'ai envie de visiter *le Centre du patrimoine de la GRC*. Et toi ?
3. J'invite souvent *mes parents* à la maison. Et toi ?
4. Cette fin de semaine, j'ai l'intention de voir *mes grands-parents*. Et toi ?
5. Je trouve *mes cours* plutôt difficiles. Et toi ?
6. Ce soir, je vais préparer *le prochain examen de français*. Et toi ?
7. Samedi soir, je vais faire *le lavage*. Et toi ?
8. Samedi dernier, je suis allé(e) *à Saint-Boniface, le quartier francophone de Winnipeg*. Et toi ?
9. Dimanche dernier, j'ai fait *mes devoirs*. Et toi ?
10. Hier soir, je suis resté(e) *chez mes parents*. Et toi ?

Parade au Centre du patrimoine de la GRC à Regina, en Saskatchewan

La cathédrale de Saint-Boniface à Winnipeg, au Manitoba

F. Entretien. Interviewez votre partenaire. Utilisez un pronom complément d'objet direct pour remplacer les mots en italique dans vos réponses.

1. Est-ce que tu achètes *tes vêtements* au centre commercial? Dans quelle boutique est-ce que tu achètes *tes vêtements* le plus souvent? Où est-ce que tu as acheté *les vêtements que tu portes maintenant*?
2. Chez toi, quelle émission préfères-tu regarder à *la télé*? Où aimes-tu passer *ton temps libre*? Où est-ce que tu as passé *la soirée* hier soir?
3. Vas-tu voir *tes parents* cette fin de semaine? Invites-tu souvent *tes amis* chez toi où préfères-tu retrouver *tes amis*?

Au magasin de vêtements

Regarder la télé

Inviter des amis

■ Reprise

See the **Résumé de grammaire** section at the end of each chapter for a review of all the grammar presented in the chapter.

Les Stagiaires

© Heinle/Cengage Learning

Dans l'***Épisode 5*** de la vidéo ***Les Stagiaires***, Matthieu parle à Christophe d'une soirée que Christophe, Rachid et Amélie ont passée ensemble. Avant de regarder l'épisode, faites ces exercices pour réviser ce que vous avez appris dans le ***Chapitre 5***.

A. Samedi dernier. Un ami pose des questions à Christophe sur ce qu'il a fait samedi dernier. Complétez ses questions avec le passé composé.

> **EXEMPLE** Tu **es sorti** (sortir) avec des amis ou ils **sont venus** (venir) chez toi?

1. Avec qui est-ce que tu _____ (sortir)?
2. Tu _____ (retrouver) les autres en ville ou vous y _____ (aller) tous ensemble?
3. Tu _____ (prendre) ta voiture?
4. Quel temps est-ce qu'il _____ (faire)? Il _____ (pleuvoir)?
5. Quels vêtements est-ce que tu _____ (mettre) pour sortir?
6. Qu'est-ce que vous _____ (faire)? Vous _____ (dîner) ensemble? Vous _____ (aller) danser? Vous _____ (voir) un film au cinéma?
7. Où est-ce que vous _____ (aller) exactement?
8. De quoi *(About what)* est-ce que vous _____ (parler)?
9. Tu _____ (rentrer) vers quelle heure?
10. Vous _____ (partir) tous en même temps ou les autres _____ (rester) plus tard?

Maintenant, utilisez les questions précédentes pour interviewer un(e) camarade de classe sur la dernière fois qu'il/elle est sorti(e) en ville avec des amis.

B. Je veux tout savoir. Céline pose des questions à Amélie sur une soirée qu'elle a passée avec Christophe et Rachid. Complétez les réponses d'Amélie en remplaçant les mots en italique par le pronom approprié: **le, la, l', les,** ou **y**. Utilisez le verbe de la question dans la réponse.

> **EXEMPLE** — Alors, Christophe et toi avez passé *la soirée* ensemble l'autre jour?
> — Oui, on **l'a passée** ensemble samedi dernier.

1. — Est-ce que tu as rencontré *Christophe* en ville ou vous y êtes allés ensemble?
   — Je _____ en ville.
2. — Vous êtes allés *en ville* seuls tous les deux?
   — Non, Rachid _____ avec nous.
3. — Comment est-ce que tu trouves *Rachid*?
   — Je _____ très sympa.
4. — Comment est-ce que tu as trouvé *le restaurant* où vous avez dîné?
   — On a dîné au restaurant marocain *(Moroccan)* de la sœur de Rachid et moi, je _____ excellent.
5. — Vous êtes allés *en boîte* aussi?
   — Oui, on _____ après le dîner.
6. — Est-ce que Rachid rencontre souvent *ses amis* en boîte?
   — Je ne sais pas s'il _____ souvent en boîte, mais il danse vachement bien *(really well) (slang)*.

7. — Tu vas voir *Christophe et Rachid* le week-end prochain aussi?

— Pour l'instant, je n'ai pas l'intention de _____ le week-end prochain, mais c'est possible.

C. Qui fait quoi? Amélie dîne avec Rachid et Christophe au restaurant
de la sœur de Rachid. Complétez ses phrases avec l'expression logique de la liste. Mettez la forme correcte du verbe **faire** dans le premier blanc et le reste de l'expression dans le deuxième.

faire les courses	faire le ménage	faire une promenade
faire la cuisine	faire le jardinage	faire la vaisselle

EXEMPLE   La terrasse est très jolie avec toutes ces plantes. Qui **fait** tout **le jardinage** ici au restaurant?

1. Ta sœur _____ très bien _____. Mon plat *(dish)* est excellent.
2. Ta sœur et toi, vous _____ toujours _____ pour le restaurant très tôt chaque matin, non? Où est-ce que vous trouvez tous les produits pour ces plats marocains *(Moroccan)*?
3. Céline et moi _____ toujours _____ immédiatement après le dîner parce qu'elle a peur d'avoir des insectes dans la cuisine.
4. Notre appartement est toujours très propre. Céline _____ souvent _____ .
5. Je _____ souvent _____ après le dîner si je mange beaucoup pour faciliter la digestion.

D. Quel temps fait-il? Au dîner, Rachid répond aux questions d'Amélie et
parle du temps qu'il fait au Maroc au cours de l'année. Complétez ses phrases avec les mots logiques pour décrire le temps.

1. En été, il fait du _____ et il fait souvent très _____.
2. Quelquefois en hiver, il fait _____, mais il ne _____ presque jamais.
3. Il fait souvent du _____ mais il ne _____ pas beaucoup.

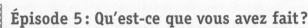

2.

1.

3.

🎞 **Épisode 5: Qu'est-ce que vous avez fait?**

Dans ce clip, Matthieu parle à Christophe d'une soirée que Christophe et Rachid ont passée avec Amélie. Avant de regarder le clip, pensez aux activités populaires pour une soirée en ville avec des amis. Ensuite, regardez le clip et répondez aux questions suivantes : Où est-ce que Christophe, Rachid et Amélie sont allés? Qu'est-ce qu'ils ont fait? De quoi *(About what)* ont-ils parlé?

🎞 Access the Video *Les Stagiaires* at **iLrn** and on the *Horizons* Premium Website.

Espace culturel

Pour mieux lire

Using visuals to make guesses

Learn to use photos, charts, and other visuals that often accompany texts to help you better understand new words as you read. Before reading the text below, look at the visuals provided and try to guess what you will be reading about.

L'hiver canadien

Pendant les mois de décembre, janvier, février et mars, la température au Canada se trouve au-dessous de zéro degré presque tout le temps, à l'exception de certaines parties des côtes du Pacifique et de l'Atlantique.

La neige tombe sous plusieurs formes : de mouillée et lourde à froide et fine. La neige reste habituellement au sol de la fin décembre à la mi-mars, et plus longtemps dans le nord du Canada.

© XiXinXing/Shutterstock

Voici quelques conseils de survie si vous n'avez jamais vécu un hiver canadien :

- Écoutez les prévisions météorologiques à la radio, à la télé ou consultez Internet pour savoir comment vous habiller.
- Portez plusieurs couches de vêtements, par exemple, un chandail sur votre chemise et un sous-vêtement long sous votre pantalon. Une tuque, des mitaines et des bottes étanches sont essentielles.

- Ne vous inquiétez pas de paraître étrange dans des vêtements d'hiver. La chose la plus importante est d'être au chaud et confortable.
- Prenez un déjeuner : il vous réchauffera.
- Si votre peau commence à sécher à cause du froid, utilisez une crème hydratante.
- Boire de l'eau régulièrement est également utile.
- Attention aux engelures. Les engelures se produisent lorsque les oreilles, les doigts, les orteils ou les joues sont exposés à des températures au-dessous de zéro degré.
- Si vous venez d'arriver au Canada et que vous souffrez du froid, demandez des conseils à des Canadiens qui connaissent bien le climat.

© Jan Mika/Shutterstock

Source : http://integration-net.ca/coa-oce/francais/pdf/06climat.pdf (adaptation)

Compréhension

1. Quand fait-il le plus froid au Canada?
2. Dans quelle(s) partie(s) du Canada est-ce qu'il fait le moins froid?
3. Dans quelle(s) partie(s) du Canada est-ce que la neige reste au sol le plus longtemps?
4. Quels sont les différents types de neige?
5. Qu'est-ce qu'il faut faire le matin avant de sortir? Nommez deux choses.

6. Qu'est-ce que l'on porte pour se protéger la tête? les mains? les pieds?
7. Comment est-ce qu'on peut se protéger la peau pendant l'hiver?
8. Nommez les parties du corps où des engelures peuvent se produire.
9. Quels autres conseils pouvez-vous donner à un(e) étudiant(e) international(e) pour survivre à un hiver canadien?

Pour mieux écrire

Using standard organizing techniques

To write a good composition, you first need to organize your ideas. You can sometimes base your organization on a document you already have or can easily create. For example, to describe a book you have read, you can use the table of contents to organize your thoughts. To talk about a trip you have taken, you can use your itinerary, and when writing a blog, you can look at how other blogs are organized.

Organisez-vous. Vous allez décrire une semaine imaginaire à Calgary, en Alberta. D'abord, sur une feuille de papier, créez votre itinéraire imaginaire.

1.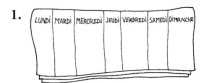

2. Sous chaque jour, écrivez des phrases pour décrire *(describe)* une progression logique de votre séjour *(your stay)*. Notez:
   • avec qui et comment vous avez voyagé;
   • quand vous êtes parti(e) pour Calgary;
   • où et à quelle heure vous êtes arrivé(e) à Calgary;
   • dans quelle sorte d'hôtel(s) vous êtes descendu(e);
   • ce que *(what)* vous avez fait chaque jour, quels sites vous avez visités et où vous avez mangé;
   • ce que vous avez aimé le plus;
   • quand vous avez quitté Calgary;
   • si vous avez l'intention d'y retourner un jour.

Un voyage à Calgary

En vous basant *(Based)* sur votre itinéraire, racontez votre voyage imaginaire.

EXEMPLE **L'été / l'hiver dernier, je suis allé(e) à Calgary avec...**

Calgary, en hiver...

et en été.

Pour mieux interagir

Le Cercle Molière

Le **Cercle Molière** est une des plus anciennes troupes de théâtre professionnel de langue française au Canada. La troupe a été fondée en 1925 à Saint-Boniface (le quartier francophone de la ville de Winnipeg), dans la plus importante communauté francophone située à l'ouest de l'Ontario.

Le Cercle Molière produit au moins quatre productions majeures par année et organise le Festival Théâtre-Jeunesse avec la participation annuelle des écoles de la province. La petite école de théâtre du Cercle Molière offre des cours de théâtre aux jeunes de 4 à 18 ans.

Le Cercle Molière est au cœur de la vie culturelle de la communauté franco-manitobaine. Le Cercle Molière organise aussi d'autres activités tel le Gala du homard où le homard est servi à volonté lors d'une soirée dansante.

Le Repas des fauves, une pièce de Vahé Katcha (France) présentée au Cercle Molière

Au Gala du homard

Vocabulaire

Find the following terms in French from the text above:

1. oldest
2. west
3. plays
4. at least
5. a lobster
6. all-you-can-eat

Compréhension

En anglais…

Provide the following information about *le Cercle Molière*:

1. The year it was created
2. Its historical place in Canadian theatre
3. Its involvement with the francophone youth in Manitoba
4. The number of major plays produced annually
5. Its importance in the cultural life of francophones in Manitoba

En français…

Allez sur le site officiel du Cercle Molière (www.cerclemoliere.com) et trouvez les informations suivantes :

1. Le prix d'un billet adulte pour voir une pièce de théâtre
2. Le prix d'un abonnement famille
3. Le nom du directeur ou de la directrice artistique
4. Les noms des trois fondateurs de la troupe
5. L'adresse et le numéro de téléphone du théâtre
6. Le prix d'un billet pour participer au Gala du homard
7. Les dates du prochain Festival Théâtre-Jeunesse

Pour mieux découvrir

Quel est ce pays de la Francophonie ?

Voici quatre photos et descriptions pour vous aider à deviner.

Au marché, de la céramique traditionnelle

La ville de Brașov en Transylvanie est jumelée avec la ville de Tours en France.

Des bagels dans les rues de Costinești, une ville située sur les côtes de la mer Noire.

Le palais du Parlement, à Bucarest, la capitale

Est-ce qu'il s'agit…

a. de la Belgique ?
b. de la Bulgarie ?
c. de la Roumanie ?
d. de la Moldavie ?

Réponse : c) La Roumanie

Résumé de grammaire

Passé composé

J'ai mangé. = *I ate. / I have eaten. / I did eat.*

Ils n'ont pas beaucoup dormi. = *They didn't sleep much. / They haven't slept much.*

To say what happened in the past, put the verb in the **passé composé**. It may be translated in a variety of ways. The **passé composé** is composed of an auxiliary verb and a past participle. For most verbs the auxiliary verb is **avoir**, but for a few verbs it is **être**. All -**er** verbs have past participles with -**é** (**parler: j'ai parlé**) and most -**ir** verbs with -**i** (**dormir: j'ai dormi**).

PARLER → PARLÉ	
j' **ai parlé**	nous **avons parlé**
tu **as parlé**	vous **avez parlé**
il/elle/on **a parlé**	ils/elles **ont parlé**

These verbs conjugated with **avoir** have irregular past participles.

avoir:	j'ai eu	mettre:	j'ai mis	être:	j'ai été
il y a:	il y a eu	prendre:	j'ai pris	faire:	j'ai fait
boire:	j'ai bu	apprendre:	j'ai appris	écrire:	j'ai écrit
lire:	j'ai lu	comprendre:	j'ai compris		
pleuvoir:	il a plu				
voir:	j'ai vu				

A few verbs have **être** as their auxiliary. With these verbs, the past participle agrees with the subject for gender and plurality.

ALLER → ALLÉ	
je **suis allé(e)**	nous **sommes allé(e)s**
tu **es allé(e)**	vous **êtes allé(e)(s)**
il **est allé**	ils **sont allés**
elle **est allée**	elles **sont allées**
on **est allé(e)(s)**	

— Est-ce que ta mère et ta tante **sont allées** à Banff avec toi?
— Oui, elles ont fait le voyage avec moi mais je **suis restée** plus longtemps. Elles **sont rentrées** une semaine avant moi.

Here are some verbs that have **être** as their auxiliary verb.

aller:	je suis allé(e)	monter:	je suis monté(e)
arriver:	je suis arrivé(e)	descendre:	je suis descendu(e)
rester:	je suis resté(e)	venir:	je suis venu(e)
entrer:	je suis entré(e)	revenir:	je suis revenu(e)
sortir:	je suis sorti(e)	devenir:	je suis devenu(e)
partir:	je suis parti(e)	naître:	je suis né(e)
rentrer:	je suis rentré(e)	mourir:	il/elle est mort(e)
retourner:	je suis retourné(e)	tomber:	je suis tombé(e)

— Tu as **déjà** visité Winnipeg?
— Non, je **n'ai pas encore** visité Winnipeg.
— Qu'est-ce que ton mari et toi avez fait l'année dernière pendant les vacances?
— On **n'a rien** fait.

To negate a verb in the **passé composé**, place **ne** *immediately* after the subject and **pas**, **rien** (*nothing*), or **jamais** after the auxiliary. Use **ne... pas encore** to say *not yet* and **déjà** to say *already* or *ever*. **Déjà** and adverbs indicating how often (**toujours, souvent...**) and how well (**bien, mal...**) are usually placed between the two parts of the verb.

— Qu'est-ce que tu as **fait** hier soir?
— J'**ai vu** un film avec des amis et après on **a pris** un verre au café.

The following adverbs indicate when something happened in the past. They may be placed at the beginning or end of a clause.

hier (matin, après-midi, soir)
le mois dernier
la semaine (l'année) dernière
la dernière fois

récemment
pendant deux heures (longtemps)
il y a quelques secondes (cinq minutes, cinq ans…)

Faire

The verb **faire** *(to do, to make)* is irregular.

FAIRE *(to do)*	
je **fais**	nous **faisons**
tu **fais**	vous **faites**
il/elle/on **fait**	ils/elles **font**
PASSÉ COMPOSÉ : **j'ai fait**	

Faire is also used in many weather expressions, as well as the expressions listed on page 196.

The **un**, **une**, **des**, **du**, **de la**, and **de l'** in the expressions with **faire** become **de (d')** when the verb is negated. The definite article (**le**, **la**, **l'**, **les**) does not change.

Ne… rien

Ne… rien means *nothing* or *not anything*. This expression can be the subject or object of the verb, or the object of a preposition.

When negating an infinitive, place both parts of the negative expression before it.

Direct object pronouns

The direct object pronouns are **le**, **la**, **l'**, and **les**. Use **le** *(him, it)* to replace masculine singular nouns and **la** *(her, it)* to replace feminine singular nouns. **Les** *(them)* replaces all plural nouns. **Le** and **la** become **l'** when the following word begins with a vowel or silent **h**.

	BEFORE A CONSONANT	BEFORE A VOWEL OR SILENT *H*
him, it (masculine)	le	l'
her, it (feminine)	la	l'
them	les	les

These pronouns are generally placed *immediately* before the verb. They go before the infinitive if there is one. If not, they go before the conjugated verb. In the negative, the pronoun remains *immediately* before the conjugated verb or the infinitive.

In the **passé composé**, direct object pronouns are placed just before the auxiliary (the conjugated form of **avoir**) and the past participle agrees with them for gender and plurality by adding **-e**, **-s**, or **-es**.

– Tu as été en vacances **pendant combien de temps** ?
– **Pendant** quinze jours.
– Tu es rentré **il y a combien de temps** ?
– Je suis rentré **mardi dernier**.

Je ne **fais** rien cette fin de semaine.
Qu'est-ce que tu **fais** ?
On **fait** quelque chose ensemble ?
Faisons quelque chose avec mes amis.
Que **faites**-vous généralement ?
Mes amis **font** beaucoup de sport.

– Quel temps fait-il ?
– Il fait beau (mauvais, froid, chaud, frais, soleil).

Ils font la cuisine et nous faisons la vaisselle.

Je ne fais jamais **d'**exercice.
Mon colocataire ne fait jamais **le** ménage.

Rien n'est en solde ?
Tu **n'**achètes **rien** ?
Je **n'**ai besoin de **rien**.

Je préfère **ne rien** acheter.

– Tu prends ce sac ?
– Oui, je **le** prends.
– Tu aimes cette robe aussi ?
– Oui, je **l'**aime bien.

– Tu achètes tes vêtements ici ?
– Oui, je **les** achète souvent ici.

Je **les** achète.
Je ne **les** achète pas.
Je vais **les** acheter.
Je ne vais pas **les** acheter.

A-t-il acheté les chaussures ?
Oui, il **les** a acheté**es**.
Non, il ne **les** a pas acheté**es**.

Vocabulaire

COMPÉTENCE 1

Saying what you did

NOMS MASCULINS

le déjeuner	*breakfast*
un homme d'affaires	*a businessman*
le journal	*the newspaper*

NOM FÉMININ

une femme d'affaires	*a businesswoman*

EXPRESSIONS ADVERBIALES

la fin de semaine dernière	*last weekend*
hier	*yesterday*
hier soir	*last night, yesterday evening*
samedi dernier	*last Saturday*

DIVERS

amusant	*fun*
assez tard	*rather late*
dernier (dernière)	*last*
faire une promenade	*to take a walk*
ne... rien	*nothing, not anything*
Où êtes-vous allé(e)s ?	*Where did you go?*
prendre son déjeuner	*to have one's breakfast*
Qu'est-ce que vous avez fait ?	*What did you do?*
travaillant	*working*

COMPÉTENCE 2

Telling where you went

NOMS MASCULINS

un an	*a year*
un camping	*a campground*
un hôtel	*a hotel*
le lendemain	*the next day, the following day*
des parents	*relatives*

NOMS FÉMININS

la chance	*luck*
une heure	*an hour*
une minute	*a minute*
une nuit	*a night*
une seconde	*a second (in time)*
une voiture de location	*a rental car*

EXPRESSIONS VERBALES

descendre (de/dans/à)	*to descend, to come down, to get off/out (of) (a vehicle), to stay (at)*
entrer (dans)	*to enter*
faire un voyage	*to take a trip*
J'y suis allé(e)	*I went there*
monter (dans)	*to go up, to get on/in*
mourir (mort[e])	*to die (dead)*
naître (né[e])	*to be born (born)*
partir en voyage	*to leave on a trip*
partir en fin de semaine	*to go away for the weekend*
retourner	*to return, to go back*
tomber	*to fall*

EXPRESSIONS ADVERBIALES

l'année dernière	*last year*
déjà	*already, ever*
la dernière fois	*the last time*
la fin de semaine dernière	*last weekend*
hier (matin, après-midi)	*yesterday (morning, afternoon)*
hier soir	*last night, yesterday evening*
Il y a combien de temps ?	*How long ago?*
il y a quelques secondes	*a few seconds ago*
longtemps	*a long time*
lundi (mardi...) dernier	*last Monday (Tuesday ...)*
le mois dernier	*last month*
ne... pas encore	*not yet*
Pendant combien de temps ?	*For how long?*
pendant deux heures	*for two hours*
récemment	*recently*
la semaine dernière	*last week*

DIVERS

Quelle chance !	*What luck!*
quelques	*some, a few*

Discussing the weather and your activities

NOMS MASCULINS

l'automne (en automne)	autumn (in autumn)
l'été (en été)	summer (in summer)
l'hiver (en hiver)	winter (in winter)
le printemps (au printemps)	spring (in spring)
le temps	the weather, time

NOMS FÉMININS

des distractions	entertainment
la neige	snow
la pluie	rain
une saison	a season

EXPRESSIONS VERBALES

aller à la montagne	to go to the mountains
dépendre (de)	to depend (on)
faire de l'exercice	to exercise
faire des courses	to run errands
faire les courses	to buy groceries
faire du bateau	to go boating
faire du camping	to go camping
faire du jardinage	to garden
faire du jogging	to go jogging
faire du magasinage	to go shopping
faire du ski (nautique)	to (water)ski
faire du sport	to play sports
faire du vélo	to ride a bike
faire du VTT	to go all-terrain biking
faire la cuisine	to cook
faire le lavage	to do laundry
faire la vaisselle	to do the dishes
faire le ménage	to do housework
faire une promenade	to take a walk
faire un voyage	to take a trip
neiger	to snow
pleuvoir	to rain

DIVERS

le temps qu'il fait	What the weather is like
ne... rien (de spécial)	nothing, not anything (special)
pendant	during, for
Quel temps fait-il?	What's the weather like?
Il fait beau / chaud / frais / froid / mauvais / soleil.	It's nice / hot / cool /cold / bad / sunny.
Il pleut.	It is raining. / It rains.
Il neige.	It is snowing. / It snows.
Il vente.	It is windy.
Quel temps va-t-il faire?	What's the weather going to be like?
Il va faire...	It's going to be ...
Il va pleuvoir / neiger.	It's going to rain / to snow.
si	if

Deciding what to wear and buying clothes

NOMS MASCULINS

un anorak	a ski jacket
un bikini	a bikini
un chandail	a pullover /sweater
un costume	a suit (for a man)
un imperméable	a raincoat
un jean	jeans
un maillot de bain	a swimsuit
un manteau	an overcoat
un pantalon	pants
un parapluie	an umbrella
un polo	a knit shirt
un portefeuille	a wallet
un sac	a purse, a sack
un short	shorts
un survêtement	a jogging suit
un tee-shirt	a T-shirt
un vendeur	a salesclerk

NOMS FÉMININS

des baskets	tennis shoes
une blouse	a blouse
des bottes	boots
une cabine d'essayage	a fitting room
des chaussures	shoes
une chemise	a shirt
une cravate	a tie
une jupe	a skirt
des lunettes (de soleil)	(sun)glasses
une montre	a watch
une robe	a dress
des sandales	sandals
une vendeuse	a salesclerk

EXPRESSIONS VERBALES

coûter	to cost
essayer	to try, to try on
Il/Elle me plaît.	I like it.
mettre (je mets, vous mettez)	to wear, to put, to put on
porter	to wear

DIVERS

Bien sûr!	Of course!
ce (cet, cette, ces)...-ci	this/these ... over here
en solde	on sale
Je peux vous aider?	May I help you?
le (l') / la (l')	him, it / her, it
les	them
parfois	sometimes
par ici	this way
Quelle taille faites-vous?	What size do you wear?
Je fais du...	I wear size ...
Qu'en pensez-vous?	What do you think?
voyons	let's see

LES TERRITOIRES DU CANADA

Les sorties

© Pi-Lens/Shutterstock

COMPÉTENCES

1 **Inviting someone to go out**

Les invitations

Issuing and accepting invitations
*Les verbes **vouloir**, **pouvoir** et **devoir***

Stratégies et Compréhension auditive
- **Pour mieux comprendre:** *Noting the important information*
- **Compréhension auditive:** *On va au cinéma?*

2 **Talking about how you spend and used to spend your time**

Aujourd'hui et dans le passé

Saying how things used to be
L'imparfait

Talking about activities
*Les verbes **sortir**, **partir** et **dormir***

3 **Talking about the past**

Une sortie

Telling what was going on when something else happened
L'imparfait et le passé composé

Telling what happened and describing the circumstances
Le passé composé et l'imparfait

4 **Narrating in the past**

Les contes

Narrating what happened
Le passé composé et l'imparfait (reprise)

Reprise *Les Stagiaires*

Espace culturel

Pour mieux lire *Les normes sociales et les attentes*
Pour mieux écrire *Un blogue personnel*
Pour mieux interagir *Une francophonie vibrante au Yukon*
Pour mieux découvrir *Quel est ce pays de la Francophonie?*

Résumé de grammaire
Vocabulaire

Les territoires du Canada

Aimeriez-vous visiter les trois territoires du Canada ? Ils vous offrent une grande variété de **paysages.** Il y a...

Le drapeau franco-ténois

Le drapeau franco-yukonnais

Le drapeau franco-nunavois

▲ le Yukon

© Natalia Bratslavsky/Thinkstock

▲ les Territoires du Nord-Ouest

© Timothy Epp/Thinkstock

paysages *landscapes*	**promouvoir** *to promote*
terre *earth*	**la santé** *health*
à but non lucratif *nonprofit*	

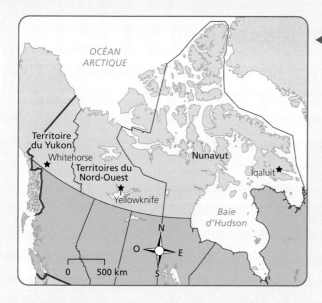

OCÉAN ARCTIQUE

Territoire du Yukon
Whitehorse ★
Territoires du Nord-Ouest
Yellowknife ★

Nunavut

Iqaluit ★

Baie d'Hudson

N
O — E
S

0   500 km

Source : Statistique Canada

Les Territoires du Nord-Ouest
Capitale : Yellowknife
Nombre d'habitants : environ 42 000 habitants
- Environ 1 165 Ténois/Ténoises ont le français comme langue maternelle (les Franco-Ténois et Franco-Ténoises).

Le Yukon
Capitale : Whitehorse
Nombre d'habitants : environ 34 000 habitants
- Environ 1 630 Yukonnais/Yukonnaises ont le français comme langue maternelle (les Franco-Yukonnais et Franco-Yukonnaises).

Le Nunavut
Capitale : Iqaluit
Nombre d'habitants : environ 31 900 habitants
- Environ 450 Nunavutois/Nunavutoises ont le français comme langue maternelle (les Franco-Nunavois et Franco-Nunavoises).

Qu'en savez-vous?

1. Quelle est la devise du Nunavut?

   a. «Notre **terre**, nos ancêtres»
   b. «Notre terre, notre histoire»
   c. «Notre terre, notre force»
   d. «Notre terre, nos traditions»

2. *Les EssentiElles* est un organisme yukonnais **à but non lucratif**. Sa mission est de:

   a. représenter les intérêts des femmes francophones
   b. **promouvoir** des activités sociales en français
   c. promouvoir l'éducation francophone
   d. promouvoir **la santé** mentale

3. Comment s'appelle la radio francophone de Yellowknife, dans les Territoires du Nord-Ouest?

   a. Radio du Nord-Ouest
   b. Radio Taïga
   c. Radio franco-ténoise
   d. Radio Polaire

© Purestock/Thinkstock

▲ le Nunavut

Réponses : 1) c; 2) a; 3) b

COMPÉTENCE 1 — Inviting someone to go out

Note *culturelle*

Les invitations

Au Canada, comme en France, quand on sort entre amis, il est commun que chacun *(each one)* paie sa part. Mais attention ! En français, l'expression *je t'invite / je vous invite* indique que vous allez payer.

Quand vous sortez avec des amis, est-ce que quelqu'un paie pour tout le groupe ou est-ce qu'il est plus commun que chacun paie sa part ?

Les invitations

Pour inviter **quelqu'un** à sortir, **vous pouvez dire**…

À UN(E) AMI(E)	À UNE AUTRE PERSONNE OU À UN GROUPE DE PERSONNES
Tu veux… ?	**Vous voulez… ?**
Tu voudrais… ?	Vous voudriez… ?
Je t'invite à…	Je voudrais vous inviter à…

Si **quelqu'un vous invite**, vous pouvez répondre…

POUR DIRE OUI	POUR DIRE NON
Oui, je veux bien…	Je regrette mais…
Quelle bonne idée !	Désolé(e), je ne suis pas libre.
Avec plaisir !	Désolé(e), **je ne peux** vraiment **pas**.
	Je dois travailler.

POUR SUGGÉRER UNE AUTRE ACTIVITÉ

Je préfère…

J'aime mieux…

Allons plutôt à…

Les pays francophones **utilisent** l'heure officielle pour tous **les horaires** (le train, le cinéma, **les heures d'ouverture**, etc.). Pour lire l'heure officielle, on utilise le système de 24 heures.

L'HEURE OFFICIELLE	L'HEURE FAMILIÈRE
0 h 05 zéro heure cinq	minuit cinq
1 h 15 une heure quinze	une heure et quart (du matin)
12 h 20 douze heures vingt	midi vingt
13 h 30 treize heures trente	une heure et demie (de l'après-midi)
20 h 40 vingt heures quarante	neuf heures moins vingt (du soir)
20 h 45 vingt heures quarante-cinq	neuf heures moins le quart (du soir)

quelqu'un *someone*
vous pouvez (pouvoir *can, may, to be able)*
dire *to say*
Tu veux (vouloir *to want)*
Vous voulez (vouloir *to want)*
quelqu'un vous invite *someone invites you*
je ne peux pas (pouvoir *can, may, to be able)*
je dois (devoir *must, to have to, to owe)*
utiliser *to use, to utilize*
un horaire *a schedule*
les heures d'ouverture *opening times*

Éric téléphone à sa petite amie Michèle.

MICHÈLE : Allô ?
ÉRIC : Salut, Michèle. C'est moi, Éric. Ça va ?
MICHÈLE : Oui, très bien. Et toi ?
ÉRIC : Moi, ça va. Écoute, tu es libre ce soir ? Tu voudrais sortir ?
MICHÈLE : Oui, je veux bien. Qu'est-ce que tu as envie de faire ?
ÉRIC : **Je pensais** aller voir un film d'horreur qu'on **passe** au cinéplex Odéon.
MICHÈLE : Tu sais, moi, je n'aime pas **tellement** les films d'horreur. Je préfère les films romantiques ou les films policiers. Allons plutôt voir le nouveau film romantique au cinéma Cartier.
ÉRIC : Bon, je veux bien. À quelle heure ?
MICHÈLE : Il y a **une séance** à vingt heures quarante-cinq.
ÉRIC : Alors, je passe chez toi vers huit heures ?
MICHÈLE : D'accord. À tout à l'heure alors !
ÉRIC : À tout à l'heure, Michèle.

 A. Invitations. Utilisez une variété d'expressions pour inviter un(e) partenaire. Il/Elle va accepter ou refuser chacune de vos invitations ou proposer une autre activité.

INVITEZ UN(E) AMI(E) À...
aller danser samedi soir
faire du patinage
aller prendre un café aujourd'hui après les cours

INVITEZ UN GROUPE D'AMIS À...
aller voir un film d'action demain
étudier ensemble ce soir
faire du vélo au parc cette fin de semaine

 B. À vous ! Avec un(e) partenaire, relisez à haute voix la conversation entre Michèle et Éric. Ensuite, adaptez la conversation pour faire des projets pour aller au cinéma ensemble. Servez-vous du *Vocabulaire supplémentaire* et parlez des genres de film que vous aimez, du film que vous voudriez voir et de l'heure et de l'endroit où vous allez vous retrouver (*you are going to meet up*).

Vocabulaire supplémentaire

LES FILMS
une comédie
un documentaire
un film d'action
un film d'animation
un film d'aventure
un film de science-fiction
un film d'espionnage
un film de suspense
un film d'horreur
un film dramatique
un film policier
un film romantique
un western

POUR SE RETROUVER
Je passe chez toi / chez vous. *I'll come by your place.*
Passe / Passez chez moi. *Come by my place.*
Rendez-vous à... *Let's meet at ...*

Je pensais *I was thinking*
passer (un film) *to show (a movie)*
tellement *so much*
une séance *a showing*

✔ *Pour vérifier*

1. What does **vouloir** mean? What are three meanings of **pouvoir**? What are the meanings of **devoir**? What are the conjugations of these three verbs?

2. The **nous** and **vous** forms have the same vowels in the stem as the infinitive. What vowels do the other forms have?

3. What auxiliary verb do you use to form the **passé composé** of these three verbs? What are their past participles?

📎 **Grammar Tutorials**

Issuing and accepting invitations

Les verbes *vouloir*, *pouvoir* et *devoir*

The verbs **vouloir** *(to want)* and **pouvoir** *(can, may, to be able)* are useful when inviting someone to do something. They have similar conjugations.

VOULOIR *(to want)*	
je **veux**	nous **voulons**
tu **veux**	vous **voulez**
il/elle/on **veut**	ils/elles **veulent**
PASSÉ COMPOSÉ : **j'ai voulu**	

POUVOIR *(can, may, to be able)*	
je **peux**	nous **pouvons**
tu **peux**	vous **pouvez**
il/elle/on **peut**	ils/elles **peuvent**
PASSÉ COMPOSÉ : **j'ai pu**	

Je **veux** sortir mais je ne **peux** pas.   *I **want** to go out, but I **can't**.*

Use **devoir** followed by an infinitive to say what you *must* or *have to* do. **Devoir** also means *to owe* when followed by a noun.

DEVOIR *(must, to have to, to owe)*	
je **dois**	nous **devons**
tu **dois**	vous **devez**
il/elle/on **doit**	ils/elles **doivent**
PASSÉ COMPOSÉ : **j'ai dû**	

Je **dois** travailler demain.   *I **have to** work tomorrow.*
Je **dois** 100 dollars à mon frère.   *I **owe** my brother 100 dollars.*

In the **passé composé**, **devoir** can mean that someone *had to* do something or *must have* done something. Context will clarify the meaning.

Michèle n'est pas chez elle. Elle **a dû** partir.
*Michèle isn't home. She **had to** leave. / She **must have** left.*

Il n'a pas pu sortir parce qu'il **a dû** travailler.
*He wasn't able to go out because he **had to** work.*

 A. Activités. Demandez à votre partenaire ce que chacune de ces personnes veut faire aux moments indiqués. Si votre partenaire n'est pas sûr(e), il/elle doit proposer quelque chose.

EXEMPLE   toi (aujourd'hui après les cours?)
— **Qu'est-ce que tu veux faire aujourd'hui après les cours?**
— **Je veux rentrer à la maison.**

1. toi (ce soir? demain soir? cette fin de semaine?)
2. tes amis et toi (vendredi soir? samedi après-midi? dimanche matin?)
3. les autres étudiants (après les cours aujourd'hui? au prochain cours de français? cette fin de semaine?)

B. En cours. Dites si ces personnes peuvent faire chacune des choses indi-quées en cours de français.

> **EXEMPLE** Je… manger   **Je ne peux pas manger.**

1. Je…
   parler aux autres étudiants
   boire un café

2. Nous…
   partir en avance (*early*)
   poser des questions

3. Le prof…
   fumer
   toujours comprendre les étudiants

4. Les étudiants…
   envoyer des textos
   répondre à leur cellulaire

C. Qu'est-ce qu'on doit faire? Pour chaque paire d'activités proposées, indiquez ce que chacun doit et ne doit pas faire en cours de français.

> **EXEMPLE** Le prof (être patient / être impatient)
> **Le prof doit être patient. Il ne doit pas être impatient.**

1. Le prof (insulter les étudiants / les aider) (toujours parler anglais en classe / parler français)
2. Les étudiants (dormir en cours / participer au cours) (faire leurs devoirs / sortir tous les soirs)
3. Moi, je (bien préparer mes cours / toujours regarder la télé) (arriver en retard au cours / arriver à l'heure)

D. On veut… Aujourd'hui, les Tremblay ne peuvent pas faire ce qu'ils veulent. Jouez le rôle d'Alice et expliquez ce que chacun veut et doit faire.

> **EXEMPLE** **Moi, je veux dormir, mais je dois sortir le chien.**

Moi…

1. Éric…

2. Éric et Léa…

3. Vincent…

4. Nos amis…

5. Marc…

E. Encore des explications. Plus tard, Alice dit que chacun n'a pas pu faire ce qu'il voulait (*wanted*) et elle explique ce qu'ils ont dû faire. Qu'est-ce qu'elle dit? Utilisez le passé composé.

> **EXEMPLE** **Moi, je n'ai pas pu dormir. J'ai dû sortir le chien.**

Stratégies et Compréhension auditive

Pour mieux comprendre: *Noting the important information*

When making plans, we often jot down important information for later reference. If a friend invited you to do something, what sort of information would you want to remember? Look at the following invitation and think about what information is given.

A. Prenez des notes. Trois amis invitent Éric à faire quelque chose. Écoutez chaque invitation et prenez des notes en français. Qu'est-ce qu'ils vont faire? Où? Quel jour? À quelle heure?

B. À vous. Éric demande à Michèle de l'accompagner. Utilisez vos notes de l'exercice précédent pour jouer les rôles d'Éric et de Michèle avec un(e) partenaire.

EXEMPLE — Je vais jouer au tennis avec Marc demain à... Est-ce que tu voudrais jouer avec nous?
— Oui, je veux bien!

Compréhension auditive : On va au cinéma ?

Vincent demande à Alice si elle voudrait aller au cinéma. Lisez les questions de l'exercice suivant. Ensuite, écoutez la conversation et notez les détails importants sur une feuille de papier.

A. Quel film ? Répondez aux questions suivantes d'après la conversation entre Alice et son mari.

1. Comment est-ce qu'Alice trouve les films de science-fiction ?
2. Quel genre *(type)* de film est-ce qu'ils décident d'aller voir ?
3. À quelle séance est-ce qu'ils vont aller ?

B. Vos notes. Utilisez vos notes pour recréer *(to recreate)* la conversation entre Alice et Vincent avec un(e) camarade de classe.

C. Tu veux sortir ? Invitez un(e) camarade de classe à aller voir un film avec vous. Choisissez une séance et décidez de l'heure à laquelle vous allez passer chez votre ami(e).

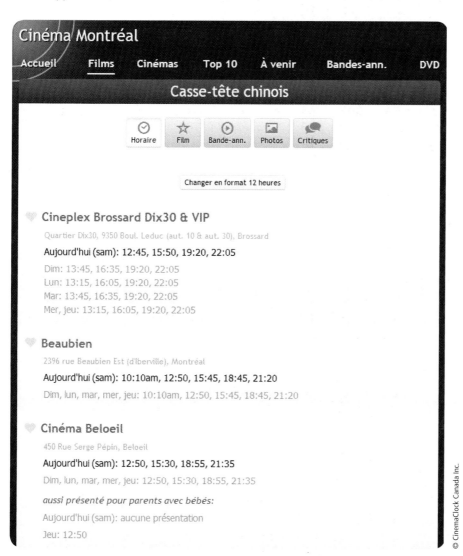

Cinéma Montréal

Accueil   Films   Cinémas   Top 10   À venir   Bandes-ann.   DVD

Casse-tête chinois

Horaire   Film   Bande-ann.   Photos   Critiques

Changer en format 12 heures

Cineplex Brossard Dix30 & VIP

Quartier Dix30, 9350 Boul. Leduc (aut. 10 & aut. 30), Brossard

Aujourd'hui (sam): 12:45, 15:50, 19:20, 22:05

Dim: 13:45, 16:35, 19:20, 22:05
Lun: 13:15, 16:05, 19:20, 22:05
Mar: 13:45, 16:35, 19:20, 22:05
Mer, jeu: 13:15, 16:05, 19:20, 22:05

Beaubien

2396 rue Beaubien Est (d'Iberville), Montréal

Aujourd'hui (sam): 10:10am, 12:50, 15:45, 18:45, 21:20

Dim, lun, mar, mer, jeu: 10:10am, 12:50, 15:45, 18:45, 21:20

Cinéma Beloeil

450 Rue Serge Pépin, Beloeil

Aujourd'hui (sam): 12:50, 15:30, 18:55, 21:35

Dim, lun, mar, mer, jeu: 12:50, 15:30, 18:55, 21:35

aussi présenté pour parents avec bébés:

Aujourd'hui (sam): aucune présentation

Jeu: 12:50

© CinemaClock Canada Inc.

Talking about how you spend and used to spend your time

Aujourd'hui et dans le passé

Michèle compare sa **vie** quand **elle était à l'école secondaire** avec sa vie d'aujourd'hui.

Quand j'étais à l'école secondaire…

© Robert J. Beyers II/Shutterstock

Aujourd'hui…

© CandyBox Images/Shutterstock

J'avais 15 ans.	J'ai 21 ans.
J'habitais avec ma famille.	Je suis étudiante à l'université. J'habite avec ma famille.
J'avais cours du lundi au vendredi.	J'ai cours du lundi au vendredi.
Je n'aimais pas beaucoup **l'école** *(f)*.	J'aime l'université.
Je rentrais souvent à la maison pour dîner.	En général, je dîne à la cafétéria.
La fin de semaine, j'étais toujours **fatiguée** et **je dormais** beaucoup.	La fin de semaine, je suis souvent fatiguée et je dors beaucoup.
Le vendredi soir, je passais du temps avec ma famille ou **je sortais** avec **des copains**. On allait au cinéma, au café ou à un party.	Le vendredi soir, **je sors** souvent avec des copains. On va au cinéma, en boîte ou à une fête.
Le samedi, je faisais du sport avec des amis : on jouait au soccer ou **on patinait**.	Tous les samedis, je joue au tennis avec des amis et je fais aussi souvent du patin à roues alignées.

dans le passé *in the past*
la vie *life*
elle était *she was*
l'école secondaire *high school*
J'avais 15 ans. *I was fifteen.*
J'habitais *I lived, I used to live*
J'avais cours *I had class, I used to have class*
l'école *(f) school*
fatigué(e) *tired*
je dormais *I slept, I used to sleep*
je sortais *I went out, I used to go out*
un copain (une copine) *a friend, a pal*
on patinait *we went skating, we used to go skating*
je sors *I go out*

Michèle demande à Éric **ce qu'**il faisait quand il était à l'école secondaire.

MICHÈLE : Qu'est-ce que tu aimais faire quand tu étais à l'école secondaire ?
ÉRIC : J'aimais passer le temps avec des copains. Le vendredi soir, on allait aux matchs de hockey ou de basketball à l'école.
MICHÈLE : Et le samedi ?
ÉRIC : Le samedi matin, je travaillais. Le samedi après-midi, on faisait de la planche à roulettes. Le samedi soir, je sortais avec ma petite amie. On allait au cinéma.
MICHÈLE : Et qu'est-ce que tu faisais le dimanche ?
ÉRIC : Le dimanche, je ne faisais rien de spécial. Je restais à la maison. Je regardais la télé ou je regardais un film sur Netflix.

A. Maintenant ou dans le passé ? Est-ce que Michèle parle de sa
vie maintenant ou de quand elle avait 15 ans ? Commencez chaque phrase avec
Quand j'avais 15 ans… ou **Maintenant…**

1. J'étais étudiante à l'école secondaire.
2. J'ai cours du lundi au vendredi.
3. Je dîne souvent à la cafétéria
4. Je sors beaucoup les fins de semaine.
5. Mes copains et moi, on aimait aller au McDo.
6. On faisait souvent du sport ensemble.

B. Et vous ? Un ami parle de sa vie maintenant et de sa vie quand il était plus
jeune. Dites si vous aussi vous faites ces choses maintenant et si vous les faisiez
quand vous étiez plus jeune.

> **EXEMPLES** J'habite avec ma famille maintenant.
> — **Moi aussi, j'habite avec ma famille maintenant.**
> — **Pas moi, je n'habite pas avec ma famille maintenant.**
> J'habitais avec ma famille quand j'avais 10 ans.
> — **Moi aussi, j'habitais avec ma famille quand j'avais 10 ans.**
> — **Pas moi, je n'habitais pas avec ma famille quand j'avais
> 10 ans.**

1. J'ai cours tous les jours maintenant.
   J'allais à l'école tous les jours quand j'avais 10 ans.
2. J'aime la vie à l'université maintenant.
   J'aimais l'école quand j'avais 15 ans.
3. Je fais souvent du vélo avec mes amis pendant la fin de semaine.
   Je faisais souvent du ski quand j'étais adolescent(e).
4. Je sors souvent le samedi soir maintenant.
   Je sortais souvent le samedi soir quand j'avais 16 ans.

 C. À vous ! Avec un(e) partenaire, relisez à haute voix la conversation entre
Michèle et Éric. Ensuite, adaptez la conversation pour parler de ce que vous faisiez *(what you used to do)* quand vous étiez à l'école secondaire. Si vous voulez
utiliser des verbes que vous n'avez pas encore appris dans cette forme du passé,
demandez à votre professeur comment les conjuguer.

> **ce que** *what*

1. Which form of the present tense do you use to create the stem for all verbs in the imperfect, except for **être**? What is the stem for **être**?

2. You use the **passé composé** to talk about a specific occurrence in the past. When do you use the imperfect?

3. Which imperfect endings are pronounced alike? What single letter distinguishes the **nous** and **vous** forms of the imperfect from the present?

 Grammar Tutorials

Note *de grammaire*

Note that verbs like **étudier** retain the **i** of the stem before the **imparfait** endings.

j'étud**i**ais	nous étud**i**ions
vous étud**i**iez	ils étud**i**aient

Saying how things used to be

L'imparfait

Use the **passé composé** to talk about what happened on a specific occasion. To tell what things used to be like, or what happened over and over, use the **imparfait** *(imperfect)*. The **imparfait** can be translated in a variety of ways in English.

> *I was working mornings.*
> *I used to work mornings.* } Je travaillais le matin.
> *I worked mornings.*

All verbs except **être** form this tense by dropping the **-ons** from the present tense **nous** form and adding the endings you see below. The stem for **être** is **ét-**.

	PARLER (nous parl~~ons~~ → parl-)	**FAIRE** (nous fais~~ons~~ → fais-)	**PRENDRE** (nous pren~~ons~~ → pren-)	**ÊTRE** (ét-)
je (j')	parl**ais**	fais**ais**	pren**ais**	ét**ais**
tu	parl**ais**	fais**ais**	pren**ais**	ét**ais**
il/elle/on	parl**ait**	fais**ait**	pren**ait**	ét**ait**
nous	parl**ions**	fais**ions**	pren**ions**	ét**ions**
vous	parl**iez**	fais**iez**	pren**iez**	ét**iez**
ils/elles	parl**aient**	fais**aient**	pren**aient**	ét**aient**

Spelling changes in the present tense **nous** form of verbs like **manger** and **commencer** occur in the **imparfait** *only before endings beginning with an **a***.

MANGER	**COMMENCER**
je mang**e**ais	je commen**ç**ais
tu mang**e**ais	tu commen**ç**ais
il/elle/on mang**e**ait	il/elle/on commen**ç**ait
nous mangions	nous commencions
vous mangiez	vous commenciez
ils/elles mang**e**aient	ils/elles commen**ç**aient

Also learn these expressions in the imperfect.

c'est → c'était   il y a → il y avait   il pleut → il pleuvait   il neige → il neigeait

---

Prononciation

Les terminaisons de l'imparfait

The **-ais, -ait,** and **-aient** endings of the imperfect are all pronounced alike. The **nous** and **vous** endings of the imperfect, **-ions** and **-iez,** are distinguished from the present only by the vowel **i** in the ending.

Qu'est-ce que vous faisiez?	*What did you use to do?*
Ils travaillaient pour Blackberry.	*They worked for Blackberry.*
Nous allions à la plage.	*We used to go to the beach.*

A. Prononcez bien! Une amie parle de sa vie maintenant et quand elle était à l'école secondaire. D'abord, pratiquez la prononciation de chaque phrase. Ensuite, lisez à haute voix une phrase de chaque paire. Votre partenaire va dire si vous parlez du **présent** ou du **passé**.

Maintenant	**Quand j'étais à l'école secondaire**
1. J'ai cours tous les jours.	J'avais cours tous les jours.
2. J'étudie beaucoup.	J'étudiais beaucoup.
3. Mon meilleur ami joue au baseball.	Mon meilleur ami jouait au baseball.
4. Nous aimons sortir ensemble.	Nous aimions sortir ensemble.
5. Mes parents travaillent beaucoup.	Mes parents travaillaient beaucoup.
6. Ils sont souvent fatigués.	Ils étaient souvent fatigués.

Maintenant, changez chaque phrase pour parler de vous.

> **EXEMPLE** **Maintenant, j'ai cours le mardi et le jeudi. Quand j'étais à l'école secondaire, j'avais cours du lundi au vendredi.**

 B. La jeunesse. Interviewez un(e) camarade de classe pour savoir ce qu'il/elle faisait quand il/elle était à l'école secondaire.

> **EXEMPLE** fumer / ne pas aimer ça
> — **Tu fumais quand tu étais à l'école secondaire ou tu n'aimais pas ça?**
> — **Oui, je fumais. / Non, je n'aimais pas ça.**

1. aller presque toujours en cours / être souvent absent(e)
2. avoir beaucoup de copains / passer beaucoup de temps seul(e)
3. faire souvent du sport / préférer faire autre chose
4. pouvoir sortir tard / devoir rentrer tôt
5. aimer dormir tard la fin de semaine / avoir beaucoup d'énergie le matin

Maintenant, avec votre partenaire, préparez six questions pour votre professeur(e). Demandez ce qu'il/elle faisait quand il/elle était à l'université.

> **EXEMPLE** Est-ce que vous alliez (aller) toujours en cours quand vous étiez à l'université?

C. Chez nous. Que faisaient ces personnes quand vous aviez dix ans? Dites au moins trois choses pour chacune.

> **EXEMPLE** Mon père...
> **Mon père était très patient. Il travaillait souvent la fin de semaine et il rentrait tard. Il n'était pas souvent à la maison.**

1. Mes parents...	**3.** Ma mère...	**5.** Mes amis et moi...
2. Mes amis...	**4.** Dans ma famille, nous...	

Quand j'avais dix ans, j'aimais jouer avec mon chien.

avoir beaucoup d'amis / un chien	arriver à l'école à... heures
être patient(e)(s) / impatient(e)(s)	rentrer à... heures
travailler la fin de semaine	jouer au golf / à des jeux vidéo /...
aimer lire / dormir /...	faire souvent du vélo / du sport /...
être à la maison la fin de semaine	voyager souvent
faire le ménage / du magasinage /...	aller souvent voir mes cousins /...
aimer les maths / les sciences /...	aller à la plage / au cinéma /...

1. What are the conjugations of **sortir**, **partir**, and **dormir**? Which auxiliary verb is used with each one in the **passé composé**?

2. How do you say *to go out* **of**? *to leave* **from**? *to leave* **for**?

3. How do you say *to leave for the weekend*? *to leave on vacation*? *to leave on a trip*?

4. What is the difference in pronunciation between **il sort** and **ils sortent**?

 Grammar Tutorials

Note *de vocabulaire*

Remember that **quitter** means to leave a person or a place and is always used with a direct object. In the **passé composé**, it is conjugated with **avoir**.

Talking about activities

Les verbes sortir, partir et dormir

The verbs **sortir**, **partir**, and **dormir** have similar patterns of conjugation.

SORTIR (*to go out*)	PARTIR (*to leave*)	DORMIR (*to sleep*)
je **sors**	je **pars**	je **dors**
tu **sors**	tu **pars**	tu **dors**
il/elle/on **sort**	il/elle/on **part**	il/elle/on **dort**
nous **sortons**	nous **partons**	nous **dormons**
vous **sortez**	vous **partez**	vous **dormez**
ils/elles **sortent**	ils/elles **partent**	ils/elles **dorment**
P.C.: **je suis sorti(e)**	P.C.: **je suis parti(e)**	P.C.: **j'ai dormi**
IMP.: **je sortais**	IMP.: **je partais**	IMP.: **je dormais**

You have already seen that **sortir** can mean *to go out,* in the sense of going out with friends. It can also mean *to go / come out of,* in the sense of going out of a place. It is the opposite of **entrer**. Use **de** to say *of.*

Je suis sorti **de** l'appartement en pyjama pour aller chercher le journal.

Partir means *to leave* in the sense of *to go away.* It is the opposite of **arriver**. Some common expressions with **partir** are: **partir en vacances**, **partir en voyage**. To name the place you are leaving, use **partir de**. To say where you are leaving *for,* use **partir pour**.

Il part en vacances aujourd'hui. Il est parti **de** son bureau à trois heures et il est parti **pour** l'aéroport vers cinq heures.

Prononciation

Les verbes sortir, partir et dormir

You can distinguish aurally between the **il/elle** singular and **ils/elles** plural forms of verbs like **sortir**, **partir**, and **dormir**. Compare these sentences.

ALICE	ALICE ET SA FILLE
Elle dort bien.	Elles dorment bien.
Elle sort ce soir.	Elles sortent ce soir.
Elle part demain.	Elles partent demain.

When a word ends with a pronounced consonant sound in French, it must be released. Note that when you pronounce the boldfaced consonants in the following English phrases, your tongue or lips do not have to move back and release them.

What par**t**?	What sor**t**?	In the dor**m**.

Compare how the boldfaced consonants in the following plural verb forms are released.

Ils par**t**ent.	Ils sor**t**ent.	Ils dor**m**ent.

A. Prononcez bien ! Pour chaque phrase que vous entendez, dites si Alice parle **d'Éric** ou **d'Éric et de Léa**.

B. Activités. Complétez ces phrases avec la forme correcte des verbes indiqués et dites si elles sont vraies pour vous. Corrigez les phrases qui sont fausses.

> **EXEMPLE**   Je **sors** (sortir) souvent le lundi soir.
> **C'est faux. Je sors rarement le lundi soir.**

1. Mon meilleur ami (Ma meilleure amie) ne ___ (sortir) presque jamais avec moi la fin de semaine, mais nous ___ (sortir) souvent en semaine.
2. Quand je ___ (sortir) avec mes amis le samedi soir, je / j' _____ (être) toujours fatigué(e) le dimanche matin et je ___ (dormir) souvent jusqu'à midi.
3. Mes amis ___ (sortir) souvent pendant la semaine sans moi. Ils ___ (dormir) souvent pendant leurs cours.
4. Je ___ (partir) souvent en vacances avec mes parents. Généralement, nous ___ (partir) en vacances en juillet.

Maintenant dites si ces personnes faisaient ces choses quand vous étiez à l'école secondaire. Mettez les verbes à l'imparfait. Utilisez la forme négative si nécessaire.

> **EXEMPLE**   **Quand j'étais à l'école secondaire, je ne sortais jamais le lundi soir.**

 C. Vos habitudes. Formez des phrases pour parler de ce que vous faites les jours du cours de français et quand vous sortez avec des amis. Demandez à votre partenaire s'il/si elle fait les mêmes choses.

> **EXEMPLES**   Les jours du cours de français… je / dormir jusqu'à… heures
> — **Les jours du cours de français, je dors jusqu'à 7 heures. Et toi ? Tu dors jusqu'à 7 heures aussi ?**
> — **Non, je dors jusqu'à 8 heures.**
> Quand je sors avec des amis… nous / sortir le plus souvent le… soir.
> — **Quand je sors avec des amis, nous sortons le plus souvent le samedi soir. Et vous ? Vous sortez le plus souvent le samedi soir aussi ?**
> — **Oui, nous sortons le plus souvent le samedi soir aussi.**

Les jours du cours de français…

1. je / dormir jusqu'à… heures
2. je / quitter la maison à… heures
3. je / sortir de mon dernier cours à… heures

Quand je sors avec des amis…

4. nous / sortir le plus souvent le… soir
5. nous / quitter la maison à… heures
6. je / dormir jusqu'à… le lendemain

 D. Toujours des questions ! Parlez avec votre partenaire de la dernière fois qu'il/elle est sorti(e) avec des amis. Posez les questions suivantes.

> **EXEMPLE**   quand / sortir ensemble
> — **Quand est-ce que vous êtes sortis ensemble ?**
> — **On est sortis ensemble hier.**

1. quand / sortir ensemble
2. où / aller ensemble
3. qu'est-ce que / faire
4. à quelle heure / quitter la maison
5. jusqu'à quelle heure / dormir le lendemain

Une sortie

Léa parle de la dernière fois qu'elle a dîné avec des amis. Et vous? La dernière fois que vous êtes sorti(e) avec des ami(e)s, comment était la soirée? **Qu'est-ce qui s'est passé?**

Il pleuvait quand j'ai quitté l'appartement.

Il était sept heures et demie quand je suis arrivée au restaurant.

On n'avait pas très faim et on n'a pas mangé **tout de suite**.

Le repas était **délicieux** et j'ai beaucoup mangé.

Après le repas, nous étions fatigués et je suis partie.

Quand je suis rentrée chez moi, il était environ dix heures.

Le lendemain, c'était dimanche et je suis restée au lit jusqu'à dix heures.

Qu'est-ce qui s'est passé? *What happened?*
tout de suite *right away*
Le repas *The meal*
délicieux (délicieuse) *delicious*

Léa et une amie parlent de leurs activités de la fin de semaine passée.

MICHELINE: Je suis allée au restaurant avec des copines cette fin de semaine.
LÉA: Vous êtes allées où ?
MICHELINE: Au bistro Romain.
LÉA: **Ça t'a plu ?**
MICHELINE: Beaucoup. C'était délicieux. On a bien mangé et on a beaucoup parlé. C'était vraiment bien !
LÉA: Et qu'est-ce que tu as fait après ?
MICHELINE: **Rien du tout.** J'étais fatiguée et je suis rentrée. Et toi, qu'est-ce que tu as fait cette fin de semaine ?
LÉA: Moi aussi, je suis sortie avec des copains. On est allés au cinéma.

A. Au restaurant. La dernière fois que vous êtes allé(e) au restaurant, qu'est-ce qui s'est passé ? Changez les mots en italique pour parler de votre sortie.

1. Quand j'ai quitté *la maison*, il était *huit heures* et il *faisait froid.*
2. Quand je suis arrivé(e) au restaurant, il était *neuf heures.*
3. On *avait très faim* et on *a mangé tout de suite.*
4. Après le repas, nous avions envie de *continuer la soirée* et nous *sommes allés en boîte.*
5. Quand je suis rentré(e), il était *onze heures* et j'*étais fatigué(e).*
6. Le lendemain, c'était *dimanche* et je *suis resté(e) au lit.*

B. La journée d'Alice. Décrivez la journée d'Alice vendredi dernier.

1. Alice était seule quand elle a quitté l'appartement ? Quelle heure était-il ? Est-ce qu'il pleuvait ? Est-ce qu'il faisait froid ? Quels vêtements est-ce qu'elle portait ?
2. Alice était seule au café ? Elle a mangé quelque chose ? A-t-elle bu quelque chose ?
3. Quelle heure était-il quand elle est rentrée chez elle ?

 C. À vous ! Avec un(e) partenaire, relisez à haute voix la conversation entre Micheline et Léa. Ensuite, adaptez la conversation pour parler de la dernière fois que vous avez mangé avec des copains.

Ça t'a plu ? *Did you like it ?*
Rien du tout. *Nothing at all.*

Pour vérifier

1. With a sequence of events that happen one after another, are the verbs in the **passé composé** or the **imparfait**?

2. If one action interrupts another one that is already in progress, which one is in the **passé composé** and which one is in the **imparfait**?

Grammar Tutorials

Telling what was going on when something else happened

L'imparfait et le passé composé

In French, the **passé composé** and **imparfait** convey different meanings. In English, the use of different past tenses also changes a message. Is the message the same in these sentences?

> When her husband came home, they kissed.
> When her husband came home, they were kissing.

Use the **passé composé** for a sequence of events that happened one after another.

> Ce matin, **j'ai quitté** la maison à midi et **je suis arrivé** à l'université à midi vingt.

When saying what was going on when something else occurred, use the **imparfait** for the action in progress and use the **passé composé** to say what happened, interrupting it.

ACTIONS IN PROGRESS	INTERRUPTING ACTIONS
IMPARFAIT	PASSÉ COMPOSÉ
Le professeur parlait…	quand je suis entré(e) dans la salle de classe.
Il pleuvait ce matin…	quand j'ai quitté la maison.

Prononciation

Le passé composé et l'imparfait

Since the use of the **passé composé** or the **imparfait** imparts a different message, it is important that you pronounce each tense distinctly. Listen to these pairs of sentences. Where do you hear a difference?

Je travaillais.	Elle mangeait.	Tu parlais.	Il allait.
J'ai travaillé.	Elle a mangé.	Tu as parlé.	Il est allé.

 A. Prononcez bien ! D'abord, lisez à haute voix ces paires de phrases pour pratiquer la différence de prononciation entre l'imparfait et le passé composé. Ensuite, lisez à haute voix seulement *(only)* une des phrases de chaque paire. Votre partenaire va dire si vous lisez la phrase de la colonne **A** ou de la colonne **B**.

A L'IMPARFAIT : CE QUI SE PASSAIT *(WHAT WAS GOING ON)*	B LE PASSÉ COMPOSÉ : CE QUI S'EST PASSÉ *(WHAT HAPPENED)*
Je travaillais.	J'ai travaillé.
Je rentrais.	Je suis rentré(e).
Mon ami mangeait.	Mon ami a mangé.
Mes enfants étudiaient.	Mes enfants ont étudié.
Tu regardais la télé.	Tu as regardé la télé.
Nous parlions.	Nous avons parlé.

B. Quand ils sont rentrés... Deux couples ont laissé leurs enfants avec une nouvelle gardienne samedi dernier. Qui faisait les choses suivantes quand ils sont rentrés?

EXEMPLE porter les vêtements de sa mère
Annick portait les vêtements de sa mère quand ils sont rentrés.

1. parler au cellulaire
2. jouer dans l'escalier
3. jouer à des jeux vidéo
4. manger quelque chose sur la table
5. dormir sur le canapé
6. être surpris(e)

C. Que faisaient-ils? Expliquez ce qui s'est passé.

EXEMPLE Alice (lire un livre) / quand une amie (arriver)
Alice lisait un livre quand une amie est arrivée.

1.

Léa (préparer ses cours) / quand un ami (téléphoner)

2.

Vincent (jouer au golf) / quand il (commencer à pleuvoir)

3.

Michèle (embrasser [to kiss] un copain) / Éric (arriver)

4.

Quand le chien (entrer) / le chat (dormir)

5.

Alice (faire la cuisine) / quand le chat (voir le chien)

6.

Quand Vincent (rentrer) / Alice (nettoyer [to clean] la cuisine)

1. Do you generally use the **passé composé** or the **imparfait** to say what happened at a specific moment, for a specific duration, or a specific number of times? to describe how things were or used to be or to talk about actions in progress?

2. Which would you use to talk about how you were feeling? to describe a change in a mental or physical state?

3. Which tense do you use to say what was going to happen?

Telling what happened and describing the circumstances

Le passé composé et l'imparfait

You know to use the **imparfait** to tell how things used to be or what was going on when something else occurred. The **imparfait** is used to describe continuing actions or states, whereas the **passé composé** is used for actions that happened and were finished.

USE THE *IMPARFAIT* TO SAY:	USE THE *PASSÉ COMPOSÉ* TO SAY:
1. HOW THINGS USED TO BE OR WHAT USED TO HAPPEN • continuing actions, states, or situations • repeated or habitual actions of an unspecified duration	**1. WHAT HAPPENED AT A PRECISE MOMENT OR FOR A SPECIFIC DURATION OR NUMBER OF TIMES** • completed actions • actions that occurred for a specific duration or a specific number of times

Notre amie habitait à côté de chez nous.
Our friend lived next to us.
Elle invitait toujours des amis chez elle.
She always invited friends over.

Elle a fait une soirée le mois dernier.
She had a party last month.
Nous sommes allées à cinq de ses soirées.
We have gone to five of her parties.

2. WHAT THINGS WERE LIKE OR HOW SOMEONE FELT • physical or mental states	**2. WHAT CHANGED** • changes in states

Tout le monde allait bien, mais moi, j'étais fatiguée.
Everyone was doing fine, but I was tired.

Tout à coup, j'ai eu peur.
All of a sudden, I got frightened.

Watch for words like **tout d'un coup** (*all at once*), **tout à coup** (*all of a sudden*), **soudain** (*suddenly*), **une fois** (*once*), and **un jour** (*one day*) indicating changes in states.

3. WHAT SOMEONE WAS GOING TO DO	**3. WHAT ONE WENT TO DO**

On allait partir.
We were going to leave.

Je suis allée chercher mon sac.
I went to get my purse.

Note *de grammaire*

You generally use the verb **vouloir** in the **imparfait** to say what someone wanted to do. Use **pouvoir** in the **imparfait** to say what people could have done if they had wanted to, but use it in the **passé composé** to say what they managed to do on an occasion when they tried. Use **devoir** in the **imparfait** to say what one was supposed to do, but in the **passé composé** for what one must have done, or had to do on a specific occasion.

A. Pourquoi?
Expliquez pourquoi Léa a fait ou n'a pas fait ces choses. Quel verbe doit être au passé composé et lequel *(which one)* doit être à l'imparfait?

EXEMPLE Léa **était** (être) malade, alors elle **n'a pas travaillé** (ne pas travailler).

1. Léa _____ (ne pas sortir) parce qu'elle _____ (être) malade.

2. Elle _____ (être) trop fatiguée, alors elle _____ (ne pas faire) ses devoirs.

3. Elle _____ (faire) du magasinage parce qu'elle _____ (vouloir) acheter une nouvelle robe.

4. Elle _____ (mettre) un chandail parce qu'elle _____ (avoir) froid.

5. Elle _____ (avoir) besoin de préparer son examen, alors elle _____ (ne pas sortir) avec ses amis.

B. Ce matin chez les Tremblay.
Alice Tremblay décrit la journée de sa famille. Qu'est-ce qu'elle dit? Mettez les verbes au passé composé ou à l'imparfait comme dans l'exemple.

EXEMPLE **Moi, j'ai fait du jogging ce matin. Je voulais dormir.**

1.

2.

Moi…
faire du jogging ce matin
vouloir dormir
avoir sommeil
ne pas avoir envie de sortir
sortir à sept heures
rentrer une heure plus tard
avoir besoin d'un bain *(bath)*
aller dans la salle de bains
prendre un long bain

Éric et Léa …
préparer le dîner aujourd'hui
vouloir faire du magasinage
dîner avant de sortir
aller au centre commercial à une heure
avoir l'intention d'acheter des vêtements
rentrer vers cinq heures
avoir faim
retrouver des amis au restaurant
rentrer à neuf heures

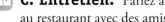 C. Entretien.
Parlez à votre partenaire de la dernière fois qu'il/elle est allé(e) au restaurant avec des amis.

La dernière fois que tu es allé(e) au restaurant avec des amis…

1. Quel temps faisait-il? Qu'est-ce que tu as mis pour sortir? un jean? une robe?
2. Quelle heure était-il quand tu es arrivé(e) au restaurant?
3. Avais-tu très faim? Comment était le repas?
4. Qu'est-ce que tu as fait après le repas?
5. Quelle heure était-il quand tu es rentré(e)? Étais-tu fatigué(e)? Est-ce que tu es allé(e) tout de suite au lit? As-tu bien dormi?
6. Le lendemain, jusqu'à quelle heure es-tu resté(e) au lit?

Narrating in the past

Les contes

Le film *La Belle et la Bête* de Jean Cocteau est un classique du cinéma français. **Connaissez-vous** ce film ? Connaissez-vous **le conte de fées** sur **lequel** ce film est basé ?

© Hulton Archive / Stringer/Getty Images

Il était une fois un vieux **marchand** qui avait trois filles. Sa plus jeune fille, Belle, était très jolie, **douce** et **gracieuse**.

Un jour, la Bête a emprisonné le marchand. Belle **a promis** à la Bête de venir prendre la place de son père.

La Bête était horrible ! C'était un monstre grand et laid qui avait l'air **féroce.** **Au début**, Belle avait très peur de lui. Mais elle était toujours gentille et patiente avec lui.

Petit à petit, les choses ont changé. Belle et la Bête ont commencé à **se parler**. La Bête a beaucoup changé et Belle a appris à apprécier le monstre. Finalement, Belle **est tombée amoureuse de** la Bête ! Et la Bête a aussi appris à aimer.

À suivre...

Léa parle à son frère de ses activités de la fin de semaine passée.

LÉA: Tu es sorti cette fin de semaine ?
ÉRIC: Oui, je suis allé au ciné-club avec Michèle.
LÉA: Quel film est-ce que vous avez vu ?
ÉRIC: Nous avons vu *La Belle et la Bête* de Jean Cocteau.
LÉA: C'est un classique ! Ça t'a plu ?
ÉRIC: Oui, ça m'a beaucoup plu. C'était très intéressant. Les acteurs **ont bien joué**. **Les effets spéciaux** étaient excellents et il n'y avait pas **trop de** violence.

---

un conte *a story*
La Belle et la Bête *Beauty and the Beast*
Connaissez-vous... ? *Do you know ...?*
un conte de fées *a fairy tale*
lequel (laquelle) *which*
Il était une fois... *Once upon a time ...*
un(e) marchand(e) *a merchant, a shopkeeper*
doux (douce) *sweet, soft, gentle*
gracieux (gracieuse) *gracious*
a promis (promettre *to promise* [past participle **promis**])
féroce *ferocious*
Au début *At the beginning*
se parler *to talk to each other*
tomber amoureux (amoureuse) de *to fall in love with*
À suivre *To be continued*
bien jouer *to act well* (in movies and theatre)
Les effets spéciaux *The special effects*
trop de *too much*

A. C'est qui? Nommez les personnages que les adjectifs suivants décrivent : **le père de Belle**, **Belle** ou **la Bête**. N'oubliez pas d'utiliser l'imparfait pour faire une description !

> **EXEMPLE**   douce   **Belle était douce.**

1. jolie
2. grande et laide
3. toujours gentille
4. vieux
5. gracieuse
6. horrible

Maintenant, dites qui a fait les choses suivantes. N'oubliez pas d'utiliser le passé composé pour décrire le déroulement de l'action *(sequence of events)* !

> **EXEMPLE**   promettre de venir prendre la place de son père
> **Belle a promis de venir prendre la place de son père.**

1. emprisonner le marchand
2. prendre la place de son père
3. commencer à parler avec la Bête
4. apprendre à apprécier la Bête
5. tomber amoureuse de Belle
6. beaucoup changer

B. Une sortie au cinéma.
Alice parle à une amie de la fin de semaine. Complétez la conversation en mettant les verbes au passé composé ou à l'imparfait.

— Tu ___(1)___ (passer) une bonne fin de semaine ?

— Assez bonne. Mon amie ___(2)___ (vouloir) aller voir un film au cinéma, alors je ___(3)___ (sortir) avec elle et je ___(4)___ (rentrer) tard.

— C' ___(5)___ (être) samedi ?

— Non, on ___(6)___ (sortir) vendredi.

— Quelle heure ___(7)___ (être)-il quand tu ___(8)___ (rentrer) ?

— On ___(9)___ (rester) au cinéma jusqu'à 10 h 30 et après on ___(10)___ (avoir) faim, alors on ___(11)___ (aller) manger quelque chose. Il y ___(12)___ (avoir) beaucoup de gens au restaurant et on ___(13)___ (devoir) attendre pour avoir une table. Il ___(14)___ (être) environ 1 h quand on ___(15)___ (partir) du restaurant.

— Quel film est-ce que vous ___(16)___ (voir) ?

— C' ___(17)___ (être) le nouveau film avec Ellen Page.

— Qu'est-ce que tu ___(18)___ (faire) samedi et dimanche ?

— Je (J') ___(19)___ (travailler) samedi. Dimanche, j' ___(20)___ (être) fatiguée et il ___(21)___ (faire) mauvais, alors je ___(22)___ (rester) à la maison.

 **C. À vous !** Avec un(e) partenaire, relisez à haute voix la conversation entre Léa et Éric. Ensuite, adaptez la conversation pour parler d'un film que vous avez vu récemment.

If you were describing a play that you saw, would you use the **passé composé** or the **imparfait** to describe the setting and what was happening on stage when the curtain went up? Which tense would you use to explain the actions of the actors that advanced the story?

For a chart summarizing all of the uses of the **passé composé** and the **imparfait**, see the *Résumé de grammaire* on page 247.

Narrating what happened

Le passé composé et l'imparfait (reprise)

When telling a story in the past, you use both the **passé composé** and the **imparfait**.

USE THE *IMPARFAIT* TO SAY:	USE THE *PASSÉ COMPOSÉ* TO SAY:
WHAT WAS ALREADY GOING ON	WHAT HAPPENED NEXT / WHAT CHANGED
• descriptions of the scene / setting • background information about the characters • interrupted actions in progress	• sequence of events that advance the storyline • actions interrupting something in progress

If you were telling the tale ***Cendrillon (Cinderella),*** you might begin …

> Il **était** une fois une belle jeune fille qui **s'appelait** Cendrillon. Son père **était** mort et elle **habitait** avec sa belle-mère et ses deux demi-sœurs. Sa belle-mère **était** cruelle et ses demi-sœurs **étaient** laides, bêtes et très gâtées *(spoiled)*. C'**était** Cendrillon qui **faisait** tout le travail, mais elle **était** toujours belle et gracieuse. Un jour, le prince **a décidé** de donner un bal au palais et un messager **est allé** chez Cendrillon avec une invitation.

Only two events occur to advance the story: the prince decided to give a ball and the messenger went to Cinderella's house. These two verbs are in the **passé composé**. All the rest is background information, setting the scene, so the verbs are in the **imparfait**.

When deciding whether to put a verb in the **passé composé** or the **imparfait**, ask yourself whether you are talking about background information or something in progress (**imparfait**), or the next thing that happened in the story (**passé composé**).

A. La journée d'Alice. Alice parle de sa journée. Décidez si chaque phrase décrit la scène / la situation ou raconte le déroulement de l'action *(sequence of events)*. Récrivez les phrases dans chaque colonne.

> Il est sept heures. Il pleut. Je quitte la maison. Il y a beaucoup de voitures sur la route. J'arrive au bureau en retard. Mon patron *(boss)* n'est pas content. Je travaille beaucoup. Je ne dîne pas. Je rentre à cinq heures. Je suis fatiguée. Il n'y a rien à manger. Nous allons au restaurant. Nous rentrons. Je prends un bain. Il est 11 heures. Je vais au lit.

EXEMPLE

LA SCÈNE / LA SITUATION	LE DÉROULEMENT DE L'ACTION
Il est sept heures.	Je quitte la maison.

Maintenant, récrivez le paragraphe en mettant les verbes qui présentent le déroulement de l'action au passé composé et les verbes qui décrivent la scène ou la situation à l'imparfait.

B. Il était une fois... Récrivez le début de l'histoire de *La Belle et la Bête* au passé en mettant les verbes en caractères gras à l'imparfait ou au passé composé.

> **EXEMPLE** **Il y avait un marchand très riche...**

Il y __1__ **a** un marchand très riche qui __2__ **a** trois filles. Ils __3__ **habitent** tous ensemble dans une belle maison en ville. Mais un jour, des voleurs *(thieves)* __4__ **prennent** toute sa fortune et le marchand et ses filles __5__ **doivent** aller habiter dans une petite maison à la campagne.

Ses deux filles aînées __6__ **sont** très malheureuses *(unhappy)*. Elles __7__ **parlent** constamment des choses qu'elles __8__ **veulent**. Belle __9__ **est** la plus jeune de ses filles. Elle __10__ **est** très jolie et aussi très douce. Elle __11__ **accepte** sa nouvelle vie et elle __12__ **est** heureuse *(happy)*.

Un jour, le marchand __13__ **part** pour la ville voisine *(neighbouring)*. Il __14__ **neige** et il __15__ **fait** très froid et en route, il ne __16__ **peut** rien voir dans la forêt. Le marchand __17__ **pense** qu'il __18__ **va** mourir quand, soudain, il __19__ **trouve** un château. La porte du château __20__ **est** ouverte et il __21__ **décide** d'entrer. Il __22__ **remarque** [remarquer *to notice*] une grande table couverte de plats délicieux. Il __23__ **mange**, puis il __24__ **fait** une sieste *(nap)*.

Après sa sieste, il __25__ **sort** dans le jardin où il __26__ **trouve** une jolie rose qu'il __27__ **veut** rapporter *(to bring back)* à Belle. À ce moment-là, un monstre horrible __28__ **arrive** et __29__ **commence** à crier *(to shout)* qu'il __30__ **veut** que Belle vienne habiter chez lui. Sinon *(Otherwise)*, la Bête __31__ **va** tuer *(to kill)* le marchand.

C. La Belle et la Bête.

Continuez l'histoire de *La Belle et la Bête* en mettant les verbes entre parenthèses au passé composé ou à l'imparfait.

Quand le marchand __1__ (rentrer), il __2__ (raconter *[to recount]*) ses aventures à ses filles et Belle __3__ (décider) d'aller habiter chez la Bête. Quand elle __4__ (arriver) au château, elle __5__ (trouver) tout ce dont *(that)* elle __6__ (avoir) besoin. Chaque jour, elle __7__ (avoir) tout ce qu'elle __8__ (vouloir). Mais les cinq premiers jours, elle __9__ (ne pas voir) la Bête.

Un jour, elle le (l') __10__ (voir) pour la première fois pendant *(while)* qu'elle __11__ (faire) une promenade dans le jardin. Elle le (l') __12__ (trouver) horrible et elle __13__ (crier). Belle __14__ (avoir) peur et elle __15__ (ne pas pouvoir) regarder la Bête dans les yeux, mais elle __16__ (aller) faire une promenade avec lui. La conversation __17__ (être) agréable. Quand la Bête __18__ (demander) à Belle de faire une promenade deux jours plus tard, elle __19__ (accepter).

Après ce jour-là, ils __20__ (faire) une promenade chaque après-midi. Ils __21__ (parler) de tout. Au début, Belle __22__ (avoir) très peur de la Bête mais, finalement, Belle __23__ (apprendre) à avoir confiance en elle. Après un certain temps, Belle __24__ (commencer) à aimer le monstre et un jour elle l' __25__ (embrasser *[to kiss]*). Tout à coup, le visage *(face)* de la Bête __26__ (changer) et elle __27__ (devenir) un beau et jeune prince.

■ Reprise

See the **Résumé de grammaire** section at the end of each chapter for a review of all the grammar presented in the chapter.

Les Stagiaires

Dans *l'Épisode 6*, Matthieu essaie de dominer sa timidité *(shyness)* pour inviter Amélie à sortir. Avant de regarder le clip, faites ces activités pour réviser ce que vous avez appris dans le *Chapitre 6*.

 A. Invitations. Matthieu voudrait inviter Amélie à sortir. Comment est-ce qu'on invite un(e) ami(e) à sortir? Invitez un(e) camarade de classe à faire les choses suivantes. Il/Elle va accepter une de vos invitations, refuser une de vos invitations et suggérer une autre activité pour la troisième. Utilisez des expressions variées.

> **EXEMPLE** aller au cinéma demain
> — **Tu voudrais aller au cinéma demain?**
> — **Oui, je voudrais bien.**

1. aller prendre un verre après les cours
2. aller danser samedi soir
3. aller voir une exposition au musée dimanche après-midi

B. On ne peut pas toujours faire ce qu'on veut!

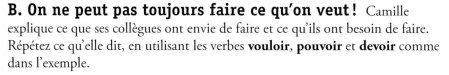 Camille explique ce que ses collègues ont envie de faire et ce qu'ils ont besoin de faire. Répétez ce qu'elle dit, en utilisant les verbes **vouloir**, **pouvoir** et **devoir** comme dans l'exemple.

> **EXEMPLE** Christophe a envie de lire un manga, mais il a besoin de faire des photocopies pour son père.
> **Christophe veut lire un manga, mais il ne peut pas parce qu'il doit faire des photocopies pour son père.**

1. Monsieur Vieilledent a envie de boire du café, mais il a besoin de prendre moins de caféine.
2. Rachid et Amélie ont envie de partir tôt du bureau aujourd'hui, mais ils ont besoin de finir leur travail.
3. J'ai envie de prendre un long déjeuner aujourd'hui pour faire du shopping, mais j'ai besoin de rentrer au bureau.
4. Nous avons tous envie de moins travailler, mais nous avons besoin de terminer *(to finish)* ce projet pour des clients.

C. Au bureau.
Camille décrit les habitudes de ses collègues. Complétez chacune de ses phrases en mettant le verbe donné à la forme convenable du présent. Ensuite, dites si les autres personnes indiquées font la même chose.

> **EXEMPLE** Le lundi matin, Monsieur Vieilledent **part** (partir) pour le travail avant huit heures. Et vous?
> **Moi aussi, je pars pour le travail avant huit heures le lundi.**

1. Céline ___ (partir) souvent à la campagne pendant la fin de semaine. Et vous? Et vos amis?
2. Christophe ___ (dormir) souvent jusqu'à midi la fin de semaine. Et vous? Et vos amis?

3. Rachid et Amélie ___ (sortir) souvent danser le samedi soir. Et vos amis et vous ?

4. Amélie ___ (sortir) avec ses camarades de classe. Et vous ?

5. Amélie ne ___ (dormir) jamais en cours. Et le professeur de français ? Et les autres étudiants et vous ?

D. Hier soir.
Matthieu parle de ce qu'il a fait hier soir. Complétez ce qu'il dit en mettant les verbes donnés au passé composé ou à l'imparfait.

J'aime beaucoup faire la cuisine et hier, j' _1_ (inviter) des amis à dîner chez moi. Vers quatre heures, je _2_ (sortir) pour aller faire les courses. J' _3_ (acheter) tout ce dont *(that)* j' _4_ (avoir) besoin et je _5_ (rentrer). Je/J' _6_ (commencer) à préparer le repas *(meal)* quand le téléphone _7_ (sonner *[to ring]*). C' _8_ (être) un de mes amis qui _9_ (vouloir) me dire *(to tell me)* qu'ils _10_ (aller) arriver un peu en retard *(late)*. Il _11_ (être) déjà huit heures quand ils _12_ (arriver) et nous _13_ (avoir) tous très faim, alors nous _14_ (commencer) à manger tout de suite. Après, nous _15_ (jouer) à des jeux vidéo jusqu'à minuit. Quand mes amis _16_ (partir), j' _17_ (être) fatigué et je/j' _18_ (aller) au lit.

 E. Quelle soirée ! Amélie est allée à une fête chez des amis, les Fédor. Regardez l'illustration et racontez *(tell)* ce qui s'est passé à la fête. Utilisez **le voleur** pour *the thief*, **voler** pour *to steal* et **entrer par la fenêtre** pour *to come in through the window*. Avant de commencer, réfléchissez *(think)* aux questions suivantes.

- What night was it?
- What time was it?
- What was the weather like?
- How many people were in the Fédors' living room?
- Why were they there?
- What was each person doing?
- What was in the bedroom?
- What happened?
- What happened next?

le voleur

Les Dupont   Hassan Amélie   Les Fédor

 Épisode 6 : Je t'invite...

Dans ce clip, Matthieu invite Amélie à sortir. Avant de regarder le clip, faites une liste de trois phrases qu'on peut utiliser pour inviter quelqu'un. Ensuite, regardez le clip pour déterminer quand Matthieu et Amélie vont sortir et où ils vont aller.

Access the Video *Les Stagiaires* at **iLrn** and on the *Horizons* Premium Website.

© Heinle/Cengage Learning

Espace culturel

Pour mieux lire

Les normes sociales et les attentes

Pour certains nouveaux arrivants, le comportement des gens au Canada peut sembler plus conservateur, et dans d'autres cas, plus libéral. Par exemple, certains peuvent trouver que les Canadiens sont peu amicaux, tandis que d'autres les trouveront trop familiers.

Voici quelques comportements sociaux qui sont bien établis et respectés au Canada :

© Daryl Lang/Shutterstock

Faire la queue et attendre son tour : En général, les gens font la queue et respectent le principe «premier arrivé, premier servi». Quelqu'un qui essaie de passer devant quelqu'un d'autre dans une file d'attente va provoquer une réaction de colère.

S'abstenir de fumer chez les gens : La plupart des Canadiens ne fument pas. Quand vous rendez visite à quelqu'un, vous devez toujours demander la permission de fumer. Si vos hôtes ne fument pas, ils peuvent vous demander de fumer à l'extérieur de la maison.

Arriver à l'heure : Vous devez toujours être à l'heure – à l'école, au travail, à n'importe quelle réunion. Les personnes qui arrivent souvent en retard au travail peuvent perdre leur emploi. Certains Canadiens ne vont pas attendre plus de 10 à 15 minutes qu'une personne se présente à un rendez-vous d'affaires. Pour des événements sociaux, il est de bon ton d'arriver dans la demi-heure qui suit l'heure prévue.

Respect de l'environnement : Les Canadiens respectent leur environnement naturel. Il faut éviter de jeter des déchets dans la rue ou d'en lancer par la fenêtre d'un véhicule. Il faut éviter de cracher dans un lieu public. On conserve ses déchets jusqu'à ce que l'on trouve une poubelle pour les déposer. Le recyclage et le compostage sont aussi des habitudes bien établies chez les Canadiens.

Marchander : Au Canada, il est rare que l'on marchande, mais il y a quelques exceptions. Par exemple, presque tout le monde négocie le prix d'un véhicule, d'une maison ou d'autres articles coûteux, tels que les meubles. On peut également marchander les articles vendus par des particuliers.

Compréhension

1. Lequel des cinq conseils mentionnés à la page précédente vous semble le plus important ? Pourquoi ?
2. À partir du texte de la page précédente, expliquez comment faire pour protéger l'environnement. Complétez les cinq phrases suivantes.

    Il ne faut pas…   Il faut…

    On ne doit pas…   On doit…

    Il est préférable de… au lieu de…
3. Si vous voulez fumer dans la maison d'un hôte, que faut-il faire ?
4. Henri, votre nouveau colocataire est un étudiant camerounais qui vient d'arriver au Canada. Donnez-lui quelques conseils dans les situations suivantes.
    a. À l'occasion de l'Action de grâce, Henri est invité à souper chez les MacIntyre, une famille canadienne.
    b. Henri veut acheter quelques meubles pour sa chambre. Il consulte les annonces classées sur le site de Kijiji.
    c. C'est le jour de la collecte des ordures. Expliquez à Henri comment trier (*to sort out*) les déchets, ce qu'il doit mettre dans le recyclage et dans le compostage.

Pour mieux écrire

Writing for social media

The Internet has changed the way we write. Different formats of writing such as social media posts or updates and blogging have emerged. In this exercise, you will write a text for a personal blog.

Organisez-vous. Vous êtes un(e) étudiant(e)-mentor. Le Centre de mentorat de l'université vous demande d'aider Olfa, une étudiante tunisienne qui vient d'arriver, à s'installer dans la vie universitaire et dans sa nouvelle vie au Canada. Vous allez décrire dans votre blogue personnel la façon dont vous l'avez aidée à s'habituer à sa nouvelle vie.

Un blogue personnel

Utilisez les notes suivantes pour écrire dans votre blogue personnel.

Lundi :
- visite de la bibliothèque
- visite au bureau du registraire pour obtenir une carte d'identité
- dîner à la cafétéria

Mercredi :
- classe de Zumba à 13 h, au centre sportif
- visite à la banque pour ouvrir un compte

Samedi :
- magasinage au centre commercial pour acheter des vêtements et des bottes pour l'hiver

Dimanche :
- film (comédie) au cinéma
- pizza au centre-ville

Pour mieux interagir

Une francophonie vibrante au Yukon

La Journée de la francophonie yukonnaise est célébrée le 15 mai. Elle souligne la contribution des francophones au Yukon depuis près de 200 ans, et célèbre la langue française et la culture francophone sur le territoire.

Au Yukon, les voyageurs canadiens-français et métis ont joué un rôle essentiel dans le commerce de fourrures et le développement du territoire. Au temps de la ruée vers l'or du Klondike, les Canadiens français étaient déjà bien établis dans la région. Ils ont aussi joué un rôle important dans la vie sociale et politique du territoire. Des noms géographiques d'origine francophone, tels le lac Laberge, le mont Coudert, l'île Jacquot et le ruisseau Lépine témoignent de la contribution historique des Canadiens français.

Créée au début des années 1980, l'Association franco-yukonnaise (AFY) vise à promouvoir la langue française et la culture francophone. Plus de 4 500 personnes (13% de la population du territoire) parlent français au Yukon. Au Canada, le Yukon se classe au 3e rang pour son taux de bilinguisme, après le Québec et le Nouveau-Brunswick.

L'école Émilie-Tremblay a ouvert ses portes en 1984. C'est la seule école qui offre une éducation en français langue première sur tout le territoire du Yukon. Elle porte le nom d'une pionnière du Yukon, originaire de Saint-Joseph d'Alma, au Québec.

Tout comme dans d'autres provinces canadiennes, l'immigration francophone est favorisée au Yukon. « Les immigrantes et immigrants francophones contribuent grandement à l'essor économique, artistique et culturel du Yukon. Ils comptent d'ailleurs pour 15 % de la communauté franco-yukonnaise », a déclaré Mme Angélique Bernard, présidente de l'AFY.

Vocabulaire

Find the following terms in French from the text on the previous page:

1. to highlight
2. travellers
3. fur trade
4. gold rush
5. to bear witness

6. the beginning
7. to promote
8. the rate of bilingualism
9. economic development
10. besides

Compréhension

En anglais…

Answer the following questions.

1. What is celebrated in Yukon on May 15th?
2. Indicate the different areas in which French Canadians contributed to Yukon.
3. How does Yukon compare to the rest of Canada in terms of bilingualism?
4. Who is Émilie Tremblay?
5. What is the mission of the *Association franco-yukonnaise* (AFY)?
6. Who is Angélique Bernard?
7. Why is Francophone immigration promoted in Yukon?

En français…

Vous travaillez pour l'Association franco-yukonnaise. Faites une brochure pour encourager des immigrants francophones à venir s'établir au Yukon.

Pour mieux découvrir

Quel est ce pays de la Francophonie?

Voici quatre photos et descriptions pour vous aider à deviner.

Cette île, autrefois appelée Île de France, est habitée par des descendants de personnes originaires de l'Inde, de l'Afrique, de la France, de la Grande-Bretagne et de la Chine.

La « Terre des sept couleurs » à Chamarel est un phénomène géologique résultant de l'interaction entre des cendres volcaniques et l'érosion.

Une allée de « flamboyants » entourée de plantations de canne à sucre. L'industrie du sucre est fondamentale à l'économie de ce pays.

Port-Louis, la capitale, a été nommée en l'honneur du roi Louis XV.

Est-ce qu'il s'agit…

a. de Saint-Pierre-et-Miquelon?
b. de l'île de la Réunion?
c. de la Martinique?
d. de l'île Maurice?

Réponse: d) l'île Maurice

◼ Résumé de grammaire

The verbs *vouloir, pouvoir,* and *devoir*

Je **veux** sortir ce soir mais je ne **peux** pas. Je **dois** travailler.

Here are the conjugations of **vouloir** *(to want),* **pouvoir** *(can, may, to be able),* and **devoir** *(must, to have to, to owe).*

VOULOIR	POUVOIR	DEVOIR
je **veux**	je **peux**	je **dois**
tu **veux**	tu **peux**	tu **dois**
il/elle/on **veut**	il/elle/on **peut**	il/elle/on **doit**
nous **voulons**	nous **pouvons**	nous **devons**
vous **voulez**	vous **pouvez**	vous **devez**
ils/elles **veulent**	ils/elles **peuvent**	ils/elles **doivent**
P.C.: **j'ai voulu**	P.C.: **j'ai pu**	P.C.: **j'ai dû**
IMP.: **je voulais**	IMP.: **je pouvais**	IMP.: **je devais**

Nous **voulions** partir en vacances, mais nous n'**avons** pas **pu**. Nous **avons dû** travailler.

Elle **a dû** quitter la maison très tôt. Elle **devait** arriver à sept heures.

She must have left / had to leave the house very early. She was supposed to arrive at seven o'clock.

You generally use the verb **vouloir** in the **imparfait** to say what someone wanted to do. Use **pouvoir** in the **imparfait** to say what people could have done if they had wanted to, but use it in the **passé composé** to say what they managed to do on an occasion when they tried. Use **devoir** in the **imparfait** to say what one was supposed to do, but in the **passé composé** for what one must have done, or had to do on a specific occasion.

The verbs *sortir, partir,* and *dormir*

Je **dors** jusqu'à sept heures et je **pars** pour l'université à huit heures.

Here are the conjugations of **sortir** *(to go out),* **partir** *(to leave),* and **dormir** *(to sleep).*

Ce matin, j'**ai dormi** jusqu'à sept heures et demie et je **suis partie** pour l'université en retard *(late).*

SORTIR	PARTIR	DORMIR
je **sors**	je **pars**	je **dors**
tu **sors**	tu **pars**	tu **dors**
il/elle/on **sort**	il/elle/on **part**	il/elle/on **dort**
nous **sortons**	nous **partons**	nous **dormons**
vous **sortez**	vous **partez**	vous **dormez**
ils/elles **sortent**	ils/elles **partent**	ils/elles **dorment**
P.C.: **je suis sorti(e)**	P.C.: **je suis parti(e)**	P.C.: **j'ai dormi**
IMP.: **je sortais**	IMP.: **je partais**	IMP.: **je dormais**

Avant, je **sortais** souvent avec des amis mais nous ne **sommes** pas **sortis** la fin de semaine dernière.

Je sors souvent avec ma sœur le samedi. Nous **sortons** de la maison vers neuf heures.

Il **quitte** Whitehorse pour aller travailler à Yellowknife. Il **part** demain.

Je sors **de** la maison à neuf heures. Je pars **pour** les Territoires du Nord-Ouest demain. Je pars **de** chez moi à huit heures.

Sortir means *to go out* both in the sense of going out with friends and going out of a place. Use **partir** to say *to leave* in the sense of *to go away.* **Quitter** means *to leave* a person or a place and *must* be used with a direct object.

Use these prepositions with these verbs:

to go out (of) = **sortir (de)**
to leave (from) = **partir (de)**
to leave (for) = **partir (pour)**

L'imparfait and le passé composé

All verbs except **être** form the **imparfait** by dropping the **-ons** from the present tense **nous** form and adding these endings. The stem for **être** is **ét-**.

	PARLER (nous parl~~ons~~ → parl-)	FAIRE (nous fais~~ons~~ → fais-)	PRENDRE (nous pren~~ons~~ → pren-)	ÊTRE (ét-)
je (j')	parl**ais**	fais**ais**	pren**ais**	ét**ais**
tu	parl**ais**	fais**ais**	pren**ais**	ét**ais**
il/elle/on	parl**ait**	fais**ait**	pren**ait**	ét**ait**
nous	parl**ions**	fais**ions**	pren**ions**	ét**ions**
vous	parl**iez**	fais**iez**	pren**iez**	ét**iez**
ils/elles	parl**aient**	fais**aient**	pren**aient**	ét**aient**

Verbs with spelling changes in the present tense **nous** form, like **manger** and **commencer**, retain the spelling changes in the **imparfait** only before endings beginning with an **a**.

Note these expressions in the **imparfait**:

il y a	→	il y avait
il pleut	→	il pleuvait
il neige	→	il neigeait

When talking about the past, you will use both the **passé composé** and the **imparfait.** Note their uses:

USE THE *IMPARFAIT* TO SAY:	USE THE *PASSÉ COMPOSÉ* TO SAY:
1. HOW THINGS USED TO BE OR WHAT USED TO HAPPEN • continuous actions or states • repeated or habitual actions of an unspecified duration	**1.** WHAT HAPPENED AT A PRECISE MOMENT, FOR A SPECIFIC DURATION, OR A SPECIFIC NUMBER OF TIMES • completed actions • actions within a specific duration • actions done a specific number of times
2. WHAT WAS GOING ON • scene or setting • interrupted actions in progress	**2.** WHAT HAPPENED NEXT • sequence of events • actions interrupting something in progress
3. WHAT THINGS WERE LIKE OR HOW SOMEONE FELT • physical or mental states	**3.** WHAT CHANGED • changes in states
4. WHAT SOMEONE WAS GOING TO DO	**4.** WHAT SOMEONE WENT TO DO

Quand j'**avais** 12 ans, j'**allais** à l'école secondaire. Je **passais** beaucoup de temps avec mes copains. On **aimait** faire du patin à roues alignées.

Nous **mangions** bien, mais je **mangeais** peu.

Vous **commenciez** vos cours à midi, mais moi, je **commençais** mes cours à 11 heures.

Il ventait, **il pleuvait** et **il faisait** froid, mais **il** ne **neigeait** pas.

Cendrillon **pleurait** *(was crying)* quand sa marraine *(fairy godmother)* **est arrivée**. La marraine **a aidé** Cendrillon et Cendrillon **est allée** au bal du prince. Le prince **est tombé** immédiatement amoureux de Cendrillon. Ils **ont dansé** et ils **ont** beaucoup **parlé**. À minuit, Cendrillon **est partie** sans dire au prince qui elle **était**, mais elle **a laissé** tomber *(dropped)* une de ses chaussures.

■ Vocabulaire

Inviting someone to go out

NOMS MASCULINS

un film romantique	a romantic movie, a love story
un groupe	a group
un horaire	a schedule

NOMS FÉMININS

l'heure officielle	official time
les heures d'ouverture	opening times
une invitation	an invitation
une personne	a person
une séance	a showing

EXPRESSIONS VERBALES

devoir	must, to have to, to owe
dire	to say, to tell
passer chez...	to stop by ... 's house
passer un film	to show a movie
pouvoir	can, may, to be able
regretter	to regret, to be sorry
répondre (à)	to answer, to respond (to)
suggérer	to suggest
téléphoner (à)	to phone
utiliser	to use, to utilize
vouloir	to want

DIVERS

allô	hello (on the telephone)
avec plaisir	gladly, with pleasure
Je pensais	I was thinking
Je t'invite...	I'm inviting you ...
Je voudrais vous inviter...	I'd like to invite you ...
Quelle bonne idée !	What a good idea!
quelqu'un	someone, somebody
tellement	so much, so
uniquement	uniquely, only
Vous voudriez...?	Would you like ... ?

Talking about how you spend and used to spend your time

NOMS MASCULINS

un camarade de classe	a classmate (male)
un copain	a friend, a pal

NOMS FÉMININS

une cafétéria	a university cafeteria
une camarade de classe	a classmate (female)
une copine	a friend, a pal
une école secondaire	a high school
les vacances	vacation
la vie	life

EXPRESSIONS VERBALES

avoir cours	to have class
comparer	to compare
dormir	to sleep
faire de la planche à roulettes	to skateboard
faire du magasinage	to go shopping
faire du patin à roues alignées	to go rollerblading
elle était	she was
j'avais 15 ans	I was fifteen
j'habitais	I lived, I used to live
on patinait	we went skating, we used to go skating
partir (de/pour)	to leave (from/for), to go away (from/to)
partir en vacances	to leave on vacation
partir en voyage	to leave on a trip
quitter	to leave
sortir (de)	to go out (of)

DIVERS

ce que	what
dans le passé	in the past
fatigué(e)	tired
rien de spécial	nothing special

Talking about the past

NOMS MASCULINS

un bistro	*a pub, a restaurant*
un repas	*a meal*

NOMS FÉMININS

une fois	*once, one time*
une soirée	*a party*
une sortie	*an outing*

EXPRESSIONS ADVERBIALES

un jour	*one day*
soudain	*suddenly*
tout à coup	*all of a sudden*
tout de suite	*right away*
tout d'un coup	*all at once*

DIVERS

Ça t'a plu?	*Did you like it?*
délicieux (délicieuse)	*delicious*
Qu'est-ce qui s'est passé?	*What happened?*
rien du tout	*nothing at all*
tout le monde	*everybody, everyone*

Narrating in the past

NOMS MASCULINS

un acteur	*an actor*
un bal	*a ball*
un classique	*a classic*
un conte	*a story*
un conte de fées	*a fairy tale*
les effets spéciaux	*special effects*
un marchand	*a merchant, a shopkeeper*
un messager	*a messenger*
un monstre	*a monster*
un palais	*a palace*
le travail	*work*

NOMS FÉMININS

une actrice	*an actress*
une bête	*a beast*
une demi-sœur	*a stepsister*
une marchande	*a merchant, a shopkeeper*
une messagère	*a messenger*
la violence	*violence*

EXPRESSIONS VERBALES

apprécier	*to appreciate*
à suivre	*to be continued*
bien jouer	*to act well* (in the movies / on stage)
changer	*to change*
Connaissez-vous…?	*Do you know … ?*
décider	*to decide*
emprisonner	*to imprison*
se parler	*to talk to each other*
prendre la place de	*to take the place of*
promettre	*to promise*
tomber amoureux (amoureuse) de	*to fall in love with*

ADJECTIFS

amoureux (amoureuse) (de)	*in love (with)*
basé(e) (sur)	*based (on)*
cruel(le)	*cruel*
doux (douce)	*sweet, soft, gentle*
excellent(e)	*excellent*
féroce	*ferocious*
gâté(e)	*spoiled*
gracieux (gracieuse)	*gracious*
horrible	*horrible*
patient(e)	*patient*

DIVERS

au début (de)	*at the beginning (of)*
La Belle et la Bête	*Beauty and the Beast*
ça m'a plu	*I liked it*
finalement	*finally*
Il était une fois…	*Once upon a time …*
lequel (laquelle)	*which, which one*
petit à petit	*little by little*
trop de	*too much*

L'EUROPE FRANCOPHONE

La vie quotidienne

© InnaFelker/Shutterstock

COMPÉTENCES

1 **Describing your daily routine**

La vie de tous les jours

Describing your daily routine
Les verbes pronominaux au présent

Stratégies et Lecture
- **Pour mieux lire :** *Using word families and watching out for* faux amis
- **Lecture :** *Il n'est jamais trop tard!*

2 **Talking about relationships**

La vie sentimentale

Saying what people do for each other
Les verbes pronominaux au futur proche

Talking about activities
Les verbes en -re

3 **Talking about what you did and used to do**

Les activités d'hier

Saying what people did
Les verbes pronominaux au passé composé

Saying what people did and used to do
Les verbes pronominaux à l'imparfait et reprise de l'usage du passé composé et de l'imparfait

4 **Describing traits and characteristics**

Le caractère

Specifying which one
*Les pronoms relatifs **qui**, **que** et **dont***

Reprise *Les Stagiaires*

Espace culturel

Pour mieux lire *La Roumanie, un pays francophile*
Pour mieux écrire *La routine matinale*
Pour mieux interagir *Rompre sur les médias sociaux*
Pour mieux découvrir *Quel est ce pays de la Francophonie?*

Résumé de grammaire
Vocabulaire

L'Europe francophone

En Europe, le français est la seule langue officielle dans deux pays : la France et Monaco. Le français **partage** également le statut de langue officielle avec d'autres langues dans trois autres pays européens : la Belgique, la Suisse et le Luxembourg.

Cependant, **plusieurs** pays européens où le français n'est pas une langue officielle font partie de l'Organisation internationale de la francophonie en tant que **membres de plein droit**, associés ou observateurs.

▲ On parle français en Belgique...

▲ au Luxembourg...

▲ en Bulgarie...

Membres de plein droit	Membres associés	Membres observateurs
Albanie	Chypre	Autriche
Andorre		Bosnie-Herzégovine
Arménie		Croatie
Belgique		Estonie
Bulgarie		Géorgie
France		Hongrie
Grèce		Lettonie
Luxembourg		Lituanie
Macédoine		Monténégro
Moldavie		Pologne
Monaco		République Tchèque
Roumanie		Serbie
Suisse		Slovaquie
		Slovénie
		Ukraine

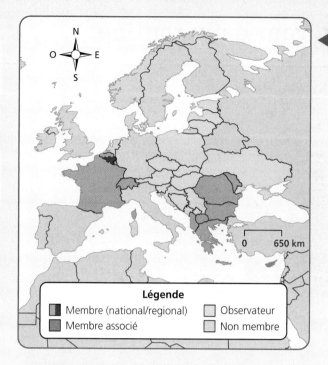

Légende

- ■ Membre (national/regional)
- ■ Membre associé
- □ Observateur
- □ Non membre

▲ et en Arménie.

© Emena/Shutterstock

partage *share*
cependant *however*
plusieurs *several*
membres de plein droit *full members*
autrefois *a long time ago*
langue étrangère *foreign language*

Qu'en savez-vous?

1. Le français est une des trois langues officielles de la Belgique. Pouvez-vous nommer les deux autres langues officielles de ce pays?

2. Quelle ville européenne était **autrefois** appelée « le petit Paris »?

   a. Bucarest, en Roumanie
   b. Sofia, en Bulgarie
   c. Vienne, en Autriche
   d. Bruxelles, en Belgique

3. Dans quel pays européen se déroule le festival littéraire « Les Journées Molière »?

   a. au Luxembourg
   b. en Serbie
   c. en Grèce
   d. en Suisse

4. Dans certains pays européens, les idées de libération ont toujours été associées à la France. Lequel des pays suivants a rédigé sa première Constitution en français à la fin du XIXᵉ siècle?

   a. la Bulgarie
   b. la Hongrie
   c. la Grèce
   d. l'Arménie

5. Depuis le mariage de Louis XV avec Marie Leszczynska (fille du roi de Pologne) en 1725, la langue polonaise a subi l'influence du français. Combien de mots français retrouve-t-on dans le polonais?

   a. environ 5200
   b. environ 3500
   c. environ 2700
   d. environ 1800

6. Vrai ou faux?

   a. Le français est la seule langue officielle de l'Union postale universelle.
   b. Le Vatican rédige toute sa correspondance internationale en français.
   c. En Europe, le français est la 3ᵉ **langue étrangère** la plus enseignée après l'anglais et l'allemand.

4) **a :** 5) **b :** 6) **a** – vrai ; **b.** vrai ; **c.** faux

Réponses : 1) l'allemand et le néerlandais ; 2) **a :** 3) **b :**

■ Describing your daily routine

La vie de tous les jours

Quelle est votre **routine quotidienne**?

D'habitude le matin...   **Je fais ma toilette.**

Je me réveille vers six heures.

Je me lève tout de suite.

Je me lave **la figure** et **les mains** (*f*).

Je prends un bain ou **une douche.**

Je me brosse les cheveux.

Je me brosse les dents.

Je me maquille.

Je m'habille.

Quelquefois, **je me repose.**

D'autres fois, je m'amuse avec des amis.

Parfois, quand je suis seule, **je m'ennuie.**

Je me déshabille.

Je me couche et **je m'endors** facilement.

la **routine quotidienne** *daily routine*
faire sa toilette *to wash up*
la figure *the face*
les mains (*f*) *the hands*
une douche *a shower*
je me repose (**se reposer** *to rest*)
D'autres fois *Other times*
je m'ennuie (**s'ennuyer** *to be bored, to get bored*)
je m'endors (**s'endormir** *to fall asleep*)

Rosalie Courvoisier Blais, d'origine suisse, habite à Vancouver **depuis** son mariage avec un Canadien. Maintenant **veuve**, elle retourne en Suisse avec sa **petite-fille** Rose qui ne **connaît** pas du tout la Suisse. **Comme** elles partagent une chambre **pendant** leur **séjour**, elles parlent de leurs routines du matin.

ROSALIE : Tu te réveilles vers quelle heure d'habitude ?

ROSE : Entre six heures et six heures et demie. Parfois je ne me lève pas tout de suite. Je reste au lit jusqu'à sept heures. Je fais **vite** ma toilette, je m'habille et puis je me maquille. Je suis prête en une demi-heure.

ROSALIE : C'est parfait. Moi, je prends quelquefois une douche le matin mais je préfère prendre mon bain le soir. Je peux très bien **attendre** jusqu'à sept heures et demie pour faire ma toilette.

ROSE : Et moi, je ne quitte jamais la maison avant huit heures et demie. Alors si tu veux, on peut prendre le déjeuner ensemble tous les matins.

A. Et ensuite... Trouvez la suite logique pour compléter chaque phrase.

1. Je me lève...
2. Je me brosse...
3. Je prends...
4. L'après-midi, je m'amuse...
5. Je me déshabille et puis...
6. Je me couche et...

a. avec des amis.
b. je me couche.
c. vers huit heures.
d. les dents.
e. une douche ou un bain.
f. je m'endors.

B. Ma routine. Complétez les phrases avec une expression de la liste.

EXEMPLE Je me réveille avant six heures.
Je me réveille rarement avant six heures.
Je ne me réveille jamais avant six heures.

Note *de grammaire*

To form the negative of a reflexive verb, place **ne** directly after the subject and **pas**, **jamais**, or **rien** directly after the verb. Remember that **toujours**, **souvent**, and **rarement** go right after the verb, but the other adverbial phrases listed go at the end of the sentence.

toujours	tous les jours
souvent	le lundi, le mardi, ...
quelquefois	le matin, l'après-midi, le soir
de temps en temps rarement	une (deux, ...) fois par jour (semaine, ...)
ne... jamais	

1. Je me réveille après neuf heures.
2. Je me lève tout de suite.
3. Je prends une douche ou un bain.
4. Je me lave les mains.
5. Je me lave les cheveux.
6. Je me brosse les dents.
7. Je m'habille vite.
8. Je me repose.
9. Je m'amuse bien.
10. Je me couche tard.

 C. À vous ! Avec un(e) partenaire, relisez à haute voix la conversation entre Rosalie et Rose. Ensuite, imaginez que vous voyagez ensemble et adaptez la conversation pour parler de votre routine du matin.

depuis *since*
veuve (veuf) *widow (widower)*
une petite-fille (un petit-fils) *a granddaughter (a grandson)*
elle connaît (connaître *to know)*
Comme *Since, As*
pendant *during*
un séjour *a stay*
vite *quickly, fast*
attendre *to wait (for)*

1. What is the difference in usage between the pronominal verb **se laver** and the non-pronominal verb **laver**?

2. What are the different reflexive pronouns that are used with each subject pronoun when you conjugate a pronominal verb like **se laver**?

3. Where do you place **ne... pas** when negating pronominal verbs?

4. How is **s'endormir** conjugated?

5. In which forms do verbs like **se lever**, **s'appeler**, and **s'ennuyer** have spelling changes? What are the changes? Which forms do not have spelling changes?

 Grammar Tutorials

Vocabulaire supplémentaire

s'ennuyer *to be bored, to get bored*
s'habiller / se déshabiller *to get dressed / to get undressed*
se laver (les mains, la figure) *to wash (one's hands, one's face)*
se lever *to get up*
se maquiller *to put on make-up*
se peigner (les cheveux) *to comb (one's hair)*
se préparer *to prepare (oneself)*
se promener *take a walk*
se raser *to shave*
se réveiller *to wake up*

Describing your daily routine

Les verbes pronominaux au présent

In the French language, a pronominal verb is preceded by a reflexive pronoun.

- The infinitive of pronominal verbs is preceded by the reflexive pronoun **se** (**se** laver, **se réveiller, s'**appeler, etc.).
- When you conjugate these verbs, change the reflexive pronoun according to the subject.

In the negative, place **ne** directly after the subject and **pas** after the conjugated verb.

SE RÉVEILLER (*to wake up*)		NE PAS SE RÉVEILLER	
je me réveille	nous nous réveillons	je ne me réveille pas	nous ne nous réveillons pas
tu te réveilles	vous vous réveillez	tu ne te réveilles pas	vous ne vous réveillez pas
il/elle/on se réveille	ils/elles se réveillent	il/elle/on ne se réveille pas	ils/elles ne se réveillent pas

Me, te, and **se** change to **m', t',** and **s'** before a vowel sound: je m'habille, tu t'habilles, elle s'habille, ils s'habillent

There are several categories of pronominal verbs depending on their meaning. The three main categories are: *réfléchis, réciproques,* and *idiomatiques.*

1. *Les verbes pronominaux réfléchis*

You can do something to or for yourself or to or for another person or thing. When someone performs an action on or for himself/herself, the pronominal verb is ***réfléchi.***

REFLEXIVE

Je me lave les mains.

NON-REFLEXIVE

Je lave la voiture.

Here are some **pronominal reflexive** verbs you can use to talk about your daily life:

se brosser (les cheveux, les dents)	*to brush (one's hair, one's teeth)*
se coucher / se recoucher	*to go to bed / to go back to bed*
s'endormir	*to fall asleep*

2. *Les verbes pronominaux réciproques*

Pronominal verbs can also be used to describe reciprocal actions; that is, to indicate that people are doing something to or for each other. Here are some **pronominal reciprocal** verbs that you can use to talk about your daily life.

s'aider	*to help each other*
se parler	*to talk to each other*
se retrouver / se rencontrer	*to meet each other*

Since reciprocal verbs describe mutual / reciprocal actions, they will always be used with a plural subject.

Vous vous rencontrez au cinéma.
Nous nous téléphonons tous les jours.
Rose et Rosalie se retrouvent au musée.
On se parle tous les jours.

Singular subjects *je*, *tu*, *il*, *elle* will never be used with a pronominal reciprocal verb.

3. *Les verbes pronominaux idiomatiques*

Some pronominal verbs do not represent reflexive or reciprocal actions. They have idiomatic (from the word "idiom") meanings; that is they have a different meaning from the same verb used without the reflexive pronoun, in the non-pronominal form. Here are a few **pronominal idiomatic** verbs that you can use to describe your daily life.

NON-PRONOMINAL		PRONOMINAL	
amuser	*to amuse*	s'amuser	*to have fun*
appeler	*to call/to call out*	s'appeler	*to be named*
demander	*to ask*	se demander	*to wonder*
installer	*to install*	s'installer	*to settle down*
occuper	*to occupy*	s'occuper	*to take care of…*
passer	*to pass*	se passer	*to happen*
reposer	*to put back*	se reposer	*to rest/to relax*
trouver	*to find*	se trouver	*to be located*

Note *de grammaire*

The verb **s'endormir** is conjugated like **dormir**.

S'ENDORMIR *(to fall asleep)*
je m'endors
tu t'endors
il/elle/on s'endort
nous nous endormons
vous vous endormez
ils/elles s'endorment

Remember that in verbs ending in **-yer**, such as **s'ennuyer** and **s'envoyer**, the letter **y** changes to **i** in all forms except those of **nous** and **vous**.

S'ENNUYER *(to be bored, to get bored)*
je m'ennuie
tu t'ennuies
il/elle/on s'ennuie
nous nous ennuyons
vous vous ennuyez
ils/elles s'ennuient

There is an accent spelling change in the conjugation of **se lever**. Its conjugation is similar to that of **acheter**. **S'appeler** changes its spelling by doubling the final consonant of the stem in all present tense forms except those of **nous** and **vous**.

SE LEVER *(to get up)*
je me lève
tu te lèves
il/elle/on se lève
nous nous levons
vous vous levez
ils/elles se lèvent

S'APPELER *(to be named)*
je m'appelle
tu t'appelles
il/elle/on s'appelle
nous nous appelons
vous vous appelez
ils/elles s'appellent

A. Activités. Complétez ces phrases décrivant des activités de la vie de tous les jours avec la forme du verbe qui convient pour chaque situation.

1. Rosalie _____ à 7 h.   *réveille / se réveille*
2. Ensuite, Rosalie _____ Rose.   *réveille / se réveille*
3. Rose _____ les dents après le déjeuner.   *brosse / se brosse*
4. Rose _____ ses bagages pour aller en Suisse.   *prépare / se prépare*
5. Le matin, Rosalie _____ son jardin.   *occupe / s'occupe de*
6. Rose et Rosalie _____ sur la plage quand il fait beau.   *promènent / se promènent*
7. Rose et ses amis _____ au parc pour jouer au frisbee.   *rencontrent / se rencontrent*
8. Le soir, Rose _____ en écoutant de la musique.   *repose / se repose*

B. D'abord... Indiquez l'ordre logique des activités données.

EXEMPLE   prendre un bain / se lever
D'abord, on se lève et puis on prend un bain.

1. se réveiller / se lever
2. se laver la figure / se maquiller
3. s'habiller / prendre un bain ou une douche
4. quitter la maison / s'habiller
5. se reposer / rentrer à la maison après les cours
6. s'amuser / retrouver des amis
7. se déshabiller / se coucher
8. s'endormir / se coucher

C. Un samedi typique. Voici la routine de Rose le samedi. Qu'est-ce qu'elle fait?

Le samedi matin...

EXEMPLE

... vers neuf heures.
Elle se réveille vers neuf heures.

1. ... tout de suite.

2. ... la figure et les mains.

3. ... les dents.

4. ... les cheveux.

5. ... en jean.

Le samedi soir...

6. ... avec des amis.

7. ... vers deux heures du matin et... facilement.

D. Et vous? Regardez les illustrations de *C. Un samedi typique.* Est-ce que vous faites ces mêmes choses le samedi?

Le samedi matin...

EXEMPLE  ... vers neuf heures
Je me réveille vers neuf heures.
Je ne me réveille pas vers neuf heures.

E. Équivalents. Trouvez le verbe pronominal correspondant à chaque définition.

1. aller au lit	**a.** s'endormir
2. sortir du lit	**b.** s'ennuyer
3. mettre des vêtements	**c.** se reposer
4. faire quelque chose d'amusant	**d.** se lever
5. faire quelque chose d'ennuyeux	**e.** s'amuser
6. ne rien faire	**f.** se coucher
7. commencer à dormir	**g.** s'habiller

F. La fin de semaine. Demandez à votre partenaire s'il/si elle fait les choses suivantes la fin de semaine.

> EXEMPLE   se réveiller tôt ou tard le samedi matin
> — **Est-ce que tu te réveilles tôt ou tard le samedi matin?**
> — **En général, je me réveille tôt.**

1. se lever tôt ou tard le samedi matin
2. prendre un bain ou une douche
3. s'amuser ou s'ennuyer la fin de semaine
4. se coucher tôt ou tard le samedi soir
5. s'endormir facilement ou avec difficulté

G. Questions. En groupes, préparez cinq questions à poser à votre professeur(e) au sujet de sa routine quotidienne. Utilisez des verbes pronominaux.

> EXEMPLE   **Est-ce que vous vous couchez tôt ou tard d'habitude?**
> **À quelle heure est-ce que vous vous couchez d'habitude?**

H. Une fin de semaine entre amis. Demandez à votre partenaire ce qu'il/elle fait avec ses amis quand ils passent une fin de semaine ensemble dans une autre ville.

> EXEMPLE   se réveiller tôt ou tard
> — **Est-ce que vous vous réveillez tôt ou tard?**
> — **Nous nous réveillons tard. / On se réveille tard.**

1. se réveiller avant ou après dix heures
2. se lever tôt ou tard
3. se reposer plus souvent le matin, l'après-midi ou le soir
4. s'amuser plus souvent le matin, l'après-midi ou le soir
5. s'ennuyer quelquefois quand vous êtes ensemble
6. se coucher tôt ou tard

Stratégies et Lecture

> ### Pour mieux lire : *Using word families and watching out for* faux amis
>
> Recognizing words that belong to the same word family can make reading easier. Can you supply the missing meanings below?
>
> | **la vie** | **vivre** | **se marier** | **le mariage** |
> |---|---|---|---|
> | *life* | *to live* | *to marry* | *marriage* |
> | **l'arrêt** | **s'arrêter** | **espérer** | **l'espoir** |
> | *the stop* | *???* | *to hope* | *???* |
>
> Using cognates and word families can help you understand new texts more easily. However, beware of **faux amis**, words that look like cognates but have different meanings. For example, **rester** does not mean *to rest,* but *to stay.* Use cognates, but if a word does not seem right in the context, look it up.

A. Familles de mots. Vous allez voir ces mots dans l'histoire qui suit. Servez-vous du sens des mots donnés pour déterminer le sens des autres mots.

rêver	**un rêve**	**dire**	**dit(e)**
to dream	*a dream*	*to say, to tell*	*said, told*
se souvenir de	**des souvenirs**	**connaître**	**connu(e)**
to remember	*???*	*to know*	*???*
saluer	**une salutation**	**reconnaître**	**reconnu(e)**
to greet	*???*	*to recognize*	*???*

B. Faux amis. Donnez le sens des faux amis en caractères gras selon le contexte.

M. Dupont est dans un fauteuil au jardin quand une jolie jeune fille qui passe **attire** son attention. Il la **salue** et lui dit : «Bonjour, mademoiselle.» Cette fille ressemble à quelqu'un qu'il connaissait dans le passé et il commence à rêver. Il a de beaux **souvenirs** du temps où il était jeune. Il aimait une jeune fille et il **garde** toujours l'espoir de la revoir un jour.

 Lecture : *Il n'est jamais trop tard !*

Rosalie Courvoisier Blais, qui habite à Vancouver depuis son mariage avec un Canadien, retourne à Genève avec sa petite-fille Rose. Son vieil ami, André Dupont, ne sait pas encore que Rosalie est à Genève.

> André Dupont a toujours aimé passer des heures à travailler dans son jardin. Il a une passion pour les roses et depuis des années, il plante des rosiers de toutes les variétés et de toutes les couleurs dans son jardin.

Ses rosiers font l'admiration de tous les gens du quartier et beaucoup d'entre eux passent devant chez lui pour regarder son beau jardin. Aujourd'hui, trois jeunes filles s'arrêtent devant son jardin et lui disent bonjour. Il reconnaît deux d'entre elles, ce sont les petites-filles de son ami Jean Courvoisier, mais c'est la troisième qui attire son attention. Il ne l'a jamais vue, et pourtant il a l'impression de la connaître! Elle ressemble à quelqu'un... quelqu'un qu'il a connu il y a très longtemps.

Les souvenirs lui reviennent, comme si c'était hier. C'était il y a longtemps, il avait dix-huit ans et il était amoureux fou d'une jolie jeune fille de son âge. Elle s'appelait Rosalie... Il voulait lui dire combien il l'aimait, mais il n'en avait pas le courage. Il était trop timide. Un beau jour, il s'est décidé à tout lui dire. Il a choisi des fleurs de son jardin pour en faire un bouquet, il a pris son vélo et il est allé chez Rosalie. Mais en arrivant, il a trouvé Rosalie en compagnie d'un jeune Canadien et elle regardait ce jeune homme avec les yeux d'une femme amoureuse. André, lui, est rentré chez lui sans jamais parler à Rosalie.

Quelques mois plus tard, Rosalie s'est mariée avec le jeune Canadien et ils sont partis vivre au Canada. De temps en temps, André avait des nouvelles, car le frère de Rosalie et lui étaient de bons amis. Il savait qu'elle habitait à Vancouver, qu'elle avait eu trois enfants, et il y a trois ans, il a appris que son mari était mort. Il gardait toujours l'espoir de la revoir, mais les années passaient et elle ne revenait toujours pas.

— Vos rosiers sont magnifiques, monsieur!
C'est Rosalie qui parle! En un instant, André Dupont revient au présent et ouvre les yeux. C'est la jeune fille qui parle... celle qu'il ne connaît pas.
— Rosalie?
— Moi, monsieur? Non, je m'appelle Rose. Rosalie, c'est ma grand-mère.
— Ta grand-mère?
— Oui. Vous connaissez ma grand-mère?
— Rosalie Courvoisier? Oui, je la connais, mais...
— Eh bien, venez la voir, elle est chez son frère Jean! Je suis sûre qu'elle sera contente de revoir un ami d'ici! Allez, venez donc avec nous!

Quoi? C'est trop beau! Est-ce qu'il rêve? Rosalie, ici à Genève! Comme la vie est à la fois belle et bizarre! Va-t-elle le reconnaître? Aura-t-il le courage de lui dire qu'il l'aime toujours, après toutes ces années? André Dupont choisit les plus belles roses de son jardin et en fait un magnifique bouquet. Il va enfin pouvoir les offrir à la femme pour qui il a planté tous ces rosiers au cours des années.

Qui parle? Qui parle: André, Rosalie ou Rose?

1. J'adore les fleurs et j'aime faire du jardinage.
2. J'ai eu trois enfants et mon mari est mort il y a trois ans.
3. Je suis passée devant une maison où il y avait des roses splendides.
4. Un monsieur m'a parlé. Il connaît ma grand-mère mais il ne l'a pas vue depuis longtemps.
5. J'ai invité ce monsieur à venir nous voir.
6. Je me suis mariée avec un Canadien et je suis allée vivre au Canada.
7. J'étais amoureux de Rosalie mais je n'ai jamais eu le courage de le lui dire.
8. Je garde toujours l'espoir de dire à Rosalie que je l'aime.

Talking about relationships

La vie sentimentale

Note *de grammaire*

Se souvenir de is conjugated like **venir**.

je me	souviens
tu te	souviens
il/elle/on se	souvient
nous nous	souvenons
vous vous	souvenez
ils/elles se	souviennent

se rencontrer *to meet each other (by chance), to run into each other*
ce qui *what*
se passer *to happen*
le coup de foudre *love at first sight*
suivent (**suivre** *to follow*)
se souvenir de *to remember*
la jeunesse *youth*
le grand amour *true love*
la plupart du temps *most of the time*
s'entendre *to get along*
Enfin *Finally*
prendre une décision *to make a decision*
s'installer (à / dans) *to settle (in), to move (into)*
heureux (heureuse) *happy*
mamie *grandma*
Super! *Great!*
rêver (de) *to dream (of)*
un(e) tel(le) *such a*
faits l'un pour l'autre *made for each other*
C'est dommage! *That's too bad!*

André va chez les Courvoisier et André et Rosalie **se rencontrent** pour la première fois depuis des années. Voici **ce qui se passe**.

André et Rosalie se regardent.

Ils s'embrassent. C'est **le coup de foudre**!

Ils se parlent pendant des heures.

Ils se quittent vers sept heures.

Pendant les semaines qui **suivent**, André et Rosalie passent beaucoup de temps ensemble. Ils **se souviennent de** leur **jeunesse** ensemble. C'est **le grand amour**!

Ils se retrouvent en ville chaque après-midi.

Quelquefois, ils se disputent.

Mais **la plupart du temps, ils s'entendent** bien.

Enfin, André et Rosalie **prennent une décision**. Ils vont se marier et **s'installer** à Genève. Ils vont être très **heureux**.

Un soir, Rosalie parle à sa petite-fille Rose de sa relation avec André.

ROSE: Alors, **mamie**, tu as passé une bonne journée?
ROSALIE: Oui. André et moi, nous sommes allés visiter le musée Voltaire.
ROSE: Alors, vous vous entendez bien?
ROSALIE: Très bien. Nous nous retrouvons tous les jours, nous passons des heures ensemble et nous nous parlons de tout, de Vancouver, de Genève, de notre famille…
ROSE: **Super!** Moi, je **rêve d'une telle** relation.
ROSALIE: Et ton petit ami et toi, ça va?
ROSE: Pas très bien. Nous nous disputons souvent et nous ne nous entendons pas très bien. C'est toujours compliqué… Peut-être qu'on n'est pas **faits l'un pour l'autre**.
ROSALIE: **C'est dommage!**

A. En couple. Est-ce qu'on fait ces choses **dans un couple heureux** ou **dans un couple malheureux** *(unhappy)*?

> EXEMPLE   On se dispute rarement.
> On se dispute rarement **dans un couple heureux**.

1. On **se dispute** tout le temps.
2. On se parle de tout.
3. On ne s'entend pas bien du tout.
4. On s'amuse ensemble.
5. On s'ennuie ensemble.
6. On s'embrasse tout le temps.

B. Sentiments et comportements. Transformez les phrases suivantes pour décrire des comportements et des sentiments positifs dans un couple.

> EXEMPLE   Ils ne se pardonnent jamais.
> **Ils se pardonnent toujours.**

1. Ils ne se pardonnent jamais.
2. Vous vous disputez souvent.
3. Ils ne **se disent** plus « Je t'aime ».
4. Ils ne se donnent jamais de petits **cadeaux**.
5. Ils s'écoutent rarement.
6. Vous ne vous aidez pas dans la vie de tous les jours.
7. Ils ne se font jamais de compliments.
8. Ils ne s'envoient jamais des textos romantiques.
9. On ne se regarde pas dans **les yeux**.
10. Vous ne vous promenez pas **main dans la main**.

C. À vous ! Avec un(e) partenaire, relisez à haute voix la conversation entre Rose et Rosalie, à la page précédente. Ensuite, adaptez la conversation pour parler de votre relation avec votre mari, votre femme, votre petit(e) ami(e), votre meilleur(e) ami(e) ou votre camarade de chambre.

> **se disputer** *to argue*
> **se dire** *to tell each other*
> **cadeaux** *gifts*
> **les yeux** *eyes*
> **main dans la main** *hand in hand*

Grammar Tutorials

Saying what people do for each other

Les verbes pronominaux au futur proche

Here are some pronominal verbs commonly used to describe relationships:

1. *Les verbes pronominaux réfléchis*

s'excuser	*to apologize*
se disputer	*to argue / quarrel*
se fâcher	*to get angry*
se fiancer	*to get engaged*
se marier	*to get married*
se réconcilier	*to make up*

2. *Les verbes pronominaux réciproques*

s'aimer	*to like each other, to love each other*
se détester	*to hate each other*
s'embrasser	*to kiss each other, to embrace each other*
se quitter	*to leave each other*
se regarder	*to look at each other*
se rencontrer	*to meet (for the first time), to run into each other (by chance)*
se retrouver	*to meet (by design)*
se téléphoner / s'appeler	*to telephone each other*

3. *Les verbes pronominaux idiomatiques*

NON-PRONOMINAL		PRONOMINAL	
amuser	*to amuse*	s'amuser	*to have fun*
entendre	*to hear*	s'entendre (bien / mal)	*to get along (well / badly) with each other*
occuper	*to occupy*	s'occuper de	*to take care of …*

As with other verbs, use **aller** + an infinitive to form the immediate future of pronominal verbs. When pronominal verbs are used in the infinitive, the pronoun is placed before the infinitive, and it matches the subject.

SE MARIER	
je **vais** me marier	nous **allons** nous marier
tu **vas** te marier	vous **allez** vous marier
il/elle/on **va** se marier	ils/elles **vont** se marier

In the negative, expressions such as **ne… pas**, **ne… jamais**, or **ne… plus** surround the first verb **(aller)**.

Je **ne** vais **pas** me marier avec toi.

Nous **n'**allons **plus** nous disputer.

Ils **ne** vont **jamais** se quitter.

A. Une histoire d'amour.

A. Une histoire d'amour. Isabelle, la cousine de Rose, rencontre Luc et ils tombent amoureux. Qu'est-ce qui se passe?

se téléphoner	se regarder	se rencontrer au parc	se marier
s'embrasser	s'installer dans une maison	se quitter	se fiancer
	se réconcilier se parler	se disputer	

EXEMPLE  **Ils se téléphonent.**

B. Questions. Rose veut en savoir plus *(to know more)* sur Isabelle et Luc. Avec un(e) partenaire, imaginez ses questions et les réponses d'Isabelle.

EXEMPLE se disputer
— **Est-ce que vous vous disputez souvent?**
— **Non, nous ne nous disputons pas souvent.**

tous les jours	la plupart du temps	mal
souvent	ne... jamais	beaucoup
quelquefois	bien	

1. se réconcilier facilement
2. se téléphoner
3. se retrouver

4. s'embrasser
5. s'entendre
6. s'aimer

C. Et demain chez Rose. Dites ce que Rose va faire demain d'après les illustrations. Utilisez un verbe pronominal dans chaque réponse.

EXEMPLE  ... vers neuf heures.

Elle va se réveiller vers neuf heures.

1. ... tout de suite.

2. ... la figure et les mains.

3. ... les dents.

4. ... les cheveux.

5. ... en jean.

6. ... vers deux heures du matin.

 D. Et toi? Regardez chaque illustration de **C. Et demain chez Rose.** Demandez à un(e) partenaire s'il/si elle va faire la même chose demain.

EXEMPLE  ... vers neuf heures.

—**Est-ce que tu vas te réveiller vers neuf heures?**
—**Oui, je vais me réveiller vers neuf heures.**
Non, je ne vais pas me réveiller vers neuf heures.

E. Cette fin de semaine Dites si ces personnes vont probablement faire ces choses cette fin de semaine.

> **EXEMPLE**   Moi, je... (se lever tôt)
> **Moi, je vais me lever tôt. / Moi, je ne vais pas me lever tôt.**

1. Samedi matin, moi, je...
   se réveiller tard
   se lever tout de suite
   rester au lit quelques minutes
2. Ce dimanche, mes amis et moi, nous...
   prendre un brunch ensemble
   s'amuser
   s'ennuyer

F. Partons en camping. Vous allez faire du camping avec un groupe d'amis. Travaillez avec un petit groupe d'étudiants et faites des projets.

> **EXEMPLE**   **On va se réveiller tôt.**

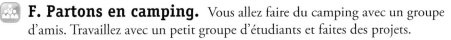

se lever tôt / tard	se laver dans la rivière *(river)*
faire des randonnées *(to go hiking)*	nager
se coucher tôt / tard	dormir sous une tente
s'amuser	se brosser les dents avec l'eau de la rivière

© CandyBox Images/Shutterstock

G. Entretien. Interviewez votre partenaire.

1. Est-ce que tu te réveilles facilement ou avec difficulté? Tu te lèves tôt ou tard pendant la semaine en général? À quelle heure est-ce que tu vas te lever demain?
2. Après les cours, est-ce que tu préfères te reposer ou t'amuser avec des amis? Est-ce que tu vas te reposer ce soir après les cours?
3. Est-ce que tu te couches tôt ou tard pendant la semaine d'habitude? À quelle heure vas-tu te coucher ce soir? Vas-tu te lever tôt cette fin de semaine?

1. What ending do you add for each subject pronoun after dropping the **-re** from the infinitive of these verbs? What is the conjugation of **perdre**?

2. Which of these **-re** verbs are conjugated with **être** in the **passé composé**?

 Grammar Tutorials

Note *de grammaire*

Do not use **pour** after **attendre** to say for whom or what you are waiting.
J'attends des amis. *I'm waiting for friends.*

Note *de vocabulaire*

Use **rendre visite à** or **aller voir** to say that you visit a person, but use **visiter** to say that you visit a place.

Talking about activities

Les verbes en -re

Many verbs that end in **-re** follow a regular pattern of conjugation.

ATTENDRE (*to wait for*)	
j' attend**s**	nous attend**ons**
tu attend**s**	vous attend**ez**
il/elle/on attend	ils/elles attend**ent**
PASSÉ COMPOSÉ: **j'ai attendu**	
IMPARFAIT: **j'attendais**	

The following are some common **-re** verbs.

attendre	*to wait (for)*
descendre (de) (à)	*to go down, to get off (of), to stay (at)*
entendre	*to hear*
s'entendre (bien / mal) avec	*to get along (well / badly) with*
perdre	*to lose, to waste*
perdre du temps	*to waste time*
se perdre	*to get lost*
rendre quelque chose à quelqu'un	*to return something to someone, to turn in something to someone*
rendre visite à quelqu'un	*to visit someone*
répondre (à)	*to answer, to respond (to)*
vendre / revendre	*to sell / to sell back, to resell*

In the **passé composé**, **descendre** and the pronominal verbs are conjugated with **être** as the auxiliary verb. The other verbs in this list are all conjugated with **avoir**.

J'ai rendu visite à une amie à Bruxelles.

Je suis descendu(e) à l'hôtel Étoile.

A. Votre vie. Est-ce que ces personnes font toujours (souvent, quelquefois, rarement, jamais...) les choses suivantes?

> **EXEMPLE** Moi, je... (attendre l'autobus pour aller à l'université)
> **Moi, je n'attends jamais l'autobus pour aller à l'université.**

1. Moi, je...
   attendre la fin de semaine avec impatience
   revendre mes livres à la fin du trimestre
2. Mes amis...
   s'entendre bien
   se rendre visite
3. Mon meilleur ami / Ma meilleure amie...
   perdre patience avec moi
   s'entendre bien avec mes autres amis
4. En cours de français, nous...
   répondre bien
   rendre les devoirs au professeur à la fin du cours

B. La routine de Rose. En vous servant des illustrations et des phrases proposées, décrivez la routine de Rose quand elle est à Vancouver.

> **EXEMPLE** Rose : attendre l'autobus le matin / aller à l'université à pied
> **Rose attend l'autobus le matin. Elle ne va pas à l'université à pied.**

 1.   2. 3. 4.

1. Rose : perdre patience si l'autobus est en retard / attendre patiemment
2. Rose : perdre son temps dans l'autobus / préférer lire
3. Rose : descendre chez un ami / descendre à l'université
4. Rose : répondre correctement en cours / ne pas répondre correctement en cours

5. 6. 7. 8.

5. Les étudiants : travailler bien en cours / perdre leur temps
6. Les étudiants : garder leurs devoirs / rendre leurs devoirs au professeur
7. Après les cours, Rose : rentrer chez elle / rendre visite à son ami Daniel
8. Rose et son ami : s'entendre mal / s'entendre bien

C. Et toi ? Choisissez le verbe logique et complétez les questions. Ensuite, posez les questions à votre partenaire. Utilisez le présent ou le passé composé comme indiqué.

AU PRÉSENT

1. Tu _____ souvent visite à tes parents ? (rendre, entendre) Ta famille et toi, vous _____ bien la plupart du temps ? (perdre, s'entendre) Est-ce que tu _____ souvent patience avec tes parents ? (perdre, répondre)
2. Tu _____ tes prochaines vacances avec impatience ? (attendre, entendre) Tu _____ facilement quand tu es dans une autre ville ? (se perdre, vendre) Quand tu voyages avec des amis, vous _____ quelquefois dans un hôtel de luxe ? (vendre, descendre)

AU PASSÉ COMPOSÉ

3. Tu _____ visite à tes parents récemment ? (revendre, rendre) La dernière fois que tu as vu tes parents, est-ce qu'ils _____ patience avec toi ? (perdre, vendre)
4. La dernière fois que vous êtes partis en vacances ensemble, est-ce que vous _____ à l'hôtel ? (descendre, entendre)
5. Est-ce que le professeur _____ à ta question ? (répondre, descendre)

Talking about what you did and used to do

Les activités d'hier

Note *de grammaire*

Se **promener** is a spelling change verb like **se lever** and **acheter**:

je me	prom**è**ne
tu te	prom**è**nes
il/elle/on se	prom**è**ne
nous nous	promenons
vous vous	promenez
ils/elles se	prom**è**nent

Rose parle de ce qu'elle a fait hier.

Le réveil a sonné et je me suis réveillée.

Je me suis levée.

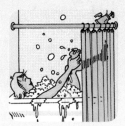

J'ai pris un bain.

Je me suis brossé les dents.

Je me suis peignée.

Je me suis habillée.

J'ai passé le reste de la journée avec ma cousine et son nouvel ami.

Nous nous sommes promenés.

Nous nous sommes arrêtés au restaurant pour manger.

Nous nous sommes bien amusés.

Nous nous sommes quittés vers 10 heures et je me suis couchée vers 11 heures.

le réveil *the alarm clock*
sonner *to ring*
se promener *to go for a walk*
s'arrêter *to stop*

Rose parle à sa cousine, Isabelle, qui **raconte** comment elle a rencontré son ami, Luc.

ROSE: Alors, Luc et toi, vous vous êtes rencontrés où?

ISABELLE: J'étais au parc et Luc était à côté de moi. On s'est vus et on s'est parlé un peu. Quelques jours plus tard, il était dans une librairie où j'achetais un livre et **on s'est reconnus**. Il m'a demandé si je voulais aller prendre un café et j'ai accepté son invitation. On a passé le reste de la journée ensemble. On a pris un café, on a fait du magasinage et puis on s'est promenés en ville.

ROSE: Vous vous êtes bien entendus, **donc**?

ISABELLE: **Parfaitement** bien. On s'est très bien amusés et on s'est retrouvés le lendemain pour aller au cinéma. **Depuis ce moment-là**, on s'est vus presque tous les jours. On s'envoie des textos tout le temps.

A. Récemment. Dites si vous avez fait ou non les activités suivantes.

1. Ce matin, quand le réveil a sonné, *je me suis levé(e) / je ne me suis pas levé(e)* tout de suite. Ensuite, *je me suis lavé(e) / je me suis pas lavé(e)*. *Je me suis brossé / Je ne me suis pas brossé* les cheveux.

2. Mes amis et moi, *nous nous sommes bien amusés / nous ne nous sommes pas du tout amusés* la fin de semaine dernière.

3. *Nous nous sommes promenés / nous ne nous sommes pas promenés* au centre-ville il y a quelques jours.

4. Hier, *je me suis arrêté(e) / je ne me suis pas arrêté(e)* chez Tim Hortons pour manger.

5. Samedi dernier, *je me suis couché(e) / je ne me suis pas couché(e)* après minuit.

B. Ils se sont retrouvés. Décrivez la première fois que Rosalie et André se sont revus après toutes ces années en mettant ces phrases dans l'ordre logique.

___ Ils se sont embrassés.

_1_ André et Rosalie se sont vus.

___ Ils se sont quittés.

___ Ils se sont reconnus.

___ Ils se sont parlé pendant plusieurs heures et ils se sont souvenus du passé.

 C. À vous! Avec un(e) partenaire, relisez à haute voix la conversation entre Rose et Isabelle. Ensuite, parlez avec votre partenaire de comment vous avez rencontré votre meilleur(e) ami(e) ou votre petit(e) ami(e).

> **raconter** *to tell*
> **on s'est reconnus** (**passé composé** of **se reconnaître** *to recognize each other*)
> **donc** *then, thus, so*
> **Parfaitement** *Perfectly*
> **Depuis ce moment-là** *Since then*

1. Do you use **être** or **avoir** as the auxiliary verb with reflexive and reciprocal verbs in the **passé composé**?

2. Where are reflexive pronouns placed with respect to the auxiliary verb? How do you conjugate **s'amuser** in the **passé composé**?

3. Where do you place **ne... pas** in the negative? How do you say *I didn't wake up early*?

4. When does the past participle agree with the reflexive pronoun and subject? When does it not agree? What are three verbs that you know that do not have agreement?

Grammar Tutorials

Note *de grammaire*

1. Remember that the past participles of regular **-er** verbs end in **-é** (**je me suis ennuyé[e]**), those of regular **-ir** verbs end in **-i** (**je me suis endormi[e]**), and those of regular **-re** verbs end in **-u** (**nous nous sommes entendu[e]s**).

2. When **on** means *we*, its verb may either be left in the masculine singular form (**on s'est levé**) or it may agree (**on s'est levé[e][s]**). Either form is considered correct.

3. **Se souvenir (de)** is conjugated like **venir**: **je me souviens, je me suis souvenu(e)**.

Saying what people did

Les verbes pronominaux au passé composé

All pronominal verbs have **être** as the auxiliary verb in the **passé composé**. Always place the reflexive pronoun directly before the auxiliary verb.

SE LEVER	
je me **suis** levé(e)	nous nous **sommes** levé(e)s
tu t'**es** levé(e)	vous vous **êtes** levé(e)(s)
il s'**est** levé	ils se **sont** levés
elle s'**est** levée	elles se **sont** levées
on s'**est** levé(e)(s)	

To negate a reflexive verb, place **ne** directly after the subject and **pas** or **jamais** directly after the conjugated form of **être**.

Je me suis réveillé(e) tôt mais je **ne** me suis **pas** levé(e) tout de suite.

1. *Le passé composé des verbes pronominaux réfléchis*

- For *les verbes pronominaux réfléchis*, the past participle agrees with the *direct object* (the receiver of the action) only if it *precedes* the verb. The reflexive pronoun can be the direct object since the action is performed on oneself with the *verbes pronominaux réfléchis*.

Rosalie **s'**est réveillé**e**.

Luc et moi, nous **nous** sommes habillé**s**.

– reflexive pronoun *se* = **Rosalie herself**

– reflexive pronoun *nous* = **ourselves**

– *se* = direct object located *before* verb

– *nous* = direct object located *before* verb

– past participle agrees with *se*

– past participle agrees with *nous*

- However, with some verbs like **se laver**, **se maquiller** or **se brosser**, when they are followed by the name of a part of a body, it means that the action is performed on the part of the body.

Rose et Rosalie se lavent <u>les mains</u>.

In this case, the part of the body (*les mains*) is the *direct object* (instead of the reflexive pronoun). In the *passé composé,* there is no agreement since the direct object is located after the verb.

Rose et Rosalie **se** sont lavé**es**.

Rose et Rosalie se sont lavé **les mains**.

– reflexive pronoun *se* = **Rose and Rosalie themselves**

– *les mains* is the receiver of the action

– **se** = direct object located *before* verb	– **les mains** = direct object located *after* the verb
– past participle agrees with **se**	– *NO* agreement to the past participle.

Rose s'est maquillé**e**.

Rose s'est maquillé **les yeux**.

André et Henri se sont rasé**s**.

André et Henri se sont rasé **la moustache**.

2. *Le passé composé des verbes pronominaux réciproques*

- For *les verbes pronominaux réciproques*, the past participle *also* agrees with the *direct object* (the receiver of the action) only if it *precedes* the verb.

- Depending on the verb, the reflexive pronoun can be a direct object *or* indirect object.

- With verbs like **se parler**, **se téléphoner** and **s'écrire** (to write to each other) the reflexive pronoun is an *indirect* object (*parler à quelqu'un, téléphoner à quelqu'un, écrire à quelqu'un*), not a *direct* object. Therefore, the past participle does not agree.

André et Rosalie **se** sont rencontré**s**.	André et Rosalie **se** sont parlé.
– reflexive pronoun **se** = **each other**	– reflexive pronoun **se** = **(to) each other**
– **se** = direct object located *before* verb	– **se** = **indirect object** (parler à quelqu'un)
– past participle agrees with **se**	– *NO* agreement to the past participle
Nous **nous** sommes regardé**s**.	Nous **nous** sommes téléphoné.
– reflexive pronoun **nous** = **each other**	– reflexive pronoun **nous** = **(to) each other**
– **nous** = direct object located *before* verb	– **nous** = **indirect object** (téléphoner **à** quelqu'un)
– past participle agrees with **nous**	– *NO* agreement to the past participle

3. *Le passé composé des verbes pronominaux idiomatiques*

- For *les verbes pronominaux idiomatiques*, the past participle agrees with the *subject*.

Rosalie s'est installé**e** à Vancouver après son mariage.

Rose et sa grand-mère se sont occupé**es** du jardin.

Rose s'est bien amusé**e** à la soirée.

A. Rosalie et André. Complétez ces phrases avec la forme du verbe qui convient.

1. Après leur mariage, Rosalie et son mari (*se sont installé / se sont installés*) à **Vancouver.**
2. Rose et Rosalie (*se sont préparé / se sont préprarées*) pendant plusieurs semaines pour leur voyage en Suisse.
3. Quand Rosalie et André (*se sont rencontré / se sont rencontrés*) après 40 ans, c'était le coup de foudre!
4. Rosalie et André (*se sont parlé / se sont parlés*) du bon vieux temps.
5. Le soir, Rosalie et André (*se sont téléphoné / se sont téléphonés*) pour continuer à parler.
6. Rosalie (*s'est réveillé / s'est réveillée*) tôt pour aller au musée.
7. Rosalie (*s'est maquillé / s'est maquillée*) les yeux avant de sortir.
8. Rosalie et André (*se sont retrouvé / se sont retrouvés*) devant le musée.
9. Rosalie et André (*se sont bien amusé / se sont bien amusés*) au musée.

B. Hier chez Henri et Patricia. Patricia, la cousine de Rose, parle de ce qu'elle a fait hier. Que dit-t-elle?

EXEMPLE **Je me suis réveillée à six heures.**

EXEMPLE Je...

1. Je...

2. Je...

3. Je...

4. Je...

5. Henri et moi, nous...

C. Et toi? Demandez à votre partenaire s'il/si elle a fait les choses suivantes hier.

> **EXEMPLE** se lever tôt
> — **Tu t'es levé(e) tôt hier?**
> — **Oui, je me suis levé(e) tôt hier.**
> **Non, je ne me suis pas levé(e) tôt hier.**

1. se réveiller tôt
2. prendre un café au lit
3. prendre une douche
4. se laver les cheveux
5. passer la soirée à la maison
6. se coucher tard

 D. Je veux tout savoir. Utilisez les verbes suivants pour poser des questions à votre partenaire sur ses interactions avec son meilleur ami (sa meilleure amie) cette semaine.

> **EXEMPLE** se téléphoner
> — **Est-ce que vous vous êtes téléphoné cette semaine?**
> — **Oui, on s'est téléphoné hier.**
> **Non, on ne s'est pas téléphoné cette semaine.**

se parler
s'envoyer des messages

se retrouver en ville
se promener au parc
s'amuser à la piscine

S'amuser à la piscine

© Markus Gann/Shutterstock

 E. Entretien. Posez ces questions à votre partenaire.

1. À quelle heure t'es-tu couché(e) hier soir? Tu as dormi jusqu'à quelle heure ce matin? T'es tu levé(e) facilement?
2. Avec qui es-tu sorti(e) récemment? Où vous êtes-vous retrouvé(e)s? Qu'est-ce que vous avez fait? Vous vous êtes bien amusé(e)s?

1. How do you form the **imparfait** of all verbs except **être**? What is the imparfait of **je m'amuse**? of **je ne m'amuse pas**?

2. Do you use the **imparfait** or the **passé composé** to say what happened on a specific occasion? to say how things used to be?

Note *de grammaire*

Before doing the exercises in this section, review the specific uses of the **passé composé** and the **imparfait** on page 247.

Saying what people did and used to do

Les verbes pronominaux à l'imparfait et reprise de l'usage du passé composé et de l'imparfait

As with all other verbs (except **être**), the **imparfait** of reflexive verbs is formed by dropping the **-ons** from the present tense **nous** form and adding the endings shown.

SE LEVER	NE PAS SE LEVER
je me lev**ais**	je ne me lev**ais** pas
tu te lev**ais**	tu ne te lev**ais** pas
il/elle/on se lev**ait**	il/elle/on ne se lev**ait** pas
nous nous lev**ions**	nous ne nous lev**ions** pas
vous vous lev**iez**	vous ne vous lev**iez** pas
ils/elles se lev**aient**	ils/elles ne se lev**aient** pas

Remember to use the **imparfait** to tell *what things were like in general* or *what was going on when something else happened* and the **passé composé** to tell *what happened on specific occasions* or to recount *a sequence of events*.

Ce matin, **je me suis levé(e)** à six heures.

Quand j'étais à l'école secondaire, **je me levais** à sept heures.

A. À seize ans. Parlez de votre routine quotidienne à l'âge de 16 ans.

EXEMPLE   se réveiller souvent tôt
À l'âge de seize ans, je me réveillais souvent tôt.
Je ne me réveillais pas souvent tôt.

1. se réveiller souvent avant six heures
2. se lever facilement
3. prendre un bain / une douche le matin
4. se laver les cheveux tous les jours
5. aller toujours en cours
6. s'ennuyer quelquefois en cours

© William Perugini/Shutterstock

B. Et hier? Utilisez les verbes de l'exercice précédent pour parler de ce que vous avez fait hier.

EXEMPLE   se réveiller tôt
Hier, je me suis réveillé(e) tôt.
Hier, je ne me suis pas réveillé(e) tôt.

C. Et alors? Rosalie parle de ce qui s'est passé hier. Complétez ses phrases logiquement en mettant les verbes donnés au passé composé ou à l'imparfait.

> **EXEMPLE** Hier matin, j'_____ (être) fatiguée, alors je _____ (rester) au lit.
> Hier matin, j'**étais** fatiguée, alors je **suis restée** au lit.

1. Je (J') _____ (vouloir) préparer le petit déjeuner, alors je _____ (se laver) les mains.
2. Vers midi, André et moi, nous _____ (avoir) faim, alors nous _____ (se préparer) des sandwichs.
3. Nous _____ (boire) deux bouteilles d'eau minérale aussi parce que nous _____ (avoir) très soif.
4. Après, André _____ (se coucher) parce qu'il _____ (être) fatigué.
5. Il _____ (se lever) vers trois heures parce qu'il n' _____ (être) plus *(no longer)* fatigué.
6. Il _____ (faire) très beau. Alors nous _____ (se promener).
7. Quand nous _____ (rentrer), Rose et ses copains _____ (être) à la maison.
8. Nous _____ (se quitter) assez tôt parce que nous _____ (vouloir) nous reposer.

D. Le mariage d'André et de Rosalie.
André et Rosalie se sont enfin mariés. Décrivez le jour de leur mariage en mettant les verbes donnés au passé composé ou à l'imparfait.

Le jour de son mariage, Rosalie __1__ (se lever) tôt. André __2__ (arriver) vers neuf heures mais tout de suite après, il __3__ (se souvenir) d'une course qu'il __4__ (devoir) faire et il __5__ (repartir). Il __6__ (aller) acheter une nouvelle cravate.

Il __7__ (être) trois heures quand André __8__ (revenir). La cérémonie __9__ (commencer) à quatre heures. Tous les invités *(guests)* __10__ (être) dans le jardin. Il __11__ (faire) beau et Rosalie et André __12__ (être) contents. Rosalie __13__ (porter) une jolie robe beige et André __14__ (porter) un costume noir. Rosalie __15__ (être) très jolie! Après la cérémonie, les amis __16__ (rester) et ils __17__ (manger) du gâteau *(cake)*. Ils __18__ (s'amuser) bien quand tout à coup il __19__ (commencer) à pleuvoir, alors ils __20__ (rentrer) dans la maison.

André __21__ (partir) et il __22__ (revenir) avec assez de chaises pour tout le monde. Vers huit heures, les invités __23__ (partir). André et Rosalie __24__ (se regarder) et ils __25__ (commencer) à sourire *(to smile)*. Ils __26__ (être) fatigués mais très, très heureux.

E. Entretien.
Interviewez votre partenaire.

1. Tu t'entendais bien avec tes parents quand tu avais quinze ans? Qu'est-ce que vous faisiez en famille? Vous vous disputiez quelquefois? Vous vous êtes disputés récemment?
2. À quelle heure est-ce que tu t'es réveillé(e) ce matin? Tu t'es levé(e) tout de suite? Qu'est-ce que tu as fait ensuite? À quelle heure te levais-tu quand tu étais à l'école secondaire? Tu te levais facilement?

Describing traits and characteristics

Le caractère

Rencontres en ligne : Test de compatibilité

Rangez chaque groupe de réponses de 1 (la réponse qui **exprime** le mieux vos sentiments) à 4 (la réponse qui exprime le moins bien vos sentiments).

Je préfère partager la vie avec quelqu'un qui **s'intéresse**...

1 2 3 4   aux arts
1 2 3 4   au sport
1 2 3 4   à la politique
1 2 3 4   à la nature

Je préfère quelqu'un qui...

1 2 3 4   cultive sa spiritualité
1 2 3 4   prend soin de son **corps**
1 2 3 4   cultive son **esprit**
1 2 3 4   aspire à réussir dans la vie professionnelle

© Andresr/Shutterstock

Le trait que j'apprécie le plus chez un(e) partenaire, c'est...

1 2 3 4   un bon sens de l'humour
1 2 3 4   la passion
1 2 3 4   la fidélité
1 2 3 4   **la compréhension**

Un trait que je ne **supporte** pas chez une autre personne, c'est...

1 2 3 4   l'hésitation *(f)*
1 2 3 4   la rigidité *(f)*
1 2 3 4   **l'égoïsme** *(m)*
1 2 3 4   la vanité

Ce que je supporte le moins dans une relation, c'est...

1 2 3 4   la jalousie
1 2 3 4   l'indifférence *(f)*
1 2 3 4   l'infidélité *(f)*
1 2 3 4   la violence

© gpointstudio/Shutterstock

Chez un(e) partenaire, ce qui a le moins d'importance pour moi, c'est...

1 2 3 4   son argent
1 2 3 4   sa profession
1 2 3 4   sa religion
1 2 3 4   son **aspect physique**

ranger *to arrange, to order*
exprimer *to express*
s'intéresser à *to be interested in*
le corps *the body*
l'esprit *(m) the mind, the spirit*
la compréhension *understanding*
supporter *to bear, to tolerate, to put up with*
l'égoïsme *selfishness*
Ce que *What*
l'aspect physique *(m) physical appearance*

Rose parle à sa cousine, Isabelle, de son petit ami, Luc.

ROSE: Alors, tu as trouvé **le bonheur** avec ton nouvel ami, Luc? Il est comment?

ISABELLE: Il a un bon sens de l'humour et il est très sympa. Son seul trait que je n'aime pas, c'est qu'il est un peu **jaloux** si je ne passe pas tout mon temps avec lui.

ROSE: Vous vous intéressez aux mêmes choses?

ISABELLE: Oui et non. On aime plus ou moins la même musique et les mêmes films. On est assez actifs. On aime la nature. Nous faisons souvent des promenades à pied et à vélo. Il s'intéresse à la politique, comme moi, mais le problème, c'est qu'il est **de droite** et moi, tu sais, je suis plutôt **de gauche**.

A. Et vous? Changez les mots en italique pour décrire votre propre situation ou pour exprimer votre opinion.

1. J'ai beaucoup d'amis qui s'intéressent *au sport*.
2. Je ne m'intéresse pas du tout *à la politique*.
3. Je ne supporte pas quelqu'un qui *parle tout le temps des autres*.
4. Dans une relation, je supporte *l'infidélité* moins bien que *la jalousie*.
5. Pour moi, *la beauté* est plus importante que *le sens de l'humour*.
6. Je pense que *la personnalité* d'une personne est plus importante que *sa profession*.

 B. Entretien. Interviewez votre partenaire.

1. Tu t'intéresses au sport? à la politique? Est-ce que tu t'ennuies si quelqu'un parle de ces choses?
2. Tu passes plus de temps à prendre soin de ton corps, à cultiver ton esprit, ta spiritualité ou ta vie professionnelle? Qu'est-ce que tu fais pour réussir?
3. Où est-ce que tu as rencontré ton meilleur ami (ta meilleure amie)? Quels sont ses meilleurs traits? Est-ce qu'il/elle fait des choses quelquefois que tu ne supportes pas?

C. À vous! Avec un(e) partenaire, relisez à haute voix la conversation entre Rose et Isabelle. Ensuite, adaptez la conversation pour parler d'un(e) ami(e), de votre petit(e) ami(e), de votre mari ou de votre femme. Commencez la conversation en disant: **Alors, passes-tu beaucoup de temps avec...** (au lieu de dire [*instead of saying*]: **Alors, as-tu trouvé le bonheur avec...**).

> **le bonheur** *happiness*
> **jaloux (jalouse)** *jealous*
> **de droite** *conservative*
> **de gauche** *liberal*

1. Can **qui**, **que**, and **dont** all be used for both people and things?

2. Which relative pronoun functions as the subject of a verb? Which one functions as the direct object of a verb? Which one replaces the preposition **de** and its object? Does **qui** or **que** change to **qu'** before a vowel sound?

3. Where are relative clauses placed with respect to the noun they describe?

➤ **Grammar Tutorials**

Note *de grammaire*

Remember that past participles agree with preceding direct objects and therefore agree with the noun that **que** represents: **Je sors avec une femme que j'ai rencontrée pendant mes vacances.**

Specifying which one

Les pronoms relatifs *qui, que* et *dont*

A relative clause gives more information about a person or object you are talking about in a sentence. A relative clause begins with a relative pronoun, a word like *who*, *that*, or *which* that refers back to the noun being described.

Je sors avec une femme	**qui** est beaucoup plus âgée que moi.
	que j'ai rencontrée pendant mes vacances.
	dont je suis amoureux.
I'm going out with a woman	*who is a lot older than I am.*
	whom I met during my vacation.
	with whom I'm in love.

The relative pronouns **qui**, **que**, and **dont** are all used for both people and things. The choice depends on how the pronoun functions in the relative clause. Note how relative pronouns are used to combine two sentences talking about the same thing. The relative clause is placed immediately after the noun it describes.

- Use **qui** for both people or things when they are the *subject* of the relative clause. Since **qui** is the subject, it is followed by a verb and it can mean *that*, *which*, or *who*. Note that **qui** does not make elision before a vowel sound.

  Comment s'appelle ton ami? **Ton ami** habite à New York. Comment s'appelle ton ami **qui** habite à New York?

- Use **que (qu')** for people or things when they are the *direct object* in the relative clause. **Que (qu')** can mean *that*, *which*, or *whom*, or it may be omitted in English. Note that the pronoun **que** makes elision **(qu')** before a vowel sound.

  Comment s'appelle ton ami? Tu as invité **cet ami** hier. Comment s'appelle ton ami **que** tu as invité hier?

- Use **dont** to replace the preposition *de + a person or thing* in relative clauses with verbs such as those below. It can mean *whom, of (about, with) whom, whose, that,* or *of (about, with) which.*

avoir besoin de	se souvenir de
avoir envie de	parler de
avoir peur de	rêver de
être amoureux (amoureuse) de	tomber amoureux (amoureuse) de
être jaloux (jalouse) de	faire la connaissance de (*to make the acquaintance of, to meet* [for the first time])

  Comment s'appelle ton ami? Ta sœur parlait **de cet ami** hier.
  Comment s'appelle ton ami **dont** ta sœur parlait hier?

A. Préférences. Complétez ces phrases comme dans les exemples. Pour chaque section, utilisez le pronom relatif indiqué.

Utilisez le pronom relatif **qui** et conjuguez le verbe.

> **EXEMPLE** Je préfère les personnes... (avoir un bon sens de l'humour, avoir beaucoup d'argent)
> **Je préfère les personnes qui ont un bon sens de l'humour.**

1. Je préfère un(e) colocataire... (sortir tout le temps, rester souvent à la maison)
2. Je préfère les films... (avoir beaucoup d'action, avoir peu de violence)
3. Je préfère un(e) partenaire... (prendre soin de son corps, cultiver son esprit)

Utilisez le pronom relatif **que (qu')**.

> **EXEMPLE** Je préfère les personnes... (je rencontre en cours, je rencontre au gym)
> **Je préfère les personnes que je rencontre au gym.**

1. Je préfère les personnes... (on rencontre au gym, on rencontre à la bibliothèque)
2. Je préfère les activités... (je fais seul[e], je fais en groupe)
3. Je préfère la musique... (on fait maintenant, on faisait il y a vingt ans)

Utilisez le pronom relatif **dont**.

> **EXEMPLE** L'argent est une chose... (j'ai très envie, je n'ai pas très envie)
> **L'argent est une chose dont je n'ai pas très envie.**

1. L'amour est quelque chose... (j'ai grand besoin dans ma vie, je n'ai pas vraiment besoin pour le moment)
2. La ville où je suis né(e) est un endroit *(place)*... (je me souviens bien, je ne me souviens pas bien)
3. Ma vie amoureuse, c'est une chose... (j'aime bien parler, je n'aime pas beaucoup parler)

B. Identification. Complétez les descriptions suivantes avec **qui**, **que** ou **dont**. Ensuite, donnez les renseignements demandés.

> **EXEMPLE** Un film _____ j'aime beaucoup, c'est...
> Un film **que** j'aime beaucoup, c'est *La Reine des neiges*.

1. Un film _____ a gagné beaucoup d'Oscars, c'est...
2. Un film _____ on parle beaucoup en ce moment, c'est...
3. Un acteur (Une actrice) _____ je trouve beau (belle), c'est...
4. Un acteur (Une actrice) _____ tout le monde parle souvent, c'est...
5. Un acteur (Une actrice) _____ n'a vraiment pas de talent, c'est...
6. Une émission de télé de mon enfance *(childhood)*_____ je me souviens, c'est...
7. Une émission de télé _____ j'aime beaucoup regarder, c'est...

■ Reprise

Les Stagiaires

See the *Résumé de grammaire* section at the end of each chapter for a review of all the grammar presented in the chapter.

Dans l'*Épisode 7* de la vidéo *Les Stagiaires*, Amélie et Céline parlent de la soirée qu'Amélie a passée avec Matthieu. Avant de regarder l'épisode, faites ces exercices pour réviser ce que vous avez appris dans le *Chapitre 7*.

A. Au bureau. Amélie parle à une amie de ses collègues et de son travail à Technovert. Complétez chaque phrase avec la forme correcte du verbe logique entre parenthèses.

© Heinle/Cengage Learning

> **EXEMPLE** Technovert **vend** (rendre / vendre) des produits technologiques verts.

1. Je prends le bus pour aller au travail et je _____ (descendre / entendre) juste en face du bureau.
2. M. Vieilledent est le directeur, mais son assistante Camille _____ (s'entendre / répondre) à toutes nos questions sur le fonctionnement de l'entreprise.
3. Christophe est un peu paresseux et il _____ (rendre / attendre) toujours jusqu'au dernier moment pour faire son travail.
4. Camille et Céline _____ (perdre / vendre) souvent patience avec Christophe.
5. Je (J') _____ (entendre / s'entendre) souvent Camille parler de ses frustrations concernant le travail de Christophe.
6. Il _____ (perdre / descendre) beaucoup de temps au bureau en lisant *(reading)* des mangas.
7. J'habite avec la responsable des ventes, Céline. Nous _____ (entendre / s'entendre) bien. Il n'y a jamais de problèmes entre nous.
8. Céline _____ (attendre / rendre) souvent visite à ses parents la fin de semaine, alors je suis seule dans l'appartement.

B. Chez Christophe. Christophe parle de ses parents. Complétez les phrases suivantes avec la forme correcte du verbe pronominal indiqué entre parenthèses.

> **EXEMPLE** Je **m'entends** *(get along)* mieux avec mon père qu'avec ma mère.

1. Ma mère et moi, on _____ *(argue)* souvent.
2. Mon père et moi, nous ne _____ *(talk to each other)* pas beaucoup.
3. La fin de semaine, mon père est toujours très occupé. Il ne _____ *(rests)* jamais.
4. Mon père _____ *(wakes up)* à six heures le samedi.
5. Moi, je _____ *(get up)* vers midi.
6. Le samedi soir, mes amis et moi, on _____ *(meet one another)* presque toujours en ville.
7. Je _____ *(get bored)* si je reste à la maison la fin de semaine.
8. Je _____ *(have fun)* plus avec mes amis qu'avec ma famille.

Maintenant changez les phrases précédentes pour décrire votre situation.

EXEMPLE **Je m'entends aussi bien avec mon père qu'avec ma mère. /
Je m'entends bien avec ma mère, mais je m'entends moins
bien avec mon père.**

C. Conseils.
Matthieu pose des questions à un ami à propos des relations humaines. Complétez ses questions avec le pronom relatif (**qui, que, dont**) approprié.

1. Quand tu sors avec des amis, quels sont les sujets de conversation _____ vous parlez le plus souvent ?
2. As-tu plus d'amis _____ s'intéressent aux arts, au sport ou à la politique ?
3. Tu penses que c'est une bonne idée de sortir en couple avec quelqu'un _____ on rencontre au travail ?
4. Est-ce que tu as beaucoup d'amis _____ sont mariés ?
5. Est-ce qu'on doit se marier avec la première personne _____ on tombe amoureux ?
6. Est-ce que le mariage est quelque chose _____ tu trouves important ou _____ n'est pas important pour toi ?
7. Y a-t-il des choses _____ tu as peur dans une relation ?
8. Est-ce que tu préfères être avec quelqu'un _____ est jaloux ou indifférent ?

 Maintenant interviewez un(e) autre étudiant(e) en utilisant les questions précédentes.

D. Hier soir.
Après sa soirée avec Amélie, Matthieu parle à son ami. Complétez le paragraphe suivant en mettant les verbes entre parenthèses au passé composé ou à l'imparfait.

Amélie et moi, on __1__ (se retrouver) au restaurant. J' __2__ (être) déjà au restaurant quand elle __3__ (arriver). Au début, quand j' __4__ (attendre), j' __5__ (être) nerveux, mais après, on __6__ (commencer) à parler et j'ai découvert *(discovered)* qu'elle aimait les mêmes choses que moi. Le restaurant __7__ (être) très agréable et on y __8__ (rester) presque deux heures. Après le dîner, on ne __9__ (vouloir) pas rentrer, alors on __10__ (se promener) un peu et on __11__ (s'arrêter) dans un café pour prendre un verre. Il __12__ (être) assez tard quand on __13__ (se quitter).

© Heinle/Cengage Learning

Épisode 7 : Vous vous êtes amusés ?

Dans ce clip, Céline parle à Amélie de son rendez-vous d'hier soir avec Matthieu. Avant de le regarder, imaginez trois choses dont Amélie et Matthieu ont peut-être parlé. Ensuite, regardez le clip et répondez aux questions suivantes : De quoi est-ce que Matthieu et Amélie ont parlé ? Vers quelle heure est-ce qu'ils se sont quittés ?

Access the Video *Les Stagiaires* at **iLrn** and on the *Horizons* Premium Website.

Espace culturel
Pour mieux lire

Developing a positive attitude

Êtes-vous francophile? A *francophile* is someone who has a positive predisposition toward various aspects of the French culture such as the French language, cuisine, and literature. In learning a second language, a positive attitude toward the target language and culture is an important factor for success. You are going to read about Romania, a European country who is known for its love of the French culture.

La Roumanie, un pays francophile

La Roumanie est membre à part entière de l'Organisation internationale de la francophonie depuis 1993. Elle a accueilli le 11ᵉ Sommet de la Francophonie à Bucarest en 2006.

Aujourd'hui, environ 20 % des Roumains parlent français. Autrefois, on appelait Bucarest, la capitale, « le petit Paris ». Plusieurs bâtiments historiques de Bucarest, le palais de justice et la bibliothèque centrale universitaire, témoignent de l'influence française sur la culture et l'architecture roumaines.

L'enseignement du français est bien établi dans le système éducatif en Roumanie. Le français est enseigné à l'école primaire et secondaire ainsi qu'à l'université. De plus, la France gère plusieurs établissements d'alliances françaises et des instituts de français en Roumanie.

L'Institut français de Bucarest a été fondé en 1924. C'est un lieu pour apprendre la langue française, mais c'est aussi un lieu de rencontres culturelles où on organise des expositions, des conférences, et des concerts.

Danijela Moldoveanu est professeure à l'Institut français de Bucarest. Née en France, Danijela est d'origine serbe. Elle a appris le français en France où elle a vécu jusqu'à l'âge de 12 ans. Elle a fait des études en langue et littérature françaises à Pristina, au Kosovo, puis une maîtrise en FLE (Français Langue Étrangère) à Rouen. Elle a travaillé comme professeure

Danijela Moldoveanu

de français à Brus, en Serbie, à Mitrovica au Kosovo et à Chengdu, en Chine. Depuis 2006, elle enseigne à l'Institut français de Bucarest. Elle nous raconte sa routine quotidienne :

« Le matin, je me réveille assez tôt, vers 6 heures ou 6 heures et quart. Je prends ma douche et je m'habille. Ensuite, je vais réveiller ma fille Zoé. Nous prenons le déjeuner ensemble et ma fille va à l'école vers huit heures. Quand elle est partie, je me prépare pour aller à l'Institut français. Tout d'abord, je m'occupe de mon chien Max. Ensuite, je me brosse les dents et puis, je me maquille et je me brosse les cheveux. Je quitte la maison vers neuf heures. Je ne m'ennuie jamais à l'Institut français. Je m'entends très bien avec mes collègues. Les étudiants sont très sympas. L'après-midi, quand je reviens à la maison, Zoé est déjà rentrée. Quand il fait beau, on aime se promener un peu après le souper. Nous nous promenons souvent dans le parc Cişmigiu. Max et Zoé s'y amusent beaucoup. Ils jouent ensemble et parfois on fait du bateau. Le soir, Zoé se couche toujours avant huit heures et demie. Moi, je me repose devant la télé ou en lisant des magazines. Je m'endors généralement vers dix heures et demie. »

Le parc Cişmigiu

Compréhension

1. Qu'est-ce qu'un francophile?
2. Donnez une raison pour laquelle on appelait Bucarest «le petit Paris»?
3. Où peut-on apprendre le français en Roumanie?
4. Quelles sortes d'activités sont organisées à l'Institut français de Bucarest?
5. Qui est Danijela Moldoveanu?
6. Qui est Zoé?
7. Que dit Danijela à propos de son travail à l'Institut français?
8. Nommez tous les pays dans lesquels Danijela a enseigné le français.
9. Qui est Max?
10. Quand est-ce que Danijela s'occupe de son chien?
11. Quelles activités peut-on faire au parc Cişmigiu?
12. Comment Danijela se repose-t-elle le soir avant de se coucher?

Pour mieux écrire

Organizing a paragraph

You know how to use words like **et**, **ou**, **mais**, and **parce que** to link ideas together to form sentences. Also use words like **d'abord**, **ensuite**, **alors**, and **et puis** to connect your sentences into a well ordered paragraph. You can also link ideas with the word **pour** to say *in order to*. In this case, **pour** is followed by an infinitive.

> **Je quitte la maison avant sept heures pour arriver à huit heures.**
> *I leave the house before seven (in order) to arrive at eight.*

To say that you do something *before* you do something else, use **avant de**. It is followed by an infinitive.

> **Avant de m'habiller, je prends une douche.**
> *Before I get dressed (Before dressing), I take a shower.*

Organisez-vous. Vous allez décrire votre routine matinale. Avant de commencer, traduisez les phrases qui suivent.

1. *I'm tired in the morning, so I don't wake up easily.*
2. *First, I eat breakfast. Next, I take a shower. Then, I get dressed. And then, I leave.*
3. *I eat quickly in order to be on time.*
4. *Before I eat, I get dressed. Then, I brush my teeth.*
5. *I take a bath before I put on make-up / shave.*

La routine matinale

Décrivez votre routine du matin. Utilisez des mots comme **d'abord, ensuite** et **avant de** pour indiquer l'ordre de vos actions.

> **EXEMPLE** Le matin, je me lève vers six heures. D'abord, ...

Pour mieux interagir

Rompre sur les réseaux sociaux (adaptation)

Si Internet et les réseaux sociaux permettent d'établir de nouvelles relations, ils ont également transformé les ruptures amoureuses. En effet, au lieu d'un face à face difficile, certains préfèrent mettre fin à une relation amoureuse en utilisant les nouvelles technologies.

Une enquête réalisée par *aufeminin.com* auprès de 1 400 femmes est particulièrement éloquente.

- 36 % des répondantes ont été quittées par message texte.
- 35 % ont appris la rupture par téléphone.
- 8 % ont eu la surprise de constater que leur ex avait changé son statut social sur Facebook, passant de « en couple » à « célibataire » sans autre explication.
- La rupture en 140 caractères, sur Twitter, est rare, mais elle a été expérimentée par 4 % des répondantes.
- Enfin, le courriel est également utilisé pour mettre un terme à une relation amoureuse.

Les hommes sont plus nombreux à utiliser ce moyen. Ils vont ainsi éviter de voir la tristesse ou les pleurs de la personne quittée. Les femmes, elles, utiliseraient ce moyen pour quitter un homme qu'elles craignent.

La séparation virtuelle

Les réseaux sociaux rendent la rupture nettement plus désagréable.

En plus d'une séparation physique, la personne délaissée sur les réseaux sociaux doit également gérer la séparation virtuelle :

- Elle se voit pratiquement dans l'obligation d'expliquer sa rupture à ses 615 amis… et de rouvrir la blessure chaque fois.
- Elle sera également tentée de fermer son compte Facebook ou Twitter.
- Elle voudra aussi se venger sur les réseaux sociaux.

Les impacts

Le deuil de la relation sera nettement plus difficile à faire. Les ruptures sur les réseaux sociaux sont rarement accompagnées de longues conversations qui permettent à la personne délaissée de comprendre les véritables raisons de ce geste.

Henri Michaud

http://www.canalvie.com/couple/amour-et-relations/articles-amour-et-relations/rompre-via-les-reseaux-sociaux-1.1322881

Vocabulaire

Find the following terms in French from the text above:

1. a breakup (noun)
2. respondent
3. to end
4. to avoid
5. sadness
6. tears
7. to be scared of
8. unpleasant
9. jilted
10. to manage
11. to reopen
12. a wound
13. grieving (noun)
14. to allow

Compréhension

En anglais…

Answer the following questions.

1. According to the text, what reason would a man have to break up via social media? And for what reason would a woman do so?
2. How is a "virtual separation" different from a "physical separation"?

En français…

VRAI OU FAUX? D'abord, complétez les phrases suivantes avec le pronom relatif qui convient : **qui** ou **que**. Ensuite, dites si les phrases sont vraies ou fausses. Si elles sont fausses, donnez la bonne réponse.

1. Ce sont les femmes _____ sont plus nombreuses à quitter un partenaire sur les réseaux sociaux.
2. Les femmes utilisent les réseaux sociaux pour rompre avec un homme _____ elles craignent.
3. La personne _____ souffre voudra se venger sur les réseaux sociaux.
4. L'incompréhension est un sentiment _____ les personnes délaissées sur des réseaux sociaux éprouvent.

Discussion

Votre camarade de chambre veut rompre avec son petit ami / sa petite amie en changeant son statut sur Facebook.

– Expliquez-lui pourquoi c'est plus désagréable pour l'autre personne.

– Aidez-le/la à préparer une rupture face à face.

Pour mieux découvrir

Quel est ce pays de la Francophonie ?

Voici quatre photos et descriptions pour vous aider à deviner.

Les vêtements traditionnels

L'industrie du cacao apporte une contribution importante à l'économie du pays.

Le Parc national de Waza a une superficie de 1 700 km². On peut y observer de nombreuses espèces animales grâce à une faune exceptionnelle.

Yaoundé la capitale

Est-ce qu'il s'agit …

a. du Togo ?
b. du Cameroun ?
c. du Mali ?
d. de la Côte d'Ivoire ?

Réponse : b) Le Cameroun

■ Résumé de grammaire

Reflexive verbs

Reflexive verbs are used to say that people do something to or for themselves. In French, the reflexive pronoun corresponding to the subject is placed before the verb.

SE COUCHER (to go to bed)	
je **me** couche	nous **nous** couchons
tu **te** couches	vous **vous** couchez
il/elle/on **se** couche	ils/elles **se** couchent

The reflexive pronouns **me**, **te**, and **se** become **m'**, **t'**, and **s'** before vowel sounds. Also note the spelling changes with **s'ennuyer**, **s'appeler**, and **se lever**. Remember that all verbs ending with -yer, such as **envoyer**, **essayer**, and **payer**, follow the same pattern as **s'ennuyer**. **Se promener** is conjugated like **se lever**.

S'ENNUYER (to be / get bored)	S'APPELER (to be named)	SE LEVER (to get up)
je m'ennuie	je m'appelle	je me lève
tu t'ennuies	tu t'appelles	tu te lèves
il/elle/on s'ennuie	il/elle/on s'appelle	il/elle/on se lève
nous nous ennuyons	nous nous appelons	nous nous levons
vous vous ennuyez	vous vous appelez	vous vous levez
ils/elles s'ennuient	ils/elles s'appellent	ils/elles se lèvent

To negate reflexive verbs, place **ne** directly after the subject and **pas** or **jamais** directly after the conjugated verb.

Verbs that are reflexive in English, such as *to amuse **oneself*** or *to buy **oneself** something* will generally also be reflexive in French. Many other verbs are reflexive in French that are not in English. Consult the end-of-chapter vocabulary list to find all the reflexive verbs learned in this chapter.

Verbs indicating that people are doing something to their own body are generally reflexive in French. After such verbs, in French, you use the definite article (**le**, **la**, **l'**, **les**) with a following body part, rather than the possessive adjective (*my, your, his...*).

Reciprocal verbs

Reciprocal verbs indicate that two or more people do something to or for one another. Most verbs naming something one person might do to another can be made reciprocal by adding a reciprocal pronoun.

aimer	*to love*	s'aimer	*to love each other*
détester	*to hate*	se détester	*to hate each other*
regarder	*to look at*	se regarder	*to look at each other*

When reflexive / reciprocal verbs are used in the infinitive, the reflexive / reciprocal pronoun changes to match the subject of the conjugated verb.

Je **me** réveille à six heures et puis, je réveille mes enfants à sept heures.
*I wake **(myself)** up at six o'clock, and then I wake up my children at seven.*

Mon fils de trois ans **s'**habille tout seul.
My three-year-old son dresses all by himself.

— Tu **ne** t'ennu**ies pas** dans ce cours?
— Non, mes camarades et moi, nous **ne** nous y ennuyons **jamais**!

— Comment vous appelez-vous?
— Je m'appelle Catherine Faure.

— À quelle heure est-ce que vous vous levez?
— Je me lève très tôt.

Mon père **s'**achète une nouvelle voiture chaque année.
*My father buys **himself** a new car each year.*

Je me brosse **les** dents trois fois par jour.
*I brush **my** teeth three times a day.*

Vous **vous** retrouvez après les cours?
*Do you meet **each other** after class?*

Mes voisins ne se parlent pas.
*My neighbours don't talk **to one another**.*

— **Vous** voulez **vous** marier?
— Oui, et **nous** allons **nous** installer dans un petit appartement.

Past tenses of reflexive and reciprocal verbs

All reflexive / reciprocal verbs are conjugated with **être** in the **passé composé**. The past participle agrees in gender and number with the reflexive / reciprocal pronoun (and the subject) when it is the direct object of the verb.

S'AMUSER	
je me suis amusé(e)	nous nous sommes amusé(e)s
tu t'es amusé(e)	vous vous êtes amusé(e)(s)
il s'est amusé	ils se sont amusés
elle s'est amusée	elles se sont amusées
on s'est amusé(e)(s)	

With negated verbs, place **ne** directly after the subject and **pas** after the conjugated form of **être**.

Past participles do not agree with reflexive / reciprocal pronouns that are indirect objects. For this reason, there is no agreement with **se parler**, **se téléphoner**, **s'écrire**, or when a reflexive verb is followed directly by a noun that is the direct object of the verb, such as a part of the body.

As with all verbs except **être**, form the imperfect of reflexive verbs by dropping the **-ons** from the **nous** form of the verb and adding the imperfect endings: **-ais**, **-ais**, **-ait**, **-ions**, **-iez**, **-aient**.

Regular -re verbs

The following verbs are conjugated like **répondre: descendre, entendre, s'entendre (bien / mal) (avec), perdre, se perdre, rendre visite à quelqu'un, rendre quelque chose à quelqu'un, vendre, revendre.** They all take **avoir** in the **passé composé** except **descendre** and the reflexive verbs.

RÉPONDRE (to answer)	
je responds	nous répondons
tu responds	vous répondez
il/elle/on répond	ils/elles répondent
PASSÉ COMPOSÉ: **j'ai répondu**	
IMPARFAIT: **je répondais**	

Relative pronouns

A relative clause is a phrase that describes a noun. The word that begins the clause, referring back to the noun described, is a relative pronoun. The relative pronouns **qui**, **que**, and **dont** are all used for both people and things. The choice of relative pronoun depends on the pronoun's function in the relative clause. **Qui** replaces the subject of the relative clause, **que (qu')** replaces the direct object, and **dont** replaces the preposition **de** and its object.

Place relative clauses directly after the noun they describe. When **que** is the object of a verb in the **passé composé**, the past participle agrees in number and gender with the noun it represents.

– Tous tes amis se sont retrouvé**s** chez toi ?
– Oui, et on s'est bien amusé**s** jusqu'à très tard. Mon amie Rose s'est endormi**e** sur le canapé.

– Vous **ne** vous êtes **pas** vus hier ?
– Non, mais nous nous sommes téléphoné trois fois.

Ma petite sœur s'est maquillé**e**.
Ma petite sœur s'est maquillé **les yeux.**

– Tu te levais plus tôt l'année dernière ?
– Oui, je me levais à six heures.

– Tu ne rends jamais visite à ton ex-petite amie ?
– Non, on a perdu contact. On ne s'entend pas très bien. Si je téléphone chez elle, elle ne répond pas au téléphone.

La femme **qui** habite à côté est française. (= La femme est française. **Cette femme** habite à côté.)
La femme **que** j'ai invitée est française. (= La femme est française. J'ai invité **cette femme**.)
La femme **dont** je parle souvent est française. (= La femme est française. Je parle souvent **de cette femme**.)

Vocabulaire

Describing your daily routine

NOMS MASCULINS

un bain	a bath
le mariage	marriage
un petit-fils	a grandson
un séjour	a stay
un veuf	a widower

NOMS FÉMININS

une demi-heure	a half hour
les dents	the teeth
une douche	a shower
la figure	the face
la main	the hand
une petite-fille	a granddaughter
une routine	a routine
une veuve	a widow

EXPRESSIONS VERBALES

s'amuser	to have fun
s'appeler	to be named
attendre	to wait (for)
se brosser (les cheveux / les dents)	to brush (one's hair / one's teeth)
connaître	to be familiar with, to be acquainted with, to know
se coucher / se recoucher	to go to bed / to go back to bed
s'endormir	to fall asleep
s'ennuyer	to be bored, to get bored
faire sa toilette	to wash up
s'habiller / se déshabiller	to get dressed / to get undressed
se laver (la figure / les mains)	to wash (one's face / one's hands)
se lever	to get up
se maquiller	to put on make-up
se peigner	to comb (one's hair)
prendre un bain / une douche	to take a bath / a shower
se raser	to shave
se reposer	to rest
se réveiller	to wake up

DIVERS

comme	since, as
d'autres fois	other times
depuis	since, for
d'origine...	of ... origin
facilement	easily
parfait(e)	perfect
pendant	during
quotidien(ne)	daily
vite	quick(ly), fast

Talking about relationships

NOMS MASCULINS

un cadeau	a gift
le coup de foudre	love at first sight
le grand amour	true love
les yeux	eyes

NOMS FÉMININS

la jeunesse	youth
une relation	a relationship

EXPRESSIONS VERBALES

s'aimer	to like each other, to love each other
attendre	to wait (for)
descendre (de) (à)	to go down, to get off, to stay (at a hotel)
se détester	to hate each other
se dire	to tell each other
se disputer	to argue
s'embrasser	to kiss each other, to embrace each other
entendre	to hear
s'entendre (bien / mal) (avec)	to get along (well / badly) (with)
se fiancer	to get engaged
s'installer (dans / à)	to move (into), to settle (in)
se marier (avec)	to get married (to)
se parler	to talk to each other
se passer	to happen
perdre	to lose
perdre du temps	to waste time
se perdre	to get lost
prendre une décision	to make a decision
se quitter	to leave each other
se réconcilier	to make up with each other
se regarder	to look at each other
se rencontrer	to meet each other (by chance, for the first time), to run into each other
rendre quelque chose à quelqu'un	to return something to someone
rendre visite à quelqu'un	to visit someone
répondre (à)	to answer, to respond (to)
se retrouver	to meet each other (by design)
revendre	to sell back
rêver (de)	to dream (of, about)
se souvenir de	to remember
suivre	to follow
se téléphoner	to phone each other
vendre	to sell

DIVERS

ce qui	what
C'est dommage!	That's too bad!
enfin	finally
heureux (heureuse)	happy
la plupart du temps	most of the time
main dans la main	hand in hand
mamie	grandma
sentimental(e) (m.pl. sentimentaux)	sentimental, emotional
Super!	Great!
un(e) tel(le)	such a

Talking about what you did and used to do

NOMS MASCULINS

le reste (de)	*the rest (of)*
un réveil	*an alarm clock*

EXPRESSIONS VERBALES

accepter	*to accept*
s'arrêter	*to stop*
se promener	*to go for a walk*
raconter	*to tell*
se reconnaître	*to recognize each other*
sonner	*to ring*
se voir	*to see each other*

DIVERS

depuis ce moment-là	*since then*
donc	*then, so, thus, therefore*
parfaitement	*perfectly*

Describing traits and characteristics

NOMS MASCULINS

l'aspect physique	*physical appearance*
le bonheur	*happiness*
le corps	*the body*
l'égoïsme	*selfishness*
l'esprit	*the mind, the spirit*
un groupe	*a group*
un partenaire	*a partner*
le sens de l'humour	*sense of humour*
un sentiment	*a feeling*
un test	*a test*
un trait	*a trait*

NOMS FÉMININS

la beauté	*beauty*
la compatibilité	*compatibility*
la compréhension	*understanding*
l'hésitation	*hesitation*
l'importance	*the importance*
l'indifférence	*indifference*
l'infidélité	*infidelity*
la jalousie	*jealousy*
la nature	*nature*
une partenaire	*a partner*
la passion	*passion*
la politique	*politics*
la profession	*the profession*
la religion	*religion*
la rigidité	*inflexibility*
une rencontre	*an encounter*
la spiritualité	*spirituality*
la vanité	*vanity*

VERBES

cultiver	*to cultivate*
exprimer	*to express*
faire la connaissance de	*to make the acquaintance of, to meet (for the first time)*
s'intéresser à	*to be interested in*
ranger	*to arrange, to order*
supporter	*to bear, to tolerate, to put up with*

DIVERS

ce que	*what*
chez (une personne)	*with, in (a person)*
de droite	*conservative*
de gauche	*liberal*
dont	*whom, of (about, with) whom, whose, that, of (about, with) which*
en ligne	*online*
jaloux (jalouse)	*jealous*
le mieux	*the best*
professionnel(le)	*professional*
que	*that, which, whom*
qui	*that, which, who*

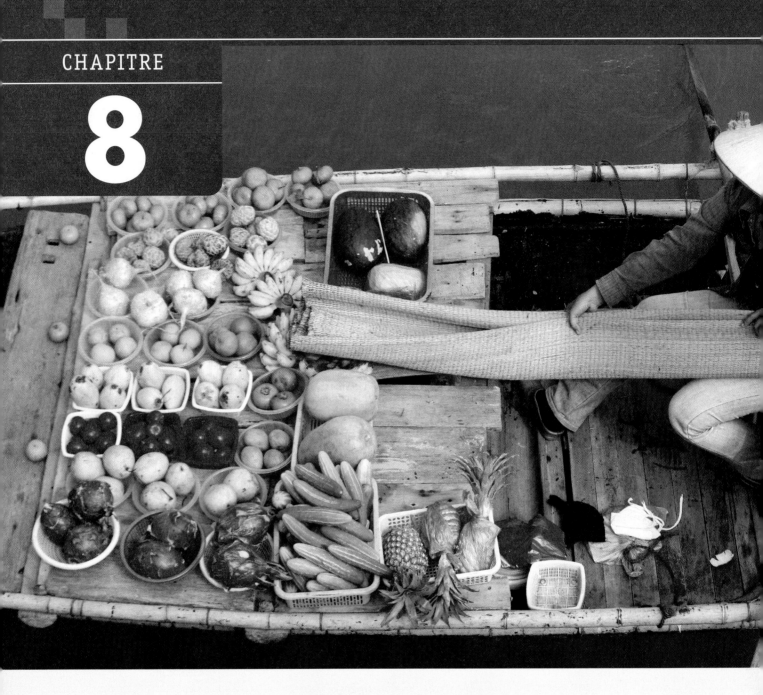

L'ASIE FRANCOPHONE

La bonne cuisine

COMPÉTENCES

1 **Ordering at a restaurant**

Au restaurant

Talking about what you eat
Le partitif

Stratégies et Compréhension auditive

- **Pour mieux comprendre :** *Planning and predicting*
- **Compréhension auditive :** *Au restaurant*

2 **Buying food**

Les courses

Saying how much
Les expressions de quantité

Talking about foods
L'usage des articles

3 **Talking about meals**

Les repas

Saying what you eat and drink
*Le pronom **en** et le verbe **boire***

Talking about choices
*Les verbes en -**ir***

4 **Choosing a healthy lifestyle**

Une bonne santé

Saying what you would do
Le conditionnel

Reprise *Les Stagiaires*

Espace culturel

Pour mieux lire *Quel restaurant choisir ?*

Pour mieux écrire *Une critique gastronomique*

Pour mieux interagir *La manière de manger*

Pour mieux découvrir *Quel est ce pays de la Francophonie ?*

Résumé de grammaire
Vocabulaire

L'Asie francophone

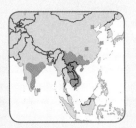

Trois pays asiatiques, le Laos, le Cambodge et le Vietnam, qui faisaient anciennement partie de l'Indochine française, sont membres de l'Organisation internationale de la francophonie. Cependant, **l'étendue** de la langue et de la culture françaises en Asie va **au-delà** de ces pays.

▲ On parle français au Vietnam...

l'étendue *the expansion*
au-delà *beyond*
en tant que *as*

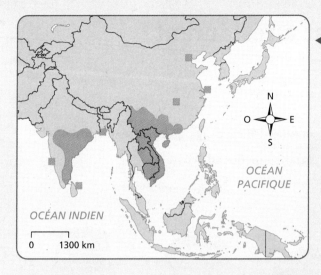

OCÉAN
PACIFIQUE

OCÉAN INDIEN

0   1300 km

© Wuttichok Painichiwarapun/Shutterstock

▲ au Laos...

© Tatiana Belova/Shutterstock

▲ et au Cambodge.

Qu'en savez-vous?

1. Dans quelle ville indienne le français est-il une des langues officielles (avec l'anglais, le tamoul, le télougou, le malayalam et le hindi)?

   a. Bombay
   b. Madras
   c. Pondichéry
   d. New Delhi

2. Quel pays asiatique s'est joint à l'Organisation internationale de la francophonie en 2008, **en tant que** membre observateur?

   a. La Thaïlande
   b. L'Inde
   c. La Chine
   d. Le Japon

3. Laquelle des villes suivantes a été occupée par la France au début du XXe siècle et a été nommée «Fort-Bayard»?

   a. Zhanjiang, en Chine
   b. Chandernagor, en Inde
   c. Bangkok, en Thaïlande
   d. Hanoï, au Vietnam

4. Combien de départements universitaires de français y a-t-il en Chine?

   a. environ 20
   b. environ 65
   c. environ 35
   d. environ 90

5. L'Institut Pasteur, une institution scientifique française, reconnue comme étant un des meilleurs centres de recherche mondiaux, a des centres de recherche dans lesquels des pays asiatiques suivants?

   a. Le Cambodge
   b. La Corée
   c. Hong-Kong
   d. Le Laos
   e. La Chine
   f. Le Vietnam
   g. Tous les pays mentionnés

Réponses: 1) c; 2) a; 3) a; 4) d; 5) g

Ordering at a restaurant

Au restaurant

Au restaurant, un menu est généralement composé de différentes parties.

On commence par **une entrée** ou **un hors-d'oeuvre** :

de la soupe à l'oignon   une salade César   du houmous   des bruschettas

Sur la table, il y a aussi...

du sel et du poivre   du pain   de l'eau minérale

Ensuite, on **sert** le plat principal :

DE LA VIANDE

du rosbif

une côte de porc

un bifteck

DU POISSON

du saumon

du thon

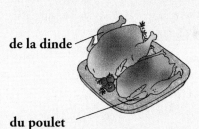

DE LA VOLAILLE

de la dinde

du poulet

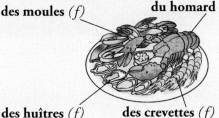

DES FRUITS (*m*) **DE MER**

des moules (*f*)   **du homard**

des huîtres (*f*)   **des crevettes** (*f*)

Le plat principal **comprend** aussi **du riz**, des légumes *(m)* ou des pâtes.

du riz — des pâtes

des légumes

On finit le repas avec des fruits ou un dessert.

de la glace à la vanille

de la tarte aux pommes

du gâteau au chocolat

des fruits *(m)*

Pour finir, on sert le café. Prenez-vous **du sucre**, du lait ou de la crème dans votre café ?

du café ou du thé

| **Vocabulaire supplémentaire** |

bleu(e) *very rare*
saignant(e) *rare*
à point *medium rare*
cuit(e) *medium*
bien cuit(e) *well-done*
végétarien(ne) *vegetarian*
végétalien(ne) *vegan*

D'AUTRES PLATS *(DISHES):*
de l'agneau *(m) lamb*
du bifteck haché *ground beef*
des pétoncles *(f) scallops*
du rôti de porc *pork roast*
de la sole *sole*
de la truite *trout*
du veau *veal*

POUR METTRE LA TABLE *(TO SET THE TABLE):*
une assiette *a plate*
un bol *a bowl*
un couteau *a knife*
une cuillère (cuiller) *a spoon*
une fourchette *a fork*
une nappe *a tablecloth*
une serviette *a napkin*
une tasse *a cup*
un verre *a glass*

Pour une liste de fruits et de légumes, voir la page 305.

Prononciation

Le h aspiré

In French, **h** is never pronounced and there is usually liaison and elision before it.

J'aime les^zhuîtres.   Il y a beaucoup **d'**huile *(oil)* dans la salade.

Before a few words beginning with **h,** there is no liaison or elision, even though the **h** is silent. These words are said to begin with **h aspiré.** In vocabulary lists, they are indicated by an asterisk (*). English words that begin with *h* often have an **h aspiré** when used in French. The following words have **h aspiré:**

le homard	**les haricots**	**les hors-d'oeuvre**
les hot-dogs	**les hamburgers**	

comprend (comprendre *to include)*
du riz *rice*
du sucre *sugar*

Alexandre a invité Gabrielle au restaurant Le Mont Royal. Regardez le menu de ce restaurant à la page 299.

LE SERVEUR:	Bonsoir, monsieur. Bonsoir, madame. Aimeriez-vous quelque chose à boire avant de commander?
ALEXANDRE:	De l'eau minérale, s'il vous plaît.
GABRIELLE:	Même chose pour moi, s'il vous plaît.
LE SERVEUR:	Et pour le souper? Est-ce que vous avez décidé?
ALEXANDRE:	Nous allons prendre le menu à 35 $.
LE SERVEUR:	Très bien, monsieur. Et qu'est-ce que vous désirez **comme** entrée?
GABRIELLE:	Pour moi, la soupe à l'oignon, s'il vous plaît.
ALEXANDRE:	Et pour moi, les calamars frits.
LE SERVEUR:	Et comme plat principal?
GABRIELLE:	**Les raviolis aux champignons** pour moi, s'il vous plaît.
ALEXANDRE:	Et pour moi, **le pavé de saumon** de l'Atlantique avec **des asperges**.
LE SERVEUR:	Bien, monsieur. Et comme boisson?
ALEXANDRE:	**Une bouteille de** vin blanc pour nous deux.
LE SERVEUR:	Très bien. Et comme dessert?
GABRIELLE:	Je vais essayer la crème brûlée!
ALEXANDRE:	Et moi, le gâteau au fromage, s'il vous plaît!
LE SERVEUR:	Excellent!

 A. Prononcez bien! Demandez à votre partenaire s'il/si elle aime manger les aliments suivants. Faites attention à la prononciation du *h* **aspiré** et du *h* **non aspiré**.

1. *le homard
2. *les haricots verts
3. *les hamburgers
4. les‿huîtres

 B. Préférences. Demandez à votre partenaire ce qu'il/elle aime mieux. Pour répondre *neither… nor…*, utilisez **ne... ni... ni...** comme dans l'exemple.

EXEMPLE la viande ou le poisson
— **Est-ce que tu aimes mieux la viande ou le poisson?**
— **J'aime mieux la viande. / J'aime les deux. /**
  Je n'aime ni la viande ni le poisson.

1. la viande rouge ou la volaille
2. les légumes ou la viande
3. les crudités ou la salade verte
4. les pommes de terre ou le riz
5. les haricots verts ou les petits pois
6. les crevettes ou le homard

C. Catégories logiques. Quel mot ne va pas logiquement avec les autres? Pourquoi?

> **EXEMPLE** le thé, le jus de fruit, le sel, le lait, l'eau
> **Le sel, parce que ce n'est pas une boisson.**

1. le pain, les petits pois, les pommes de terre, les haricots verts
2. le gâteau au chocolat, le poivre, la tarte aux pommes, la crème glacée
3. la salade de tomates, le pâté, la soupe à l'oignon, le rosbif
4. le homard, le rosbif, les crevettes, les huîtres, les moules
5. les pommes de terre, les petits pois, les haricots verts, le gâteau

D. Aujourd'hui on sert... Regardez la liste et indiquez ce qu'il y a par catégorie.

de l'eau minérale	du vin	de la dinde	du café
des crevettes	des pétoncles	des huîtres	du poulet
des petits pois	du gâteau	des courgettes	
de la tarte aux pommes	des côtes de porc	du bifteck	
des asperges	du saumon rose	de la crème glacée	

> **EXEMPLE** viande
> **Comme viande, il y a des côtes de porc et...**

1. volaille
2. viande
3. poisson
4. dessert
5. légumes
6. boisson
7. fruits de mer

 E. À vous! Avec deux camarades de classe, relisez à haute voix la conversation au restaurant. Ensuite, imaginez que vous dînez au restaurant Le Mont Royal avec un(e) ami(e). Commandez un repas complet. Le (La) troisième camarade de classe va jouer le rôle du serveur (de la serveuse).

ENTRÉE

Soupe à l'oignon
- ou -
Calamars frits
- ou -
Moules à la crème d'ail

LE MONT ROYAL
TABLE D'HÔTE

PLAT PRINCIPAL

Mignon de porc et compote
de pommes au goût d'érable
- ou -
Pavé de saumon frais
de l'Atlantique et asperges
- ou -
Raviolis maisons farcis
aux champignons
- ou -
Aubergines gratinées
à la mozzarella (vég.)

DESSERT

Crème brûlée à la
vanille fraîche
- ou -
Gâteau au fromage et
compote de fraises
- ou -
Tartelette à l'érable
et aux pacanes

Café, thé ou infusion

35$ par personne

---

1. How do you express the idea of *some* in French? What are the forms of the partitive and when do you use each? Can you drop the word for *some* or *any* in French, as you can in English?

2. In what two circumstances do you use **de** instead of the partitive?

Talking about what you eat

Le partitif

To express the idea of *some* or *any*, use the partitive article (**du, de la, de l', des**).

MASCULINE SINGULAR BEFORE A CONSONANT SOUND	FEMININE SINGULAR BEFORE A CONSONANT SOUND	SINGULAR BEFORE A VOWEL SOUND	PLURAL
du pain	de la crème glacée	de l'eau	des fruits

The words *some* or *any* may be left out in English, but the partitive article must be used in French.

> Je voudrais **du café**.   *I'd like **(some) coffee**.*

The partitive article becomes **de (d')**:

- after negated verbs (except after the verb **être**).

> Tu **ne** veux **pas de café**?   *Don't you want **(any) coffee**?*

- after expressions of quantity like **beaucoup**, **combien**, and **trop**.

> J'ai acheté **trop de café**.   *I bought **too much coffee**.*

 A. Comparaisons. Demandez à votre partenaire ce qu'on sert pour chaque plat dans sa famille.

EXEMPLE Comme entrée... du riz, de la soupe, de la salade ou autre chose?
— **Comme entrée, est-ce qu'on sert du riz, de la soupe, de la salade ou autre chose?**
— **On sert de la soupe. / On sert autre chose, parfois des nachos.**

Comme entrée...	des œufs durs, de la salade, du houmous ou autre chose?
Comme plat principal...	des pâtes, des nouilles, de la viande ou autre chose?
Comme légume...	des petits pois, des pommes de terre, des haricots verts ou autre chose?
Après le plat principal...	du fromage, du dessert ou autre chose?

B. Je prends... Dites si vous prenez souvent les aliments ou les boissons suivantes.

EXEMPLE vin
Je prends souvent (rarement) du vin.
Je ne prends jamais de vin.

1. pain
2. œufs
3. eau minérale
4. viande rouge
5. crevettes
6. poisson
7. volaille
8. soupe

C. Sur la table. Rose est invitée à une fête où il y a beaucoup à manger et à boire. Voici la table de la salle à manger et la table de la cuisine. Travaillez en groupes pour faire des comparaisons entre les deux.

EXEMPLE **Il y a des chips dans la cuisine et dans la salle à manger.**
Il y a de l'eau minérale dans la salle à manger mais il n'y a pas d'eau minérale dans la cuisine.

la salle à manger   la cuisine

 D. Entretien. Interviewez votre partenaire.

1. Qu'est-ce que tu aimes manger le soir? Qu'est-ce que tu préfères boire avec tes repas? Qu'est-ce que tu as mangé hier soir?
2. Quand tu vas au restaurant, tu commandes plus souvent de la viande, du poisson, des légumes, des fruits de mer, des nouilles, des pâtes ou des sushis? Manges-tu souvent des légumes avec tes repas?
3. Est-ce que tu manges souvent ou rarement un dessert? Est-ce que tu prends plus souvent de la crème glacée, de la tarte ou du gâteau?

 E. Préparatifs. Vous allez inviter des amis à un grand repas traditionnel à la canadienne. Avec un(e) partenaire, faites des projets pour ce souper.

Parlez de:

- la date et de l'endroit où vous allez faire ce souper et des personnes que vous allez inviter;
- ce que vous allez servir. (Imaginez que tout le monde n'aime pas les mêmes plats et proposez au moins trois plats comme entrée, comme plat principal, comme dessert et trois boissons.)

Stratégies et Compréhension auditive

Since no two cultures are identical, you may sometimes find yourself lacking the cultural knowledge to understand what you hear in French. For example, if the waiter asks «**Évian ou Perrier?**», you will not be able to answer unless you recognize that these are brand names of French mineral waters. In such situations, try to infer what is being asked from the context. Also, when possible, prepare and predict from previous experiences what might be asked or said. For example, before ordering mineral water, glance at the menu to see what kinds are sold.

A. Pendant le repas. Vous êtes au restaurant. Est-ce qu'on vous dit les choses que vous entendez **avant le repas** ou **à la fin du repas**?

B. Questions. Faites une liste de trois questions qu'un(e) client(e) pose souvent au serveur ou à la serveuse dans un restaurant.

Compréhension auditive: Au restaurant

Deux touristes sont dans un restaurant français. Écoutez leur conversation. Qu'est-ce qu'ils commandent? Nommez au moins quatre choses.

A. Que demandent-ils? Écoutez encore une fois la conversation au restaurant et écrivez deux questions que les clients posent à la serveuse.

B. Qu'allez-vous choisir? Avec un(e) partenaire, jouez une scène au restaurant entre un serveur (une serveuse) et un(e) client(e). Commandez une entrée, un plat principal, un légume, un dessert et une boisson.

Menu à 25 €

Entrée + Plat + Dessert

✳ Foie gras maison et sa
  confiture d'oignons.

✳ Saumon fumé à l'aneth.

✳ Salade de gésiers confits.

✳ Soupe du jour.

✳ Pavé de boeuf sauce foie gras

✳ Magret de canard au
  miel d'épices

✳ Pavé de Saumon, sauce
                    Béarnaise

✳ Entrecôte Béarnaise.

✳ Dessert ou fromage
  au choix

La Rose de France

Buying food

Les courses

Les Canadiens font leurs courses dans les supermarchés où on vend de tout. Mais beaucoup préfèrent aller chez les petits **commerçants** de leur quartier où le service est plus personnalisé.

À **la pâtisserie** ou à **la boulangerie**, on peut acheter du pain et **des pâtisseries** (*f*) :

| une baguette | un pain au chocolat | **un pain à grains entiers** | une tarte aux pommes | une tartelette aux fraises |

À la boucherie, on achète de la viande :

du poulet   du bœuf   du porc

À la charcuterie ou dans une épicerie fine, on achète **de la charcuterie** et **des plats préparés** :

du smoked meat   du jambon   des saucisses (*f*)   des plats préparés

On achète du poisson et des fruits de mer à la poissonnerie.

Et on va à l'épicerie pour acheter des fruits, des légumes, **des conserves** (*f*) et des produits **surgelés**.

un(e) commerçant(e) *a shopkeeper*
la boulangerie *the bakery*
la pâtisserie *the pastry shop*
une pâtisserie *a pastry*
un pain à grains entiers *a loaf of whole-grain bread*
de la charcuterie *deli meats, cold cuts*
un plat préparé *a ready-to-serve dish*
des conserves (f) *canned goods*
surgelé(e) *frozen*

Beaucoup de Canadiens **disent** que pour avoir un bon **choix** de légumes et de fruits vraiment **frais**, **il faut** aller au marché.

© rusty426/Shutterstock

Au marché, on peut acheter :

des oranges *(f)*

des poires *(f)*

des bananes *(f)*

des pêches *(f)*

du raisin

des laitues *(f)*

des oignons *(m)*

des carottes *(f)*

disent (**dire** *to say, to tell*)
un choix *a choice*
frais (**fraîche**) *fresh*
il faut *it is necessary, one needs, one must*
une laitue *a head of lettuce*

Gabrielle fait ses courses au marché.

GABRIELLE: Bonjour, monsieur.

LE MARCHAND: Bonjour, madame. **Qu'est-ce qu'il vous faut aujourd'hui?**

GABRIELLE: Euh... voyons... un kilo de pommes de terre, **une livre** de tomates... Vous avez des haricots verts?

LE MARCHAND: Non, madame, pas aujourd'hui. Mais j'ai des petits pois. Regardez comme ils sont beaux.

GABRIELLE: Non, merci, pas de petits pois aujourd'hui.

LE MARCHAND: Alors, qu'est-ce que je peux vous proposer d'autre?

GABRIELLE: Donnez-moi aussi **un casseau** de fraises.

LE MARCHAND: Et voilà, un casseau de fraises. Et avec ça?

GABRIELLE: C'est tout, merci. Ça fait combien?

LE MARCHAND: Voilà... Alors, un kilo de pommes de terre: 3,25 $, une livre de tomates: 3 $ et un casseau de fraises: 4,50 $. Ça fait 10,75 $.

GABRIELLE: Voici 11 $.

LE MARCHAND: Et voici votre monnaie. Merci, madame, et à bientôt!

GABRIELLE: Merci. Au revoir, monsieur.

A. Devinettes. Qu'est-ce que c'est?

EXEMPLE C'est un fruit rond, orange et plein de vitamine C.
C'est une orange.

1. C'est le légume préféré de Bugs Bunny.
2. C'est un fruit long et jaune que les chimpanzés adorent.
3. C'est un fruit qui peut être jaune, rouge ou vert. On peut le manger cru *(raw)*, mais on peut aussi faire des gâteaux, des tartes, du jus ou du cidre avec.
4. On utilise ce fruit pour faire du vin.
5. Ce sont de petits fruits rouges qu'on utilise souvent pour faire une tarte.

B. C'est... Est-ce que chacun des aliments suivants est **un légume, un plat préparé, une viande, un fruit, de la charcuterie, un fruit de mer** ou **un produit surgelé**?

EXEMPLE le rosbif
Le rosbif, c'est une viande.

1. la poire
2. le cantaloup
3. la crème glacée
4. le saucisson
5. le porc
6. la courge
7. le bœuf
8. le homard
9. le jambon

© diak/Shutterstock

Un casseau de fraises

> **Qu'est-ce qu'il vous faut aujourd'hui?**
> *What do you need today?*
> **une livre** *half a kilo*
> **un casseau** *a pint*

C. Qu'est-ce qu'on vend? Nommez au moins quatre produits qu'on vend dans les endroits suivants.

> **EXEMPLE** À la charcuterie
> **À la charcuterie, on vend du jambon...**

à la charcuterie	au marché	à la pâtisserie
à la boucherie	à l'épicerie	à la poissonnerie

À la boulangerie

 D. Entretien. Interviewez votre partenaire.

1. Aimes-tu faire les courses? Combien de fois par semaine est-ce que tu fais les courses? Où est-ce que tu fais tes courses d'habitude?
2. Où est-ce qu'on achète du pain? des plats préparés? des fruits et des légumes frais? Qu'est-ce qu'on vend à l'épicerie? à la pâtisserie? à la poissonnerie?
3. Aimes-tu les fruits? les légumes? Quels légumes préfères-tu? Quels légumes est-ce que tu n'aimes pas? Quels fruits préfères-tu? Quels fruits est-ce que tu n'aimes pas?

 E. À vous! Avec un(e) partenaire, relisez à haute voix la conversation entre Gabrielle et le marchand. Ensuite, imaginez que vous êtes à la pâtisserie. Achetez au moins trois produits.

✔ *Pour vérifier*

What word follows quantity expressions before nouns? Do you use **de** or **des** after a quantity expression followed by a plural noun?

Saying how much

Les expressions de quantité

Use these expressions to specify how much you want at the market or in a restaurant.

un verre de	*a glass of*	une boîte de	*a box of, a can of*
un litre de	*a litre of*	un pot de	*a jar of*
une carafe de	*a carafe of*	un paquet de	*a bag of, a sack of*
une bouteille de	*a bottle of*	une douzaine de	*a dozen*
une tranche de	*a slice of*	300 grammes de	*300 grams of*
un morceau de	*a piece of*	un kilo (et demi)	*a kilo (and a half)*
		de une livre de	*of a half a kilo of*

After quantity expressions like those above, use **de (d')** before a noun instead of **du, de la, de l'**, or **des**. This is also true for less specific quantities such as:

combien de	*how much, how many*
(un) peu de	*(a) little*
assez de	*enough*
beaucoup de	*a lot of*
trop de	*too much, too many*
beaucoup trop de	*much too much, much too many*
plus de	*more*
moins de	*less*

J'ai acheté une bouteille **de** vin rouge, un kilo **de** viande et beaucoup **de** légumes!

A. C'est assez? Dans chaque situation, est-ce que la quantité indiquée est suffisante?

EXEMPLE   Vous prenez le déjeuner seul(e) le matin et il y a un verre de lait dans le réfrigérateur.
Il y a trop de lait. / Il y a assez de lait. / Il y a trop peu de lait.

beaucoup trop	trop	assez	trop peu

1. Vous êtes quatre au restaurant et il y a une demi-bouteille d'eau.
2. Vous allez préparer une salade de tomates pour deux personnes. Vous avez un kilo de tomates.
3. Vous allez faire une omelette pour deux personnes et vous avez un seul œuf.
4. C'est le matin et il y a un verre de lait dans le réfrigérateur chez vous.
5. Vous dînez seul(e) au restaurant et il y a trois carafes d'eau.
6. Vous voulez préparer des carottes pour six personnes et vous avez deux carottes.

B. Mon régime. Quelle quantité de ces aliments mangez-vous?

> **EXEMPLE** poisson
> **Je mange peu de poisson. / Je ne mange jamais de poisson.**

1. raisin
2. pêches
3. huîtres
4. poulet
5. crevettes
6. produits surgelés

C. Je voudrais... Précisez un produit logique pour chacune des quantités proposées.

1. une bouteille de
2. un paquet de
3. une boîte de
4. une livre de
5. un litre de

thon	cerises	vin
beurre	lait	

D. Donnez-moi... Demandez les quantités indiquées des produits suivants.

> **EXEMPLE**  **Une bouteille de vin, s'il vous plaît.**

1.   2.   3.   4.

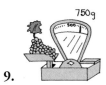 

5.   6.   7.   8.

9.   10.   11.

Talking about foods

1. Which article do you use to say *a* in French? Which articles do you use to express the idea of *some* or *any*?

2. Which article do you use to say *the*? to talk about likes, dislikes, and preferences? to make statements about entire categories?

3. Which articles change to **de**? When do they make this change? Which articles never change?

Note *de grammaire*

Note that **je voudrais** expresses a want or desire, not a preference, and is often followed by a partitive article: **Je voudrais** *du* jambon et *des* légumes.

L'usage des articles

Each article you use with a noun conveys a different meaning.

Vous voulez **de la** tarte?
*Do you want **(some)** pie?*
(This refers to a portion.)

Vous voulez **une** tarte?
*Do you want **a** pie?*
(This refers to a whole pie.)

- To say *a* or talk about a whole, use **un** or **une**. To say *some* or *any*, use **du, de la, de l'**, or **des**.

  Il a acheté **un rosbif, des haricots** et **du lait**.
  *He bought **a roast, (some) beans**, and **(some) milk**.*

- Remember that after a negative or an expression of quantity, **un, une, du, de l', de la**, and **des** all change to **de (d')**.

  Elle ne mange jamais **de viande**.
  *She never eats **meat**.*
  Elle mange beaucoup **de légumes**.
  *She eats a lot **of vegetables**.*

- To say *the*, or to refer to a specific item, such as on a menu, use **le, la, l'**, or **les**. Also use these articles to talk about likes and dislikes and to talk about something as a general category.

  Comme entrée, je voudrais **les huîtres**.
  *As an appetizer, I'd like **the oysters**.*
  Les huîtres qu'ils servent ici sont bonnes.
  ***The oysters** that they serve here are good.*
  J'aime **la viande** mais je n'aime pas **le poisson**.
  *I like **meat**, but I don't like **fish**.*
  Mais **le poisson** contient moins de calories que **la viande**.
  *But **fish** has fewer calories than **meat**.*

- Remember that **le, la, l'**, and **les** do *not* change to **de** after a negative or an expression of quantity.

  Je n'aime pas **le poisson**, mais j'aime beaucoup **les fruits de mer**.
  *I don't like **fish**, but I like **shellfish** a lot.*

	IN AFFIRMATIVE STATEMENTS, USE:	IN NEGATIVE STATEMENTS AND AFTER QUANTITY EXPRESSIONS, USE:
To say *a* or to talk about a whole:	**un, une** (J'achète une tarte.)	**de (d')** (Je n'achète pas **de** tarte.) (Je mange trop **de** tarte.)

	IN AFFIRMATIVE STATEMENTS, USE:	IN NEGATIVE STATEMENTS AND AFTER QUANTITY EXPRESSIONS, USE:
To say *some* or *any*:	**du, de la, de l', des** (J'achète **du** lait.)	**de (d')** (Je n'achète pas **de** lait.) (J'achète beaucoup **de** lait.)
To say *the*, to talk about likes and dislikes, or to make generalizations about categories:	**le, la, l', les** (**Le** thon est bon.) (J'aime **le** thon.) (**Le** thon est un poisson.)	**le, la, l', les** (**Le** thon n'est pas bon.) (Je n'aime pas **le** thon.) (**Le** thon n'est pas une viande.) (Je n'aime pas trop **le** thon.)

A. Manges-tu bien? Demandez à votre partenaire s'il/si elle mange souvent les aliments suivants.

> **EXEMPLE**   jambon
> — **Manges-tu souvent du jambon?**
> — **Je mange souvent / rarement du jambon. / Je ne mange jamais de jambon.**

1. tarte
2. légumes
3. viande rouge
4. poulet
5. crudités
6. crème glacée

B. Vos préférences. Dites si vous achetez souvent les produits suivants et expliquez pourquoi.

> **EXEMPLE**   café
> **J'achète souvent du café parce que j'aime le café.**
> **Je n'achète jamais de café parce que je n'aime pas le café.**

1. fromage
2. bananes
3. viande rouge
4. eau minérale
5. chou-fleur
6. crevettes

C. Ce soir. Gabrielle parle du souper qu'elle va préparer ce soir. Complétez ses phrases avec l'article qui convient: **un, une, du, de la, de l', des, le, la, l', les** ou **de**.

Ce soir, je vais servir __1__ soupe de légumes, __2__ poulet, __3__ riz et __4__ petits pois. Et comme dessert, je pense préparer __5__ tarte aux pommes. Moi, je préfère __6__ gâteau, mais Alexandre aime beaucoup __7__ tarte! Cet après-midi, je dois aller acheter __8__ sucre, 500 grammes __9__ cerises et beaucoup __10__ légumes. Il y a un marché tout près où __11__ légumes sont toujours très frais! Je ne mets pas __12__ oignons dans la soupe parce qu'Alexandre n'aime pas __13__ oignons. C'est dommage parce que __14__ oignons sont bons pour la santé *(health)*.

D. Entretien. Interviewez votre partenaire.

1. Quels fruits de mer aimes-tu? Quelles viandes? Est-ce que tu manges plus de fruits de mer ou plus de viande?
2. Manges-tu plus souvent des fruits ou des légumes? Quel fruit préfères-tu? Quel légume préfères-tu? Quels fruits et légumes est-ce que tu n'aimes pas? Est-ce que tu achètes plus de légumes surgelés, frais ou en conserve?

■ **Talking about meals**

Les repas

Le déjeuner est généralement un repas **léger.** On prend :

du café du lait

du thé

des toasts *(f)* ou des bagels *(m)*
ou des croissants *(m)*

du beurre

de la confiture

Certains prennent souvent un déjeuner **copieux**. Ils prennent :

des œufs au bacon   des céréales *(f)*   du pain grillé   des fruits

À midi, certaines personnes prennent un dîner complet. D'autres prennent un repas rapide. Dans les cafés, les restaurants et les cafétérias, on peut manger :

une soupe	une salade	une pizza
une omelette	un hamburger	un sandwich

Les gens qui prennent un repas rapide à midi mangent souvent un repas plus complet le soir. **Ceux** qui mangent un repas plus copieux à midi mangent **seulement** de la soupe, des légumes, de la charcuterie, une salade, du fromage ou une omelette comme souper.

léger (légère) *light*
un toast *toast*
copieux (copieuse) *copious, large*
Ceux (Celles) *Those*
seulement *only*

Rose prépare le déjeuner avec sa cousine Lucie.

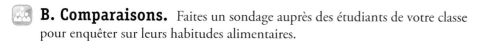

LUCIE: Tu as faim ? Je peux te faire des œufs au bacon, avec du sirop d'érable, si tu veux — un vrai déjeuner à la canadienne.

ROSE: Merci, c'est gentil, mais je mange très peu le matin. **Pourtant, je prendrais volontiers** des céréales et du thé si tu **en** as.

LUCIE: Ah, je regrette... il **n'**y a **plus** de thé. Mais il y a du café. Tu **en** veux ?

ROSE: Oui, je veux bien. Et toi ? Qu'est-ce que tu vas prendre ?

LUCIE: Le matin, **je bois** toujours du chocolat chaud et quelquefois je prends des toasts.

ROSE: Oh, regarde ! **Il n'y a presque plus** de pain.

LUCIE: Mais **si** ! Il y a **encore** une baguette, **là**.

Vocabulaire supplémentaire

des gaufres *(f)* waffles
des muffins *(m)* **anglais**
des crêpes *(f)* pancakes
des petites saucisses *breakfast sausages*
du sirop d'érable *maple syrup*
des céréales
du pain doré *French toast*

A. Chez nous. Au Canada, à quel(s) repas mange-t-on le plus souvent ces produits : au déjeuner, **au dîner** ou **au souper** ?

EXEMPLE   une omelette
On mange plus souvent une omelette au déjeuner.

1. des croissants
2. des céréales
3. du poisson
4. un hamburger
5. de la soupe
6. un bagel
7. des œufs au bacon
8. des légumes

B. Comparaisons. Faites un sondage auprès des étudiants de votre classe pour enquêter sur leurs habitudes alimentaires.

1. Combien de temps prenez-vous pour le déjeuner tous les matins ?
   (moins de 10 minutes / de 10 à 15 minutes / plus de 15 minutes / Je ne prends pas de déjeuner.)
2. Que mangez-vous au déjeuner ?
   (des céréales / du pain / des toasts / un bagel / des œufs / rien)
3. Quelle est votre confiture préférée ?
   (cerises / orange / fraises / abricots / framboises)
4. Qu'est-ce que vous aimez manger quand vous avez un peu faim entre les repas ?
   (un fruit / des chips / du fromage / des biscuits / du yogourt)

C. À vous ! Avec un(e) partenaire, relisez à haute voix la conversation entre Rose et Lucie. Ensuite, imaginez que vous passez des vacances avec un(e) ami(e). Parlez de ce que vous mangez d'habitude le matin.

Pourtant *However*
je prendrais volontiers *I would gladly have*
en *some, any*
ne... plus *no more, no longer*
je bois (boire *to drink)*
Il n'y a presque plus *There is almost no more*
si *yes (in response to a question / statement in the negative)*
encore *still, again, more*
là *there*

1. In what three instances do you use the pronoun **en**? How is **en** usually translated in English? Can you omit **en** in French as you often can its equivalent in English?

2. How do you say *to drink* in French? What is the conjugation of this verb? How do you say *I drank some coffee this morning*? *I used to drink a lot of coffee*?

Saying what you eat and drink

Le pronom **en** *et le verbe* **boire**

Use the pronoun **en** *(some, any, of it, of them)* to replace a noun preceded by a partitive article, an expression of quantity (**un, une, des**), or a number. Although the equivalent expression may be omitted in English, **en** is always used in French.

  — Tu veux un croissant?   — *Do you want a croissant?*

  — Oui, j'**en** veux un.   — *Yes, I want one (of them).*

En is placed *immediately* before the verb. It goes before the infinitive if there is one. If not, it goes before the conjugated verb. In the **passé composé**, it is placed before the auxiliary verb.

  — Tu prends du gâteau?

  — Oui, je vais **en** prendre. / Oui, j'**en** prends. / Non, merci, j'**en** ai déjà pris.

Use **en** to replace:

- a noun preceded by **de, du, de la, de l'**, or **des**.

  — Tu veux **du café**?   — *Do you want **some coffee**?*

  — Non merci, je n'**en** veux pas. — *No thanks, I don't want **any**.*

- a noun preceded by an expression of quantity. (In this case, repeat the expression of quantity in the sentence containing **en**, unless it is negative.)

  — Vous voulez un kilo **de cerises**? — *Do you want a kilo **of cherries**?*

  — Oui, j'**en** veux un kilo.   — *Yes, I want a kilo **(of them)**.*

     Non, je n'**en** veux pas.   *No, I don't want **any**.*

- a noun preceded by **un, une**, or a number. (In this case, include **un, une**, or the number in the sentence containing **en**, unless it is negative.)

  — Tu as mangé **une tartelette**? — *You ate **a tart**?*

  — Oui, j'**en** ai mangé une.   — *Yes, I ate one **(of them)**.*

     Non, je n'**en** ai pas mangé.   *No, I didn't eat **any**.*

Here is the conjugation of **boire** *(to drink)*.

BOIRE *(to drink)*	
je **bois**	nous **buvons**
tu **bois**	vous **buvez**
il/elle/on **boit**	ils/elles **boivent**
PASSÉ COMPOSÉ: j'**ai bu**	
IMPARFAIT: je **buvais**	

Vous avez bu du vin hier soir?   Je buvais du lait quand j'étais petit.

A. À table. Un(e) ami(e) vous propose les choses suivantes au déjeuner. Comment répondez-vous ? Utilisez le pronom **en** dans vos réponses.

> EXEMPLE   du café
> — **Tu veux du café ?**
> — **Non merci, je n'en veux pas. / Oui, j'en veux bien.**

1. du café
2. du thé
3. des œufs
4. de l'eau
5. des toasts
6. des céréales

B. Des courses. Voilà la liste de Gabrielle pour les courses. Combien va-t-elle acheter de chaque chose ? Utilisez le pronom **en** dans vos réponses.

> EXEMPLE   du sucre
> **Elle va en acheter un paquet.**

1. des pommes
2. du bœuf
3. du lait
4. des œufs
5. du vin rouge
6. des fraises
7. du pâté
8. des céréales

un paquet de sucre
6 pommes
un kilo de bœuf
2 litres de lait
une douzaine d'œufs
une bouteille de vin rouge
500 grammes de fraises
300 grammes de pâté
une boîte de céréales

C. Et toi ? Posez ces questions à un(e) partenaire pour savoir s'il/si elle fait attention à sa santé. Il/Elle va répondre avec le pronom **en**.

> EXEMPLE   — **Tu manges des œufs ?**
> — **Oui, j'en mange trop / beaucoup / assez / peu.**
> **Oui, mais je n'en mange pas assez.**
> **Non, je n'en mange pas.**

1. Tu bois de l'eau ?
2. Tu fais de l'exercice ?
3. Tu manges des fruits ?
4. Tu manges du poisson ?
5. Tu manges des légumes ?
6. Tu manges de la viande ?

D. Boissons. Complétez les phrases logiquement en utilisant le verbe **boire**.

> EXEMPLE   Le matin, je **bois du lait.**

1. Au déjeuner, les Canadiens...
2. Au déjeuner, les Français...
3. Le matin, je...
4. Quand j'étais jeune, le matin, je...
5. Ce matin, j'...
6. Quand j'ai très soif, je...
7. *[À un(e) camarade de classe]* À une fête, qu'est-ce que tu...?

E. Entretien. Interviewez votre partenaire. Utilisez le pronom **en** dans les réponses.

1. Manges-tu souvent des légumes ? Est-ce que tu en as déjà mangé aujourd'hui ? Manges-tu souvent de la viande rouge ? En manges-tu tous les jours ? Est-ce que tu vas en manger demain ?
2. Fais-tu souvent de l'exercice ? Combien de fois par semaine en fais-tu ?
3. Est-ce que tu bois du café ? En bois-tu trop ? Quand est-ce que tu en bois ? Et tes amis, est-ce qu'ils en boivent souvent ?

✔ **Pour vérifier**

1. How do you find the stem of a regular **-ir** verb? What are the endings? What is the conjugation of **grandir**? of **grossir**?

2. What auxiliary verb do you use in the **passé composé** with the verbs listed here, except with the reflexive verb **se nourrir**? How do you form the past participle? How do you say *I finished*? What is the conjugation of **-ir** verbs in the imperfect?

3. How do you pronounce an initial **s**? a single **s** between vowels? How do you pronounce double **ss**? How can you hear the difference between the singular and plural forms of **-ir** verbs in the present tense?

Grammar Tutorials

Note *de vocabulaire*

Notice that some **-ir** verbs are based on a related adjective: (**gros** → **grossir**, **grand** → **grandir**).

Talking about choices

Les verbes en **-ir**

To conjugate regular **-ir** verbs in the present tense, drop the **-ir** and add the following endings. All **-ir** verbs presented here form the **passé composé** with **avoir**, except **se nourrir**.

CHOISIR (to choose)	
je chois**is**	nous chois**issons**
tu chois**is**	vous chois**issez**
il/elle/on chois**it**	ils/elles chois**issent**
PASSÉ COMPOSÉ : j'**ai choisi**	
IMPARFAIT : je **choisissais**	

Here are some common **-ir** verbs.

choisir (de faire)	*to choose (to do)*
finir (de faire)	*to finish (doing)*
grandir	*to grow (up), to grow taller*
grossir	*to gain weight*
maigrir	*to lose weight*
(se) nourrir	*to feed, to nourish, to nurture (oneself)*
obéir (à quelqu'un / à quelque chose)	*to obey (somebody / something)*
réfléchir (à)	*to think (about)*
réussir (à)	*to succeed (at), to pass [a test]*

Prononciation

La lettre *s* et les verbes en *-ir*

To remember whether to spell words like **choisir** and **réussir** with one **s** or two, it is helpful to know the rules for pronouncing the letter **s**.

Pronounce an **s** as [s] when it is the first letter of the word, when it is followed by a consonant, or when it appears as a double **s** between two vowels, as in **réussir**.

ˢsalade ˢseulement ˢsurtout ˢsteak reˢstaurant ˢsport desˢsert réuˢssir groˢssir

Pronounce an **s** as [z] when it appears in liaison or as a single **s** between two vowels, as in **choisir**.

leˢᶻapéritifs meˢᶻenfants leˢᶻentrées serveuˢᶻse choiˢᶻsir copieuˢᶻse

Notice that in the present tense, an **s** sound in the ending of **-ir** verbs indicates that you are talking about more than one person.

il grandit /	elle finit /	il choisit /
ils grandissent	elles finissent	ils choisissent

A. Prononcez bien ! D'abord, prononcez chaque paire de mots en faisant attention à la prononciation de la lettre *s*. Ensuite, prononcez un seul mot de chaque paire. Votre partenaire va dire si vous prononcez **le premier** mot ou **le deuxième** mot.

1. russe / ruse
2. basse / base
3. coussin / cousin
4. dessert / désert
5. il grossit / ils grossissent
6. il réussit / ils réussissent

B. Une histoire d'amour. Complétez cette description de la relation de Gabrielle et d'Alexandre avec la forme correcte des verbes indiqués au présent.

Gabrielle est réaliste et elle répète toujours qu'on ne __1__ (se nourrir) pas d'amour et d'eau fraîche. Cependant *(However)*, elle __2__ (réfléchir) beaucoup à sa vie sentimentale et elle __3__ (réussir) à trouver le grand amour avec Alexandre. Leur amour __4__ (se nourrir) des plus petites choses, une caresse ou un mot doux *(sweet)*, et Alexandre __5__ (choisir) toujours de petits cadeaux *(gifts)* parfaits pour Gabrielle. Cet amour __6__ (grandir) de jour en jour et ils __7__ (finir) par se marier. Ils ne __8__ (réfléchir) pas trop aux défauts *(faults)* de l'autre et ils __9__ (réussir) toujours à avoir un bon sens de l'humour. Ils __10__ (finir) leur vie ensemble à l'âge de presque cent ans et tous les matins pendant toutes ces années, Alexandre __11__ (choisir) des fleurs de son jardin pour en faire un bouquet pour Gabrielle.

C. En cours de français. Comment est votre cours de français ? Dites comment les personnes suivantes se comportent généralement dans les situations indiquées.

> **EXEMPLE** Le prof... choisir des questions faciles pour l'examen
> **Le prof choisit des questions faciles pour l'examen.**
> **Le prof ne choisit pas de questions faciles pour l'examen.**

1. Le professeur...
2. Moi, je...
3. Les autres étudiants et moi...

réussir à comprendre nos questions
choisir des exercices intéressants
finir mes devoirs
réfléchir avant de répondre
obéir au prof
réussir à bien parler français

Maintenant, dites si ces personnes ont fait ces choses au dernier cours.

> **EXEMPLE** Le prof... choisir des questions faciles
> **Au dernier cours, le prof a choisi des questions faciles.**
> **Au dernier cours, le prof n'a pas choisi de questions faciles.**

D. À l'école secondaire. Demandez à votre partenaire s'il/si elle faisait généralement les choses suivantes quand il/elle était à l'école secondaire.

> **EXEMPLE** réfléchir avant de répondre
> — **Quand tu étais à l'école secondaire, est-ce que tu réfléchissais généralement avant de répondre ?**
> — **Oui, je réfléchissais (presque) toujours avant de répondre. / Non, je ne réfléchissais pas / jamais avant de répondre.**

1. réussir à tous tes cours
2. obéir à tes parents
3. réfléchir à ton avenir *(future)*
4. finir tes devoirs

Choosing a healthy lifestyle

Une bonne santé

Faites-vous attention à votre santé? **À votre avis**, qu'est-ce qu'il faut faire pour rester en bonne santé?

Pour rester en bonne santé, est-ce qu'on devrait...

    manger des plats **sains** et légers?
    manger plus de produits **bios**?
    manger moins de **matières grasses** *(f)*?
    manger plus **lentement**?
    prendre des vitamines?
    éviter l'alcool et le tabac?
    contrôler le stress? (faire du yoga ou de la méditation, parler entre ami[e]s...)

Pour être en forme et pour devenir plus fort, est-ce qu'on devrait...

    marcher et **faire des randonnées** *(f)*?
    faire du jogging?
    faire du yoga?

Patricia demande des conseils à Gabrielle.

PATRICIA :   **Je me sens** toujours fatiguée ces jours-ci. J'ai besoin d'**améliorer** ma santé. Toi, tu as l'air toujours en forme. **Pourrais-tu** me donner des conseils?

GABRIELLE : Tu dors assez la nuit?

PATRICIA :   Je me couche assez tôt mais je dors très mal. Je me réveille **plusieurs** fois pendant la nuit. Si je pouvais dormir mieux, **je serais** contente.

GABRIELLE : Tu devrais boire moins de café pendant la journée. **Tu ferais mieux de** bien manger aussi et de faire de l'exercice régulièrement.

PATRICIA :   J'aime bien marcher. Si j'avais plus de temps libre, **j'aimerais** bien faire du sport tous les jours.

GABRIELLE : Si tu marchais tous les jours et si tu mangeais mieux, **tu te sentirais sans doute** mieux. Et **n'oublie pas** de boire moins de café et plus d'eau!

---

la santé *health*
faire attention (à) *to pay attention (to), to watch out (for)*
À votre avis *In your opinion*
on devrait *one should*
sain(e) *healthy*
bios (biologiques) *organic*
des matières grasses *(f) fats*
lentement *slowly*
éviter *to avoid*
fort(e) *strong*
marcher *to walk*
faire des randonnées *(f) to go hiking*
faire de la muscu(lation) *to do weight training, to do bodybuilding*
faire du yoga *to do yoga*
des conseils *(m) advice*
Je me sens (**se sentir** *to feel*)
améliorer *to improve*
Pourrais-tu ? *Could you?*
plusieurs *several*
je serais *I would be*
Tu ferais mieux de *You would do better to*
j'aimerais *I would like*
tu te sentirais *you would feel*
sans doute *without doubt, no doubt*
n'oublie pas *don't forget* (**oublier** *to forget*)

A. Des conseils. C'est **un bon conseil** ou **un mauvais conseil** pour la santé?

1. Il faut faire de l'exercice plusieurs fois par semaine.
2. On devrait manger plus de viande rouge et moins de légumes.
3. Il est important de faire du yoga.
4. On devrait éviter les matières grasses.
5. On peut devenir plus fort si on fait de la musculation.
6. On devrait manger plus vite pour éviter de trop manger.
7. On ferait mieux de rester très stressé, ça donne de l'énergie.
8. Si vous voulez améliorer votre santé, n'oubliez pas de boire assez d'eau.

B. Habitudes. Deux amis parlent de ce qu'ils font pour améliorer leur santé. Mettez chaque verbe entre parenthèses à la forme correcte à l'endroit approprié.

EXEMPLE   Je **maigris** parce que je **choisis** des plats sains et légers.
(choisir, maigrir)

1. Les enfants _____ si on les _____ mal. (grossir, nourrir)
2. Je _____ à ne pas fumer, mais je _____ parce que je mange quand j'ai envie d'une cigarette. (réussir, grossir)
3. Mon meilleur ami _____ parce qu'il _____ toujours des desserts avec beaucoup de sucre. (choisir, grossir)
4. Dans notre famille, nous _____ beaucoup à notre régime (diet): on _____ bien et on _____ rarement le dîner avec un dessert. (réfléchir, finir, se nourrir)
5. Nos enfants _____ toujours et ils _____ tous leurs légumes. (obéir, finir)
6. Tu ne _____ pas à contrôler le stress parce que tu _____ trop à tes problèmes. (réussir, réfléchir)

C. Entretien. Interviewez votre partenaire.

1. Est-ce que tu te sens souvent fatigué(e)? Dors-tu assez?
2. Fais-tu attention à ta santé? Que fais-tu pour rester en bonne santé?
3. Manges-tu bien? Manges-tu beaucoup de fruits et de légumes? beaucoup de plats sains et légers? beaucoup de produits bios? Est-ce que tu prends des vitamines?
4. Est-ce que tu évites l'alcool ou est-ce que tu en bois? Est-ce que tu fumes?
5. Es-tu stressé(e)? Que fais-tu pour contrôler le stress?
6. Aimes-tu faire de l'exercice? Fais-tu du yoga? des randonnées?

D. À vous! Avec un(e) partenaire, relisez à haute voix la conversation entre Gabrielle et Patricia. Ensuite, imaginez que vous voulez faire plus attention à votre santé. Demandez des conseils à votre partenaire.

1. What other verb tense has the same endings as the conditional? What is the stem for the conditional of most verbs? What are 13 verbs with irregular stems in the conditional? What is the stem of each? Do they use the regular conditional endings?

2. How do you say *there would be? it would rain? it would be necessary?*

3. How do you express *could* and *should* in French?

4. When do you use the conditional?

Grammar Tutorials

Note *de prononciation*

An unaccented **e** is usually not pronounced if you can drop it without bringing three pronounced consonants together (**samedi**). This is called **e caduc** and often occurs in the pronunciation of conditional verb forms (**j'habiterais**). This occurs in many words in English, as in the words **reference**, **difference**, and **reverence**.

Saying what you would do

Le conditionnel

To say what one *would* do, use the conditional form of the verb.

*I **would like** to lose weight.*	**Je voudrais** maigrir. / **J'aimerais** maigrir.
*If he cooked, **he'd eat** better.*	S'il faisait la cuisine, **il mangerait** mieux.

The verb stem used to form the conditional of all regular and most irregular verbs is the verb's infinitive. If an infinitive ends in **-e**, the e is dropped. The endings are identical to those used in the **imparfait**: -ais, -ais, -ait, -ions, -iez, -aient.

All regular and most irregular verbs follow this same pattern.

REGULAR *-ER* VERBS	REGULAR *-IR* VERBS	REGULAR *-RE* VERBS
je parler**ais**	je finir**ais**	je perdr**ais**
tu parler**ais**	tu finir**ais**	tu perdr**ais**
il/elle/on parler**ait**	il/elle/on finir**ait**	il/elle/on perdr**ait**
nous parler**ions**	nous finir**ions**	nous perdr**ions**
vous parler**iez**	vous finir**iez**	vous perdr**iez**
ils/elles parler**aient**	ils/elles finir**aient**	ils/elles perdr**aient**

dormir → je dormirais...   prendre → je prendrais...   boire → je boirais...

Spelling change verbs like **acheter**, **appeler**, and **payer** have spelling changes in all forms of the conditional; but verbs like **préférer** or **répéter** do not change their accent marks in any conditional form.

j'achèterais / nous achèterions	je préférerais / nous préférerions
j'appellerais / nous appellerions	je répéterais / nous répéterions
je paierais / nous paierions	

The following verbs have irregular stems in the conditional. The endings are regular.

STEM ENDS WITH R.		STEM ENDS WITH DR / VR.		STEM ENDS WITH RR.	
aller	**ir-**	venir	**viendr-**	voir	**verr-**
avoir	**aur-**	revenir	**reviendr-**	envoyer	**enverr-**
être	**ser-**	devenir	**deviendr-**	pouvoir	**pourr-**
faire	**fer-**	vouloir	**voudr-**	mourir	**mourr-**
		devoir	**devr-**		

Also note these conditional forms:

il y a	→	il y aurait	*there would be*
falloir	→	il faudrait	*it would be necessary*
il pleut	→	il pleuvrait	*it would rain*

In the conditional, use **devoir** to say what one *should* do and **pouvoir** to say what one *could* do.

> To say *should* + verb, use the conditional of **devoir** plus an infinitive.
> To say *could* + verb, use the conditional of **pouvoir** plus an infinitive.

You should eat *more vegetables.*	**Tu devrais manger** plus de légumes.
You could eat *better.*	**Tu pourrais** mieux **manger.**

Use the conditional:

- to make polite requests or offers.

Pourrais-tu me passer le sel ?	***Could you*** *pass me the salt?*
Voudriez-vous du café ?	***Would you like*** *some coffee?*

- to say what someone would do if circumstances were different (to make hypothetical or contrary-to-fact statements).

Si je faisais la cuisine, **je mangerais** mieux.
*If I cooked, **I would eat** better.*

In statements such as the one above, the **si** clause is in the imperfect and the result clause is in the conditional. Note that either clause can come first.

> **si** + imperfect → conditional

Si **nous avions** plus de temps libre, **nous nous reposerions** plus.
*If **we had** more free time, **we would rest** more.*

Nous nous reposerions plus si **nous avions** plus de temps libre.
We would rest *more if **we had** more free time.*

Prononciation

La consonne r et le conditionnel

The conditional stem of all verbs in French ends in **-r**. To pronounce a French **r**, arch the back of the tongue firmly in the back of the mouth, as if to pronounce a *g,* and pronounce a strong English *h* sound.

je pourrais   tu trouverais   nous serions   il reviendrait   ils devraient

A. Prononcez bien ! Dites ce que les personnes indiquées feraient dans les circonstances données. Faites attention à la prononciation de la consonne **r**.

1. Si j'avais plus de temps,...
   je dormirais / je ne dormirais pas plus.
2. Si mes amis et moi pouvions passer plus de temps ensemble,...
   nous ferions / nous ne ferions pas plus d'exercice ensemble.
   nous irions / nous n'irions pas danser ensemble.
3. Si on voulait améliorer sa santé,...
   on irait / on n'irait pas souvent au club de gym.
   on devrait / on ne devrait pas manger plus de légumes.

B. Temps libre. Demandez à votre partenaire s'il/si elle ferait les activités suivantes s'il/si elle avait plus de temps libre.

> **EXEMPLE** préparer plus souvent des plats sains
> — **Si tu avais plus de temps libre, préparerais-tu plus souvent des plats sains?**
> — **Oui, je préparerais plus souvent des plats sains.**
> **Non, je ne préparerais pas plus souvent des plats sains.**

1. dormir plus
2. être moins stressé(e)
3. pouvoir te reposer plus
4. partir souvent pour la fin de semaine
5. aller plus souvent au parc
6. faire plus d'exercice

C. Scrupules. Que feriez-vous dans ces circonstances?

1. Si vous voyiez *(saw)* la fiancée de votre frère embrasser un autre garçon, est-ce que vous...
   a. le diriez *(would tell)* à votre frère?
   b. ne feriez rien?
   c. demanderiez 100 $ à sa fiancée pour garder le silence?

2. Si vous voyiez une copie de l'examen de fin de trimestre sur le bureau du prof deux jours avant l'examen, est-ce que vous...
   a. la prendriez?
   b. ne feriez rien?
   c. liriez l'examen tout de suite?

3. Si vous trouviez un chien dans la rue, est-ce que vous...
   a. téléphoneriez à la Société protectrice des animaux?
   b. prendriez le chien et chercheriez son maître *(owner)*?
   c. ne feriez rien?

4. Si vous ne veniez pas en cours le jour d'un examen important parce que vous n'étiez pas préparé(e), est-ce que vous...
   a. expliqueriez *(explain)* la situation au professeur?
   b. diriez au professeur que vous étiez malade?
   c. accepteriez d'avoir un zéro à l'examen?

D. Une interview. Un journaliste vous interviewe. Comment lui répondez-vous? Jouez les deux rôles avec votre partenaire.

1. Si vous habitiez dans une autre ville, où voudriez-vous habiter?
2. Si vous étiez un animal, quel animal seriez-vous?
3. Si vous étiez une saison, quelle saison seriez-vous: l'hiver, l'été...?
4. Si votre vie était un morceau de musique, est-ce que ce serait de la musique populaire, de la musique classique, du rock, du blues...?
5. Si votre vie était un film, est-ce que ce serait un drame, une comédie, un film romantique, un film d'horreur ou un film d'aventure?

E. Situations.
Qu'est-ce que ces gens feraient ou ne feraient pas dans les situations suivantes?

EXEMPLE Si nous n'avions pas cours aujourd'hui, mes amis et moi... (aller au parc)
Si nous n'avions pas cours aujourd'hui, nous irions au parc.
Si nous n'avions pas cours aujourd'hui, nous n'irions pas au parc.

1. Si nous n'avions pas cours aujourd'hui, mes amis et moi... (manger au restaurant, faire de l'aérobique, aller prendre un verre, se reposer)
2. Si Rose voulait améliorer sa santé, elle... (fumer beaucoup, devoir faire plus d'exercice, prendre des vitamines, boire assez d'eau)
3. Si les étudiants voulaient mieux réussir en cours de français, ils... (faire tous les devoirs, aller à tous les cours, dormir en cours, boire plus de vin français)
4. Si mes parents allaient en vacances en France, ils... (être contents, manger dans des restaurants français, boire du vin français, marcher beaucoup)

F. Décisions.
Qu'est-ce que ces gens feraient dans les circonstances données?

EXEMPLE Si je pouvais quitter la classe maintenant, **je rentrerais chez moi.**

1. Si j'avais des vacances la semaine prochaine, je...
2. Si nous pouvions sortir ensemble ce soir, nous...
3. Si nous avions envie de faire de l'exercice, nous...
4. Si mes parents gagnaient à la loterie, ils...
5. Si le professeur nous disait qu'il n'y aurait plus d'examens dans ce cours, nous...

G. Par politesse.
Mettez ces phrases au conditionnel pour être plus poli(e).

EXEMPLE Veux-tu rester en forme?
Voudrais-tu rester en forme?

1. Tu veux faire de l'exercice?
2. Quand as-tu le temps d'aller au gym avec moi?
3. Peux-tu passer chez moi vers dix heures?
4. Ton amie veut venir aussi?
5. Qu'est-ce que vous voulez faire après?
6. On peut aller au restaurant végétarien?

See the *Résumé de grammaire* section at the end of each chapter for a review of all the grammar presented in the chapter.

Les Stagiaires

Dans l'***Épisode 8***, tout le monde semble *(seems)* maintenant être au courant *(aware)* de sa sortie avec Matthieu, et Amélie n'apprécie pas cette situation. Mais elle répond aux questions de Rachid et lui parle du restaurant où elle a dîné avec Matthieu. Avant de regarder le clip, faites ces activités pour réviser ce que vous avez appris dans le ***Chapitre 8***.

A. Un grand dîner. Matthieu va préparer un grand dîner avec un groupe d'amis. Qu'est-ce qu'ils pourraient servir ? Travaillez avec un(e) partenaire pour nommer autant de choses que possible pour chaque catégorie.

> **EXEMPLE** Comme entrée, **ils pourraient servir du pâté...**

Comme entrée...   Comme légumes...   Comme boisson...
Comme plat principal...   Comme dessert...

Matthieu fait les courses pour le dîner. Dites où il va aller pour acheter chacune des choses indiquées.

> **EXEMPLE** **Il va aller à l'épicerie pour acheter un pot de confiture.**

1.    **2.**   **3.**    **4.**

B. La bonne santé. Camille fait très attention à sa santé, mais elle n'arrive pas à convaincre *(she's not able to convince)* monsieur Vieilledent de boire moins de café et de manger moins de croissants. Répondez à ces questions en employant le pronom **en**.

> **EXEMPLE** Camille mange beaucoup *de pâtisseries* ?
> **Non, elle n'en mange pas beaucoup.**

1. Camille mange *de la viande rouge* tous les soirs ?
2. Elle fait *de l'exercice* tous les jours ?
3. Elle a bu beaucoup *de vin* hier soir ?
4. Monsieur Vieilledent va boire moins *de café* ?

C. Comparaisons culturelles. Monsieur Vieilledent dîne avec un client américain. Son client parle des différences entre les habitudes alimentaires des Américains et les habitudes alimentaires des Français. Complétez ses phrases. Nommez autant de choses que possible.

> **EXEMPLE** au petit déjeuner
> **En France, au petit déjeuner, vous mangez des tartines ou des croissants et vous buvez du café. Chez nous, on mange...**

1. au petit déjeuner
2. dans un fast-food
3. pour un dîner léger
4. comme entrée, pour un repas traditionnel
5. comme plat principal, pour un repas traditionnel
6. comme dessert, pour un repas traditionnel

D. À table ! Continuez à faire des comparaisons culturelles en complétant ces phrases avec la forme correcte de l'article approprié.

Ce qu'on mange varie d'une culture à l'autre. Aux États-Unis, par exemple, on prend __1__ petit déjeuner copieux. On mange souvent __2__ œufs au bacon et __3__ pain grillé. En France, __4__ petit déjeuner est un repas léger. On boit __5__ café au lait, __6__ thé ou __7__ chocolat chaud et on mange __8__ tartines. À midi, on peut manger dans un café où on peut prendre __9__ omelette, __10__ salade ou __11__ sandwich avec __12__ vin ou __13__ eau minérale. __14__ vins français sont très bons, mais __15__ eau minérale est très populaire aussi. On peut finir son repas avec __16__ café avec un peu __17__ sucre ou un peu __18__ lait.

E. Qu'est-ce qu'ils font ? Amélie parle à Rachid des habitudes alimentaires des gens à Technovert. Complétez ses phrases logiquement.

> **EXEMPLE** Je ne veux pas grossir. Alors, je (finir) tous mes repas avec un dessert.
> Je ne veux pas grossir. Alors, je **ne finis pas** tous mes repas avec un dessert.

1. Céline et moi faisons attention à notre santé. Alors, nous (choisir) des plats sains.
2. Céline et son chien (maigrir) parce qu'ils marchent tous les jours.
3. Toi, tu n'aimes pas les boissons alcoolisées. Alors, tu (boire) beaucoup de bière.
4. Camille et Céline veulent rester en bonne forme. Alors, elles (boire) très rarement de la bière.
5. Tes amis et toi, vous voulez rester en forme. Alors, vous (choisir) de bien manger et vous (boire) trop de café.

F. Si... Amélie dit ce que tous les gens de Technovert feraient s'ils avaient plus de temps libre. Qu'est-ce qu'elle dit ?

> **EXEMPLE** Monsieur Vieilledent (voyager plus, passer plus de temps avec ses enfants)
> **Si monsieur Vieilledent avait plus de temps libre, il voyagerait plus et il passerait plus de temps avec ses enfants.**

1. Matthieu (inventer des jeux vidéo, apprendre à danser)
2. Moi, je (réfléchir plus à mon avenir, sortir plus souvent)
3. Camille et Céline (faire de l'exercice, se reposer plus)
4. Christophe (dormir plus, lire plus de mangas, aller plus souvent au cinéma)
5. Rachid et moi (réussir mieux à nos cours, être moins stressés)

© Heinle/Cengage Learning

🎬 Épisode 8: Qu'est-ce qu'ils servent ?

Dans ce clip, Amélie parle du restaurant où elle est allée avec Matthieu. Avant de regarder le clip, citez au moins trois choses qu'on sert dans un restaurant que vous aimez bien. Ensuite, regardez le clip et déterminez ce que Matthieu et Amélie ont commandé au restaurant.

🎬 Access the Video **Les Stagiaires** at **iLrn** and on the *Horizons* Premium Website.

Espace culturel

Pour mieux lire

Expanding your vocabulary

Reading practical material in the target language is a key component to improving and expanding your vocabulary. In *Quel restaurant choisir?*, your previous knowledge and experience of going to a restaurant will facilitate your understanding of new vocabulary.

Quel restaurant choisir?

Chaque année, l'Association canadienne de automobilistes (CAA) publie un *Guide de la route* pour évaluer les restaurants et les hôtels au Canada (et aux États-Unis). Les inspecteurs de la CAA visitent et évaluent ces établissements selon une cote *(rating)* en diamants (de un à cinq diamants).

Les diamants représentent une combinaison de la qualité des éléments dans les trois domaines suivants:
• la nourriture;
• le service;
• le décor et l'ambiance.

Environ 107 restaurants au Canada ont la cote *Quatre Diamants*, synonyme de qualité supérieure.

Une cote *Cinq Diamants* est un symbole de prestige et d'exclusivité. Au Canada, seulement six établissements possèdent cette haute distinction: Le Patriarche, La Tanière et L'Initiale (trois restaurants de la ville de Québec), Le Baccara (Gatineau), L'Eden (Banff) et la salle à manger de l'hôtel Langdon Hall (Cambridge, en Ontario).

On trouve généralement deux types de menu:

À la carte: Le menu est divisé en plusieurs catégories: les soupes, les entrées, le plat principal, les fromages et les desserts. Chaque plat a un prix.

La table d'hôte: Ce menu offre un repas complet: l'entrée, le plat principal, le dessert et thé ou café, pour un prix fixe. Cependant, la variété des plats est généralement limitée.

La carte des vins: Cette carte indique les boissons disponibles: apéritif, vin rouge, vin blanc, vin maison, bière, champagne, digestif, etc.

Le serveur ou la serveuse accueille les clients, prend les commandes, sert les plats et les boissons et remet l'addition qui est présentée après le repas ou sur demande. Un pourboire est un geste d'appréciation pour remercier le serveur ou la serveuse de la qualité du service obtenu et il n'est pas obligatoire. Un pourboire varie de 10 % à 15 % de la facture avant les taxes.

Le Patriarche, au Québec possède une cote *Cinq Diamants*

Compréhension

1. Selon vous, que faut-il prendre en considération pour évaluer la qualité :
   – de la nourriture ?
   – du service ?
   – du décor et de l'ambiance ?
2. Quel genre de menu préférez-vous, « À la carte » ou « Table d'hôte » ? Dites pourquoi.
3. Combien de pourboire devriez-vous laisser si vous êtes satisfait(e) du service ?
4. Cherchez en ligne le menu d'un restaurant *Cinq Diamants* et dites ce que vous voudriez commander.
5. Racontez une bonne ou une mauvaise expérience que vous avez eue dans un restaurant.

Pour mieux écrire

Finding the right word

You are going to write a review of a restaurant. When you write, try to use the most precise word possible to get your message across. Note how, in the following sentence, the word *small* can convey different messages.

> It is a *small* restaurant with only 15 tables.
> Positive: It is a *cozy (intimate)* restaurant with only 15 tables.
> Negative: It is a *cramped (crowded)* restaurant with only 15 tables.

To find the right word to express your meaning in French, you may need to use a synonym dictionary. Once you select a French word from an English-French dictionary, double check that you understand its use by looking it up in a French-English or French dictionary, or search it online in the context in which you wish to use it.

Organisez-vous. Dans les phrases suivantes, voici quelques mots qu'on pourrait utiliser au lieu des mots en italique pour décrire un restaurant. Trouvez un mot supplémentaire pour chaque liste en cherchant dans un dictionnaire de synonymes sur Internet ou à la bibliothèque.

Le décor est	*joli* (beau, charmant, …)	OU	*laid* (atroce, vulgaire, …).
Le menu est	*intéressant* (exotique, varié, …)	OU	*ennuyeux* (médiocre, ordinaire, …).
La cuisine est	*bonne* (délicieuse, exquise, …)	OU	*mauvaise* (fade, désastreuse, …).
L'ambiance est	*agréable* (chaleureuse, intime, …)	OU	*désagréable* (déplaisante, froide, …).
Le service est	*bon* (rapide, plaisant, …)	OU	*mauvais* (lent, médiocre, …).

Une critique gastronomique

Écrivez une critique gastronomique d'un restaurant de votre ville. Parlez du décor, du menu, de la cuisine, de l'ambiance et du service.

Pour mieux interagir
La manière de manger

Dans votre pays, dans votre culture, est-ce qu'on mange avec les doigts? Pour tous les aliments ou seulement quelques-uns? Est-ce qu'on peut utiliser la main gauche? Est-ce qu'on emploie une cuiller, une fourchette, un couteau, des baguettes? Qui présente le plat? Qui sert à manger? Est-ce que les enfants mangent avec les adultes? Qui est d'abord servi? Quelle est la meilleure part? Est-ce qu'on touche avec les doigts ou avec ses propres couverts ce que quelqu'un d'autre va manger? Doit-on attendre le signal d'une personne précise pour commencer à manger ou chacun commence-t-il à manger dès qu'il a son assiette?

La tradition des couverts varie fort dans la francophonie: on emploie la fourchette, le couteau et la cuiller dans des pays comme la France, la cuiller et la fourchette dans des pays comme le Laos, les baguettes au Vietnam, et les mains au Sénégal par exemple. On prend la fourchette dans la main gauche pour piquer les aliments et le couteau dans la main droite, mais si l'on n'a pas besoin du couteau, la fourchette passe dans la main droite. En France, il est d'usage de manger les artichauts présentés en entier, avec les doigts, de même que les asperges.

La France adore certains rituels à table. C'est traditionnellement la maîtresse de maison qui apporte les plats, mais cela a beaucoup évolué: il est assez courant aujourd'hui dans les pays francophones occidentaux que l'homme fasse la cuisine et amène les plats. En France, le repas est un moment important, toute la famille mange ensemble.

© Pikoso.kz/Shutterstock

Les adultes se servent eux-mêmes dans le plat, mais en famille ou entre amis, une personne peut servir toute la tablée. On emploie les couverts disposés dans le plat pour se servir. On ne transmet pas un aliment avec sa main ou avec des couverts qu'on a mis en bouche.

Pour manger, on attend que tout le monde soit servi et que les hôtes commencent à manger. Si l'on doit faire passer un plat ou un objet devant une personne, on s'excuse en disant : «Pardon!». Quand on a terminé de manger, on dépose parallèlement les couverts sur son assiette.

http://apprendre.tv5monde.com/fr/apprendre-francais/cultures-la-maniere-de-manger

Vocabulaire

Find the following terms in French from the text above:

1. fingers
2. a knife
3. a fork
4. chopsticks
5. a spoon
6. asparagus
7. as a whole
8. artichokes
9. cutlery
10. hosts

Compréhension

En français…

Répondez aux questions du premier paragraphe selon les coutumes de votre famille ou de votre région. Ensuite comparez vos réponses avec celles de vos camarades de classe.

1. Dans votre pays, dans votre culture, est-ce qu'on mange avec les doigts ?
2. Est-ce qu'on peut utiliser la main gauche ?
3. Est-ce qu'on emploie une cuiller, une fourchette, un couteau ou des baguettes ?
4. Qui sert à manger ?
5. Est-ce que les enfants mangent avec les adultes ?
6. Quel est le meilleur moment du repas ?
7. Est-ce qu'on touche avec les doigts ou avec ses propres couverts ce que quelqu'un d'autre va manger ?
8. Doit-on attendre le signal d'une personne précise pour commencer à manger ou chacun commence-t-il à manger dès qu'il a son assiette ?

Discussion

1. Dans votre famille, y a-t-il des rituels dans la manière de manger selon certaines fêtes ou occasions ?
2. Le « potluck » ou « repas-partage » est un concept nord-américain. Expliquez les origines et le déroulement de ce concept.

Pour mieux découvrir
Quel est ce pays de la Francophonie ?

Voici quatre photos et descriptions pour vous aider à deviner.

Au marché

Un champ d'oliviers — ce pays est le 3ᵉ exportateur mondial d'huile d'olive.

Une partie de la série « Star Wars » a été filmée dans le désert de ce pays.

Tunis, la capitale

Est-ce qu'il s'agit…

a. de l'Égypte ?
b. de la Tunisie ?
c. du Niger ?
d. de la Mauritanie ?

Réponse : b) La Tunisie

Résumé de grammaire

The partitive article and its usage

In French, always use the partitive to convey the idea of *some* or *any,* even when *some* or *any* can be omitted in English. Use de l' before all singular nouns beginning with a vowel sound, **du** before masculine singular nouns beginning with a consonant, **de la** before feminine singular nouns beginning with a consonant, and **des** before all plural nouns.

Je vais acheter **de l'**eau, **du** pain, **de la** crème et **des** légumes.
*I'm going to buy **(some)** water, **(some)** bread, **(some)** cream and **(some)** vegetables.*

Un and **une** mean *a* and **du, de la, de l',** and **des** express the idea of *some* or *any.* All of these forms change to **de (d')** after most negated verbs and after expressions of quantity. (See page 308 for a list of quantity expressions.)

– Je vais prendre **un** sandwich et **des** frites.
– Je **ne** prends **pas de** frites parce qu'elles ont **trop de** calories.

Use the definite article (**le, la, l', les**) to say *the,* to express likes, dislikes, and preferences, or to make statements about entire categories. The definite article does *not* change to **de** after a negative or quantity expression.

– Tu **n'**aimes **pas les** frites?
– Mais si, j'aime **beaucoup les** frites, mais **le** riz est meilleur pour **la** santé.
– Mais **les** frites qu'ils servent ici sont délicieuses.

The verb *boire* and regular *-ir* verbs

The verb **boire** *(to drink)* is irregular.

Le matin, je **bois** du thé et mon mari **boit** du café. À midi, nous **buvons** de l'eau.
Qu'est-ce que tu **as bu** ce matin?
Qu'est-ce qu tu **buvais** quand tu étais petit?

BOIRE *(to drink)*	
je **bois**	nous **buvons**
tu **bois**	vous **buvez**
il/elle/on **boit**	ils/elles **boivent**
PASSÉ COMPOSÉ: **j'ai bu**	
IMPARFAIT: **je buvais**	

The stem for the present tense of regular **-ir** verbs is obtained by dropping the **-ir**. Add the following endings for the present tense.

Les étudiants **réussissent** bien au cours. Tu **réussis** à tes cours?
J'**ai fini** mes devoirs.
Je ne **réfléchissais** pas beaucoup à mon avenir *(future)* quand j'étais jeune.

RÉUSSIR *(to succeed)*	
je réuss**is**	nous réuss**issons**
tu réuss**is**	vous réuss**issez**
il/elle/on réuss**it**	ils/elles réuss**issent**
PASSÉ COMPOSÉ: **j'ai réussi**	
IMPARFAIT: **je réussissais**	

See page 316 for a list of common **-ir** verbs. All **-ir** verbs presented in this chapter form the **passé composé** with **avoir**, except the reflexive verb **se nourrir**.

The pronoun *en*

– Tu veux **de l'**eau?
– Oui, j'**en** veux bien.
  Non merci, je **n'en** veux pas.

– Tu prends un **sandwich**?
– Oui, j'**en** prends **un**.
  Non, j'**en** prends **deux**.
  Non, je **n'en** prends pas.

– Tu as acheté un kilo **de carottes**?
– Oui, j'**en** ai acheté **un kilo**.
  Non, j'**en** ai acheté **une livre**.
  Non, je **n'en** ai pas acheté.

En replaces a noun preceded by a partitive article, an expression of quantity, **un, une,** or a number. When replacing a noun preceded by **un, une,** a number, or an expression of quantity, repeat the **un, une,** number, or expression of quantity in the sentence containing **en**, unless it's negative. In English, **en** is usually translated as *some, any, of it,* or *of them.* Although the equivalent expression may be omitted in English, **en** is always used in French.

En is placed *immediately* before the verb. It goes before the infinitive if there is one. If not, it goes before the conjugated verb. In the **passé composé**, place it before the auxiliary verb.

Je vais **en** prendre.
J'**en** prends.
J'**en** ai pris.

The conditional *(Le conditionnel)*

Use the conditional to say what someone *would, could,* or *should* do. To form the conditional of most verbs, add the same endings as the **imparfait** to the infinitive of the verb. If an infinitive ends in **-e**, drop the **e** before adding the endings.

PARLER	FINIR	PERDRE
je parler**ais**	je finir**ais**	je perdr**ais**
tu parler**ais**	tu finir**ais**	tu perdr**ais**
il/elle/on parler**ait**	il/elle/on finir**ait**	il/elle/on perdr**ait**
nous parler**ions**	nous finir**ions**	nous perdr**ions**
vous parler**iez**	vous finir**iez**	vous perdr**iez**
ils/elles parler**aient**	ils/elles finir**aient**	ils/elles perdr**aient**

Most irregular verbs follow this same pattern.

> dormir → je dormirais, tu dormirais...
> prendre → je prendrais, tu prendrais...
> boire → je boirais, tu boirais...

Spelling-change verbs like **se lever**, **appeler**, and **payer** have spelling changes in all forms of the conditional, but verbs like **préférer** or **répéter** do not change their accent marks in any conditional form.

The following verbs have irregular stems in the conditional. The endings are regular.

> aller → j'irais, tu irais...
> avoir → j'aurais, tu aurais...
> être → je serais, tu serais...
> faire → je ferais, tu ferais...
> devoir → je devrais, tu devrais...
> vouloir → je voudrais, tu voudrais...
> venir → je viendrais, tu viendrais...
> devenir → je deviendrais, tu deviendrais...
> revenir → je reviendrais, tu reviendrais...
> voir → je verrais, tu verrais...
> envoyer → j'enverrais, tu enverras...
> pouvoir → je pourrais, tu pourrais...
> mourir → je mourrais, tu mourrais...

Also learn the following:

> il y a → il y aurait   il pleut → il pleuvrait   il faut → il faudrait

To say *should,* use the conditional of **devoir** plus an infinitive. To say *could,* use the conditional of **pouvoir** plus an infinitive.

Use the conditional:

- to make polite requests or offers.
- to say what someone would do if circumstances were different.

Si j'avais plus de temps, **je prépare-rais** mieux mes cours. **Je finirais** tous mes devoirs et **le prof perdrait** moins souvent patience avec moi.

Si tu voulais être en bonne forme, **tu dormirais** plus, **tu prendrais** des vitamines et **tu boirais** assez d'eau.

Si nous étions en vacances, **nous nous lèverions** plus tard. **Mon ami préférerait** se lever vers neuf heures.

Si j'avais plus de temps libre, **je ferais** beaucoup de choses. **J'irais** plus souvent au parc, **je verrais** plus souvent mes amis et **je serais** content !

Si tu visitais la Normandie au prin-temps, **il venterait et il pleuvrait. Il** te **faudrait** un parapluie !

– **Pourrais-tu** me donner des con-seils pour rester en bonne santé ?
– **Tu devrais** bien manger et faire de l'exercice.

Voudrais-tu y aller avec moi ?
S'il faisait la cuisine, **il mangerait** mieux.

■ **Vocabulaire** 🗗

Ordering at a restaurant

NOMS MASCULINS

un apéritif	*a before-dinner drink*
un dessert	*a dessert*
un fruit	*a fruit*
des fruits de mer	*shellfish, crustaceans*
*des haricots verts	*green beans*
*un hors-d'œuvre	*an hors d'œuvre, an appetizer*
du lait	*milk*
des légumes	*vegetables*
du pain	*bread*
un pavé de saumon	*a thick slice of salmon*
des petits pois	*peas*
le plat (principal)	*the (main) dish*
du poisson	*fish*
du poivre	*pepper*
des raviolis aux champignons	*mushroom ravioli*
un repas	*a meal*
du riz	*rice*
du sel	*salt*
un serveur	*a server, a waiter*
du sucre	*sugar*

NOMS FÉMININS

une bouteille (de)	*a bottle (of)*
la carte	*the menu*
de la crème	*cream*
une entrée	*a first course*
une pomme	*an apple*
une pomme de terre	*a potato*
une salade	*a salad*
une serveuse	*a server*
de la viande	*meat*
de la volaille	*poultry*

DIVERS

Aimeriez-vous... ?	*Would you like ... ?*
comme	*for, as (a)*
comprendre	*to include*
décider	*to decide*
du, de la, de l', des	*some, any*
finir	*to finish*
fumé(e)	*smoked*
servir	*to serve*
traditionnel(le)	*traditional*

Pour les noms des différentes sortes d'entrées, voir la page 296.
Pour les noms des différentes sortes de viandes, de volailles, de poissons et de fruits de mer, voir la page 296.
Pour voir les différentes possibilités pour finir un repas, voir la page 297.

Buying food

NOMS MASCULINS

du bœuf	*beef*
un casseau de fraises	*a pint of strawberries*
un choix	*a choice*
un commerçant	*a shopkeeper*
un marché	*a market*
un oignon	*an onion*
un pain à grains entiers	*a loaf of whole-grain bread*
un pain au chocolat	*a chocolate-filled croissant*
un plat préparé	*a ready-to-serve dish*
du porc	*pork*
un produit	*a product*
du raisin	*grapes*
du saucisson	*salami*
un supermarché	*a supermarket*

NOMS FÉMININS

une baguette	*a loaf of French bread*
une banane	*a banana*
la boucherie	*the butcher's shop*
la boulangerie	*the bakery*
une carafe (de)	*a carafe (of)*
une carotte	*a carrot*
une cerise	*a cherry*
la charcuterie	*the deli*
de la charcuterie	*deli meats, cold cuts*
une commerçante	*a shopkeeper*
des conserves	*canned goods*
l'épicerie	*the grocery store*
une fraise	*a strawberry*
une laitue	*a head of lettuce*
une livre	*≈ half a kilo*
une orange	*an orange*
la pâtisserie	*the pastry shop*
une pâtisserie	*a pastry*
une pêche	*a peach*
une poire	*a pear*
la poissonnerie	*the fish market*
des saucisses	*sausages*
une tartelette (aux fraises / aux cerises)	*a tart (strawberry / cherry)*

DIVERS

C'est tout.	*That's all.*
dire	*to say, to tell*
frais (fraîche)	*fresh*
il faut	*it is necessary, one needs, one must*
Qu'est-ce que je peux vous proposer d'autre ?	*What else can I get you?*
Qu'est-ce qu'il vous faut ?	*What do you need?*
surgelé(e)	*frozen*

Pour les expressions de quantité, voir la page 308.

Talking about meals

NOMS MASCULINS

du bacon	bacon
du beurre	butter
du chocolat	chocolate
un croissant	a croissant
le dîner	lunch
*un hamburger	a hamburger
le souper	dinner

NOMS FÉMININS

des céréales	cereal
de la confiture	jelly
une omelette	an omelette
une pizza	a pizza

EXPRESSIONS VERBALES

boire	to drink
choisir (de faire)	to choose (to do)
finir (de faire)	to finish (doing)
grandir	to grow, to grow up, to get taller
grossir	to gain weight
maigrir	to lose weight
(se) nourrir	to feed, to nourish, to nurture (oneself)
obéir (à)	to obey
réfléchir (à)	to think (about)
réussir (à)	to succeed (at, in), to pass [a test]

DIVERS

ceux (celles)	those
complet (complète)	complete
copieux (copieuse)	copious, large
en	some, any, of it, of them
encore	still, again, more
grillé(e)	toasted, grilled
je prendrais	I would have, I would take
là	there
léger (légère)	light
ne... plus	no more, no longer
pourtant	however
rapide	rapid, fast, quick
seulement	only
Si	Yes (in response to a question or statement in the negative)
surtout	especially
volontiers	gladly
vrai(e)	true

Choosing a healthy lifestyle

NOMS MASCULINS

l'alcool	alcohol
des conseils	advice
des produits bios	organic products
le stress	stress
le tabac	tobacco

NOMS FÉMININS

des matières grasses	fats
la santé	health
des vitamines	vitamins

EXPRESSIONS VERBALES

améliorer	to improve
contrôler	to control
éviter	to avoid
faire attention (à)	to pay attention (to), to watch out (for)
faire de l'aérobique	to do aerobics
faire de la méditation	to meditate
faire de la muscu(lation)	to do weight training, to do bodybuilding
faire des randonnées	to go hiking
faire du yoga	to do yoga
faire mieux (de)	to do better (to)
marcher	to walk
on devrait	one should
oublier	to forget
se sentir	to feel

DIVERS

à votre avis	in your opinion
content(e)	content, happy
en forme	in shape
fort(e)	strong
lentement	slowly
plusieurs	several
régulièrement	regularly
sain(e)	healthy
sans doute	without doubt, no doubt

LA FRANCE D'OUTRE-MER

En vacances

COMPÉTENCES

1 **Talking about vacation**

Les vacances

Talking about how things will be
Le futur

Stratégies et Lecture
- **Pour mieux lire :** *Recognizing compound tenses*
- **Lecture :** *Quelle aventure!*

2 **Preparing for a trip**

Les préparatifs

Communicating with people
*Les verbes **dire**, **lire** et **écrire***

Avoiding repetition
*Les pronoms compléments d'objet indirect (**lui**, **leur**)
et reprise des pronoms compléments d'objet direct
(**le**, **la**, **l'**, **les**)*

3 **Buying your ticket**

À l'agence de voyages

Saying what people know
*Les verbes **savoir** et **connaître***

Indicating who does what to whom
*Les pronoms **me**, **te**, **nous** et **vous***

4 **Deciding where to go on a trip**

Un voyage

Saying where you are going
Les expressions géographiques

Reprise *Les Stagiaires*

Espace culturel

Pour mieux lire *L'écotourisme*

Pour mieux écrire *Une invitation au tourisme d'aventure*

Pour mieux interagir *Le créole*

Pour mieux découvrir *Quel est ce pays de la Francophonie?*

Résumé de grammaire
Vocabulaire

© Oliver Hoffmann/Shutterstock

La France d'outre-mer

Savez-vous que l'Hexagone (la France métropolitaine en Europe) est seulement une partie de la République française ?

En effet, la République française **comprend** :

- la France métropolitaine
- cinq départements d'outre-mer (les DOM)
- cinq collectivités d'outre-mer (les COM)
- la Nouvelle-Calédonie
- les Terres australes et antarctiques françaises

Les cinq DOM — la Guadeloupe, la Martinique, la Guyane, La Réunion et Mayotte font partie de la France.

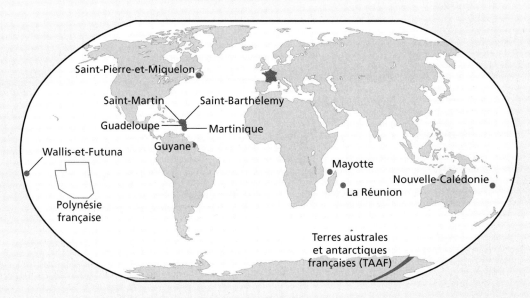

▲ La Martinique

▲ Saint-Martin

Les collectivités d'outre-mer — la Polynésie française, Wallis-et-Futuna, Saint-Barthélemy et Saint-Pierre-et-Miquelon — sont également des territoires français.

L'ancien territoire de la Nouvelle-Calédonie a un statut particulier comme « pays d'outre-mer au sein de la République ».

La France possède aussi les Terres australes et antarctiques françaises (TAAF), composées de plusieurs îles dans l'océan Indien et d'une partie du continent antarctique.

▲ L'île de la Réunion

▲ La Guyane

comprend *includes*

Qu'en savez-vous ?

Complétez les phrases suivantes selon les descriptions indiquées. Devinez si nécessaire.

Guadeloupe	**Guyane**
Nouvelle-Calédonie	**Martinique**
Saint-Pierre-et-Miquelon	**Réunion**
collectivités d'outre-mer	
départements d'outre-mer	

1. Les ___ font partie de la France, tout comme Hawaii fait partie des États-Unis. Les ___ sont des territoires de la France, pareils aux territoires américains de Puerto Rico et Guam.

2. La ___ et la ___ sont deux îles dans la mer des Caraïbes. La majorité des habitants de ces deux départements sont des descendants d'esclaves africains emmenés dans ces îles pour travailler dans les plantations.

3. La ___ est en Amérique du Sud. Au XIXe siècle, la France envoyait ses prisonniers politiques au bagne (*prison*) de cette région.

4. ___ est composé d'un groupe d'îles près de Terre-Neuve. Au printemps, on peut voir la migration des baleines de ses côtes.

5. La ___ est située dans l'océan Indien près de Madagascar. C'est le département d'outre-mer le plus peuplé, avec une société multi-ethnique : des Africains, des Européens, des Indiens, des Chinois et des Malgaches (habitants de Madagascar).

6. La ___ a une biodiversité extraordinaire avec une très grande variété de plantes, de reptiles, d'oiseaux, d'insectes, de poissons et d'autres animaux.

Réponses : 1) départements d'outre-mer, collectivités d'outre-mer ; 2) Guadeloupe, Martinique ; 3) Guyane ; 4) Saint-Pierre-et-Miquelon ; 5) La Réunion ; 6) Nouvelle-Calédonie.

■ **Talking about vacation**

Les vacances

Luc, un jeune Canadien, va passer ses vacances en Guadeloupe. Et vous? Où aimez-vous passer vos vacances?

dans un pays étranger ou exotique

sur une île tropicale ou **à la mer**

dans une grande ville

à la montagne

Qu'est-ce qu'on peut faire dans chaque **endroit**?

admirer **les paysages** *(m)*

visiter des sites *(m)* historiques et touristiques

profiter des activités culturelles

se reposer ou courir le long des plages

goûter la cuisine locale

faire des randonnées *(f)*

Luc parle à son ami Alain de ses prochaines vacances en Guadeloupe.

LUC:	Je vais bientôt partir en vacances.
ALAIN:	Et tu vas où?
LUC:	Je vais aller en Guadeloupe.
ALAIN:	La Guadeloupe? Quelle chance! Tu pars quand?
LUC:	Je vais partir le 21 juillet et je **compte** passer trois semaines **là-bas**.
ALAIN:	J'espère que **ça te plaira**!
LUC:	Je compte faire des randonnées, des activités nautiques et surtout goûter la cuisine créole.
ALAIN:	Super! Tu pourrais **en profiter** pour apprendre quelques mots du créole guadeloupéen!

A. Où? Où fait-on les activités suivantes?

nager
visiter les sites touristiques
se reposer
faire du ski
faire une randonnée
aller au musée
courir

EXEMPLE

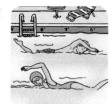

On nage à la mer.

1.

2.

3.

4.

5.

6.

 B. Voyages. Imaginez qu'un(e) ami(e) a passé ses vacances dans les endroits suivants. Préparez une conversation dans laquelle vous parlez de l'endroit où il/elle est allé(e) et de ce qu'il/elle a fait, comme dans l'exemple.

> **EXEMPLE** en Nouvelle-Calédonie
> — **Alors, tu as passé tes vacances dans un pays étranger?**
> — **Oui, je suis allé(e) en Nouvelle-Calédonie.**
> — **Qu'est-ce que tu as fait en Nouvelle-Calédonie?**
> — **J'ai visité des sites touristiques.**

1. à Mayotte
2. à Saint-Pierre-et-Miquelon

3. à La Réunion
4. en Guadeloupe

 C. Entretien. Interviewez votre partenaire.

1. Préférerais-tu visiter une île tropicale ou visiter une grande ville? aller à la mer ou à la montagne? faire une randonnée ou faire du ski? te reposer ou nager?
2. Où est-ce que tu aimerais passer tes prochaines vacances? Qu'est-ce qu'on peut faire dans cette région?
3. Où est-ce que tu as passé tes meilleures vacances? Pourquoi as-tu trouvé ces vacances agréables?

D. À vous! Avec un(e) partenaire, relisez à haute voix la conversation entre Luc et Alain. Ensuite, imaginez que vous allez faire le voyage de vos rêves *(dreams)* et adaptez la conversation pour dire où vous allez, avec qui, quand et combien de temps vous comptez rester.

Talking about how things will be

✔ **Pour vérifier**

1. What do most verbs have as the stem in the future tense? Which verbs have irregular stems? What other verb form has the same stem as the future?

2. What endings do you use to form the future tense in French?

3. What verb tense is used in clauses with **quand** referring to the future in French? How do you say *When I finish, I'll go home*?

Grammar Tutorials

Le futur

You have used **aller** + *infinitive* to say what someone *is going* to do. You can use the future tense to say what someone *will* do. Form the future tense by adding the boldfaced endings below to the same stem you use for the conditional.

PARLER	ÊTRE	VENIR
je parler**ai**	je ser**ai**	je viendr**ai**
tu parler**as**	tu ser**as**	tu viendr**as**
il/elle/on parler**a**	il/elle/on ser**a**	il/elle/on viendr**a**
nous parler**ons**	nous ser**ons**	nous viendr**ons**
vous parler**ez**	vous ser**ez**	vous viendr**ez**
ils/elles parler**ont**	ils/elles ser**ont**	ils/elles viendr**ont**

The future is generally used in French as it is in English. However, one difference is its use in clauses with **quand** referring to the future. English has the present in such clauses.

quand + future → future

Quand j'**arriverai** en Guadeloupe, je **prendrai** un taxi pour aller à l'hôtel.
*When I **arrive** in Guadeloupe, I'**ll take** a taxi to go to the hotel.*

As in English, use the future tense to say what will happen if another event occurs. Use the present tense in the clause with **si**.

si + present → future

Si je **peux** visiter la Martinique, je **serai** vraiment content!
*If I **can** visit Martinique, I **will be** really happy!*

Note *de grammaire*

The future/conditional stem always ends with **-r**. Do you remember these irregular ones?

aller	ir-
avoir	aur-
être	ser-
faire	fer-
devoir	devr-
vouloir	voudr-
venir	viendr-
revenir	reviendr-
devenir	deviendr-
voir	verr-
envoyer	enverr-
pouvoir	pourr-
mourir	mourr-
courir	courr-

Note these forms in the future:

il y a	il y aura
il faut	il faudra
il pleut	il pleuvra

Note *de grammaire*

As in the conditional, verbs like **se lever**, **payer**, and **appeler** have spelling changes in *all* forms of the future (**je me lèverai, je paierai, j'appellerai**). Those like **préférer** do not (**je préférerai**).

Note *de prononciation*

As in the conditional forms, an unaccented **e** is usually not pronounced in future tense forms if you can drop it without bringing together three pronounced consonants (**j'habiterai, nous inviterons**).

A. Boule de cristal. Vous pouvez voir l'avenir *(the future)* dans une boule de cristal. Comment sera la vie des personnes suivantes dans cinq ans?

EXEMPLE Moi, je… (être riche)
Je serai riche. / Je ne serai pas riche.

1. Moi, je (j')…
   habiter ici
   avoir mon diplôme
   devoir travailler

2. Mon meilleur ami
   (Ma meilleure amie)…
   venir souvent me voir
   réussir dans la vie
   faire souvent des voyages

3. La personne de mes rêves
et moi, nous…
se marier
avoir des enfants
acheter une maison

4. Tous les membres de ma famille…
se rendre souvent visite
se voir souvent
voyager souvent ensemble

5. *[à un(e) autre étudiant(e)]*
Toi, tu…
finir tes études
trouver un bon travail
avoir beaucoup de problèmes

6. *[au professeur / à la professeure]* Vous…
travailler toujours *(still)* ici
pouvoir prendre votre retraite *(retirement)*
être heureux (heureuse)

B. Je… quand… Luc parle à un ami avant de partir en Guadeloupe. Complétez la phrase suivante en mettant les deux actions dans l'ordre logique. Mettez les deux verbes au futur.

Je… quand…

EXEMPLE   partir en vacances / pouvoir se reposer
Je pourrai me reposer quand je partirai en vacances.

1. aller en Guadeloupe / être dans l'avion pendant onze heures
2. arriver / envoyer un texto à mes parents
3. s'amuser / être en Guadeloupe
4. faire des excursions / ne pas être à la plage
5. visiter les sites touristiques / voir des endroits intéressants
6. aller voir le volcan de la Soufrière / prendre beaucoup de photos
7. mettre à jour mon statut sur Facebook / publier des photos

C. Si… Complétez logiquement ces phrases.

EXEMPLE   S'il pleut cette fin de semaine, je **resterai à la maison**.

1. S'il fait beau cette fin de semaine, je (j')…
2. S'il fait mauvais cette fin de semaine, je (j')…
3. Si je sors avec des amis cette fin de semaine, nous…
4. Si je peux partir en vacances cette année, je (j')…
5. Si un jour je peux visiter la Martinique, je (j')…

 D. Entretien. Pensez à un voyage (réel ou imaginaire) que vous ferez pendant les prochaines vacances. Votre partenaire vous posera des questions au sujet de ce voyage. Ensuite, changez de rôles.

1. Où iras-tu? Comment est-ce que tu voyageras?
2. Quand est-ce que tu partiras? Quand est-ce que tu reviendras?
3. Qui fera le voyage avec toi? Qu'est-ce que tu devras apporter dans tes valises?
4. Où est-ce que vous logerez?
5. Qu'est-ce que vous ferez pendant le voyage? Quelles activités ferez-vous? Quels sites touristiques est-ce que vous visiterez?

Stratégies et Lecture

French has other compound tenses which, like the **passé composé**, are formed with the auxiliary verb **avoir** or **être** and a past participle (**dansé**, **mangé**, **vu**, **etc.**). To translate these tenses, change the auxiliary verb *have* in English to the same tense as in French (imperfect, future, conditional): *They had (will have, would have) arrived.*

In the **passé composé**, where the auxiliary verb is in the *present* tense, translate it as the simple past or as *has/have + past participle.*

J'**ai** commencé.	Elle **est** rentrée.
*I began. / I **have** begun.*	*She returned. / She **has** returned.*

If the auxiliary verb is in the *imperfect,* translate it as *had + past participle.*

J'**avais** déjà commencé.	Il n'**était** pas encore rentré.
*I **had** already begun.*	*He **hadn't** returned yet.*

If the auxiliary verb is in the *conditional,* translate it as *would have + past participle.*

J'**aurais** déjà commencé.	Nous ne **serions** pas encore rentrés.
*I **would have** already begun.*	*We **wouldn't have** returned yet.*

If it is in the *future,* translate it as *will have + past participle.*

J'**aurai** déjà commencé.	Tu ne **seras** pas encore rentré(e).
*I **will have** already begun.*	*You **will** not **have** returned yet.*

A. Et vous ? Traduisez les phrases suivantes en anglais.

1. J'ai déjà visité la Guadeloupe.
2. L'année dernière, j'y suis resté un mois.
3. Avant de partir en vacances, j'avais réservé une chambre d'hôtel.
4. J'ai visité la Martinique aussi. J'y étais déjà allé(e) deux fois auparavant.
5. Si j'avais eu assez d'argent, j'aurais passé mes vacances en Europe.
6. Mes vacances auraient été plus agréables s'il n'avait pas plu tout le temps.
7. Quand j'aurai fini mes études, je ferai un long voyage.
8. Je visiterai la France quand j'aurai fini mes trois trimestres de français.

B. Le temps des verbes. Dans le texte de la page suivante, traduisez tous les verbes *en italique.*

Lecture : *Quelle aventure !*

Luc, un jeune Canadien qui passe ses vacances en Guadeloupe, raconte ses aventures dans un courriel à son ami Alain.

Salut Alain,

Je passe des vacances formidables ici à la Guadeloupe ! Je *t'aurais écrit* plus tôt si *je n'avais pas été* si occupé. Ici, tout est à mon goût... la cuisine, le paysage, les femmes ! En fait, j'ai rencontré une jeune Guadeloupéenne très sympa. Elle s'appelle Micheline et nous passons beaucoup de temps ensemble depuis notre rencontre assez comique au parc national.

J'étais allé au parc pour faire l'escalade de la Soufrière, un énorme volcan en repos... mais comme j'allais bientôt le voir, pas si «en repos» que ça ! En montant vers le volcan, *j'avais remarqué* qu'il y avait un peu de vapeur qui sortait du cratère, mais *je n'avais pas fait trop attention*. Arrivé presque au sommet du volcan, je m'étais assis par terre pour me reposer un peu et c'est là que la comédie a commencé. Là où j'étais assis, la terre était toute chaude, mais vraiment chaude, et je voyais des jets de vapeur qui sortaient du sommet ! J'ai pensé que le volcan allait exploser !

J'ai commencé à crier aux autres touristes : «Attention ! Attention ! Le volcan entre en éruption, il va exploser !» Heureusement, Micheline était parmi le groupe et elle nous a expliqué calmement : «Mais non, mais non... calmez-vous ! C'est tout à fait normal. Le volcan est en repos, il n'y a pas de danger !» Si *elle n'avait pas été* avec nous, *on aurait* tous *commencé* à courir, paniqués.

Sur le moment, j'ai eu l'impression d'être complètement ridicule ! Mais cette impression n'a pas duré. On a *commencé* à parler et nous avons continué l'escalade du volcan ensemble. Arrivés au sommet, nous avons trouvé une vue impressionnante... la lave..., les fissures..., l'odeur... C'était un paysage presque irréel. Pendant un instant, j'ai eu l'impression d'être sur une autre planète !

Alors, tout est bien qui finit bien. Si *je n'avais pas fait* cette bêtise, *Micheline et moi n'aurions jamais commencé à parler* et *je n'aurais pas fait la connaissance* de cette femme extraordinaire. Elle est super sympa et nous sortons ensemble presque tous les soirs !

À bientôt,
Luc

La Soufrière

© Philippe Giraud/Corbis

Compréhension. Répondez aux questions suivantes d'après la lecture.

1. Que faisait Luc quand il a rencontré Micheline ?
2. Qu'est-ce que Luc avait vu avant de commencer à crier que le volcan allait exploser ?
3. Qu'est-ce que tous les touristes auraient fait si Micheline n'avait pas été là pour les calmer ?
4. Pourquoi est-ce que Luc dit que «tout est bien qui finit bien» ?
5. Qu'est-ce que Luc pense du paysage au sommet du volcan ?

▉ Preparing for a trip

Les préparatifs

Avant de voyager **à l'étranger**, il faut faire beaucoup de préparatifs *(m)*. D'abord, vous devez acheter votre **billet** *(m)* **d'avion** dans une agence de voyages ou votre **billet électronique** sur Internet.

Il faut aussi…

vous informer sur des sites Web et **obtenir** des renseignements.

lire des guides *(m)* touristiques.

réserver une chambre en ligne ou au téléphone.

dire à votre famille où vous allez.

faire garder votre chien pendant votre voyage.

faire vos valises *(f)*.

À votre arrivée, vous devez…

montrer votre passeport *(m)*.

passer la douane.

acheter **des devises étrangères**.

les préparatifs *(m)* preparations
à l'étranger in another country, abroad
un billet d'avion a plane ticket
un billet électronique an e-ticket
s'informer to find out information
obtenir to obtain
faire sa valise to pack one's bag
des devises étrangères foreign currencies

Alain parle à sa femme du courriel qu'**il a reçu** de son ami Luc.

CATHERINE: Qu'est-ce que **tu lis**?
ALAIN: C'est un message que j'ai reçu de Luc. Il **m'**écrit de la Guadeloupe où il passe ses vacances.
CATHERINE: Et **ça lui plaît**, la Guadeloupe?
ALAIN: Ça lui plaît beaucoup.
CATHERINE: La Guadeloupe doit être jolie. J'aimerais bien voir les plages et les paysages tropicaux.
ALAIN: Luc dit qu'il aime beaucoup le paysage, la cuisine et le climat. Il me raconte sa petite aventure pendant l'escalade du volcan. Apparemment, il a aussi rencontré une «femme extraordinaire» là-bas.

A. Avant le départ ou après l'arrivée? Quand on voyage, est-ce qu'il faut faire les démarches suivantes **avant le départ** ou **après l'arrivée**?

EXEMPLE   acheter un billet d'avion
Il faut acheter un billet d'avion avant le départ.

1. passer la douane
2. téléphoner pour obtenir des renseignements
3. réserver une chambre
4. montrer son passeport
5. lire des commentaires sur les sites de voyage
6. demander à un ami de garder son chien
7. acheter des devises étrangères

B. Mon dernier voyage? Dites si vous avez fait chaque démarche de l'activité précédente lors de *(at the time of)* vos dernières vacances.

EXEMPLE   acheter un billet d'avion
Je n'ai pas acheté de billet d'avion. J'ai pris ma voiture.

C. Que fait-on? Faites une liste de ce qu'on fait dans chacun des endroits suivants.

1. à l'agence de voyages
2. à l'aéroport
3. à la banque
4. à l'hôtel
5. sur des sites Web

 D. À vous! Avec un(e) partenaire, relisez à haute voix la conversation entre Alain et Catherine. Ensuite, imaginez que vous recevez un courriel d'un(e) ami(e) qui visite une autre région francophone. Parlez avec votre partenaire de vos impressions de cette région et dites pourquoi vous voudriez ou ne voudriez pas y aller.

> **il a reçu (recevoir** to receive)
> **tu lis (lire** to read)
> **me (m')** me, to me
> **Ça lui plaît? (plaire** to please) Does he like it?

✔ *Pour vérifier*

1. What are the conjugations of **dire**, **lire**, and **écrire**? What do you need to remember about the **vous** form of **dire**? What are the future and conditional stems of these verbs?

2. Which two of these verbs have similar past participles? What are they? What is the past participle of **lire**?

Les verbes *dire*, *lire* et *écrire*

You have already seen the verbs **dire** (*to say, to tell*), **lire** (*to read*), and **écrire** (*to write*). Here are their full conjugations. The verb **décrire** (*to describe*) is conjugated like **écrire**.

DIRE (*to say, to tell*)	LIRE (*to read*)	ÉCRIRE (*to write*)
je **dis**	je **lis**	j'**écris**
tu **dis**	tu **lis**	tu **écris**
il/elle/on **dit**	il/elle/on **lit**	il/elle/on **écrit**
nous **disons**	nous **lisons**	nous **écrivons**
vous **dites**	vous **lisez**	vous **écrivez**
ils/elles **disent**	ils/elles **lisent**	ils/elles **écrivent**
PASSÉ COMPOSÉ: **j'ai dit**	PASSÉ COMPOSÉ: **j'ai lu**	PASSÉ COMPOSÉ: **j'ai écrit**
IMPARFAIT: je **disais**	IMPARFAIT: je **lisais**	IMPARFAIT: j'**écrivais**
CONDITIONNEL: je **dirais**	CONDITIONNEL: je **lirais**	CONDITIONNEL: j'**écrirais**
FUTUR: je **dirai**	FUTUR: je **lirai**	FUTUR: j'**écrirai**

Here are some things you might want to read or write.

un article *an article*	**une lettre** *a letter*
une carte postale *a postcard*	**un magazine** *a magazine*
un courriel *an e-mail*	**un poème** *a poem*
une histoire *a story*	**une rédaction** *a composition*
un journal (*pl* **des journaux**) *a newspaper*	**un roman** *a novel*

A. En cours de français. Est-ce que ces personnes font souvent les activités suivantes en cours de français?

souvent	quelquefois	rarement	ne... jamais

> **EXEMPLE** je / écrire des poèmes
> **Je n'écris jamais de poèmes en cours de français.**

1. le professeur / écrire au tableau
2. je / écrire des courriels
3. nous / écrire une rédaction
4. je / lire le journal
5. le professeur / lire des poèmes à la classe
6. nous / lire des phrases à haute voix (*aloud*)
7. les étudiants / lire des articles de presse en français

Maintenant, dites si ces personnes ont fait ces activités en cours la semaine dernière.

> **EXEMPLE** je / écrire des poèmes
> **Je n'ai pas écrit de poèmes en cours de français la semaine dernière.**

B. Qu'est-ce qu'on dit? Dites comment ces personnes se comportent (*to behave*) dans chacune des situations suivantes.

> **EXEMPLE** je / dire « merci » quand le professeur me rend mes devoirs
> **Je (ne) dis (pas) « merci » quand le professeur me rend mes devoirs.**

1. le prof / dire « bonjour » quand il arrive en cours
2. les autres étudiants et moi / se dire « bonjour » en cours
3. nous / le dire au prof quand nous ne comprenons pas
4. je / dire « au revoir » quand je quitte la classe
5. je / dire « merci » au prof quand je quitte la classe

Maintenant, dites comment ces personnes se sont comportées au dernier cours.

> **EXEMPLE** je / dire « merci » quand le professeur me rend mes devoirs.
> **J'ai dit (Je n'ai pas dit) « merci » quand le professeur m'a rendu mes devoirs.**

 C. En vacances. Vous faites le voyage de vos rêves avec un(e) ami(e). Avec un(e) partenaire, faites des phrases logiques en utilisant un élément de chaque colonne. Faites au moins deux phrases pour chaque sujet.

> **EXEMPLE** **Je lis des commentaires.**

Je...	dire	des cartes postales
Nous...	écrire	des courriels
L'agent de voyages...	lire	un courriel pour réserver une chambre
		des sites Web pour obtenir des renseignements
		« au revoir » à nos amis
		le nom de notre hôtel à ma famille
		le prix du voyage

 D. Entretien. Interviewez votre partenaire.

1. Est-ce que tu écris plus de courriels ou de textos? Est-ce que tu as écrit un courriel ce matin? À qui? Quand tu voyages, est-ce que tu publies des photos sur Facebook?
2. Lis-tu le journal tous les jours? Quel journal préfères-tu lire? Le liras-tu ce soir? Est-ce que tu l'as lu ce matin? Quel magazine lis-tu le plus souvent? Est-ce que tu l'as lu ce mois-ci?
3. Lis-tu beaucoup de romans? Lis-tu plus de romans d'aventures ou d'amour? Quel est le dernier roman que tu as lu? Quand est-ce que tu l'as lu?

1. What are the direct object pronouns *him, her, it, them*? What are the indirect object pronouns *(to) him / (to) her / (to) them*?

2. How can you often recognize a noun that is an indirect object in French? What types of verbs are frequently followed by indirect objects?

3. Where do you place the object pronoun when there is an infinitive in the same clause? Where does it go otherwise?

4. Where do you place the object pronoun in the **passé composé**? When does the past participle agree with an object?

Note *de grammaire*

In French, a direct object generally follows the verb directly, whereas an indirect object is preceded by a preposition, usually **à (au, à la, à l', aux)**.

J'invite **mes amis** chez moi. (direct object)
Je **les** invite chez moi.

Je téléphone **à mes amis**. (indirect object)
Je **leur** téléphone.

Avoiding repetition

*Les pronoms compléments d'objet indirect (**lui, leur**) et reprise des pronoms compléments d'objet direct (**le, la, l', les**)*

In ***Chapitre 5***, you learned that you can replace the direct object of the verb with the direct object pronouns **le, la, l',** and **les**.

—Tu fais **ta valise** maintenant? —Tu as acheté **ton billet**?
—Oui, je **la** fais. —Oui, je **l'**ai acheté.

Replace the indirect object of the verb with the indirect object pronouns **lui** *([to] him, [to] her)* and **leur** *([to] them)*. Generally, you can recognize a noun that is an indirect object because it is usually preceded by the preposition **à** (**au, à la, à l', aux**).

Verbs indicating communication or exchanges, such as **parler à, téléphoner à, dire à, écrire à, demander à, rendre visite à**, and **donner à**, are followed by indirect objects.

—Tu écris **à ta mère**? —Tu vas rendre visite **à tes parents**?
—Oui, je **lui** écris un courriel. —Oui, je vais **leur** rendre visite cette fin de semaine.

DIRECT OBJECT PRONOUNS		INDIRECT OBJECT PRONOUNS	
le (l')	*him, it* (m)	**lui**	*(to) him*
la (l')	*her, it* (f)	**lui**	*(to) her*
les	*them*	**leur**	*(to) them*

Indirect object pronouns follow the same placement rules as direct object pronouns. Generally, place them *immediately* before the verb. They go before the infinitive if there is one in the same clause. If not, they go before the conjugated verb. In the **passé composé**, they go before the auxiliary verb.

—Luc va téléphoner **à Micheline**? —*Is Luc going to call **Micheline**?*
—Oui, il va **lui** téléphoner. —*Yes, he's going to call **her**.*
—Il écrit **à son ami**? —*Is he writing **to his friend**?*
—Oui, il **lui** écrit. —*Yes, he is writing **(to) him**.*
—Il a parlé **à ses parents**? —*Has he talked **to his parents**?*
—Non, il ne **leur** a pas parlé. —*No, he hasn't talked **to them**.*

In negated sentences, place **ne** immediately after the subject and **pas, rien**, or **jamais** immediately after the first verb.

Je ne veux pas **lui** écrire.
Je ne **lui** écris jamais.
Je ne **lui** ai pas écrit.

In the **passé composé**, the past participle agrees with *direct object* pronouns, but **not** with *indirect objects*.

Luc a invité Micheline. Luc **l'**a invité**e**.
Luc a téléphoné à Micheline. Luc **lui** a téléphoné.

A. En voyage.

Quel genre de voyageur (voyageuse) êtes-vous? Formez des phrases pour parler de vos habitudes en voyage. Utilisez les pronoms **le, la, l', les**.

> **EXEMPLE**   J'achète *les devises étrangères* (à la banque / à l'aéroport juste avant de partir).
> **Je *les* achète à la banque / à l'aéroport juste avant de partir.**

1. Je réserve *mon hôtel* (dans une agence de voyages / en ligne).
2. Je fais *ma valise* (au dernier moment / à l'avance).
3. Je visite *les sites touristiques* (avec un guide / sans guide).
4. (Je publie / Je ne publie pas) *mes photos* sur Facebook.

Maintenant, utilisez les pronoms **lui** et **leur** pour remplacer les noms compléments d'objet indirect.

5. Je dis (toujours / quelquefois / rarement) *à mes parents* où je vais.
6. J'écris (souvent / quelquefois / rarement) des courriels *à mes amis*.
7. (Je téléphone / Je ne téléphone pas) *à mon meilleur ami (à ma meilleure amie)*.
8. J'envoie (toujours / quelquefois / rarement) des photos *à ma famille et à mes amis*.

B. La prochaine fois.

Refaites les phrases de *A. En voyage* pour parler de ce que vous allez faire la prochaine fois que vous partirez en voyage.

> **EXEMPLE**   J'achète *les devises étrangères* (à la banque / à l'aéroport juste avant de partir).
> **La prochaine fois, je vais *les* acheter à la banque / à l'aéroport juste avant de partir.**

Maintenant, refaites ces mêmes phrases au passé composé pour dire ce que vous avez fait la dernière fois que vous êtes parti(e) en voyage.

> **EXEMPLE**   J'achète *les devises étrangères* (à la banque / à l'aéroport juste avant de partir).
> **La dernière fois je *les* ai achet*ées* à la banque / à l'aéroport juste avant de partir.**

C. Habitudes de voyage.

Parlez de vos voyages en répondant à ces questions. Utilisez **le, la, l', les, lui** ou **leur**.

> **EXEMPLE**   Vous demandez de l'argent *à vos parents*?
> **Oui, je *leur* demande de l'argent. / Non, je ne *leur* demande pas d'argent.**

En général…

1. Vous réservez *votre chambre d'hôtel* en ligne?
2. Vous achetez *votre billet* en ligne ou dans une agence de voyages?
3. Vous proposez *à vos parents* d'y aller avec vous?
4. Vous invitez *votre meilleur(e) ami(e)*?
5. Vous lisez *le magazine de la compagnie aérienne* dans l'avion?

Et la dernière fois que vous êtes parti(e) en voyage…

6. Vous avez téléphoné *à votre mère* pendant le voyage?
7. Vous avez envoyé des textos à vos amis?
8. Vous avez passé *vos soirées* à l'hôtel?
9. À votre retour, vous avez raconté votre voyage *à vos parents*?
10. Vous avez publié *vos photos* sur Facebook?

À l'agence de voyages

Pour voyager à l'étranger, il faut avoir…   Il faut aussi **savoir**…

un passeport
un billet d'avion
une carte de crédit
une carte bancaire

le numéro du **vol**
l'heure de départ
l'heure d'arrivée
la porte d'embarquement
la porte d'arrivée

Aimez-vous préparer vos voyages à l'avance? Il faut lire des guides touristiques pour mieux **connaître**…

l'histoire et la géographie de la région et les gens et leur culture

le système de **transports** *(m)* **en commun**

Avant de partir en voyage, Luc va acheter son billet à l'agence de voyages.

Luc:	Bonjour, monsieur. Je voudrais acheter un billet Montréal – Pointe-à-Pitre.
L'agent de voyages:	Très bien, monsieur. Vous voulez un billet aller-retour ou un aller simple?
Luc:	Un billet aller-retour.
L'agent de voyages:	À quelle date est-ce que vous voulez partir?
Luc:	Le 21 juillet.
L'agent de voyages:	Quand est-ce que vous voudriez rentrer?
Luc:	Vers le 13 août.
L'agent de voyages:	On va voir ce qu'Air Canada peut vous offrir. Vous voulez un billet classe Tango, Flex ou affaires?
Luc:	Tango, c'est le moins cher.
L'agent de voyages:	Très bien. Il y a un vol le 21 juillet, départ de Montréal à 8 h 25, arrivée à Pointe-à-Pitre à 13 h 10. Le voyage dure 4 h et 45 min. Pour le retour, il y a un vol qui part de Pointe-à-Pitre le 13 août à 14 h 10 et qui arrive à Montréal à 19 h 15. **Ça vous convient?**
Luc:	Oui, c'est parfait. Combien coûte le billet?
L'agent de voyages:	C'est 1 145,59 $ incluant toutes les taxes.
Luc:	Bon. Alors, faites ma réservation. Voici ma carte de crédit.

A. Le voyage de Luc.
Lisez le résumé du voyage de Luc et répondez à ces questions.

1. Est-ce que Luc a acheté un billet aller-retour ou un aller simple ?
2. Est-ce que Luc voyagera en première classe, en classe affaires ou Tango ?
3. Quelle est la date de son départ ? de son retour ? De quel aéroport partira-t-il ?
4. Il devra arriver à l'aéroport combien d'heures avant le départ ?
5. À quelle heure est son départ de Montréal ? À quelle heure est son arrivée à Pointe-à-Pitre ?
6. Est-ce qu'un repas sera servi en route ?

B. Et vous ?
Choisissez la phrase qui vous décrit le mieux quand vous voyagez.

1. **a.** Je préfère préparer mes voyages bien à l'avance.
   b. Je prépare tout quelques jours avant de partir.
   c. Je préfère voyager à l'imprévu *(without planning)*.

2. **a.** J'arrive à l'aéroport bien en avance.
   b. J'arrive à l'aéroport au dernier moment.
   c. Je manque *(miss)* quelquefois mon vol.

3. **a.** Pendant le voyage, je préfère tout payer par carte de crédit.
   b. Je préfère tout payer par carte bancaire ou comptant *(in cash)*.

4. **a.** Dans une grande ville comme Vancouver, j'utilise les transports en commun.
   b. Je prends toujours un taxi ou je loue une voiture.
   c. Je ne sors pas de l'hôtel.

5. **a.** J'aime lire un guide pour connaître l'histoire et la culture d'une région.
   b. J'aime mieux m'informer sur des sites Web pour connaître la région.
   c. Je préfère tout découvrir pendant le voyage.

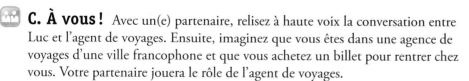

C. À vous !
Avec un(e) partenaire, relisez à haute voix la conversation entre Luc et l'agent de voyages. Ensuite, imaginez que vous êtes dans une agence de voyages d'une ville francophone et que vous achetez un billet pour rentrer chez vous. Votre partenaire jouera le rôle de l'agent de voyages.

ITINÉRAIRE

PASSAGER	Moreau, Luc	
ALLER	Mardi 21 juillet	
DÉPART	Montréal-Trudeau (YUL)	8 h 25
VOL	Air Canada AC948 Tango	
ARRIVÉE	Pointe-à-Pitre – Pôle Caraïbes (PTP)	13 h 10

• Un repas et une collation seront servis en vol.

RETOUR	Jeudi 13 août	
DÉPART	Pointe-à-Pitre – Pôle Caraïbes (PTP)	14 h 10
VOL	Air Canada AC949 Tango	
ARRIVÉE	Montréal-Trudeau (YUL)	19 h 15

• Un repas et une collation seront servis en vol.

Prix total pour un adulte
Frais de transport aérien

Vol à l'aller (Tango)	506,50 $
(y compris les suppléments)	
Vol de retour (Tango)	506,50 $
(y compris les suppléments)	
Taxes, frais et suppléments	132,59 $
Grand total - dollars canadiens	1 145,59 $

Prévoyez d'arriver à l'aéroport deux heures avant l'heure de départ.

N'oubliez pas de confirmer votre retour 72 heures avant le départ.

✔ *Pour vérifier*

1. What is the conjugation of **savoir**? of **connaître**?

2. Do you use **savoir** or **connaître** when *to know* is followed by a verb? By a question word, **si**, **que**, or **ce que**? To say that one knows a language? If *to know* is followed by a noun that indicates a fact or information? by a noun that indicates that someone is familiar with a person, place, or thing?

Saying what people know

Les verbes *savoir* et *connaître*

Both **savoir** and **connaître** mean *to know*. The verb **reconnaître** *(to recognize)* has the same conjugation as **connaître**.

SAVOIR *(to know [how])*		CONNAÎTRE *(to know, to be familiar with, to be acquainted with)*	
je **sais**	nous **savons**	je **connais**	nous **connaissons**
tu **sais**	vous **savez**	tu **connais**	vous **connaissez**
il/elle/on **sait**	ils/elles **savent**	il/elle/on **connaît**	ils/elles **connaissent**
PASSÉ COMPOSÉ : j'**ai su** *(I found out)*		PASSÉ COMPOSÉ : j'**ai connu** *(I met)*	
IMPARFAIT : je **savais** *(I knew)*		IMPARFAIT : je **connaissais** *(I knew)*	
CONDITIONNEL : je **saurais**		CONDITIONNEL : je **connaîtrais**	
FUTUR : je **saurai**		FUTUR : je **connaîtrai**	

Use **savoir** to say you *know…*

FACTS OR INFORMATION :

Est-ce que tu sais la réponse ?

Nous ne savons pas où ils sont.

A LANGUAGE :

Je sais le français.

Je ne sais pas l'allemand.

HOW TO DO SOMETHING :

Je sais nager.

Je ne sais pas danser.

Use **connaître** to say you *know (of)*
or *are familiar or acquainted with …*

PEOPLE :

Vous connaissez mon ami Max ?

Je le connais bien.

PLACES :

Tu connais bien la Guyane ?

Qui connaît ce quartier ?

THINGS :

Je ne connais pas ce monument.

Tu connais l'histoire de la Guyane ?

Use **savoir** when *to know* is followed by a verb, a question word (**qui, où…**), or by **si**, **que**, or **ce que**. When *to know* is followed by a noun, use **savoir** to say one *knows a language, a fact, or information*, and **connaître** to say one is *familiar with a person, place, or thing*.

A. Quel pays ? Luc vous parle des gens qu'il connaît et des pays où ils habitent. Quels pays est-ce que ces personnes connaissent bien ? Quelles langues savent-elles parler ?

EXEMPLE J'habite à Montréal.
Je connais bien le Canada. Je sais parler français et anglais.

la France	l'Espagne		français	allemand
l'Allemagne	le Sénégal		anglais	espagnol
le Canada				

1. Mon amie Sophie habite à Berlin. Elle…
2. Mes cousins habitent à Barcelone. Ils…
3. Mes parents et moi habitons à Paris. Nous…
4. Mon frère habite à Dakar. Il…
5. *[au professeur]* Et vous, vous habitez à *[votre ville]*. Alors, vous…?

B. Qui sait faire ça? Dites qui sait faire les choses suivantes dans votre famille. **Dites Personne ne sait…** pour dire *No one knows how to …*

Connaissez-vous la Guadeloupe? Savez-vous parler français?

© Robert Fried/Alamy

> **EXEMPLE** nager
> **Tout le monde sait nager dans ma famille.**
> **Moi, je sais nager mais les autres ne savent pas nager.**
> **Personne ne sait nager dans ma famille.**

1. bien faire la cuisine
2. faire du ski
3. bien danser
4. jouer au tennis
5. bien chanter
6. parler français

 Maintenant demandez aux personnes de votre classe si elles savent faire ces choses.

> **EXEMPLE** nager
> — **Marc, tu sais nager?**
> — **Oui, je sais nager. / Non, je ne sais pas nager.**

C. Et vous? Complétez ces phrases avec **je sais / je ne sais pas** ou avec **je connais / je ne connais pas** pour parler de vos connaissances.

1. ___ bien le campus. ___ où se trouvent la bibliothèque et d'autres endroits importants.
2. En cours, d'habitude, ___ répondre aux questions du prof. ___ très bien le français. ___ bien les conjugaisons des verbes que nous avons étudiés. ___ qu'il est très important de bien apprendre toutes les conjugaisons.
3. ___ le nom de tous mes camarades de classe. ___ bien ces étudiants. ___ ce qu'ils vont tous faire après les cours aujourd'hui.
4. ___ bien la bibliothèque. ___ où se trouvent tous les livres en français.
5. ___ utiliser Internet pour trouver comment dire ce que je veux en français. ___ des (de) sites Web avec de bons dictionnaires.

D. Les voyages et la géographie. Complétez chaque question avec la forme correcte de **connaître** ou de **savoir** et posez-la à votre partenaire.

1. ___ -tu un bon site pour réserver une chambre en ligne? Est-ce que tu ___ combien coûte un billet d'ici à Montréal? ___ -tu s'il y a un vol direct d'ici à Montréal? ___ -tu combien de temps prend un vol d'ici à Montréal?
2. Combien de langues est-ce que tu ___ parler? Est-ce que tu ___ l'allemand? ___ -tu un peu l'Europe? ___ -tu quelle ville est la capitale de la Belgique?
3. ___ -tu la Guadeloupe? Est-ce que tu ___ quelle ville est le chef-lieu *(administrative centre)* de la Guadeloupe? ___ -tu bien l'histoire et la géographie de la Guadeloupe?

✔ **Pour vérifier**

What four pronouns are used for both direct and indirect objects? Where are they usually placed in a sentence with an infinitive in the same clause? Where are they placed otherwise?

Grammar Tutorials

Indicating who does what to whom

Les pronoms *me, te, nous* et *vous*

The pronouns **me** *(me, to me)*, **te** *(you, to you)*, **nous** *(us, to us)*, and **vous** *(you, to you)* are used as both direct and indirect objects.

me (m')	*me, to me*	Tu ne **m'**attends pas ?
te (t')	*you, to you* (familiar)	Nous **t'**avons attendu(e) une heure.
nous	*us, to us*	Tu peux venir **nous** chercher ?
vous	*you, to you* (plural / formal)	Je **vous** téléphonerai plus tard.

All object pronouns go immediately before an infinitive if there is one in the same clause; otherwise they go before the conjugated verb. In the **passé composé**, they go before the auxiliary verb.

> Je vais **te** voir demain.   Il ne **nous** connaît pas bien.   Je **vous** ai vu(e)(s).

In the **passé composé**, the past participle agrees with preceding *direct* objects, but not with *indirect* objects.

> Il **nous** a **vus** mais il ne **nous** a pas **parlé**.

The expression **il faut** followed by an infinitive generally means *it is necessary* or *one must*.

> Il faut arriver une heure à l'avance.
> *It is necessary to arrive (One must arrive) one hour in advance.*

Use **il faut** with the indirect object pronouns **me**, **te**, **nous**, **vous**, **lui**, and **leur** to say that someone needs something or needs to do something.

> Il me faut aller au consulat. Il me faut un passeport.
> *I need to go to the consulate. I need a passport.*

A. Que voulez-vous ? Dites la même chose en utilisant l'expression **il me faut, il te faut, il lui faut, il nous faut, il vous faut** ou **il leur faut**.

> **EXEMPLE**   J'ai besoin d'un passeport.
>   **Il me faut un passeport.**

1. Tu as besoin d'une carte de crédit.
2. Nous avons besoin d'un guide.
3. Vous avez besoin d'un billet.
4. J'ai besoin d'un nouveau bikini.
5. Tu as besoin d'une pièce d'identité.
6. Il a besoin d'un passeport.
7. Ils ont besoin d'une carte d'embarquement *(boarding pass)*.

Maintenant, expliquez pourquoi chacun a besoin de ces choses.

>**EXEMPLE** J'ai besoin d'un passeport.
>**Il me faut un passeport pour faire un voyage à l'étranger.**

> avoir une chambre d'hôtel
>
> faire un voyage à l'étranger   payer le voyage
>
> monter dans l'avion   préparer un itinéraire   aller à la plage

 B. Meilleur(e)s ami(e)s. Demandez à votre partenaire si son meilleur ami (sa meilleure amie) fait les choses suivantes. Utilisez le pronom **te (t')** dans vos questions.

>**EXEMPLE** téléphoner souvent
>— **Il/Elle te téléphone souvent?**
>— **Non, il/elle ne me téléphone pas souvent. Oui, il/elle me téléphone souvent.**

1. parler tous les jours
2. écouter toujours
3. comprendre bien
4. rendre toujours visite la fin de semaine
5. embêter (*to annoy*) quelquefois
6. donner de l'argent
7. demander beaucoup de services (*favours*)

C. Je te promets! Un jeune homme dit à sa fiancée qu'il fait ou qu'il va faire tout ce qu'elle veut. Elle lui pose les questions suivantes. Comment répond-il?

>**EXEMPLE** Tu m'aimes vraiment beaucoup?
>**Oui, je t'aime vraiment beaucoup.**

1. Tu m'adores?
2. Tu me comprends?
3. Tu m'écoutes quand je te parle?
4. Tu veux me voir tous les jours?
5. Tu vas venir me voir demain?
6. Tu vas m'aider avec mon travail?
7. Tu vas m'aimer pour toujours?

 D. Entretien. Interviewez votre partenaire.

1. Est-ce que tes amis t'invitent souvent à partir en voyage avec eux *(them)*?
2. As-tu des amis qui te téléphonent d'un autre pays de temps en temps?
3. De tous les endroits où tu as passé tes vacances, quelle ville est-ce que tu me recommandes de visiter? Pourquoi?

Deciding where to go on a trip

Un voyage

Luc visite la Guadeloupe. Et vous ? Quels continents et pays aimeriez-vous visiter ?

Moi, j'aimerais visiter…

l'Afrique *(f)* : **le Maroc,** l'Algérie *(f)*, l'Égypte *(f)*, le Sénégal, la Côte d'Ivoire

L'oasis de Kerzaz, en Algérie

l'Asie *(f)* et **le Moyen-Orient** : la Chine, Israël *(m)*, le Japon, le Vietnam

l'Amérique *(f)* du Nord ou l'Amérique centrale : **les Antilles** *(f)*, le Canada, les États-Unis *(m)*, le Mexique

l'Amérique *(f)* du Sud : l'Argentine *(f)*, le Brésil, le Pérou, la Colombie, le Chili, la Guyane

La Guadeloupe

l'Océanie *(f)* : l'Australie *(f)*, la Nouvelle-Calédonie, la Polynésie française

l'Europe *(f)* : l'Allemagne *(f)*, la Belgique, l'Espagne *(f)*, la France, **le Royaume-Uni,** l'Italie *(f)*, la Russie, la Suisse

Les arcades du Cinquantenaire, à Bruxelles

Vocabulaire supplémentaire	
EN AFRIQUE	**l'Afrique** *(f)* **du Sud**
	la Tunisie
EN ASIE	**la Corée**
	l'Inde *(f)*
	l'Indonésie *(f)*
	l'Iran *(m)*
	l'Irak *(m)*
	la Turquie
EN EUROPE	**le Danemark**
	la Grèce
	la Norvège
	la Pologne
	le Portugal
	la République tchèque
	la Suède *(Sweden)*

le Maroc *Morocco*
le Moyen-Orient *the Middle East*
les Antilles *(f pl) the West Indies*
le Royaume-Uni *the United Kingdom*

Luc et Micheline parlent des voyages qu'ils ont faits.

MICHELINE: Pourquoi es-tu venu tout seul à la Guadeloupe? Tu aimes voyager?

LUC: Oui, j'adore ça! J'ai toujours voulu visiter les Caraïbes pour faire de la plongée sous-marine et goûter à la cuisine créole.

MICHELINE: Quels pays étrangers as-tu visités?

LUC: J'ai visité les États-Unis, la Chine et la France. Et toi? Tu aimes voyager à l'étranger?

MICHELINE: Je n'ai jamais quitté la Guadeloupe, mais j'aimerais bien visiter l'Afrique un jour.

LUC: Où aimerais-tu aller en Afrique?

MICHELINE: Moi, j'aimerais surtout visiter le Sénégal et la Côte d'Ivoire.

A. Quel continent? Où se trouvent *(are located)* ces pays?

en Amérique du Nord   en Afrique   en Amérique du Sud
en Océanie   en Asie   en Europe

> EXEMPLE   **la Chine**
> **La Chine se trouve en Asie.**

1. les États-Unis
2. l'Algérie
3. le Japon
4. l'Australie
5. l'Allemagne
6. le Sénégal
7. la Guyane
8. le Maroc

B. Quels pays? Dites quels pays vous aimeriez visiter dans la région indiquée.

> EXEMPLE   en Europe
> **En Europe, j'aimerais visiter la France, l'Espagne…**

1. en Asie et au Moyen-Orient
2. en Amérique du Nord et du Sud
3. en Océanie
4. en Afrique
5. en Europe

C. Associations. Travaillez avec un(e) partenaire pour trouver l'endroit de chaque groupe qui ne va pas avec les autres. Expliquez pourquoi.

> EXEMPLE   l'Allemagne, les États-Unis, la France, la Suisse
> **les États-Unis: Tous les autres sont en Europe.**

1. le Canada, l'Argentine, l'Espagne, le Pérou, le Mexique
2. l'Australie, la Polynésie française, la Martinique, le Sénégal
3. la France, les États-Unis, l'Australie, le Royaume-Uni
4. le Sénégal, l'Égypte, le Brésil, l'Algérie, le Maroc
5. la France, la Belgique, le Sénégal, la Suisse, le Mexique

D. À vous! Avec un(e) partenaire, relisez à haute voix la conversation entre Micheline et Luc en haut de la page. Ensuite, adaptez la conversation pour parler des régions et pays que vous avez visités et de ceux que vous aimeriez visiter.

✔ **Pour vérifier**

1. With which one of the following do you generally not use a definite article when it is the subject or direct object of a verb: cities, states, provinces, countries, or continents? Would you use **le**, **la**, **l'**, or **les** before the following place names?

____ Italie, ____ Antilles, ____ Ontario,

____ Japon, ____ France

2. Which countries, states or provinces are generally feminine? masculine?

3. How do you say *to* or *in* with a city? with a feminine country? with a masculine country beginning with a vowel sound? with a masculine country beginning with a consonant? with plural countries?

Saying where you are going

Les expressions géographiques

When a place name is used as the subject or object of a verb, you generally need to use the definite article with continents, countries, states, and provinces, but *not* with cities, towns or villages.

- Most continents, countries, states, and provinces ending in **-e** are feminine:
  la Colombie-Britannique, la Nouvelle-Écosse, la Californie, la France

- Most others are masculine:
  le Canada, le Nouveau-Brunswick, le Québec, le Texas

- Some exceptions:
  la Saskatchewan, le Mexique, le Cambodge, le Zaïre

- Some geographical names are plural:
  les Territoires du Nord-Ouest, les États-Unis, les Philippines, les Pays-Bas

The usage for islands in French varies.

- They are preceded by a definite article if the word "île" is part of the geographical name:
  l'Île-du-Prince-Édouard, l'Île Maurice, les îles Fidji

- Some islands are treated as cities and are not preceded by a definite article
  Terre-Neuve-et-Labrador, Cuba, Madagascar

J'adore **le** Canada. Nous avons déjà visité **le** Yukon, **la** Colombie-Britannique, Terre-Neuve-et-Labrador et **l'**Île-du-Prince-Édouard. Cet été, nous allons visiter **l'**île du Cap-Breton, Halifax, Ottawa et Winnipeg.

To say *to* or *in* with a geographical location, the preposition you use varies.

TO / IN		
à	with cities	**à** Toronto
aux	with any plural country or region	**aux** États-Unis
en	with any feminine country or region and with any masculine one beginning with a vowel	**en** Nouvelle-Écosse **en** Ontario
au	with any masculine country or region beginning with a consonant	**au** Manitoba

A. C'est connu! D'abord, mettez la forme convenable de l'article défini devant le nom de chaque province ou territoire. Ensuite, demandez à votre partenaire quelle province ou quel territoire est connu *(known)* pour les choses indiquées.

_____	Alberta	_____	Québec
_____	Colombie-Britannique	_____	Saskatchewan
_____	Île-du-Prince-Édouard	_____	Terre-Neuve-et-Labrador
_____	Manitoba	_____	Territoires du Nord-Ouest
_____	Nouveau-Brunswick	_____	Nunavut
_____	Nouvelle-Écosse	_____	Yukon
_____	Ontario		

EXEMPLE — Quelle province est connue pour le Festival Juste pour rire?
— Le Québec.

Quelle province est connue pour…?

1. la poutine
2. les chutes du Niagara
3. le roman *Anne… la maison aux pignons verts*
4. le Festival acadien
5. les Olympiques d'hiver de 2010
6. le phare et le panorama de Peggy's Cove
7. être le plus grand producteur de blé au Canada
8. la ruée vers l'or

B. C'est où? Devinez où dans le monde francophone se trouvent *(are located)* ces sites touristiques.

Le château de Versailles

EXEMPLE Le château de Versailles
Le château de Versailles se trouve à Versailles en France.

Dakar (Sénégal)   Versailles (France)
Bruxelles (Belgique)   Fès (Maroc)
Québec (Canada)   Papeete (Polynésie française)

1.

La Grand-Place

2.

Le Château Frontenac

3.

La Médina

4.

Le Marché de Papeete

5.

La Grande Mosquée

Reprise

See the **Résumé de grammaire** section at the end of each chapter for a review of all the grammar presented in the chapter.

© Heinle/Cengage Learning

Les Stagiaires

Dans l'**Épisode 9** de la vidéo **Les Stagiaires**, M. Vieilledent fait des projets pour des vacances en Martinique. Avant de regarder l'épisode, faites ces exercices pour réviser ce que vous avez appris dans le **Chapitre 9.**

A. Qu'est-ce qu'on fait? Avant de décider où aller en vacances, M. Vieilledent parle à ses amis de ce qu'il pourrait faire dans les différents endroits où il pense peut-être aller. Avec un(e) partenaire, faites une liste de ce qu'il pourrait faire dans les endroits suivants: **dans une grande ville**, **à la mer**, **à la montagne.**

> **EXEMPLE** dans une grande ville
> **Dans une grande ville, il pourrait profiter des activités culturelles…**

B. Destinations. Tout le monde à Technovert parle des vacances. Donnez l'article défini qui correspond aux endroits suivants.

___ Égypte	___ Maroc	___ Suisse	___ Antilles
___ États-Unis	___ Algérie	___ Japon	___ Brésil

Maintenant, complétez chaque blanc avec l'un des endroits de la liste précédente et la préposition appropriée (**en**, **au**, **aux**).

> **EXEMPLE** Christophe voudrait aller **au Japon** parce qu'il adore les mangas.

1. Matthieu voudrait aller ___ pour pratiquer son anglais.
2. Rachid est marocain. Il est né ___ , mais il a visité tous les pays africains au nord du Sahara. L'année dernière il a voyagé ___ et ___ .
3. Amélie aime passer les vacances d'hiver ___ où elle fait du ski dans les Alpes.
4. Cette année, Céline a l'intention d'aller ___ pour fêter le carnaval à Rio.
5. M. Vieilledent va bientôt partir pour la Martinique, ___ , où il va passer deux semaines à la fin du mois.

C. En Martinique. M. Vieilledent dit à Camille qu'il va partir en vacances. Complétez les phrases suivantes en mettant les verbes au futur dans le blanc le plus logique.

> **EXEMPLE** (être, prendre) Je **prendrai** des vacances à la fin de ce mois, alors je ne **serai** pas au bureau.

1. (partir, rentrer) Si possible, je ___ pour la Martinique le quinze et je ___ le vingt-neuf.
2. (arriver, décider, visiter) Je ___ peut-être la Guadeloupe aussi, mais je ___ ça quand j' ___ en Martinique.
3. (être, faire) Céline ___ mon travail et elle ___ responsable du bureau pendant mon absence.
4. (communiquer, lire) Je ___ mes courriels pendant les vacances et je ___ avec vous si nécessaire.
5. (avoir, pouvoir) Vous ___ aussi le numéro de téléphone de mon hôtel en Martinique quand ma chambre sera réservée, alors vous ___ me téléphoner en cas d'urgence.

D. Renseignements.
M. Vielledent parle à Camille de son voyage en Martinique. Complétez chaque phrase avec la forme correcte du verbe **savoir** ou **connaître**.

1. Vous ___ à quel hôtel je vais descendre en Martinique?
2. ___ -vous un bon site Web où on peut comparer des hôtels?
3. Je ne ___ pas la région. Ce sera mon premier voyage aux Antilles.
4. Je ___ qu'il y a des plantations de café que je voudrais voir.
5. ___ -vous combien d'heures dure *(lasts)* le vol d'ici en Martinique?

E. Un courriel.
Lisez la conversation suivante entre Céline et Amélie et complétez chaque blanc avec la forme correcte du verbe indiqué entre parenthèses.

CÉLINE: Qu'est-ce que tu _1_ (lire)?
AMÉLIE: C'est un courriel de Matthieu.
CÉLINE: Vous _2_ (s'écrire) beaucoup de courriels, on dirait, non?
AMÉLIE: Oui, Matthieu m' _3_ (écrire) souvent. Il est un peu timide quand on est face à face et il _4_ (dire) plus facilement ce qu'il pense dans un courrriel.
CÉLINE: Alors, ça devient sérieux entre vous deux si vous _5_ (se dire) tous vos secrets.
AMÉLIE: Je ne lui _6_ (dire) pas encore tous mes secrets,… mais je le trouve sympa.

F. Interactions.
Matthieu pense souvent à Amélie et rêve de leurs interactions. Décrivez tout ce que Matthieu fait dans ses rêves en faisant des phrases avec les verbes suivants et le pronom convenable, **la (l')** ou **lui**.

EXEMPLES écouter avec attention quand elle parle
Il l'écoute avec attention quand elle parle.
envoyer beaucoup de textos
Il lui envoie beaucoup de textos.

1. parler de tout
2. téléphoner tous les jours
3. inviter à sortir la fin de semaine
4. retrouver en ville
5. acheter des fleurs *(flowers)*
6. dire tous ses secrets

© Heinle/Cengage Learning

 Épisode 9: J'ai acheté vos billets

Dans ce clip, Camille aide M. Vielledent à choisir un hôtel pour son voyage en Martinique et elle lui donne les renseignements sur les réservations pour son billet d'avion. Avant de regarder l'épisode, imaginez quel genre d'hôtel M. Vielledent pourrait préférer et les installations *(facilities)* qu'il voudrait y trouver. Ensuite, regardez le clip et répondez aux questions suivantes: Quel genre d'hôtel est-ce que M. Vielledent a choisi? À quelle heure partira son vol pour la Martinique et à quelle heure arrivera-t-il?

 Access the Video *Les Stagiaires* at **iLrn** and on the *Horizons* Premium Website.

■ Espace culturel

Pour mieux lire

L'écotourisme

Tourisme de plein air, écotourisme, tourisme de nature et tourisme d'aventure sont maintenant des appellations qui se recoupent et sont souvent associées aux mêmes produits. Le tourisme d'aventure suppose une activité réalisée dans un cadre naturel, nécessitant un effort physique et comportant un risque relatif.

Le regroupement Aventure Écotourisme Québec (AEQ) définit le tourisme d'aventure de la façon suivante :

« Le tourisme d'aventure est une activité de plein air ou une combinaison d'activités se déroulant dans un milieu naturel particulier (endroit inusité, exotique, isolé, inhabituel ou sauvage). En tourisme d'aventure, on utilise des moyens de transport non conventionnels, soit motorisés (motoneige, quad, etc.) ou non motorisés (marche, canot, kayak, etc.). De plus, l'activité implique nécessairement un niveau de risque, lequel peut varier selon l'environnement (isolement, caractéristiques géographiques, etc.) ou selon la nature des activités et des moyens de transport utilisés. »

Voici quelques exemples d'activités associées au tourisme d'aventure :

Nautiques	Aériennes	Terrestres	Observation de la nature	Hivernales ou nordiques
– canot – kayak – plongée sous-marine – rafting – voile	– parachutisme – montgolfière – cerf-volant de puissance	– alpinisme – cyclotourisme – équitation – escalade – randonnée pédestre – véhicule tout-terrain	– faune – flore – phénomènes naturels (ex : les icebergs, les aurores boréales)	– camping d'hiver – motoneige – ski de fond sur piste tracée – raquette – traîneau à chiens

http://veilletourisme.ca (adaptation)

© Vacclav/Shutterstock
Observation de l'ours

© Kondrachov Vladimir/Shutterstock
Rafting

© auremar/Shutterstock
Raquette

Compréhension

Répondez aux questions suivantes.

1. Donnez trois termes qui sont synonymes d'« écotourisme ».
2. Quelles sont les caractéristiques de l'écotourisme ? Nommez-en trois.
3. Selon l'AEQ, que signifie « un milieu naturel particulier » ?
4. Selon vous, quels risques sont associés au tourisme d'aventure ?

Pour mieux écrire

Revising what you write:

Editing and revising what you write is an important final step in the writing process. Once you finish a composition, reread it and make sure you have an introductory and a concluding sentence and that your sentences and paragraphs are clear and well organized. Then, check each sentence against this checklist:

Are the verbs in the proper form for the subject and the tense?

Do all of your adjectives agree (masculine, feminine, singular, plural) with the nouns they describe?

Are all the words spelled correctly (including accents) and do the nouns have the correct article (**un**, **une**, **le**, **du**, **de…**), possessive adjective (**mon**, **ton**, **ses…**),…? Did you use the correct forms of the prepositions **de** (**du**, **de la…**) and **à** (**au**, **à la…**)?

Révisons ! Lisez ce paragraphe. D'abord, trouvez une bonne phrase pour commencer le paragraphe et une autre pour le terminer. Ensuite, trouvez les 16 erreurs *(errors)* dans le paragraphe et corrigez-les.

Philippe préfère voyagé à l'étranger, mais Marie préfère reste dans son propre *(own)* pays. Quand ils voyage ensemble, Philippe passe très peu du temps au hôtel mais Marie aime passer toutes les soirées dans son chambre. Philippe préfère visiter une grand ville et profiter de les activités culturelles. Marie préfère les activités de plein air et elle aime passer sa vacances à la montange ou à la mère. L'année prochain, ils visiteront Nice ou Philippe iront au musées et Marie passera sa temps à la plage.

Une invitation au tourisme d'aventure

Choisissez une activité associée au tourisme d'aventure.

Écrivez un courriel à votre ami(e) pour l'inviter et donnez-lui les renseignements suivants :

- où vous irez, quand vous partirez et quand vous reviendrez ;
- comment vous voyagerez et combien coûtera l'activité par personne ;
- combien de temps l'activité durera ;
- une brève description de l'activité ;
- les risques de l'activité ;
- les bienfaits de l'activité.

N'oubliez pas de relire votre rédaction et de la réviser si nécessaire.

© Anton Gvozdikov/Shutterstock

Pour mieux interagir
Le créole

Le français est la langue officielle des Antilles françaises (les îles françaises de la Caraïbe). La population locale parle aussi créole. Par définition, une langue créole est une langue formée d'une combinaison de plusieurs langues. Le créole antillais est un mélange de français et de langues indigènes et africaines, avec des mots provenant de l'espagnol, du portugais, de l'anglais et du hindi.

Le créole, « c'est plus qu'une langue, c'est également une façon de vivre, et l'histoire d'un peuple, évoquant à la fois l'Afrique, l'esclavage, mais aussi la danse, la musique, les îles, la fête... [1] »

[1] http://www.webcaraibes.com/guadeloupe/culture.htm

Voici quelques expressions créoles avec leurs équivalents français. Prononcez chacune d'elles et indiquez où vous remarquez une similarité avec la prononciation de la version française.

Bonjou	*Bonjour*	Mi bel plési!	*Quel plaisir!*
Sa ki là?	*Qui est là?*	Tanzantan	*De temps en temps*
Doudou	*Chérie* (Darling)		
Resté là, mwen ka vini	*Reste là, j'arrive*	An ti sèk	*Un verre de rhum sec*
Mwen là	*Ça va, je suis là*	I bon (memm)	*C'est bon*
Ki laj ou?	*Quel âge as-tu?*	Vini là	*Viens ici*
Mwen aimé ou doudou	*Chérie je t'aime*	Boug mwen	*Mon ami*
		Pani problem	*Pas de problème*
Ba mwen	*Donne-moi*	Méssyé zé dam	*Messieurs et Mesdames*
Ou ka comprendre?	*Tu comprends?*		
Es ou tann' sa mwen di ou?	*Tu entends ce que je te dis?*	Bonswa	*Bonsoir*

Compréhension

1. Quelle est la langue officielle des Antilles françaises? Quelle autre langue la population locale parle-t-elle?
2. Quelle est la définition d'une langue créole? Le créole antillais est un mélange de quelles langues?
3. Pensez à l'histoire des îles caraïbes, une histoire de colonisation, de plantations et d'esclavage. Comment est-ce que cette histoire explique le développement de la langue créole?
4. Regardez la liste des expressions créoles et leurs équivalents français. Pouvez-vous déterminer comment on dit les mots suivants en créole? je/moi/mon tu/toi/ton bon
5. Est-ce qu'il y a une langue officielle dans votre pays? Est-ce qu'il devrait y en avoir une? *(Should there be one?)* Pourquoi?

© Sylvain Grandadam/Getty Images

Pour mieux découvrir

Quel est ce pays de la Francophonie?

Voici quatre photos et descriptions pour vous aider à deviner.

© Buntoon Rodseng/Shutterstock

Au marché

© apiguide/Shutterstock

Le Bouddhisme est la religion principale de pays.

Le secteur agricole est dominé par la culture du riz.

© gnomeandi/Shutterstock

© Tortoon Thodsapol/Shutterstock

Vientiane, la capitale

Est-ce qu'il s'agit...

a. du Laos?
b. du Vietnam?
c. de la Thaïlande?
d. de Madagascar?

Réponse: a) Le Laos

Résumé de grammaire

The future tense *(Le futur)*

Use the future tense to say what someone *will* do. Form it by adding the boldfaced endings below to the same stem that you used for the conditional. For most verbs, it is the infinitive, but drop the final **e** of infinitives ending with **-re**.

VISITER	CONNAÎTRE	FINIR
je visiter**ai**	je connaîtr**ai**	je finir**ai**
tu visiter**as**	tu connaîtr**as**	tu finir**as**
il/elle/on visiter**a**	il/elle/on connaîtr**a**	il/elle/on finir**a**
nous visiter**ons**	nous connaîtr**ons**	nous finir**ons**
vous visiter**ez**	vous connaîtr**ez**	vous finir**ez**
ils/elles visiter**ont**	ils/elles connaîtr**ont**	ils/elles finir**ont**

The following verbs have irregular stems.

-r-		-vr- / -dr-		-rr-	
aller :	ir-	devoir :	devr-	voir :	verr-
être :	ser-	pleuvoir :	pleuvr-	pouvoir :	pourr-
faire :	fer-	vouloir :	voudr-	mourir :	mourr-
avoir :	aur-	venir :	viendr-	courir :	courr-
savoir :	saur-	devenir :	deviendr-	envoyer :	enverr-
		revenir :	reviendr-		
		obtenir :	obtiendr-		

As in English, use the future tense in *if / then* sentences to say what will happen if something else occurs. Use the present tense in the clause with **si**. Unlike English, use the future in French in clauses with **quand** referring to the future. English has the present tense in such clauses.

The verbs *dire, lire,* and *écrire*

The verbs **dire**, **lire**, and **écrire** are irregular in the present tense and the **passé composé (j'ai dit, j'ai lu, j'ai écrit)**. As with other verbs, use the stem for **nous** in the present tense to form the imperfect **(je disais, je lisais, j'écrivais).** Obtain the future / conditional stem by dropping the final **e** of the infinitive **(je dirai, je lirai, j'écrirai)**.

DIRE	LIRE	ÉCRIRE
je **dis**	je **lis**	j'**écris**
tu **dis**	tu **lis**	tu **écris**
il/elle/on **dit**	il/elle/on **lit**	il/elle/on **écrit**
nous **disons**	nous **lisons**	nous **écrivons**
vous **dites**	vous **lisez**	vous **écrivez**
ils/elles **disent**	ils/elles **lisent**	ils/elles **écrivent**

Je prendrai des vacances en été.

Tu resteras ici ?

Tu partiras tout seul ?

Mes parents voyageront avec moi.

J'irai en Europe.

Combien de temps serez-vous en Europe ?

On reviendra après trois semaines.

S'il peut, mon frère ira en vacances avec nous.

Il décidera quand on saura la date exacte de notre départ.

Est-ce que tu lis tes courriels quand tu voyages ?

J'écris à mes amis et je leur montre des photos de mon voyage.

Mes parents disent que la Méditerranée est très jolie.

The verbs *savoir* and *connaître*

Savoir and **connaître** both mean *to know*. Use **savoir** when *to know* is followed by a verb, a question word (**qui, où…**), or by **si, que,** or **ce que,** or to say that one knows a language. When *to know* is followed by a noun, use **savoir** to say one *knows a fact or information,* and **connaître** to say one is *familiar with a person, place, or thing.*

SAVOIR	CONNAÎTRE
je **sais**	je **connais**
tu **sais**	tu **connais**
il/elle/on **sait**	il/elle/on **connaît**
nous **savons**	nous **connaissons**
vous **savez**	vous **connaissez**
ils/elles **savent**	ils/elles **connaissent**
PASSÉ COMPOSÉ : j'**ai su** (*I found out*)	j'**ai connu** (*I met*)
IMPARFAIT : je **savais** (*I knew*)	je **connaissais** (*I knew*)
CONDITIONNEL : je **saurais**	je **connaîtrais**
FUTUR : je **saurai**	je **connaîtrai**

Quelles langues **sais-tu** ?
Je sais parler français et **mes parents savent** l'allemand.

Savez-vous si vous allez visiter l'Allemagne ?
On ira à Berlin, où **mes parents connaissent** beaucoup de gens.

Je ne connais pas du tout l'Europe. Est-ce que **tu connais** bien l'histoire de la région ?

Direct and indirect object pronouns

Direct object pronouns replace nouns that are the direct object of the verb. Indirect object pronouns replace nouns that are the indirect object of the verb. Generally, indirect objects follow the preposition **à**. They often are used with verbs indicating communication or exchanges (**parler à, téléphoner à, dire à, écrire à, demander à, rendre visite à, donner à**).

DIRECT OBJECT PRONOUNS			
me (m')	*me*	**nous**	*us*
te (t')	*you*	**vous**	*you*
le (l')	*him, it*	**les**	*them*
la (l')	*her, it*		

INDIRECT OBJECT PRONOUNS			
me (m')	*(to) me*	**nous**	*(to) us*
te (t')	*(to) you*	**vous**	*(to) you*
lui	*(to) him*	**leur**	*(to) them*
lui	*(to) her*		

Both direct and indirect object pronouns have the same placement rules. They go immediately before the infinitive if there is one in the same clause. If not, they go before the conjugated verb. In the **passé composé**, they go before the auxiliary verb. The past participle agrees with direct object pronouns, but not with indirect objects.

Est-ce que tu **m'**écriras si je **te** donne mon adresse courriel ?

Mon frère habite à Paris. Je vais **te** donner son numéro de téléphone et tu pourras **lui** téléphoner quand tu seras en France.

Geographical expressions

Use the definite article with names of continents, countries, states, and provinces used as the subject or object of a verb, but not with cities. Most continents, countries, states, and provinces ending in **e** are feminine, whereas most others are masculine.

To say *to* or *in* with a geographical location, use…

à	with cities
aux	with any plural country or region
en	with any feminine country or region and with any masculine one beginning with a vowel sound
au	with any masculine country or region beginning with a consonant

Les amis de mes parents **nous** ont demandé de **leur** rendre visite. Mes parents ne **les** ont pas vus depuis vingt ans, la dernière fois qu'ils **leur** ont rendu visite.

Je voudrais visiter **les** États-Unis, **le** Canada et **la** Colombie.

Pendant notre voyage, on ira **à** Berlin **en** Allemagne, **à** Copenhague **au** Danemark, **à** Amsterdam **aux** Pays-Bas et **à** Paris et **à** Nice **en** France.

■ Vocabulaire ▢

Talking about vacation

NOMS MASCULINS

un endroit	*a place*
le paysage	*the landscape, the scenery*
un site	*a site, a spot*

NOMS FÉMININS

une île	*an island*
la mer	*the sea*

EXPRESSIONS VERBALES

admirer	*to admire*
compter	*to count on, to plan on*
courir	*to run*
goûter	*to taste*
profiter de	*to take advantage of*
se reposer	*to relax*

ADJECTIFS

exotique	*exotic*
historique	*historic*
local(e) (*mpl* locaux)	*local*
touristique	*touristic*
tropical(e) (*mpl* tropicaux)	*tropical*

DIVERS

Ça te plaira.	*You'll like it.*
là-bas	*over there*
le long de	*along*

Preparing for a trip

NOMS MASCULINS

un article	*an article*
un billet (électronique)	*a(n) (e-)ticket*
le climat	*the climate*
un courriel	*an e-mail*
un guide	*a guidebook, a guide*
un magazine	*a magazine*
un passeport	*a passport*
un poème	*a poem*
des préparatifs	*preparations*
un roman	*a novel*
un site Web	*a website*

NOMS FÉMININS

une agence de voyages	*a travel agency*
une arrivée	*an arrival*
une carte postale	*a postcard*
une devise étrangère	*a foreign currency*
la douane	*customs*
une histoire	*a story*
une lettre	*a letter*
une rédaction	*a composition*
une valise	*a suitcase*

EXPRESSIONS VERBALES

décrire	*to describe*
dire	*to say, to tell*
écrire	*to write*
faire sa valise	*to pack one's bag*
s'informer	*to find out information*
lire	*to read*
obtenir	*to obtain*
passer	*to pass (through)*
recevoir	*to receive*
réserver	*to reserve*

DIVERS

à l'étranger	*in another country, abroad*
Ça lui plaît?	*Does he/she like it?*
extraordinaire	*extraordinary, great*
leur	*(to) them*
lui	*(to) him, (to) her*
me (m')	*(to) me*
sur Internet	*online*

Buying your ticket

NOMS MASCULINS

un agent de voyages	*a travel agent*
un aller simple	*a one-way ticket*
un billet aller-retour	*a round-trip ticket*
un départ	*a departure*
le retour	*the return*
le système de transports en commun	*the public transportation system*
un vol	*a flight*

NOMS FÉMININS

une carte bancaire	*a bank card, a debit card*
une carte de crédit	*a credit card*
la classe affaires	*business class*
la culture	*the culture*
la géographie	*the geography*
l'heure d'arrivée	*the arrival time*
l'heure de départ	*the departure time*
la porte d'arrivée	*the arrival gate*
la porte d'embarquement	*the departure gate*

EXPRESSIONS VERBALES

connaître	*to know, to be familiar with, to be acquainted with*
faire une réservation	*to make a reservation*
reconnaître	*to recognize*
savoir	*to know*

DIVERS

à l'avance	*in advance*
Ça te/vous convient?	*Does that work for you?*
il me (te/nous/vous/ lui/leur) faut	*I (you/we/you/he [she]/they) need*
me	*(to) me*
nous	*(to) us*
te	*(to) you*
vous	*(to) you*

Deciding where to go on a trip

NOMS MASCULINS

le Brésil	*Brazil*
le Canada	*Canada*
le Chili	*Chile*
un continent	*a continent*
les États-Unis	*the United States*
Israël	*Israel*
le Japon	*Japan*
le Maroc	*Morocco*
le Mexique	*Mexico*
le Moyen-Orient	*the Middle East*
l'Ontario	*Ontario*
le Pérou	*Peru*
le Royaume-Uni	*the United Kingdom*
le Sénégal	*Senegal*
le Texas	*Texas*
le Vietnam	*Vietnam*

NOMS FÉMININS

l'Afrique	*Africa*
l'Algérie	*Algeria*
l'Allemagne	*Germany*
l'Amérique centrale	*Central America*
l'Amérique du Nord	*North America*
l'Amérique du Sud	*South America*
les Antilles	*the West Indies*
l'Argentine	*Argentina*
l'Asie	*Asia*
l'Australie	*Australia*
la Belgique	*Belgium*
la Californie	*California*
la Chine	*China*
la Colombie	*Colombia*
la Côte d'Ivoire	*Ivory Coast*
l'Égypte	*Egypt*
l'Espagne	*Spain*
l'Europe	*Europe*
la France	*France*
la Guyane	*French Guiana*
l'Italie	*Italy*
la Nouvelle-Calédonie	*New Caledonia*
l'Océanie	*Oceania*
la Polynésie française	*French Polynesia*
la Russie	*Russia*
la Suisse	*Switzerland*

DIVERS

adorer	*to adore, to love*

10

L'AFRIQUE FRANCOPHONE

À l'hôtel

© Kirsz Marcin/Shutterstock

COMPÉTENCES

1 **Deciding where to stay**

Le logement

Giving general advice
Les expressions impersonnelles et l'infinitif

Stratégies et Compréhension auditive
- **Pour mieux comprendre:** *Anticipating a response*
- **Compréhension auditive:** *À la réception*

2 **Going to the doctor**

Chez le médecin

Giving advice to someone in particular
Les expressions impersonnelles et les verbes réguliers au subjonctif

Giving advice
Les verbes irréguliers au subjonctif

3 **Running errands on a trip**

Des courses en voyage

Expressing wishes and emotions
Les expressions d'émotion et de volonté et le subjonctif

Telling others what to do
Le subjonctif ou l'infinitif?

4 **Giving directions**

Les indications

Telling how to go somewhere
Reprise de l'impératif et les pronoms avec l'impératif

Reprise *Les Stagiaires*

Espace culturel

Pour mieux lire *Le commerce équitable*
Pour mieux écrire *Il faut changer le monde!*
Pour mieux interagir *La musique francophone: les influences africaines et antillaises*
Pour mieux découvrir *Quel est ce pays de la Francophonie?*

Résumé de grammaire
Vocabulaire

L'Afrique francophone

L'Afrique est le continent où se trouvent le plus grand nombre de **locuteurs** franco-phones dans le monde depuis la colonisation française et belge. Le français y est parlé par plus de 120 millions d'Africains dans 31 pays, incluant les pays de l'océan Indien. L'Organisation internationale de la Francophonie (OIF) estime qu'en l'an 2050, neuf francophones sur dix seront africains.

© Attila JANDI/Shutterstock

▲ Nouakchott, en Mauritanie

© Seqoya/Shutterstock

locuteurs *speakers*

▲ Marrakech, au Maroc

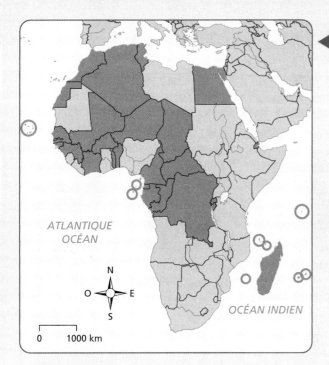

ATLANTIQUE
OCÉAN

N
O E
S

0   1000 km

OCÉAN INDIEN

© Morphart Creation/Shutterstock

▲ Le dodo

Qu'en savez-vous ?

1. Quelle grande ville africaine était autrefois sur-
   nommée le « Paris de l'Afrique » ?

   a. Abidjan, en Côte d'Ivoire
   b. Alger, en Algérie
   c. Yaoundé, au Cameroun
   d. Port-Louis, à l'île Maurice

2. Quel pays africain est aussi appelé « le pays du soleil
   couchant » ?

   a. Le Gabon
   b. Le Sénégal
   c. Madagascar
   d. Le Maroc

3. Le dodo est l'emblème national de quel pays
   francophone ?

   a. L'île Maurice
   b. Le Mali
   c. La Réunion
   d. La Mauritanie

4. Le français est la langue officielle dans combien des
   31 pays africains où il est parlé ?

   a. 8
   b. 15
   c. 21
   d. 26

Réponses : 1) c; 2) d; 3) a; 4) c

Le logement

Quand vous êtes en vacances, est-ce que vous aimez mieux descendre dans… ?

un hôtel (de luxe)   **une auberge de jeunesse**   un chalet de ski   un centre de vacances

Préférez-vous avoir une chambre… ?

fumeur ou non-fumeur   à deux lits ou avec un grand lit   avec balcon   avec mini-bar, télévision à écran plat et **wi-fi gratuit**

Préférez-vous **régler la note comptant** ou par carte de crédit ?

Alain est arrivé à Dakar pour passer quelques jours au Sénégal. Il arrive à la réception d'un hôtel.

ALAIN :	Bonjour, monsieur.
L'HÔTELIER :	Bonjour, monsieur.
ALAIN :	Avez-vous une chambre pour ce soir ?
L'HÔTELIER :	Eh bien… nous avons une très belle chambre avec vue sur l'océan et une salle de bains avec douche et baignoire jacuzzi.
ALAIN :	C'est combien la nuit ?
L'HÔTELIER :	85 000 francs CFA, monsieur. Cela fait environ 130 euros ou 180 dollars canadiens.
ALAIN :	Vous avez quelque chose de moins cher ?
L'HÔTELIER :	Voyons… nous avons une dernière chambre **côté jardin** avec douche à 65 000 francs CFA, si vous préférez.
ALAIN :	Cela fait combien en dollars canadiens ?
L'HÔTELIER :	Environ 140 dollars. En plus, vous pourrez bénéficier d'une réduction de 30 % pour un séjour minimum de 3 nuits.
ALAIN :	Bon, d'accord. Le petit déjeuner est **compris** ?
L'HÔTELIER :	Non, monsieur. Il y a un supplément. Il est servi entre sept heures et neuf heures dans la salle à manger.
ALAIN :	Eh bien, je vais prendre la chambre avec douche. Vous préférez que je vous paie maintenant ?

une auberge de jeunesse *a youth hostel*
le wi-fi *wi-fi*
gratuit *free*
régler la note *to pay the bill*
comptant *in cash*
côté jardin *on the courtyard side*
compris(e) *included*
l'ascenseur *the elevator*
au bout du couloir *at the end of the hallway*
il vaut mieux *it's better*
Bon séjour ! *Enjoy your stay!*

L'HÔTELIER:	Non, monsieur. Vous pouvez régler la note à votre départ. Voici votre carte clé. C'est la chambre 510. **L'ascenseur** est **au bout du couloir**.
ALAIN:	Y a-t-il un restaurant qui sert de la bonne cuisine sénégalaise dans le quartier?
L'HÔTELIER:	Je vous recommande Le Ngor bleu.
ALAIN:	Est-ce qu'il faut réserver?
L'HÔTELIER:	Oui, **il vaut mieux**. Je vous recommande leur riz au poisson, c'est une spécialité sénégalaise.
ALAIN:	Merci, monsieur. J'adore le poisson!
L'HÔTELIER:	**Bon séjour!**

A. Préférences. Indiquez vos préférences.

1. Quand je pars en vacances, je préfère *visiter un autre pays / rester dans mon propre* (my own) *pays.*
2. Comme activités en vacances, j'aime *nager / goûter la cuisine locale /…*
3. Je préfère rester dans *un hôtel peu cher / un hôtel de luxe / une auberge de jeunesse / un centre de vacances /…* (Ça dépend de qui va payer!)
4. À mon avis, *il vaut mieux réserver une chambre d'hôtel à l'avance / on peut toujours trouver un hôtel à son arrivée.*
5. Je préfère *une chambre avec mini-bar, balcon, télévision à écran plat et wi-fi gratuit / la chambre la moins chère.*
6. Quand je descends dans un hôtel, je préfère prendre mon petit déjeuner *dans ma chambre / dans le restaurant de l'hôtel / dans un autre restaurant / dans un resto rapide /… (Je ne prends pas de petit déjeuner.)*
7. Je préfère régler la note *comptant / par carte de crédit.*

B. Votre chambre. Un(e) ami(e) et vous allez passer six jours dans un hôtel au Sénégal. Répondez aux questions de l'hôtelier selon vos goûts. Jouez les deux rôles avec un(e) partenaire.

1. Vous voulez une chambre pour une seule personne?
2. C'est pour combien de nuits?
3. Vous voulez une chambre à deux lits ou avec un grand lit?
4. Nous avons une très belle chambre à 85 000 F CFA avec vue sur l'océan et une salle de bains avec douche et baignoire jacuzzi. Ou bien une plus petite chambre côté jardin avec douche à 65 000 F CFA. Laquelle préférez-vous?
5. Il y a un supplément pour le petit déjeuner. Vous allez le prendre à l'hôtel?
6. C'est à quel nom?
7. Comment voulez-vous payer?

C. À vous! Avec un(e) partenaire, relisez à haute voix la conversation entre Alain et l'hôtelier. Ensuite, imaginez que vous allez visiter le Sénégal ensemble. Dites quel type de chambres vous désirez et comment vous allez payer.

Giving general advice

✔ **Pour vérifier**

1. What are two ways to say *it is necessary*? How do you say *it's not necessary*? What does **il ne faut pas** mean? How do you say *it's better*? *it's important*? *it's good*? *it's bad*?

2. When offering general advice, what form of the verb do you use following these impersonal expressions? How do you negate an infinitive?

Note de grammaire

1. Note that the expressions that have **être** (**Il est important / essentiel / bon...**) require the preposition **de (d')** before an infinitive.
2. **C'est bien...** is less formal than **Il est bon...** and is more likely to be used when talking with a friend. You will also hear **C'est important / essentiel / bon...** in less formal conversation.
3. Remember to place both parts of a negative expression before the infinitive when negating an infinitive: **Il est important de ne pas perdre la carte clé.**

Les expressions impersonnelles et l'infinitif

Use the following expressions to give advice and state opinions. When making generalizations, follow them with an infinitive.

Notice that although **il faut** means *it is necessary*, **il ne faut pas** means *one should not* or *one must not*. Use **il n'est pas nécessaire** to say *it is not necessary*.

Il faut	Il faut payer un supplément pour le petit déjeuner.
Il ne faut pas	Il ne faut pas faire trop de bruit.
Il vaut mieux	Il vaut mieux réserver à l'avance.
Il est nécessaire (de)	Il est nécessaire de réserver.
Il n'est pas nécessaire (de)	Il n'est pas nécessaire de téléphoner à l'avance.
Il est essentiel (de)	Il est essentiel de régler la note.
Il est important (de)	Il est important de ne pas perdre la carte clé.
Il est bon (de)	Il est bon de choisir une chambre calme.
Ce n'est pas bien (de)	Ce n'est pas bien de faire trop de bruit.
C'est bien (de)…	C'est bien de profiter de la piscine.

A. Préparatifs. Un ami fait les préparatifs pour un voyage que vous allez faire ensemble. Utilisez un élément de chaque colonne pour lui expliquer ce qu'il faut faire.

> **EXEMPLE** **Il vaut mieux réserver une chambre à l'avance.**

Il faut	réserver une chambre à l'avance
Il vaut mieux	obtenir les passeports bien à l'avance
Il est bon de	oublier les billets
Ce n'est pas bien de	savoir le numéro et l'heure de départ du vol
Il est important de	tout payer par carte de crédit
Il n'est pas important de	choisir une chambre côté rue
Il ne faut pas	choisir une chambre côté cour
	faire beaucoup de bruit dans l'hôtel

B. On doit… Demandez à votre partenaire ce qu'il faut faire dans les situations suivantes quand on voyage.

> **EXEMPLE** si on est fatigué
> — **Que faut-il faire si on est fatigué?**
> — **Il faut rentrer à l'hôtel!**

rentrer à l'hôtel	aller au restaurant	
se coucher	téléphoner à l'ambassade	
téléphoner à des amis	changer d'hôtel	aller à la banque
chercher des renseignements sur Internet		
lire les commentaires laissés par des clients sur Internet		

1. si on perd son passeport
2. si on veut visiter la ville
3. si on a faim
4. s'il y a trop de bruit à l'hôtel
5. si on cherche le nom d'un bon restaurant
6. si on a sommeil
7. si on se sent un peu seul
8. si on a besoin de devises étrangères

C. Les bonnes manières.

Comment est-ce qu'on doit **se comporter** quand on est invité(e) à souper? Complétez chaque phrase avec:

Il faut	Il ne faut pas	Il vaut mieux

1. _____ offrir des fleurs ou un autre cadeau à votre hôtesse en arrivant.
2. _____ apporter une bouteille de vin pour le souper.
3. _____ serrer la main des autres invités en arrivant.
4. _____ jeter sa gomme à mâcher avant de se mettre à table.
5. _____ coller sa **gomme à mâcher** sous la table.
6. _____ parler la bouche pleine.
7. _____ manger les spaghettis sans bruit d'aspiration.
8. _____ manger la bouche ouverte.
9. _____ lécher son couteau.
10. _____ parler d'argent ou demander où les autres travaillent.
11. _____ annoncer que vous allez aux toilettes.
12. _____ **se moucher** dans sa **serviette de table**.
13. _____ remercier vos hôtes en partant.

D. Chez vous.

Un ami va venir visiter votre région. Donnez-lui des conseils.

EXEMPLE   Il est essentiel d'aller voir **les chutes Niagara**.

1. Il vaut mieux venir au mois de (d')…
2. Il ne faut pas venir au mois de (d')…
3. Il est important d'apporter *(to bring)*…
4. Il est essentiel de ne pas oublier…
5. Il vaut mieux descendre à l'hôtel…
6. Pour goûter la cuisine locale, il est bon d'aller au restaurant…
7. Il est essentiel de voir…

© Igor Grochev/Shutterstock

Que faut-il faire pour préparer un voyage au Sénégal?

> **se comporter** *to behave*
> **une gomme à mâcher** *gum*
> **se moucher** *to blow your nose*
> **une serviette de table** *napkin*

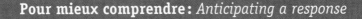

Stratégies et Compréhension auditive

A. Quel hôtel? On parle de la résidence de l'Anse Bernard ou de l'hôtel du Grand-Yoff?

B. Le ton de la voix. Écoutez le début de ces conversations dans un hôtel. Pour chacune, écoutez le ton de la voix *(tone of voice)* pour deviner la suite *(what follows)*, **a** ou **b**.

1. **a.** C'est bien. Nous allons prendre la chambre.
   b. Est-ce que vous avez quelque chose de moins cher?
2. **a.** Nous préférons une chambre avec salle de bains.
   b. Bon, c'est bien. Je vais prendre cette chambre.
3. **a.** Voici votre carte clé, monsieur. Vous avez la chambre numéro 385.
   b. Je regrette, mais nous n'avons pas de réservation à votre nom.

Compréhension auditive: À la réception

Deux touristes arrivent dans un hôtel. Écoutez cette conversation pour déterminer le prix de leur chambre.

À l'hôtel. Écoutez la conversation une seconde fois et répondez à ces questions.

1. Pourquoi est-ce que les touristes ne veulent pas la première chambre?
2. Combien coûte le petit déjeuner? Où est-ce qu'il est servi?
3. Quel est le numéro de leur chambre?

Going to the doctor

Chez le médecin

Alain tombe **malade** pendant son séjour au Sénégal. Savez-vous communiquer avec le médecin si vous tombez malade **au cours d'**un voyage?

— Où est-ce que vous **avez mal**?
— J'ai mal à la tête et au ventre.
— Quels autres symptômes avez-vous?

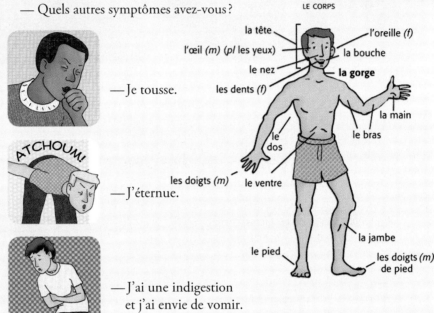

LE CORPS

la tête
l'œil (m) (pl les yeux)
le nez
les dents (f)
l'oreille (f)
la bouche
la gorge
la main
le bras
le dos
les doigts (m)
le ventre
la jambe
le pied
les doigts (m) de pied

—Je tousse.

—J'éternue.

—J'ai une indigestion et j'ai envie de vomir.

Avez-vous **la grippe**? **un rhume**? un virus? des allergies? Êtes-vous **enceinte**?

Alain va chez le médecin.

LE MÉDECIN:	Bonjour, monsieur. **Qu'est-ce qui ne va pas** aujourd'hui?
ALAIN:	Je ne sais pas exactement. Je me sens mal. Je tousse, j'**ai des frissons** et j'ai mal un peu partout.
LE MÉDECIN:	Vous avez mal à la gorge?
ALAIN:	Oui, très.
LE MÉDECIN:	Eh bien, vous avez tout simplement la grippe.
ALAIN:	Qu'est-ce que je dois faire?
LE MÉDECIN:	Je vais vous donner **une ordonnance**. Il faut que vous preniez ces médicaments trois fois par jour. Il est important que vous finissiez tous ces médicaments. N'oubliez pas de boire beaucoup de liquides, mais il ne faut pas que vous buviez d'alcool et il est essentiel que vous restiez au lit.

le médecin *the doctor*
malade *sick*
au cours de *in the course of, during, while on*
avoir mal (à)... *one's ... hurts*
la gorge *the throat*
la grippe *the flu*
un rhume *a cold*
enceinte *pregnant*
Qu'est-ce qui ne va pas? *What's wrong?*
avoir des frissons *to have the shivers*
une ordonnance *a prescription*

A. Associations. Quelle(s) partie(s) du corps associez-vous aux verbes suivants?

EXEMPLE écrire   **la main et les doigts**

1. écouter   **3.** éternuer   **5.** toucher
2. voir   **4.** faire du jogging   **6.** embrasser

B. Qu'est-ce qui ne va pas? Quels symptômes ont-ils?

EXEMPLE **Il a mal aux yeux.**

1.

2.

3.

4.

5.

C. Des symptômes. Indiquez autant de symptômes que possible pour chaque situation.

EXEMPLE Quand on a la grippe, **on a mal partout. On a des frissons et…**

1. Quand on a un rhume…
2. Quand on a un virus intestinal…
3. Quand on a une indigestion…
4. Quand on est stressé(e)…

 D. Entretien. Posez ces questions à votre partenaire pour parler de la dernière fois qu'il/elle a été malade.

1. La dernière fois que tu as été malade, est-ce que tu avais mal à la tête? à la gorge? Est-ce que tu avais des frissons? Quels symptômes avais-tu? Qu'est-ce que tu avais?
2. Est-ce que tu es allé(e) chez le médecin? Est-ce que le médecin t'a donné une ordonnance? Est-ce que tu as pris des médicaments?

 E. À vous! Avec un(e) partenaire, relisez à haute voix la conversation entre Alain et le médecin. Ensuite, imaginez que vous êtes malade et créez une conversation entre le médecin et vous.

Vocabulaire supplémentaire

un antibiotique *an antibiotic*
un antihistaminique *an antihistamine*
une aspirine *an aspirin*
des pastilles *(f)* **contre la toux** *cough drops*
du sirop *cough syrup*
avoir de la fièvre *to have a fever*
avoir le nez bouché *to have a stuffy nose*
avoir le nez qui coule *to have a runny nose*
se brûler / se casser / se couper /
   se fouler la cheville *to burn / break / cut /*
   sprain one's ankle
faire une piqûre *to give a shot*

✔ *Pour vérifier*

1. When do you use the subjunctive?

2. What do you use as the subjunctive stem for all verb forms except **nous** and **vous**? What endings do you use?

3. For most verbs, the **nous** and **vous** forms of the subjunctive look just like what other verb tense?

Grammar Tutorials

Note *de grammaire*

The **de** in expressions like **il est important de** is replaced by **que** in these structures. Remember that verbs ending in **-ier**, like **étudier** and **oublier**, will have two **i**'s in the **nous** and **vous** forms of the subjunctive, just as they did in the **imparfait: nous oubliions, vous étudiiez.**

Giving advice to someone in particular

Les expressions impersonnelles et les verbes réguliers au subjonctif

You know that you can use impersonal expressions like **il faut** and **il est important de** followed by an infinitive to give general advice or state opinions. When talking to or about a particular person, you can use these same expressions followed by **que** and a second clause with a conjugated verb.

Il est important **de bien manger.**   Il est important **que tu manges mieux.**

*It's important **to eat well**.*   *It's important **that you eat better**.*

When giving advice to a particular person, the verb in the second clause is in a form called the subjunctive. You have used verbs in the indicative mode to say what happens. The subjunctive is another verb mode. The subjunctive is generally used in the second clause of a sentence, when the first clause expresses a feeling, attitude, or opinion about what should or might be done, rather than simply stating what is happening. The present subjunctive may imply either present or future actions.

For most verbs, the subjunctive is formed as follows:

Il faut que	Il faut que tu restes au lit.
Il ne faut pas que	Il ne faut pas que tu sortes du lit.
Il vaut mieux que	Il vaut mieux que tu ne travailles pas.
Il est nécessaire que	Il est nécessaire que tu prennes ces médicaments.
Il n'est pas nécessaire que	Il n'est pas nécessaire que tu prennes de l'aspirine.
Il est essentiel que	Il est essentiel que tu finisses tous tes médicaments.
Il est important que	Il est important que tu te reposes.
Il est bon que	Il est bon que tu te sentes mieux.
Il est mauvais que	Il est mauvais que tu boives de l'alcool.
C'est bien que	C'est bien que tu ne fumes plus.

- For **nous** and **vous**, the subjunctive looks like the imperfect.
- For the other forms, find the stem of the subjunctive by dropping the **-ent** ending of the **ils/elles** form of the present indicative and use the endings: **-e, -es, -e, -ent.**

	PARLER	**FINIR**	**RENDRE**
que je	parl**e**	finiss**e**	rend**e**
que tu	parl**es**	finiss**es**	rend**es**
qu'il/elle/on	parl**e**	finiss**e**	rend**e**
que nous	parl**ions**	finiss**ions**	rend**ions**
que vous	parl**iez**	finiss**iez**	rend**iez**
qu'ils/elles	parl**ent**	finiss**ent**	rend**ent**

Most irregular verbs follow the same rule.

connaître	que je connaisse	que nous connaiss**ions**
dire	que je dise	que nous dis**ions**
dormir	que je dorme	que nous dorm**ions**
écrire	que j'écrive	que nous écriv**ions**
lire	que je lise	que nous lis**ions**
partir	que je parte	que nous part**ions**
sortir	que je sorte	que nous sort**ions**

These verbs follow the same rule, but have a different stem for the **nous** and **vous** forms.

acheter	que j'achè**te**	que nous achet**ions**
boire	que je boive	que nous buv**ions**
devoir	que je doive	que nous dev**ions**
payer	que je paie	que nous pay**ions**
prendre	que je prenne	que nous pren**ions**
venir	que je vienne	que nous ven**ions**

A. Conseils.

A. Conseils. Selon les circonstances indiquées, dites aux personnes suivantes ce qu'**il faut** ou ce qu'**il ne faut pas** faire.

> **EXEMPLE** Je suis fatigué(e). Alors… je (se reposer, sortir)
> **Il faut que je me repose. Il ne faut pas que je sorte.**

1. J'ai la grippe. Alors… je (j') (se reposer, rendre visite à ma famille, acheter des médicaments, boire beaucoup d'eau).
2. *(à votre professeur)* Vous avez la grippe aussi? Alors… vous (se reposer, venir en cours, boire beaucoup d'eau).
3. Les autres étudiants et moi voulons réussir au cours de français. Alors… nous (faire tous les exercices, le dire au professeur quand nous ne comprenons pas, apprendre toutes les conjugaisons).
4. Mon meilleur ami veut réussir à ses examens. Alors… il (finir tous ses devoirs, obéir à ses professeurs, dormir en cours).
5. Mes amies s'ennuient. Alors… elles (trouver de nouveaux passe-temps, partir en voyage, sortir plus, apprendre quelque chose de nouveau, venir me voir).

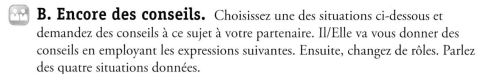

B. Encore des conseils. Choisissez une des situations ci-dessous et demandez des conseils à ce sujet à votre partenaire. Il/Elle va vous donner des conseils en employant les expressions suivantes. Ensuite, changez de rôles. Parlez des quatre situations données.

> **EXEMPLE** — Je suis toujours fatigué(e) en cours. Qu'est-ce que je devrais faire?
> — **Il est important que tu… / Il ne faut pas que tu…**

1. Je suis toujours fatigué(e) en cours.
   Il est important que tu… / Il ne faut pas que tu…
2. Je mange mal et j'ai toujours mal au ventre.
   Il est mauvais que tu… / Il est essentiel que tu…
3. Je voudrais devenir plus fort(e).
   Il est nécessaire que tu… / Il est bon que tu…
4. Je prépare un voyage à l'étranger.
   Il ne faut pas que tu… / Il vaut mieux que tu…

✔ *Pour vérifier*

1. What are seven verbs that are irregular in the subjunctive?

2. Which four of these verbs have a different stem for the **nous** and **vous** forms?

3. What are the conjugations of these seven verbs in the subjunctive?

4. What is the subjunctive of **il y a**? of **il pleut**?

 Grammar Tutorials

Giving advice

Les verbes irréguliers au subjonctif

The following seven verbs are irregular in the subjunctive. Note that **être**, **avoir**, **aller**, and **vouloir** have a different stem for the **nous** and **vous** forms. All except **être** and **avoir** have the regular subjunctive endings.

	ÊTRE	**AVOIR**	**ALLER**	**VOULOIR**
	soi- / soy-	*ai- / ay-*	*aill- / all-*	*veuill- / voul-*
que je (j')	sois	aie	aille	veuille
que tu	sois	aies	ailles	veuilles
qu'il/elle/on	soit	ait	aille	veuille
que nous	soyons	ayons	allions	voulions
que vous	soyez	ayez	alliez	vouliez
qu'ils/elles	soient	aient	aillent	veuillent

	FAIRE	**POUVOIR**	**SAVOIR**
	fass-	*puiss-*	*sach-*
que je	fasse	puisse	sache
que tu	fasses	puisses	saches
qu'il/elle/on	fasse	puisse	sache
que nous	fassions	puissions	sachions
que vous	fassiez	puissiez	sachiez
qu'ils/elles	fassent	puissent	sachent

The subjunctive of **il y a** is **qu'il y ait**.
The subjunctive of **il pleut** is **qu'il pleuve**.

A. Réactions. Une amie vous parle des habitudes de sa famille. Réagissez *(React)* à ce qu'elle dit avec **c'est bien que…** ou **ce n'est pas bien que…** Jouez les deux rôles avec un(e) partenaire.

> **EXEMPLE** — **Je ne fume plus.**
> — **C'est bien que tu ne fumes plus.**

1. Je veux améliorer ma santé.
2. Je vais souvent à la piscine.
3. Mes enfants font très attention à leur santé.
4. Mon mari n'est pas en forme.
5. Il a souvent mal à la tête.
6. Le médecin ne sait pas pourquoi.
7. Mon mari ne veut pas arrêter de fumer.
8. Nous ne pouvons pas bien dormir la nuit.
9. Nous sommes stressés.
10. Nous voulons apprendre à faire du yoga.

B. La grossesse. Catherine, la femme d'Alain est enceinte *(pregnant)*. Elle consulte son médecin. Que lui dit le médecin? Qu'est-ce qu'**il faut faire**? Qu'est-ce qu'**il ne faut pas faire**?

> **EXEMPLES** **Il faut que vous mangiez bien.**
> **Il ne faut pas que vous fumiez.**

- manger bien
- fumer
- se reposer assez
- avoir beaucoup de stress
- boire de l'alcool
- prendre des vitamines
- faire du ski acrobatique

C. Conseils. Vous êtes conseiller (conseillère) familial(e). Expliquez à des parents ce qu'**il faut** ou ce qu'**il ne faut pas** que leurs enfants fassent.

> **EXEMPLE** dormir assez
> **Il faut qu'ils dorment assez.**

1. être actifs
2. aller à l'école tous les jours
3. manger toujours dans un resto rapide
4. avoir des responsabilités à la maison
5. savoir que vous les aimez
6. pouvoir faire tout ce qu'ils veulent
7. être toujours polis et respectueux
8. passer trop de temps à des jeux sur un ordinateur

D. L'ange et le diable. Lisez à haute voix chacune des situations suivantes. Un(e) camarade de classe jouera le rôle d'un ange *(angel)* et un(e) autre le rôle du diable *(devil)*. Ils vous diront ce que vous devez faire en utilisant des expressions telles que les suivantes: **Il faut que… / Il ne faut pas que… / Il vaut mieux que… / Il n'est pas bon que…**, etc. Changez de rôles chaque fois.

> **EXEMPLE** Mes amis m'ont invité(e) à sortir ce soir, mais j'ai un examen demain.
> **LE DIABLE:** **Il faut que tu sortes!**
> **L'ANGE:** **Il ne faut pas que tu sortes! Il est important que tu prépares ton examen!**

1. Je devrais aller en cours, mais je voudrais aller à la piscine.
2. J'aime fumer, mais le médecin m'a dit de cesser *(to stop)* de fumer.
3. J'ai envie d'aller au cinéma, mais j'ai des devoirs à faire.
4. J'ai acheté un cadeau pour une amie, mais maintenant je voudrais le garder.
5. Ma mère me demande de faire la vaisselle, mais je voudrais sortir avec mes amis.

Running errands on a trip

Des courses en voyage

Luc et Micheline ont beaucoup de courses à faire aujourd'hui. Où vont-ils aller? Il faut qu'il/qu'elle aille…

au **guichet automatique** pour **retirer** de l'argent

à la banque pour acheter des devises étrangères

à la pharmacie pour acheter de l'aspirine

à la boutique de cadeaux pour acheter **un cadeau** à Micheline

Alain quitte le Sénégal pour retourner au Canada. Il parle au téléphone avec Catherine.

CATHERINE : Je suis contente que tu reviennes bientôt du Sénégal. Quand penses-tu arriver à Montréal?

ALAIN : Je prends l'avion vendredi soir à 22 h 35. Je vais arriver à Bruxelles à 5 h 35 le lendemain matin. Ensuite, je prends un autre vol à 10 h 30 pour Montréal. C'est un long voyage mais je vais en profiter pour regarder des films.

CATHERINE : Voudrais-tu que j'**aille** te **chercher** à l'aéroport?

ALAIN : Non, non, je ne veux pas que tu perdes ton temps à l'aéroport si l'avion arrive **en retard**. **J'aimerais autant** prendre **la navette**.

CATHERINE : Mais non, j'insiste! L'avion arrive à quelle heure?

ALAIN : À 12 h 15.

CATHERINE : Alors, je viendrai te chercher devant la porte principale de l'aéroport vers 12 h 45. Il vaut mieux que je vienne plus tard. Il faut que tu récupères tes bagages et que tu passes la douane.

ALAIN : Parfait. À demain, alors!

CATHERINE : Oui, au revoir, à demain, mon chéri.

A. Des courses. Où se trouve Alain? Pouvez-vous le deviner selon les déclarations suivantes?

> **EXEMPLE** C'est combien pour envoyer cette carte postale au Canada?
> **au bureau de poste**

à la banque
à un restaurant
au guichet automatique
à la pharmacie
au bureau de poste
à la réception de l'hôtel
dans une boutique d'artisanat
à l'aéroport

1. Qu'est-ce que vous recommandez pour les allergies? J'éternue beaucoup.
2. Excusez-moi, monsieur. Est-ce que le vol pour Bruxelles a été retardé?
3. Je voudrais acheter des euros, s'il vous plaît.
4. C'est combien pour ces paniers *(baskets)* traditionnels? Je cherche un cadeau pour ma femme.
5. J'ai perdu ma carte clé pour entrer dans ma chambre.
6. J'adore ce riz au poisson!

B. Où faut-il aller? Complétez ces phrases d'une façon logique.

> **EXEMPLE** Notre vol va partir dans deux heures.
> Il faut que nous **allions à l'aéroport**.

1. Vous voulez acheter des devises étrangères. Il faut que vous…
2. Tu as perdu la carte clé pour ouvrir la porte? Il faut que tu…
3. J'ai besoin de retirer de l'argent. Il faut que j'…
4. Nous voulons envoyer des cartes postales. Il faut que nous…
5. Alain veut acheter de l'aspirine. Il faut qu'il…
6. Alain veut acheter un cadeau pour Catherine. Il faut qu'il…

C. Une journée chargée. Selon vous, pourquoi est-ce qu'Alain est allé aux endroits suivants?

acheter un magazine
acheter un cadeau
acheter des fruits
goûter la cuisine sénégalaise
acheter des médicaments
acheter des devises étrangères
retirer de l'argent
faire un itinéraire et acheter
  son billet
envoyer des cartes postales

> **EXEMPLE** Alain est allé au marché pour **acheter des fruits**.

1. Alain est allé à la pharmacie pour…
2. Il a cherché un guichet automatique pour…
3. Il est allé à la banque pour…
4. Il est allé au restaurant pour…
5. Il est allé au bureau de poste pour…
6. Il est allé à l'agence de voyages pour…

D. À vous! Avec un(e) partenaire, relisez à haute voix la conversation entre Alain et Catherine. Ensuite, imaginez qu'un(e) ami(e) va venir vous rendre visite. Créez une conversation dans laquelle vous parlez du jour où il/elle va arriver, où vous allez vous retrouver et de ce que vous allez faire ensemble.

© Pecold/Shutterstock

✔ *Pour vérifier*

1. What are eight expressions that indicate feelings that trigger the subjunctive? What expressions do you know that indicate desires, doubts, fears, opinions, and requests that trigger the subjunctive?

2. Do you use the subjunctive after the verb **espérer** (to hope)?

3. Does the present subjunctive always indicate present time?

➤ **Grammar Tutorials**

Note *de grammaire*

1. Although most verbs that express desires trigger the subjunctive, **espérer** (to hope) does not.
J'espère que tu **es** heureuse ici.

2. Traditionally, **ne** was always used in a clause following the expression **avoir peur que**. This **ne explétif** does not change the meaning of the clause and is now optional. It does **not** have a negative value in this case.
J'ai peur qu'il **n'**arrive en retard. = J'ai peur qu'il arrive en retard. = *I'm afraid he'll arrive late.*

Expressing wishes and emotions

Les expressions d'émotion et de volonté et le subjonctif

The indicative mood is used to talk about reality. The subjunctive mood conveys subjectivity: feelings, desires, opinions, requests, doubts, and fears.

You know to use the subjunctive to give advice and state opinions about someone in particular after impersonal expressions like **il faut que** and **il vaut mieux que**.

Also use the subjunctive in a second clause beginning with **que** when:

- the verb in the first clause "triggers" the subjunctive in the second clause by expressing a feeling, desire, doubt, fear, opinion, or request.
- the subject of the first clause is not the same as the subject of the second clause.

Verbal expressions such as these will "trigger" the subjunctive in the second clause.

FEELINGS	DESIRES
être content(e) que *to be glad that*	vouloir que *to want that*
être heureux (heureuse) que *to be happy that*	préférer que *to prefer that*
	aimer mieux que *to prefer that*
être furieux (furieuse) que *to be furious that*	souhaiter que *to wish that*
être surpris(e) que *to be surprised that*	
être étonné(e) que *to be astonished that*	**DOUBTS AND FEARS**
être triste que *to be sad that*	douter que *to doubt that*
être désolé(e) que *to be sorry that*	avoir peur que *to be afraid that*
regretter que *to regret that*	
OPINIONS	**REQUESTS / DEMANDS**
accepter que *to accept that*	exiger que *to insist that*
c'est dommage que *it's too bad that*	
il est bon / mauvais / ... que *it's good / bad / ... that*	

Je suis désolé que votre chambre n'ait pas de vue sur la mer.

Je préfère que la chambre soit au deuxième étage.

J'ai peur que le quartier de l'hôtel ne soit pas calme.

C'est dommage que votre lit ne soit pas confortable.

J'exige que nous changions d'hôtel.

Remember that the present subjunctive refers to either the present or the future.

Je doute qu'elle soit ici.	*I doubt she **is / will be** here.*
Je doute qu'il arrive demain.	*I doubt he **will arrive** tomorrow.*

A. Écoutez la guide ! À Pointe-à-Pitre, Micheline guide un groupe de touristes au sommet du volcan de la Soufrière. Dites si **elle veut** ou si **elle ne veut pas** que les touristes fassent ce qui est indiqué.

EXEMPLE   rester près d'elle / se perdre
Elle veut qu'ils restent près d'elle.
Elle ne veut pas qu'ils se perdent.

1. se perdre / venir avec elle
2. rester avec le groupe / se promener seuls
3. s'amuser / s'ennuyer
4. avoir peur / rester calmes
5. être satisfaits de l'excursion / avoir de mauvais souvenirs de l'excursion
6. apprendre quelque chose / trouver l'excursion ennuyeuse
7. revenir un jour en Guadeloupe / passer un séjour désagréable

B. Il se plaint ! Un des touristes qui fait partie d'un groupe guidé par Micheline se plaint de tout *(complains about everything)*. Donnez la réaction de Micheline à ce qu'il lui dit. Jouez les deux rôles avec un(e) partenaire.

> Je regrette que...
> C'est dommage que...
> Je suis désolée que...

EXEMPLE   je / se sentir mal
— Je me sens mal.
— C'est dommage que vous vous sentiez mal.

EXEMPLE je / se sentir mal

1. je / avoir un rhume

2. notre chambre / être vraiment laide

3. le restaurant de l'hôtel / servir de la cuisine très médiocre

4. on / ne pas pouvoir acheter de beaux cadeaux à notre hôtel

5. le guichet automatique / ne pas accepter notre carte bancaire

C. Quel hôtel ? Vous allez faire un voyage. Quel genre d'hôtel préférez-vous? Donnez votre réaction comme indiqué.

EXEMPLE   l'hôtel / être près des sites touristiques
Je préfère que l'hôtel soit près des sites touristiques.

> Je veux absolument que...
> Je préfère que...
> Il n'est pas important que...

1. quelqu'un de d'hôtel / aller nous chercher à l'aéroport
2. l'hôtel / avoir une piscine
3. le réceptionniste / parler anglais
4. l'hôtel / accepter les cartes de crédit
5. la chambre / être grande
6. on / pouvoir acheter de beaux cadeaux dans la boutique de l'hôtel

D. Un voyage ensemble. Votre partenaire et vous pensez peut-être partir en voyage ensemble. Posez ces questions à votre partenaire pour parler de ses habitudes quand il/elle est en vacances. Réagissez chaque fois à sa réponse.

> **EXEMPLE** — Tu passes beaucoup de temps à l'hôtel ?
> — Non, je ne passe pas beaucoup de temps à l'hôtel.
> — Je suis content(e) que tu ne passes pas beaucoup de temps à l'hôtel.

1. Tu préfères aller à la plage ou à la montagne ?
2. Tu descends dans un hôtel de luxe ou dans un hôtel moins cher ?
3. Tu sors souvent le soir ou tu restes à l'hôtel ?
4. Tu préfères un hôtel au centre-ville ou à l'extérieur de la ville ?
5. Tu déjeunes dans un café ou à l'hôtel ?

E. Un voyage en Afrique. Luc veut que Micheline et sa sœur fassent un voyage avec lui en Afrique. Qu'est-ce qu'il dit à Micheline pour la persuader de l'accompagner ? Commencez chaque phrase avec **j'aimerais que…** ou **je ne voudrais pas que…**.

> **EXEMPLE** venir en vacances avec moi / me dire non
> **J'aimerais que vous veniez en vacances avec moi.**
> **Je ne voudrais pas que vous me disiez non.**

1. rater *(to lose out on)* cette occasion de voir l'Afrique / faire ce voyage avec moi
2. pouvoir rester au moins un mois en Afrique avec moi / prendre moins de quatre semaines de vacances
3. sortir seules la nuit / rester avec moi
4. s'amuser / s'ennuyer
5. se souvenir de ce voyage / oublier notre voyage en Afrique

F. Préférences des Françaises. Voici le résultat de plusieurs sondages *(polls)* sur les qualités que les Françaises recherchent chez les hommes. Complétez les phrases logiquement en mettant les verbes entre parenthèses au subjonctif.

1. (faire, être, avoir)
   Pour la majorité des femmes, il est plus important qu'un homme _____ un bon sens de l'humour et qu'il les _____ rire *(laugh)*. Il est moins important qu'il _____ sexy.

2. (être, accepter)
   Les femmes veulent qu'un homme _____ moderne et convaincu *(convinced)* des valeurs du féminisme, et qu'il _____ l'égalité sociale, politique et économique de la femme.

3. (avoir, montrer, payer)
   Elles veulent aussi qu'il _____ des valeurs traditionnelles. Elles veulent encore qu'il _____ le chemin *(way)* et qu'il _____ l'addition au restaurant.

4. (être, avoir)
   Pour 37 % (pour cent) des femmes, il faut absolument que leur partenaire _____ fidèle, mais 9 % acceptent sans problèmes qu'il _____ d'autres partenaires.

5. (se séparer, rester)

Si un couple avec un jeune enfant ne s'entend plus, 19 % des femmes pensent qu'il est nécessaire que le couple _____ ensemble mais 73 % disent qu'il vaut mieux que le couple _____.

6. (être, avoir)

La moitié *(half)* des Françaises veulent que leur partenaire _____ une dimension spirituelle, mais pour l'autre moitié il n'est pas important qu'il _____ religieux.

G. Et vous? Pour vous, quelles sont les qualités les plus importantes chez un(e) partenaire? Exprimez vos opinions en vous servant des éléments donnés.

j'exige que		être riche
je préfère que		être intelligente
je ne voudrais pas		avoir beaucoup d'ambition
je souhaite que	cette personne	avoir les mêmes valeurs que moi
il n'est très important que		fumer
je n'accepterais pas que		vouloir passer tout son temps avec moi

H. Un couple heureux. Travaillez avec un groupe d'étudiants pour expliquer ce qu'il faut faire pour être un couple heureux. Complétez les phrases suivantes. Quel groupe peut faire le plus grande nombre de phrases logiques?

Il est très important qu'un couple / qu'un(e) partenaire…
Il est assez important qu'un couple / qu'un(e) partenaire…
Il n'est pas important qu'un couple / qu'un(e) partenaire…

© Sergio Pitamitz/agefotostock

1. Do you use the infinitive or the subjunctive when people have feelings about what *others* should or might do? when they have feelings about what *they* themselves should or might do?

2. When do you use the infinitive after impersonal expressions such as **il faut**? When do you use the subjunctive?

Grammar Tutorials

Telling others what to do

Le subjonctif ou l'infinitif?

Use the subjunctive in a second clause when the first clause expresses feelings, desires, doubts, fears, requests, or opinions about what someone else does, might do, or should do. In this case, the subjunctive is used only when there are different subjects in the main and dependent clauses. When there is no change of subject, you normally use the infinitive.

FEELINGS ABOUT SOMEONE ELSE	FEELINGS ABOUT ONESELF
Je veux que tu le fasses.	Je veux le faire.
I want you to do it.	*I want to do it.*
Nous préférons qu'il soit à l'heure.	Nous préférons être à l'heure.
We prefer that he be on time.	*We prefer to be on time.*

Use **de** before an infinitive after the verb **regretter** or phrases that include the verb **être**.

Je regrette **de** partir demain. Elle est contente **de** venir.

Remember to use an infinitive after expressions such as **il faut** or **il est important de** to talk about people in general, rather than someone specific.

TALKING ABOUT SOMEONE SPECIFIC	TALKING ABOUT PEOPLE IN GENERAL
Il faut que nous le fassions.	Il faut le faire.
We have to do it.	*It has to be done.*
Il est important qu'il y aille.	Il est important d'y aller.
It's important for him to go there.	*It's important to go there.*

A. De bons conseils. Indiquez ce qu'**il faut** faire, ce qu'**il vaut mieux** faire ou ce qu'**il ne faut pas** faire quand on voyage à l'étranger.

EXEMPLE prendre la photo d'un tableau avec un flash dans un musée
Il ne faut pas prendre la photo d'un tableau avec un flash dans un musée.

1. arriver à l'aéroport bien à l'avance
2. oublier son passeport
3. apporter peu d'articles dans les bagages de cabine
4. fumer dans l'avion
5. montrer son passeport à la douane
6. réserver une chambre avant de partir
7. savoir parler un peu la langue

© JJ Studio/Shutterstock

Maintenant, imaginez que vous donnez ces mêmes conseils à un groupe de jeunes qui partent en voyage.

> **EXEMPLE** prendre la photo d'un tableau avec un flash dans un musée
> **Il ne faut pas que vous preniez la photo d'un tableau avec un flash dans un musée.**

B. Préférences.
Choisissez les mots entre parenthèses qui décrivent le mieux vos préférences quand vous voyagez. Conjuguez le verbe au subjonctif ou utilisez l'infinitif comme il convient.

1. Pour un long voyage, je préfère… (prendre l'avion, prendre le train, prendre ma voiture).
2. Je préfère que mon vol… (être le matin, être l'après-midi, être le soir).
3. Pendant le vol, je préfère … (lire, voir un film, dormir, parler avec d'autres passagers).
4. Je n'aime pas que les autres passagers près de moi… (parler tout le temps, avoir un petit bébé, se lever tout le temps).
5. Je préfère que l'hôtel… (être de grand luxe, être beau mais pas trop cher, être dans une rue calme et tranquille).
6. Je préfère que ma chambre d'hôtel… (avoir le wi-fi gratuit, être propre, avoir une belle vue).

C. Des courses.
Micheline et sa sœur se préparent pour aller voir leur oncle qui habite dans une autre ville. Micheline préfère s'occuper des préparatifs à la maison et elle veut que sa sœur aille faire les courses. Que dit-elle à sa sœur de faire?

> **EXEMPLE** faire le ménage / faire des courses
> **Je voudrais que tu fasses des courses. Moi, je préfère faire le ménage.**

1. aller retirer de l'argent au guichet automatique / faire les valises
2. acheter un cadeau pour l'oncle Jean / lui faire un gâteau
3. téléphoner à l'hôtel / aller à la pharmacie
4. chercher des renseignements sur la région dans Internet / acheter un plan de la ville
5. aller en ville / rester à la maison

 **D. Entretien.**
Interviewez votre partenaire sur un voyage qu'il/elle voudrait faire.

1. Où est-ce que tu voudrais faire un voyage? Quand est-ce que tu voudrais le faire? Est-ce que tu aimerais que ta famille ou que tes amis voyagent avec toi?
2. Est-ce que tu préfères que ton hôtel soit un hôtel de luxe ou peu cher? Est-il important qu'il y ait une piscine? Aimes-tu nager dans la piscine d'un hôtel?
3. Aimes-tu voyager en avion? Aimes-tu parler avec les personnes assises à côté de toi dans l'avion ou préfères-tu dormir? Quand tu arrives, préfères-tu prendre la navette ou un taxi pour te rendre à ta destination ou préfères-tu que quelqu'un vienne te chercher?

Les indications

Luc et Micheline visitent Pointe-à-Pitre. Ils sont à l'office de tourisme. Voici un plan du centre-ville. Qu'est-ce qu'il y a dans le quartier ?

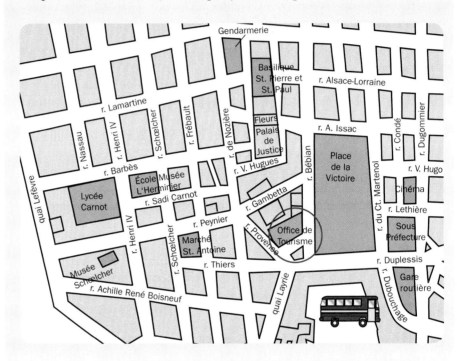

L'employé à l'office de tourisme va **expliquer** à Luc et à Micheline comment se rendre au musée Scheelcher. Voici quelques expressions **utiles** pour **indiquer le chemin**.

Prenez la rue…	**Traversez la place…**
Continuez **tout droit jusqu'à…**	C'est dans la rue…
Tournez à droite.	sur le boulevard…
Tournez à gauche.	sur l'avenue…
Descendez la rue…	sur la place…
Montez la rue…	C'est **au coin de** la rue.

expliquer *to explain*
utile *useful*
indiquer le chemin *to give directions*
tout droit jusqu'à… *straight ahead until / as far as / up to …*
traverser *to cross, to go across*
la place *the square*
au coin de *on the corner of*

Micheline demande à l'employé de l'office de tourisme comment se rendre au musée Schœlcher.

MICHELINE: S'il vous plaît, monsieur, pourriez-vous m'expliquer comment aller au musée Schœlcher?

L'EMPLOYÉ: Bien sûr, mademoiselle, il n'y a rien de plus simple. C'est tout près. Montez la rue Provence jusqu'à la rue Peynier. Tournez à gauche…

MICHELINE: À gauche sur la rue Peynier?

L'EMPLOYÉ: Oui, c'est ça. Continuez tout droit et le musée Schœlcher est sur votre gauche, juste après la rue Henri-IV.

MICHELINE: Je vous remercie, monsieur.

L'EMPLOYÉ: Je vous en prie, mademoiselle.

A. Où allez-vous? Imaginez que vous êtes à l'office de tourisme avec Luc et Micheline. D'abord, complétez les explications suivantes en traduisant les mots entre parenthèses. Ensuite regardez le plan à la page précédente et dites où vous arrivez.

1. _____ *(Go up)* la rue Provence_____*(as far as)* la rue Peynier. _____ *(Turn left)*. _____ *(Continue straight ahead)* et c'est sur votre gauche, juste après la rue Henri-IV.

2. _____ *(Cross)* la place de la Victoire et prenez la rue Lethière. _____ *(Continue straight ahead)* jusqu'à la rue Condé et _____ *(turn left)*. C'est sur votre _____ *(right)* entre la rue Victor Hugo et la rue Lethière.

3. _____ *(Go up)* la rue Bébian _____ *(as far as)* la rue Alsace-Lorraine. _____ *(Turn left)*. C'est juste devant vous.

4. _____ *(Go up)* la rue Provence, _____ *(turn left)* sur la rue Peynier. _____ *(Continue straight ahead)* et c'est sur votre gauche, entre la rue Frébault et la rue Schœlcher.

B. À vous! D'abord, avec un(e) partenaire, relisez à haute voix la conversation entre Micheline et l'employé. Ensuite, votre partenaire va vous demander comment aller à votre restaurant préféré en partant de *(leaving from)* l'université. Expliquez-lui comment y aller. Il/Elle va créer un plan selon vos indications.

Vous pouvez utiliser aussi ces mots:

au feu *at the light*

au stop *at the stop sign*

Prenez l'autoroute 35. *Take Highway 35.*

Prenez la sortie 7. *Take exit 7.*

vers le nord / le sud / l'est / l'ouest *toward the north / the south / the east / the west*

✔ *Pour vérifier*

1. How do you form the imperative of most verbs? Which verbs drop the final **s** in the **tu** form of the imperative? Which two verbs are irregular in the imperative and what are their forms?

2. Where do you place **y**, **en**, and object and reflexive pronouns in negative commands? Where do you place **y**, **en**, and object and reflexive pronouns in affirmative commands? What happens to **me** and **te** in an affirmative command?

3. When do you reattach the **s** to a **tu** form command?

▶ Grammar Tutorials

Telling how to go somewhere

Reprise de l'impératif et les pronoms avec l'impératif

You use the **impératif** (command) form of the verb to give directions. As you have seen, the imperative of most verbs is the **tu**, **vous**, or **nous** form of the verb without the subject pronoun.

Descends cette rue!	*Go down this street!*
Traversez la place!	*Cross the square!*
Allons à la banque!	*Let's go to the bank!*

Remember to drop the final **s** of **-er** verbs and of **aller**, but not of other verbs, in **tu** form commands.

Tourne à gauche! *Turn left!*   Va en ville! *Go to town!*

BUT: Prend**s** la navette! *Take the shuttle!*   Fai**s** ta valise! *Pack your bag!*

Review the irregular command forms of **être** and **avoir**.

Sois généreux!	*Be generous!*	Aie de la patience!	*Have patience! (Be patient!)*
Soyons gentils!	*Let's be nice!*	Ayons confiance!	*Let's have confidence!*
Soyez à l'heure!	*Be on time!*	Ayez pitié!	*Have pity!*

In negative commands, reflexive pronouns, direct and indirect object pronouns, **y**, and **en** are placed before the verb.

Ne te perds pas!	*Don't get lost!*
Ne les prends pas!	*Don't take them!*
N'y va pas!	*Don't go there!*

In affirmative commands, pronouns are attached to the end of the verb with a hyphen.

Attends-le à l'aéroport.	*Wait for him at the airport.*
Dis-lui que nous arriverons bientôt.	*Tell her that we will arrive soon.*

When **me** and **te** are attached to the end of the verb, they become **moi** and **toi**.

Attendez-moi!	*Wait for me!*	Lève-toi!	*Get up!*

When **y** or **en** follows a **tu** form command, the final **s** is reattached to the end of the verb and it is pronounced in liaison.

Vas-y!	*Go ahead!*	Manges-y!	*Eat there!*
Achètes-en!	*Buy some!*	Manges-en!	*Eat some!*

A. Le chemin. Consultez le plan à la page 394 et expliquez comment aller…

- de l'office de tourisme à la gendarmerie *(police station)*
- de la gendarmerie au musée Schœlcher
- du musée Schœlcher à la sous-préfecture *(administrative building)*

B. Un drôle de touriste. Votre nouvel ami, un extraterrestre, descend dans un hôtel. Dites-lui ce qu'il faut et ce qu'il ne faut pas faire.

EXEMPLE   Je m'habille avant de prendre une douche?
                Non, ne t'habille pas avant de prendre une douche.
                Habille-toi après.

1. Je me couche par terre?
2. Je m'habille dans le jardin?
3. Je me brosse les mains?
4. Je me lave à la réception?
5. Je me lève à minuit?
6. Je me couche à midi?
7. Je me déshabille dans le couloir?
8. Je me brosse les dents avec l'eau de la piscine?

C. Luc est amoureux. Luc est tombé amoureux de Micheline et il ne veut pas qu'elle l'oublie quand il sera de retour au Canada. Vous êtes son ami(e). Répondez à ses questions. Il vous demande des conseils. Dites lui ce que vous en pensez.

EXEMPLE   — Est-ce que je devrais lui écrire des courriels du Canada?
                — **Oui, écris-lui des courriels.**
                  Non, ne lui écris pas de courriels. Téléphone-lui.

1. Est-ce que je devrais l'inviter à venir me voir l'été prochain?
2. Je devrais lui téléphoner deux fois par jour?
3. Est-ce que je devrais lui dire que je suis amoureux d'elle?
4. Est-ce que je devrais lui envoyer des fleurs?
5. Est-ce que je devrais l'embrasser avant de partir?

D. Micheline aussi! Micheline aussi est amoureuse de Luc. Est-ce qu'elle lui dirait de faire les choses indiquées dans *C. Luc est amoureux*?

EXEMPLE   **Écris-moi des courriels. / Ne m'écris pas de courriels.**
                Téléphone-moi.

E. Conseils. Répondez aux questions d'un touriste. Utilisez l'impératif et le pronom convenable. Jouez les deux rôles avec un(e) partenaire.

EXEMPLE   — Quand est-ce que je devrais confirmer mon vol?
                — **Confirmez-le 72 heures avant votre départ.**

1. Quand est-ce que je règle la note de la chambre?
2. Comment est-ce que je peux régler la note?
3. Où est-ce que je peux prendre le déjeuner?
4. Où est-ce que je peux acheter de l'artisanat local?
5. Où est-ce que je peux goûter la cuisine locale?
6. Comment est-ce que je peux aller à l'aéroport?

Courtesy of Theresa Fitzgerald

■ Reprise

See the **Résumé de grammaire** section at the end of each chapter for a review of all the grammar presented in the chapter.

Les Stagiaires

Comme vous l'avez découvert dans l'épisode précédent de la vidéo, Monsieur Vieilledent va partir en voyage aux Antilles. Faites les exercices qui suivent pour en savoir un peu plus *(to know a little more)* sur son voyage et pour réviser ce que vous avez appris dans ce chapitre avant de regarder le dernier clip de la vidéo.

A. À l'étranger. C'est le grand jour : Monsieur Vieilledent part en vacances ! D'abord, dites ce qu'il vaut mieux faire en général quand on part en voyage.

> **EXEMPLE** apporter *(to bring)* beaucoup de choses ou apporter une seule valise ?
> **Il vaut mieux apporter une seule valise.**

1. chercher un hôtel à l'arrivée ou réserver une chambre à l'avance ?
2. faire les valises à l'avance ou faire les valises au dernier moment ?
3. arriver à l'aéroport juste avant le départ ou être à l'aéroport au moins deux heures avant le départ ?
4. se souvenir de prendre sa carte d'identité ou oublier sa carte d'identité à la maison ?

Maintenant, dites à Monsieur Vieilledent ce qu'il vaut mieux qu'il fasse. Utilisez les phrases précédentes.

> **EXEMPLE** **Il vaut mieux que vous apportiez une seule valise.**

B. Des préparatifs. Vous aussi, vous partez à l'étranger avec un(e) ami(e) et vous faites les préparatifs. Dites à votre ami(e) ce que vous préférez faire et ce que vous préférez qu'il/elle fasse.

> **EXEMPLE** choisir l'hôtel / choisir le vol
> **Je préfère choisir le vol et je préfère que tu choisisses l'hôtel.**

1. faire les réservations d'hôtel / louer une voiture
2. lire le guide touristique / chercher des renseignements sur le Web
3. dormir dans le lit / dormir sur le canapé
4. payer le voyage / ne rien payer

 C. En voyage. Votre ami(e) vous pose les questions suivantes pendant votre voyage. Répondez en utilisant l'impératif avec un pronom complément d'objet direct. Jouez les deux rôles avec un(e) partenaire.

> **EXEMPLE** — **Je mets le réveil** *(set the alarm)* **pour six heures ou pour huit heures ?**
> — **Ne le mets pas pour six heures. Mets-le pour huit heures.**

1. Je paie l'hôtel avec ma carte de crédit ou avec ta carte de crédit ?
2. Je fais le lit ou je le laisse pour la femme de chambre *(maid)* ?
3. Je prends la clé avec moi ou je la laisse à la réception ?
4. J'appelle le taxi une heure ou deux heures avant le vol ?
5. J'écris ces cartes postales avant de partir ou je les écris dans l'avion ?

D. Il est malade! Monsieur Vieilledent tombe malade pendant son voyage. Il dit les choses suivantes à Camille au téléphone. Donnez les réactions de Camille à ce qu'il dit.

> **EXEMPLE** Je me sens très malade et j'ai très mal à la tête.
> **Je suis désolée que vous vous sentiez très malade et que vous ayez très mal à la tête.**

Je regrette que…	Je suis désolée que…	C'est dommage que…
Il est bon que…	Il n'est pas bon que…	Il est important que…

1. Je n'ai pas d'appétit et je ne mange presque rien.
2. Je reste au lit et je me repose.
3. L'hôtelier connaît un très bon médecin et il va lui téléphoner.
4. Je tousse toute la nuit et je ne peux pas dormir.
5. Je bois beaucoup de liquides et je prends de l'aspirine.

 E. Quelques ennuis. Monsieur Vieilledent se trouve dans les situations suivantes pendant son voyage. Avec un(e) partenaire, préparez une conversation pour chacun de ces scénarios.

Pauvre Monsieur Vieilledent! On a perdu sa réservation d'hôtel, alors il cherche un autre hôtel. Il discute des choses suivantes avec le (la) réceptionniste.

- *He says that he is looking for a room for two weeks.*
- *He describes what sort of room he is looking for. [Use your imagination!]*
- *They discuss the price, including breakfast.*

Monsieur Vieilledent est toujours malade. Préparez la conversation suivante entre le médecin et lui.

- *The doctor greets him and asks what is wrong.*
- *He says that he is coughing and has a sore throat and a headache.*
- *The doctor says he has the flu and gives him a prescription for medicine. The doctor says that it is important that he take it every morning and gives him other advice on what else to do.*

© Heinle/Cengage Learning

 Épisode 10: Au revoir et merci!

Dans cet épisode final, c'est le dernier jour de stage pour Rachid, Amélie et Monsieur Vieilledent, de retour de *(back from)* vacances, et tous leurs collègues de Technovert se réunissent *(get together)* pour leur dire au revoir. C'est surtout difficile pour Matthieu! Est-ce qu'il reverra Amélie?

Avant de regarder le clip, pensez à ce que vous pourriez leur dire si vous étiez Monsieur Vieilledent et à une chose que vous pourriez dire si vous étiez Amélie ou Rachid.

Ensuite, regardez le clip pour découvrir ce qui se passe – ou non – entre Matthieu et Amélie.

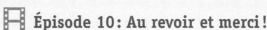 Access the Video *Les Stagiaires* at **iLrn** and on the *Horizons* Premium Website.

Reprise • *trois cent quatre-vingt-dix-neuf*

Espace culturel

Pour mieux lire

Using your knowledge of the world

Social movements such as fair trade aim at helping small businesses in developing countries and at promoting sustainability. Knowledge of various social movements and problems should help you read the text below more easily.

Le commerce équitable

« **Le commerce équitable** est un système commercial international fondé sur le dialogue, la transparence et le respect. Il contribue au développement durable en offrant de meilleures conditions aux petits producteurs agricoles et aux travailleurs des pays en développement. Les principes et les objectifs du commerce équitable s'appuient sur un système international rigoureux de contrôle, de vérification et de certification. » (Transfair Canada)

Equiterre : *Guide d'action pour un commerce équitable*
http://www.equiterre.org

Compréhension

Répondez aux questions.

1. Selon vous, des sept principes du commerce équitable, lequel est le plus important ? Expliquez pourquoi.
2. Comment est-ce que le commerce équitable contribue à une mondialisation « juste » ?
3. Quels genres de produits sont affectés par le commerce équitable ?
4. Avez-vous déjà choisi d'acheter un produit certifié équitable au lieu d'un autre ? Lequel et pourquoi ?

Pour mieux écrire

Softening or hardening your tone

When making suggestions or trying to persuade someone to do something in French, you can sound more forceful or more gentle by using the subjunctive, the imperative, or the conditional to harden or soften your tone. Generally, using the imperative will sound more demanding and the conditional will sound more polite. Expressions that are followed by the subjunctive can range from soft to harsh.

Organisez-vous. Vous allez parler d'un problème (social ou économique) et suggérer des changements. Avant d'écrire votre rédaction, considérez les phrases suivantes et mettez-les dans l'ordre, de la plus aimable *(soft)* à la plus sévère.

1. Faites-le ! / Pourriez-vous le faire ? / Il faut que vous le fassiez.
2. Vous devriez être plus réalistes. / Soyez plus réalistes ! / Il vaut mieux être plus réalistes.
3. Il faut que ça change. / Je préfère que ça change. / Je préférerais que ça change.
4. Je ne veux pas que ça continue. / Je regrette que ça continue. / Je suis furieux (furieuse) que ça continue.
5. Il est essentiel de dire ce qu'on pense. / Il vaut mieux dire ce qu'on pense. / Il est important de dire ce qu'on pense.
6. J'exige que tout le monde sache la vérité *(the truth)*. / Je voudrais que tout le monde sache la vérité. / Je veux que tout le monde sache la vérité.

Il faut changer le monde !

Vous allez parler d'une situation ou d'un problème particulier. Donnez autant de *(as many)* détails que possible sur le sujet et expliquez clairement pourquoi vous voulez une solution à ce problème. Il peut s'agir d'une situation de votre vie personnelle, une situation politique ou un problème social. Ensuite, suggérez ce qu'il faut faire, à votre avis *(opinion),* pour améliorer la situation.

© GODONG/agefotostock

© Keystone, Fabrice Coffrini/AP Photo

Youssou N'Dour

Pour mieux interagir
La musique francophone : les influences africaines et antillaises

Dans la musique francophone d'Afrique, on trouve cinq genres d'influence régionale importants.

La rumba (congolaise)
Pays francophones : la République démocratique du Congo, le Congo
Instruments typiques : **les tambours**, **les trompes**, les flûtes et les xylophones
Artistes : Papa Wemba, Zao, Tabu Ley Rochereau, Wendo Kolosay

La musique mandingue
Pays francophones : le Sénégal, la Côte d'Ivoire, la Guinée
Instruments typiques : **la kora**, **le balafon**, les percussions
Artistes : Amadou & Mariam, Tiken Jah Fakoly, Alpha Blondy, Salif Keïta

La musique du Sahel
Pays francophones : le Sénégal, le Burkina Faso, la Mauritanie, le Mali, le Niger
Instruments typiques : les luths et les tambours
Artistes : Youssou N'Dour, Wasis Diop, Ismaël Lô, Ali Farka Touré

Le maloya
Pays francophones : La Réunion
Instruments typiques : **le roulèr**, **le kayamb**, **le pikèr**, **le sati**
Artistes : René Lacaille, Danyèl Waro, Nathalie Natiembé, Ti Fock

L'afrobeat
Pays francophones : le Togo, le Bénin, le Cameroun, la République centrafricaine
Instruments typiques : les percussions
Artistes : Angélique Kidjo, Francis Bebey, Lapiro Mbanga, Sally Nyolo

Le séga
Pays francophones d'origine : L'île Maurice, La Réunion, Rodrigues, les Seychelles et les Comores
Instruments typiques : **la maravanne**, **la ravane**, le triangle, l'accordéon
Artistes : Ti Frère, Claudio Veeraragoo, Patrick Victor, Marie-Michèle Etienne

les tambours *drums*
les trompes *horns*
la kora *the kora (a 21 string harp lute)*
le balafon *the balaphone (an instrument similar to the xylophone)*
le roulèr *a low-tuned barrel drum played with the hands*
le kayamb *a flat rattle made from sugar cane tubes and seeds*
le pikèr *a bamboo idiophone played with sticks*
le sati *a flat metal idiophone played with sticks*
la maravanne *rattle*
la ravane *the goatskin drum*

© Pascal Guyot/AFP/Getty Images

Jean-Philippe Martheley avec le groupe Kassav' et Jocelyne Béroard

La musique francophone antillaise

Quand on pense à la musique antillaise, on pense surtout au reggae et au zouk.

Le reggae, né en Jamaïque pendant les années 60, est devenu populaire chez les Français. Dans un sondage sur les genres de musique les plus appréciés en France, 38 % des jeunes gens de 15 à 24 ans mentionnent le reggae.

Le zouk, né en Guadeloupe et en Martinique dans les années 80, est chanté en français ou en créole et le verbe *zouker* est devenu un synonyme de *danser* dans la région. Comme beaucoup de styles de musique aux Caraïbes, cette musique montre des influences de la rumba africaine.

Le succès du reggae et des artistes du zouk antillais, comme Jocelyne Béroard, Sonia Dersion, Zouk Machine et surtout le groupe Kassav', a servi d'inspiration pour une renaissance de la musique populaire en Afrique. L'interaction artistique entre les Antilles et l'Afrique est signe des **liens** culturels forts entre leurs peuples.

Zouker, c'est danser.

Compréhension

1. Quels sont les cinq genres de musique africaine qui ont influencé la musique francophone? Est-ce que la musique africaine a influencé la musique de votre pays? Quels genres de musique?
2. Quels sont deux genres de musique antillaise populaires en France? Dans lequel de ces genres est-ce qu'on trouve souvent des chansons en créole? Qui est Kassav'? Est-ce qu'on écoute ces genres de musique dans votre région?

Pour mieux découvrir

Quel est ce pays de la Francophonie?

Voici quatre photos et descriptions pour vous aider à le trouver.

Ce pays est un archipel de 115 îles. L'industrie du tourisme en constitue la ressource principale.

Les habitants parlent créole, anglais et français

L'industrie de la pêche industrielle est bien développée.

Victoria, la capitale

Est-ce qu'il s'agit...

a. des Seychelles?
b. des Comores?
c. du Vanuatu?
d. d'Haïti?

Réponse: a) Les Seychelles

■ Résumé de grammaire

Impersonal expressions and the infinitive

Use an infinitive after the following expressions to state general advice and opinions. Notice that **il faut** means *it is necessary*, **il ne faut pas** means *one should / must not*, and **il n'est pas nécessaire** means *it is not necessary*.

> Il faut… / Il ne faut pas…
> Il est nécessaire de… / Il n'est pas nécessaire de…
> Il vaut mieux… Il est essentiel / important / bon / mauvais de…
> C'est bien de…

Pour préparer un voyage à l'étranger, **il faut obtenir** des passeports. **Il vaut mieux réserver** une chambre à l'avance. **Il ne faut pas attendre** le dernier moment.

The subjunctive *(Le subjonctif)*

The indicative mood expresses reality. The subjunctive mood conveys subjectivity; that is, feelings, desires, doubts, fears, opinions, and requests about what happens or might happen. The present subjunctive may imply either present or future actions.

The subjunctive is mostly used in a second clause preceded by **que**:

* to give advice for someone in particular after impersonal expressions like those listed above. (In expressions like **il est bon de**, **que** replaces **de**.)
* when the verb in the first clause "triggers" the subjunctive in the second clause by expressing feelings, desires, doubts, fears, opinions, or requests; provided that the subject of the first clause is not the same as the subject of the second clause. (See page 388 for a list of such "trigger" verbs.)

For most verbs, form the subjunctive as follows.

* For **nous** and **vous**, the subjunctive looks like the imperfect.
* For the other forms, drop the **-ent** ending of the **ils/elles** form of the present indicative and add the endings: **-e**, **-es**, **-e**, **-ent**.

S'il est malade, il faut **qu'il téléphone** au médecin.
J'ai peur **qu'il soit** très malade. Je suis content **qu'il aille** chez le médecin.

Le médecin veut **qu'il reste** au lit et **qu'il finisse** tous ses médicaments. Il vaut mieux **qu'il ne rende pas visite** à ses amis.

	PARLER	FINIR	RENDRE
que je	parle	finisse	rende
que tu	parles	finisses	rendes
qu'il/elle/on	parle	finisse	rende
que nous	parlions	finissions	rendions
que vous	parliez	finissiez	rendiez
qu'ils/elles	parlent	finissent	rendent

Most irregular verbs follow the same rule.

connaître	que je connaisse	que nous connaissions
dire	que je dise	que nous disions
dormir	que je dorme	que nous dormions
écrire	que j'écrive	que nous écrivions
lire	que je lise	que nous lisions
partir	que je parte	que nous partions
sortir	que je sorte	que nous sortions

Il ne veut pas **que je dise** à ses parents qu'il est malade.
Il faut **qu'il dorme** beaucoup. Il ne faut pas **qu'il sorte** ce soir.

These verbs follow the same rule, but have a different stem for the **nous** and **vous** forms.

acheter	que j'achète	que nous achetions
boire	que je boive	que nous buvions
devoir	que je doive	que nous devions
payer	que je paie	que nous payions
prendre	que je prenne	que nous prenions
venir	que je vienne	que nous venions

Il faut **que nous achetions** ces médi-caments à la pharmacie.
Il veut **que tu viennes** le voir.

Only seven verbs are irregular in the subjunctive: **avoir**, **être**, **aller**, **faire**, **vouloir**, **savoir**, and **pouvoir**. Memorize their conjugations from the charts on page 384. The subjunctive of **il y a** is **qu'il y ait** and the subjunctive of **il pleut** is **qu'il pleuve**.

Je regrette **qu'il soit** malade mais je suis content **qu'il aille** voir le médecin.

The subjunctive or the infinitive?

The subjunctive is used when there are different subjects in the main and dependent clauses. When there is no change of subject, you normally use the infinitive. Also remember to use an infinitive after expressions such as **il faut** or **il est important de** to talk about what should be done as a general rule, rather than what specific people should do. Use **de** before an infinitive after the verb **regretter** or phrases that include the verb **être**.

Commands and using pronouns with commands

The imperative (command form) of most verbs is the **tu**, **nous**, or **vous** form of the verb without the subject pronoun. Remember to drop the final **s** of -er verbs and of **aller**, but not of other verbs, in **tu** form commands.

Être and **avoir** have irregular command forms: **sois**, **soyons**, **soyez** and **aie**, **ayons**, **ayez**.

In negative commands, reflexive and object pronouns, **y**, and **en** are placed before the verb. In affirmative commands, pronouns are attached to the end of the verb with a hyphen, and **me** and **te** become **moi** and **toi**. When **y** or **en** follows a **tu** form command, the final **s** is reattached to the end of the verb.

Prends la rue Provence, **va** jusqu'à la rue Thiers et **tourne** à gauche.
Prenons la rue Provence. **Prenez** la rue Provence.

Sois à l'heure.
Aie de la patience.

Ne lui achète pas de cadeau dans la boutique de l'aéroport.
Achète-lui un cadeau au marché.
Réveille-toi tôt et **vas-y** le matin.

■ Vocabulaire ⧉

Deciding where to stay

NOMS MASCULINS

un ascenseur	an elevator
un balcon	a balcony
un bruit	a noise
un centre de vacances	a resort
un chalet de ski	a ski lodge
un hôtelier	a hotel manager
le logement	lodging
un mini-bar	a mini-bar
un supplément	an extra charge, a supplement
le wi-fi	wi-fi

NOMS FÉMININS

une auberge de jeunesse	a youth hostel
une carte clé	a key card
une gomme à mâcher	gum
une hôtelière	a hotel manager
la réception	the front desk
une serviette de table	a napkin, a serviette
une télévision à écran plat	a flat screen television

EXPRESSIONS VERBALES

C'est bien de...	It's good to ...
Ce n'est pas bien de...	It's bad to ...
Il est bon de...	It's good to ...
Il est essentiel de...	It's essential to ...
Il est important de...	It's important to ...
Il est nécessaire de...	It's necessary to ...
Il n'est pas nécessaire de...	It's not necessary to ...
Il faut...	One must ... , It's necessary to ...
Il ne faut pas...	One shouldn't ... , One must not ...
Il vaut mieux...	It's better to ...
recommander	to recommend
se comporter	to behave
se moucher	to blow your nose

ADJECTIFS

calme	calm
compris(e)	included
gratuit(e)	free
servi(e)	served

DIVERS

au bout du couloir	at the end of the hallway
Bon séjour!	Enjoy your stay!
comptant	in cash
côté jardin	on the courtyard side
de luxe	deluxe
fumeur / non-fumeur	smoking / non-smoking
régler la note	to pay the bill

Going to the doctor

NOMS MASCULINS

les frissons	the shivers
un liquide	a liquid
un médecin	a doctor
un médicament	medicine, a medication
un rhume	a cold
un symptôme	a symptom
un virus	a virus

NOMS FÉMININS

une allergie	an allergy
de l'aspirine	some aspirin
la grippe	the flu
une indigestion	indigestion
une ordonnance	a prescription

LES PARTIES DU CORPS

la bouche	the mouth
le bras	the arm
le corps	the body
les dents (f)	the teeth
les doigts (m)	the fingers
les orteils (m)	the toes
le dos	the back
la gorge	the throat
la jambe	the leg
la main	the hand
le nez	the nose
l'œil (m) (pl les yeux)	the eye
l'oreille (f)	the ear
le pied	the foot
la tête	the head
le ventre	the stomach

EXPRESSIONS VERBALES

avoir des frissons	to have the shivers
avoir mal à...	one's ... hurt(s)
communiquer	to communicate
éternuer	to sneeze
tomber malade	to get sick
tousser	to cough
vomir	to vomit, to throw up

DIVERS

au cours de	in the course of, during, while on
enceinte	pregnant
exactement	exactly
Qu'est-ce qui ne va pas?	What's wrong?
tout simplement	quite simply

Running errands on a trip

NOMS MASCULINS

un aéroport	*an airport*
un bureau de poste	*a post office*
un cadeau (*pl* des cadeaux)	*a present*
un guichet automatique	*an ATM*
un timbre	*a stamp*

NOMS FÉMININS

une banque	*a bank*
une boutique de cadeaux	*a gift shop*
une navette	*a shuttle*
une pharmacie	*a pharmacy*

EXPRESSIONS VERBALES

accepter que...	*to accept that ...*
aller / venir chercher quelqu'un	*to go / come pick someone up*
c'est dommage que...	*it's too bad that ...*
douter que...	*to doubt that ...*
être content(e) que...	*to be happy that ...*
être désolé(e) que...	*to be sorry that ...*
être étonné(e) que...	*to be astonished that ...*
être furieux (furieuse) que...	*to be furious that ...*
être heureux (heureuse) que...	*to be happy that ...*
être surpris(e) que...	*to be surprised that ...*
être triste que...	*to be sad that ...*
exiger que...	*to insist that ...*
j'aimerais autant...	*I would just as soon ...*
regretter que...	*to regret that ...*
retirer de l'argent	*to withdraw money*
souhaiter que...	*to wish that ...*

DIVERS

en retard	*late*
principal(e) (*m pl.* principaux)	*principal, main*

Giving directions

NOMS MASCULINS

un employé	*an employee*
l'office de tourisme	*the Tourist Office*
un plan	*a map*

NOMS FÉMININS

une employée	*an employee*
une expression	*an expression*
les indications	*the directions*
une place	*a (town) square, a plaza*

EXPRESSIONS VERBALES

avoir pitié (de)	*to have pity (on)*
continuer (tout droit)	*to continue (straight ahead)*
descendre la rue...	*to go down ... Street*
expliquer	*to explain*
indiquer le chemin	*to give directions, to show the way*
monter la rue...	*to go up ... Street*
prendre la rue...	*to take ... Street*
remercier	*to thank*
tourner (à droite / à gauche)	*to turn (right / left)*
traverser	*to cross, to go across*

EXPRESSIONS PRÉPOSITIONNELLES

au coin de	*on the corner of*
dans la rue...	*on ... Street*
jusqu'à	*until, up to, as far as*
sur l'avenue / le boulevard / la place...	*on ... Avenue / Boulevard / Square*

DIVERS

juste	*just*
tout droit	*straight (ahead)*
utile	*useful*

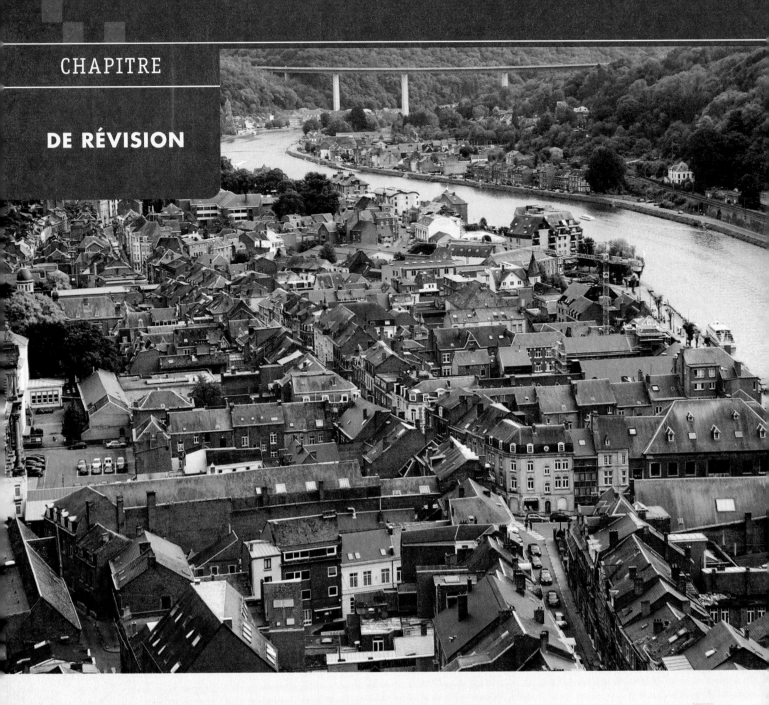

UN DRÔLE DE MYSTÈRE

© dnaveh/Shutterstock

Quelqu'un a été assassiné et c'est à vous, le ou la détective, de trouver le criminel. En même temps, vous allez faire une révision de ce que vous avez appris dans *Horizons*. Si vous avez des difficultés en faisant un exercice, référez-vous aux pages indiquées en marge *(in the margin)*.

Les personnages

Un mystère dans les Ardennes

Épilogue

▣ Les personnages

Dans ce chapitre, vous allez **résoudre** l'énigme d'un crime. C'est **un meurtre** qui **a lieu** dans un vieux château de la forêt des Ardennes, dans le sud de la Belgique. En résolvant le mystère, vous allez aussi réviser ce que vous avez appris dans ce livre. D'abord, faisons la connaissance des personnages de l'histoire.

Regardez les personnages suivants. Comment sont-ils ?

François Fédor, million-naire excentrique

Laurent Lavare, **le comptable** de François Fédor

Valérie Veutoux, l'ex-femme de François Fédor

Bernard Boncorps, le neveu de François Fédor

Nathalie Lanana, la petite amie de Bernard Boncorps

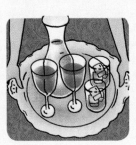

le/la domestique

le/la détective

Il y a encore un dernier petit détail. Le/La domestique sera joué(e) par votre professeur. Et le/la détective, qui est-ce ? Oui, **vous avez deviné juste** (comme un bon détective) ; c'est vous !

> **résoudre** *to resolve*
> **un meurtre** *a murder*
> **a lieu** *takes place*
> **le comptable** *the accountant*
> **vous avez deviné juste** *you guessed right*

A. Descriptions. Choisissez quatre adjectifs pour décrire chacun des personnages.

• Pour réviser l'accord des adjectifs, voir les pages 36, 42 et 50.

riche	bête	intelligent
paresseux	(mal)heureux	
malhonnête (dishonest)	laid	désagréable	sportif
blond	sexy	matérialiste
beau	suspect	froid	frivole
méchant	hostile	sérieux
âgé	sympathique	grand	intéressant
irresponsable	petit	snob

B. Explications. Avec un(e) partenaire, devinez qui va être la victime et qui va commettre le crime. Imaginez une explication. Utilisez un dictionnaire, si nécessaire.

• Pour réviser le futur proche, voir la page 158.

C. Stratégies. Vous avez appris plusieurs stratégies pour lire plus facilement en français. Avant de lire *Un mystère dans les Ardennes*, révisez les stratégies suivantes.

a. Utilisez les mots apparentés et le contexte pour donner le sens de ces phrases.
   1. L'aptitude de François Fédor à faire fortune était sans égal. Et on pouvait dire la même chose de son aptitude à se faire des ennemis.
   2. Dans le village, où il n'allait jamais, on l'appelait le vieux Midas parce qu'on disait que tout ce qu'il touchait se transformait en or.

b. Utilisez les mots entre parenthèses pour deviner le sens des mots en italique.
   1. (jeune) On disait que François Fédor avait fait fortune en Afrique pendant sa *jeunesse*.
   2. (attendre) Cette *attente* avait duré presque deux jours.

c. Vous avez appris à reconnaître la signification des temps composés. Comparez ces phrases.

Je l'**ai** fait.	*I **have** done it.*	Il **est** parti.	*He **has** left.*
Je l'**avais** fait.	*I **had** done it.*	Il **était** parti.	*He **had** left.*
Je l'**aurai** fait.	*I **will have** done it.*	Il **sera** parti.	*He **will have** left.*
Je l'**aurais** fait.	*I **would have** done it.*	Il **serait** parti.	*He **would have** left.*

Donnez le sens des expressions en italique dans les phrases suivantes.

1. François Fédor *avait toujours fait* ce qu'il voulait et il *avait toujours négligé* (négliger [to neglect]) les membres de sa famille.
2. Ils acceptaient son argent chaque mois sans poser de questions et ils *n'auraient jamais pensé* que François Fédor puisse choisir un acte de charité plus méritoire (deserving).
3. Si M. Lavare, le comptable, *n'avait pas été* là, on *n'aurait pas dit* quatre mots durant tout le dîner.

Maintenant, utilisez ces stratégies pour lire le dossier (file) sur ce cas aux pages suivantes.

Un mystère dans les Ardennes

Certains l'admiraient, d'autres le détestaient. Il avait toujours fait ce qu'il voulait et **personne ne discutait** ce qu'il faisait. François Fédor habitait dans un vieux château **au fond de** la forêt des Ardennes. Dans le village, où il n'allait jamais, on l'appelait le vieux Midas parce qu'on disait que tout ce qu'il touchait se transformait en or. Personne ne savait exactement d'où venait sa fortune, mais on disait qu'il avait fait fortune en Afrique pendant sa jeunesse.

Son aptitude à faire fortune était sans égal. Et on pouvait dire la même chose de son aptitude à se faire des ennemis. François Fédor avait toujours négligé les membres de sa famille et il n'avait jamais pris le temps de se faire des amis. Quand je dis qu'il avait négligé les membres de sa famille, je ne veux pas donner l'impression qu'il ne partageait pas sa richesse avec **eux**; au contraire, ils ne **manquaient de** rien. Comme dans **un trou** noir, chaque mois, François Fédor **versait** une petite fortune sur **les comptes en banque** de son neveu Bernard Boncorps et de son ex-femme Valérie Veutoux. Il payait cet argent depuis vingt ans sans avoir **le moindre** contact avec l'un ou l'autre. En fait, il n'avait jamais rencontré son neveu, qui **vivait** une vie de play-boy à Monaco **grâce à** son vieil oncle. Et eux non plus, ils n'avaient jamais essayé de venir le voir. Ils acceptaient son argent chaque mois sans poser de questions et ils n'auraient jamais pensé que François Fédor puisse choisir un jour un acte de charité plus **méritoire**.

C'était donc avec grande surprise que son neveu et son ex-femme avaient reçu un coup de téléphone de Laurent Lavare, le comptable de François Fédor, quelques semaines **auparavant**. Ils étaient **priés de se rendre** chez le vieux Midas le dernier jour du mois **courant** avant midi. Chacun se demandait ce que le vieux Fédor pouvait bien vouloir après tout ce temps. Mais M. Lavare avait refusé de leur donner plus de détails. Quand ils étaient arrivés au grand château sombre, Valérie Veutoux, Bernard Boncorps et sa petite amie Nathalie Lanana s'étaient sentis un peu **mal à l'aise**. Après avoir passé deux journées entières dans le château sans voir leur hôte, les invités avaient senti leur **malaise** se transformer en panique. Mais que pouvaient-ils faire sinon accepter **les caprices** de leur **bienfaiteur** et chercher une manière de passer le temps? Quand Bernard n'était pas avec Nathalie, il jouait au billard pendant qu'elle nageait dans la piscine. Valérie Veutoux restait toute la journée dans sa chambre. Cette attente avait duré presque deux jours quand le/la domestique les avait enfin informés qu'ils verraient M. Fédor au dîner à huit heures, dans la salle à manger.

personne ne discutait *no one questioned*
au fond de *deep in*
eux *them*
manquaient de *lacked*
un trou *a hole*
versait *poured, deposited*
les comptes en banque *the bank accounts*
le moindre *the least*
vivait *lived*
grâce à *thanks to*
méritoire *deserving*
auparavant *beforehand*
priés de se rendre *requested to appear*
courant *current*
mal à l'aise *ill at ease*
malaise *uneasiness*
les caprices *the whims*
bienfaiteur *benefactor*

Accompagné de son comptable, François Fédor les attendait, assis à table, quand ils étaient descendus. Sans dire un mot, le vieil hôte leur avait indiqué d'un geste de la main où chacun devait **s'asseoir**, à l'autre bout de la table. Le/La domestique avait servi un excellent dîner mais les invités, qui n'avaient pas l'habitude d'apprécier ce qu'on leur donnait, **n'**avaient fait **aucun** compliment. Ils étaient trop curieux d'apprendre la raison de cette réunion soudaine et **inattendue**. Si M. Lavare, le comptable, n'avait pas été là, on n'aurait pas dit quatre mots durant tout le dîner.

Le repas fini, François Fédor s'était retiré à la bibliothèque et il avait demandé au/à la domestique de faire entrer son neveu et son ex-femme l'un après l'autre pour boire un cognac avec lui… Il avait quelque chose d'important à leur dire. Ils avaient eu avec M. Fédor une conférence d'une demi-heure chacun, puis le/la domestique les avait raccompagnés à leur chambre et leur avait souhaité une bonne nuit. Devinaient-ils la scène qui les attendrait le lendemain matin en sortant de leur chambre? Savaient-ils qu'un détective voudrait leur parler et qu'ils seraient **soupçonnés** d'un meurtre? Au moins une personne présente cette nuit-là le savait. Mais qui était-ce?

Quand ils s'étaient levés, ils avaient appris que, tôt le matin, le/la domestique avait téléphoné à la police pour dire que François Fédor avait été victime d'un meurtre au cours de la nuit. Qui avait **commis** ce crime? Quel était **le mobile** du meurtre? Pourquoi est-ce que François Fédor leur avait demandé de venir? Qu'est-ce qu'il leur avait dit dans la bibliothèque? Qu'est-ce que M. Lavare savait? Et le/la domestique? Qu'est-ce qui s'était passé ce soir-là?

C'est à vous de résoudre le mystère.

Qu'est-ce que le célèbre inspecteur Maigret aurait fait à votre place? Vous allez sans doute vouloir poser beaucoup de questions et prendre des notes.

Un château de la forêt des Ardennes

D. Détails. Lisez le texte *Un mystère dans les Ardennes* et répondez aux questions suivantes.

1. Où est-ce que François Fédor habitait?
2. D'où venait sa fortune?
3. Avait-il beaucoup d'amis?
4. Qui profitait aussi de son argent?
5. Qui a téléphoné à Bernard Boncorps et à Valérie Veutoux pour les inviter au château?
6. Combien de temps ont-ils dû attendre avant de voir François Fédor?
7. À votre avis *(opinion)*, qu'est-ce que François Fédor a dit à Bernard Boncorps et à Valérie Veutoux dans la bibliothèque?

s'asseoir *to sit*
ne... aucun *no, not any*
inattendue *unexpected*
soupçonnés *suspected*
commis *committed*
le mobile *the motive*

- Pour réviser le passé composé, voir les pages 182, 188 et 272.
- Pour réviser l'imparfait, voir la page 226.
- Pour réviser comment dire l'heure, voir les pages 16–17.

 E. Vous êtes le détective. Pour commencer votre enquête *(investigation)*, écoutez la déclaration de chacun des personnages qui ont passé la nuit au château. En les écoutant, notez les réponses aux questions qui suivent sur une feuille de papier.

Bernard Boncorps   Valérie Veutoux   Laurent Lavare   le/la domestique

1. Qu'est-ce que chaque personne a fait après le dîner?
2. À quelle heure est-ce que chacun s'est couché?
3. Qu'est-ce que chacun a entendu dans le couloir pendant la nuit?

Écoutez une fois de plus les déclarations de Valérie Veutoux, de Laurent Lavare et de Bernard Boncorps et notez qui faisait quoi à l'heure indiquée.

EXEMPLE être déjà au lit
À dix heures et demie, Valérie Veutoux était déjà au lit.

1. avoir mal à la tête
   travailler sur
     l'ordinateur
   être au village

2. prendre un verre
     au café
   lire
   parler au téléphone

3. jouer aux cartes
   dormir

F. Il a disparu. Le corps de François Fédor a disparu *(disappeared)*. Vous devez bien examiner le lieu *(place)* du crime. Observez bien tous les indices *(clues)*. Voici la chambre de François Fédor avant le dîner et le lendemain du crime. Quelles différences y a-t-il?

• Pour réviser les prépositions, voir la page 118.
• Pour réviser les meubles, voir les pages 114 et 120.

Avant le dîner

Le lendemain du crime

Regardez encore une fois les deux dessins. Demandez au/à la domestique si chaque objet qui se trouve *(is located)* dans la chambre le lendemain du crime et qui n'était pas là la nuit précédente appartenait *(belonged)* à François Fédor. Dites à qui pourraient appartenir les objets qui n'étaient pas à lui.

• Pour réviser comment exprimer la possession, voir les pages 122 et 124.

EXEMPLE　— **Est-ce que c'était son ordinateur?**
　　　　　　— **Non, ce n'était pas l'ordinateur de M. Fédor.**
　　　　　　— **Alors, c'est peut-être l'ordinateur de M. Lavare.**

• Pour réviser les prépositions, voir la page 118.

 G. Dans quelle chambre? Tout le monde a dormi le long du même couloir hier soir. Écoutez le/la domestique pour déterminer qui a dormi dans chaque chambre.

> **EXEMPLE** Mme Veutoux était au bout du couloir, en face de la salle de bains.

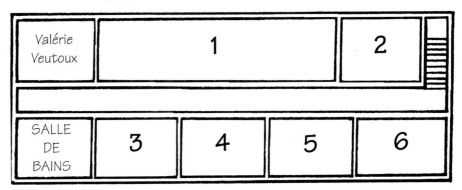

• Pour réviser les pronoms compléments d'objet direct et indirect, voir les pages 200, 348 et 354.

 H. Relation. Utilisez le pronom le ou le pronom lui avec les verbes suivants à l'imparfait pour interroger le/la domestique sur sa relation avec M. Fédor. Écoutez ses réponses.

> **EXEMPLE** connaître M. Fédor depuis longtemps
> —**Est-ce que vous le connaissiez depuis longtemps?**
> —**Je le connaissais depuis 15 ans.**

1. aimer bien M. Fédor
2. parler à M. Fédor de sa famille
3. emprunter *(to borrow)* quelquefois de l'argent à M. Fédor
4. réveiller M. Fédor à la même heure tous les jours
5. trouver M. Fédor sévère

 Maintenant demandez au/à la domestique si M. Fédor faisait les choses suivantes. Écoutez ses réponses.

> **EXEMPLE** vous irriter quelquefois
> — **Est-ce que M. Fédor vous irritait quelquefois?**
> — **Oui, il m'irritait quelquefois. Ce n'était pas un homme facile.**

1. vous dire tout   **2.** bien vous payer   **3.** vous parler de sa vie privée

• Pour réviser le subjonctif, voir les pages 382-383, 384 et 388.

I. Je ne veux pas que... Dites aux suspects ce qu'ils doivent et ne doivent pas faire.

> **EXEMPLE** Je veux que vous restiez près du château.

	rester près du château
Il faut que...	dire tout ce que vous savez
Il ne faut pas que...	être calmes
Je veux que...	avoir peur
Je ne veux pas que...	toucher aux affaires de M. Fédor
Il vaut mieux que...	faire une déposition
	être patients

J. Savoir ou connaître?

J. Savoir ou connaître? Votre enquête *(investigation)* progresse. Dites si vous savez ou si vous connaissez les choses ou les personnes suivantes en utilisant le verbe **savoir** ou le verbe **connaître**.

• Pour réviser **savoir** et **connaître**, voir la page 352.

1. la date du crime
2. le/la domestique de M. Fédor
3. l'heure approximative du crime
4. le château de M. Fédor
5. tous les amis de M. Fédor
6. tous les détails de la vie de M. Fédor
7. des mobiles *(motives)* possibles
8. l'identité de l'assassin

K. Il faut penser comme le/la criminel(le).

K. Il faut penser comme le/la criminel(le). Pour attraper le/la criminel(le), il faut penser comme lui/elle. Si vous étiez le/la criminel(le), est-ce que vous feriez les choses suivantes? Utilisez le conditionnel.

• Pour réviser le conditionnel, voir les pages 320–321.

Si j'étais le/la criminel(le),…

> **EXEMPLE** faire quelque chose d'inhabituel
> **Si j'étais le/la criminel(le), je ne ferais rien d'inhabituel.**

1. être calme
2. parler beaucoup du crime
3. connaître tous les détails du crime
4. obéir à la police
5. s'intéresser beaucoup à l'enquête
6. dire la vérité *(truth)*
7. avoir envie de partir
8. devenir de plus en plus nerveux (nerveuse)
9. accuser quelqu'un d'autre
10. …

L. Une matinée typique.

L. Une matinée typique. Voici comment François Fédor passait ses matinées. Décrivez sa journée typique. Utilisez l'imparfait.

• Pour réviser les verbes pronominaux, voir les pages 256–257, 264, 272 et 276.
• Pour réviser l'imparfait, voir la page 226.
• Pour réviser comment dire l'heure, voir les pages 16–17.

1.

2.

3.

4.

5.

6.

• Pour réviser le passé composé et l'imparfait, voir les pages 232, 234 et 238.

M. Accusations.

Dans le château de M. Fédor, chacun des suspects vient vous expliquer pourquoi il/elle soupçonne *(suspects)* les autres. Complétez les paragraphes suivants en mettant les verbes entre parenthèses au passé composé ou à l'imparfait.

BERNARD BONCORPS

Je crois que c'est Laurent Lavare, le comptable de mon oncle qui l' ___1___ (assassiner). J' ___2___ (entendre) dire récemment qu'il ___3___ (avoir) des problèmes d'argent. Certains disent qu'il ___4___ (emprunter *[to borrow]*) des millions d'euros à mon oncle sans le lui dire. En fait, un ami suisse qui travaille à la banque de mon oncle me (m') ___5___ (dire) qu'il y ___6___ (avoir) très peu d'argent sur son compte. Je pense que mon oncle ___7___ (apprendre) ce qui ___8___ (se passer) et je suis certain qu'il ___9___ (dire) à M. Lavare qu'il ___10___ (aller) le dénoncer à la police.

VALÉRIE VEUTOUX

Il faut que vous sachiez que Bernard Boncorps ___11___ (être) furieux contre son oncle. François Fédor ___12___ (penser) que son neveu ___13___ (faire) des études de droit à l'Université de Nice. En vérité, Bernard ___14___ (passer) tout son temps sur les plages et dans les casinos de Monaco. Quand son oncle ___15___ (comprendre) la situation, il ___16___ (se fâcher *[to get angry]*) et il ___17___ (dire) à son neveu qu'il ___18___ (vouloir) qu'il vienne finir ses études en Belgique, à l'Université de Liège. Quand sa sœur, la mère de Bernard, ___19___ (mourir), elle lui ___20___ (demander) de se charger de l'éducation de son neveu. Bernard ___21___ (ne pas comprendre) pourquoi son oncle, qu'il n'avait jamais vu, ___22___ (s'intéresser) après tout ce temps à ce qu'il ___23___ (faire). Bernard ___24___ (ne pas vouloir) abandonner sa vie de play-boy sur la Côte d'Azur et il ___25___ (avoir) peur que sa petite amie, Nathalie Lanana, refuse de venir ici avec lui. Et puis, il faut ajouter aussi que Bernard ___26___ (avoir) des dettes énormes dans les casinos. Il ___27___ (ne pas pouvoir) payer ses dettes avec l'argent que son oncle lui ___28___ (donner) chaque mois. Bernard ___29___ (ne pas vouloir) attendre la mort naturelle de son oncle pour hériter de sa part de la fortune.

• Pour réviser les pronoms compléments d'objet direct et indirect, **y** et **en**, voir les pages 152, 200, 314, 348 et 354.

LAURENT LAVARE

Je suis presque certain que Valérie Veutoux ___30___ (assassiner) François Fédor. Récemment, elle ___31___ (faire) la connaissance de Jean Jigaulaux, un jeune homme de 25 ans, et elle ___32___ (tomber) amoureuse de lui. Ils ___33___ (sortir) quelques mois ensemble, puis il lui ___34___ (demander) de l'épouser *(to marry)*. La vieille Veutoux ___35___ (ne pas comprendre) qu'il ne ___36___ (vouloir) que *(only)* son argent et le jeune Jigaulaux ___37___ (ne pas savoir) qu'elle ne recevrait plus un centime de François Fédor si elle ___38___ (se remarier). La vaniteuse Valérie Veutoux ___39___ (sans doute comprendre) qu'elle n'aurait jamais le joli Jigaulaux tant que *(as long as)* François Fédor ___40___ (être) en vie et elle (41) (se débarrasser *[to get rid]*) de lui.

Répondez aux questions suivantes au sujet des suspects. Utilisez un pronom dans chaque réponse pour remplacer les mots en italique.

1. Qui a accusé *Laurent Lavare* du crime ?
2. D'après son accusateur, est-ce que Laurent Lavare avait *des problèmes financiers* ?
3. Disait-il *à François Fédor* qu'il lui empruntait de l'argent ?
4. Combien empruntait-il *à François Fédor* ?
5. D'après le banquier, ami de Bernard Boncorps, combien *d'argent* y avait-il sur le compte de son oncle ?

Laurent Lavare

1. Est-ce que Bernard Boncorps rendait souvent visite *à son oncle*?
2. Combien de fois est-ce que Bernard avait vu *son oncle*?
3. Est-ce que Bernard voulait aller *à Liège* pour finir ses études?
4. Combien de temps passait-il *sur les plages et dans les casinos*?
5. Est-ce qu'il avait *des dettes*?
6. Est-ce que Bernard avait assez *d'argent* pour payer *ses dettes*?

Bernard Boncorps

1. Qui pense que Valérie Veutoux a assassiné *François Fédor*?
2. Après combien de temps est-ce que Jean Jigaulaux a demandé *à Valérie Veutoux* de l'épouser?
3. Pourquoi est-ce que le jeune Jigaulaux aimait *la vieille Veutoux*?

Valérie Veutoux

- Pour réviser l'usage de **c'est** et **il/elle est**, voir les pages 36 et 50.

N. Qui est-ce?
Que savons-nous des suspects? Complétez les phrases suivantes avec **il est** ou **c'est**. Ensuite, dites si vous pensez que chaque phrase décrit plutôt Laurent Lavare ou Bernard Boncorps.

EXEMPLE   **C'est** quelqu'un qui travaille beaucoup.
C'est Laurent Lavare.

1. _____ le neveu de François Fédor.
2. _____ comptable.
3. _____ suisse.
4. _____ jeune.
5. _____ un play-boy.
6. _____ peut-être l'assassin.

O. Le dîner.
Complétez l'explication du/de la domestique avec l'article défini (**le, la, l', les**), l'article indéfini (**un, une, des**), le partitif (**du, de la, de l'**) ou **de**.

- Pour réviser les produits alimentaires, voir les pages 90, 296–297, 304–305 et 312.
- Pour réviser les articles, voir les pages 48, 54, 300 et 310–311.

____1____ soir où M. Fédor est mort, M. Fédor et M. Lavare sont descendus vers sept heures et demie et ils ont pris ____2____ vin blanc avant de dîner. Pendant le repas, M. Fédor n'avait pas très faim; il a mangé ____3____ soupe et un peu ____4____ pain. Ensuite, il a pris ____5____ poulet et un peu ____6____ riz. Il n'a pas pris ____7____ légumes ni *(nor)* ____8____ tarte aux pommes. Il a pris un peu ____9____ fromage à la fin du repas. Normalement, il mangeait beaucoup. Il aimait bien ____10____ viande et ____11____ pommes de terre mais il ne prenait pas beaucoup ____12____ choses sucrées. Je pense qu'il n'avait pas ____13____ appétit ce soir-là, parce que ses problèmes le préoccupaient. Il n'a pas bu ____14____ vin rouge avec son repas, seulement ____15____ eau minérale et il a pris ____16____ café quand j'ai servi ____17____ dessert. Après ____18____ dîner, M. Fédor s'est retiré dans ____19____ bibliothèque où il a bu un verre ____20____ cognac. Il est resté assis dans ____21____ fauteuil près de ____22____ porte pendant ____23____ heure après avoir parlé avec M. Boncorps et Mme Veutoux, puis il est monté se coucher.

Maintenant, dites si François Fédor a mangé ou a bu les choses suivantes le soir de son meurtre.

EXEMPLE   **Il n'a pas mangé de pâté. Il a mangé de la soupe.**

• Pour réviser les pronoms relatifs, voir la page 280.

P. Les gens du village.
Vous demandez aux gens du village ce qu'ils savaient au sujet de François Fédor. Faites des phrases en utilisant un élément de chaque colonne.

François Fédor	qui…	ne parlait pas beaucoup.
était un	que (qu')…	avait un passé mystérieux.
homme…	dont…	avait une personnalité un peu bizarre.
		beaucoup de gens trouvaient désagréable.
		n'avait pas beaucoup d'amis.
		je ne connaissais pas bien.
		faisait toujours ce qu'il voulait.
		tout le monde avait un peu peur.

• Pour réviser le passé composé et l'imparfait, voir les pages 232, 234 et 238.

Q. Valérie se marie.
Vous avez demandé à des collègues d'observer les activités de chacun des suspects. Celui qui suit *(The one who is following)* Valérie Veutoux a rapporté ces photos prises le lendemain du crime. Vous lui demandez de vous raconter la journée de Valérie Veutoux mais ses notes sont en désordre. D'abord, remettez ses notes dans l'ordre ; ensuite, racontez la journée de Valérie Veutoux en mettant les verbes au passé composé ou à l'imparfait.

EXEMPLE Mme Veutoux est sortie de sa chambre à 8 h 20 du matin. Elle est descendue…

- M. Jigaulaux *arrive* ici quelques heures après. Il *retrouve* Mme Veutoux dans la forêt à midi et ils *s'embrassent* passionnément.
- Comme M. Jigaulaux *est* fatigué, il *prend* une chambre à l'hôtel du village, où il *passe* l'après-midi.
- Mme Veutoux *sort* de sa chambre à 8 h 20 du matin. Elle *descend* au rez-de-chaussée et elle *téléphone* à M. Jigaulaux au Luxembourg. Ensuite, elle *téléphone* à une agence de voyages à Bruxelles.
- Ils *quittent* le restaurant à 20 h 50. À ce moment-là, un chien m'*attaque* dans les rosiers derrière lesquels je m'étais caché et je les *perds* de vue.
- À 17 h, M. Jigaulaux et Mme Veutoux *se retrouvent* devant l'hôtel, ils *montent* dans la voiture de M. Jigaulaux et *vont* dans le village voisin où ils *se marient* en secret à 18 h 20.
- Après la cérémonie, ils *soupent* au restaurant du village. À part le serveur, ils *sont* seuls dans le restaurant.
- Pendant le dîner, je les *observe* de l'extérieur. M. Jigaulaux ne *parle* pas beaucoup mais Mme Veutoux lui *explique* quelque chose.

R. Réactions. Valérie Veutoux est furieuse. Imaginez sa réaction quand vous lui dites les choses suivantes. Utilisez une expression de la liste.

• Pour réviser le subjonctif, voir les pages 382–383, 384 et 388.

Il est bon que…   C'est dommage que…
Il est nécessaire que…   Il est ridicule que…
Il est impossible que…   Il est essentiel que…

EXEMPLE Vous ne pouvez pas partir pour quelques jours.
Il est ridicule que je ne puisse pas partir.

1. Oui, madame, vous êtes suspecte.
2. Nous ne savons pas où se trouve *(is located)* le corps de la victime.
3. M. Lavare dit que vous aviez des raisons d'assassiner M. Fédor.
4. Nous savons que vous avez retrouvé M. Jigaulaux dans la forêt.
5. Nous avons des photos de M. Jigaulaux avec vous.
6. Je veux lui parler demain.
7. Il pourra partir après l'interrogatoire.
8. Vous devez tout nous expliquer.

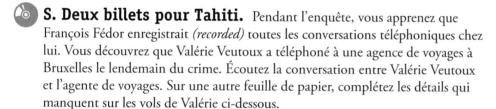

S. Deux billets pour Tahiti. Pendant l'enquête, vous apprenez que François Fédor enregistrait *(recorded)* toutes les conversations téléphoniques chez lui. Vous découvrez que Valérie Veutoux a téléphoné à une agence de voyages à Bruxelles le lendemain du crime. Écoutez la conversation entre Valérie Veutoux et l'agente de voyages. Sur une autre feuille de papier, complétez les détails qui manquent sur les vols de Valérie ci-dessous.

• Pour réviser comment acheter un billet d'avion, voir la page 364.

On parle français à Tahiti.

À l'intention de : _(Nom)_ et de _(Nom)_

Air France — Vol _(Numéro)_
Boeing 747
Première classe / Vol direct

ALLER
(Date)
Départ de Bruxelles _(Heure)_

(Date)
Arrivée à Tahiti _(Heure)_
Prix du billet : _(Prix)_
Total des deux billets : _(Prix)_

Prévoyez arriver à l'aéroport deux heures avant l'heure de départ.
BON VOYAGE!

© Martin Valigursky/Shutterstock

- Pour réviser le futur, voir la page 340.
- Pour réviser l'impératif, voir les pages 154 et 396.

T. Une conversation téléphonique.

Voici une transcription de la conversation téléphonique entre Valérie Veutoux et son amant *(lover)*, Jean Jigaulaux, le lendemain du crime. La première partie a été effacée *(erased)* accidentellement. Complétez ce qui reste en mettant les verbes entre parenthèses au futur ou à l'impératif.

— … Après cela, François ne ____1____ (faire) plus obstacle à notre bonheur *(happiness)*. Nous ____2____ (pouvoir) nous marier quand tu ____3____ (vouloir).

— Je ____4____ (venir) aujourd'hui et nous ____5____ (se marier) ce soir. Je vais partir tout de suite et j'____6____ (arriver) un peu avant midi.

— À deux kilomètres d'ici, il y a une vieille école abandonnée. ____7____ (Tourner) à gauche juste après cette école et ____8____ (entrer) dans la forêt. Là, personne ne nous ____9____ (voir). Je t'____10____ (attendre) à cet endroit à midi.

— On ____11____ (être) heureux ensemble.

— Après-demain, nous ____12____ (partir) pour Tahiti et nous ____13____ (commencer) notre nouvelle vie ensemble.

- Pour réviser les nombres, voir les pages 10, 92 et 110.

U. Le compte en banque.

Quand vous comparez les relevés de compte *(bank statements)* de François Fédor, vous remarquez que quelqu'un avait retiré presque tout son argent ces derniers mois. Combien d'argent est-ce qu'il y avait aux dates suivantes de l'année dernière et de cette année?

- Pour réviser les dates, voir la page 160.

EXEMPLE   30/9   20 789 067 euros

Le 30 septembre de l'année dernière, il y avait 20 789 067 euros sur son compte.

1. 15/10   16 136 978 euros
2. 10/11   12 194 456 euros
3. 24/12   8 714 387 euros
4. 1/1   1 000 090 euros
5. 15/2   90 506 euros
6. 4/3   11 871 euros

- Pour réviser comment poser une question, voir les pages 44, 86 et 88.

V. Une vidéo révélatrice.

Vous venez de découvrir qu'une caméra de sécurité cachée dans le couloir filmait chaque personne qui entrait dans la chambre de François Fédor. Entre 20 h et 8 h du matin, la caméra a enregistré une seule personne qui est entrée dans la chambre de la victime. La caméra s'est arrêtée à 8 h 30 le lendemain matin. Préparez cinq questions que vous voudriez poser à Valérie Veutoux.

Pourquoi	combien de temps	que
…	comment	quand
à quelle heure	qui	où

W. Les dernières volontés de François.

• Pour réviser l'usage de l'infinitif ou du subjonctif, voir la page 392.

Vous avez interrogé Valérie Veutoux et elle a répondu que François Fédor n'était pas fâché *(upset)* qu'elle ait un amant, et, qu'au contraire, il l'avait encouragée à l'épouser *(to marry him)*. Elle vous raconte ce que François Fédor lui a dit. Est-ce qu'il voulait qu'elle fasse les choses suivantes ou est-ce qu'il voulait les faire lui-même *(himself)* ?

> **EXEMPLES** se marier avec Jean Jigaulaux
> **Il voulait que je me marie avec Jean Jigaulaux.**
>
> nous offrir un cadeau de mariage
> **Il voulait nous offrir un cadeau de mariage.**

1. tout savoir sur Jean Jigaulaux
2. dire à Jean Jigaulaux de venir ici
3. se marier tout de suite
4. nous offrir un voyage de noces *(honeymoon)*
5. téléphoner pour réserver le billet pour Tahiti le lendemain
6. partir pour Tahiti cette semaine
7. être heureuse
8. venir dans sa chambre après le dîner afin de prendre l'argent pour payer le voyage

X. Que faisait le / la domestique?

• Pour réviser l'inversion, voir la page 88.

Reformulez les questions suivantes avec l'inversion et posez-les au / à la domestique. Ensuite, écoutez ses réponses.

1. À quelle heure est-ce que vous vous êtes levé(e) le lendemain du crime?
2. Qu'est-ce que vous avez fait après?
3. Est-ce que les autres invités dormaient encore dans le château?
4. Quand est-ce que vous avez découvert *(discover)* que François Fédor était mort?
5. Est-ce que vous avez été surpris(e)?
6. Pourquoi est-ce que vous n'avez pas crié *(scream)*?
7. Est-ce que vous avez réveillé quelqu'un pour vous aider?
8. Vous avez téléphoné à la police à 8 h 12. À quelle heure est-ce que vous êtes entré(e) dans la chambre?
9. Combien de portes est-ce qu'il y a pour entrer dans la chambre de la victime?
10. Pourquoi est-ce que vous ne dites pas la vérité *(truth)*?
11. Ne faites pas l'innocent(e)! Comment est-ce que vous saviez que François Fédor était mort sans entrer dans sa chambre?
12. Pourquoi est-ce que vous n'êtes pas sur la vidéo de sécurité?
13. Pourquoi est-ce que la vidéo s'arrête à 8 h 30?
14. Alors, est-ce que vous voulez dire que François Fédor n'est pas mort?

• Pour réviser le passé composé et l'imparfait, voir les pages 232, 234 et 238.

Y. Une confession.
Le/La domestique confesse que François Fédor n'est pas mort. En lisant sa confession, mettez les verbes entre parenthèses au passé composé ou à l'imparfait.

Je ___1___ (ne pas vouloir) le faire mais c' ___2___ (être) la seule solution! C' ___3___ (être) la seule façon de sauver le château. M. Fédor m' ___4___ (expliquer) que M. Lavare venait de l'informer *(had just told him)* qu'il avait tout perdu. Il avait tout investi dans une société qui avait fait faillite *(had gone bankrupt)*. Il ___5___ (devoir) vendre le château pour payer les créanciers *(creditors)*. «Mais, non», je lui ___6___ (dire). Il ___7___ (savoir) que j' ___8___ (adorer) ce château et que je ferais tout pour ne pas le perdre. Je ___9___ (naître) près d'ici. Quand j' ___10___ (être) jeune, je (j') ___11___ (rêver) d'habiter ici un jour et j' ___12___ (inventer) des histoires fantastiques qui ___13___ (avoir) lieu *(to take place)* ici. Mais toutes ces histoires-là ___14___ (finir) toujours bien. Puis, M. Fédor ___15___ (suggérer) qu'il y ___16___ (avoir) peut-être un moyen de garder le château et que, si on ___17___ (réussir), il me le donnerait. Le château serait à moi pour toujours. C'est alors qu'il me (m') ___18___ (révéler) son plan. Il prendrait une assurance vie de dix millions d'euros et j'en serais le/la bénéficiaire.

M. Fédor ___19___ (ne jamais le dire), mais j' ___20___ (avoir) l'impression que c' ___21___ (être) M. Lavare qui avait inventé ce plan. Je sais que M. Lavare avait dit à M. Fédor que Mme Veutoux avait pris ce M. Jigaulaux comme amant. Cela ___22___ (rendre) M. Fédor furieux. Chaque fois que M. Fédor ___23___ (parler) de son ex-femme avec M. Lavare, l'un ___24___ (devenir) tout rouge et l'autre tout pâle. La vérité, c'est que c' ___25___ (être) elle qui avait quitté M. Fédor il y a 15 ans, contrairement à ce que tout le monde disait. Il ___26___ (ne jamais lui pardonner) et il ___27___ (toujours vouloir) contrôler sa vie. Il ___28___ (ne pas être) obligé de lui donner cet argent depuis le divorce, mais M. Lavare l'avait persuadé de continuer à lui en donner beaucoup. Il ___29___ (dire) à M. Fédor que si Mme Veutoux ___30___ (dépendre) de lui financièrement, il pourrait contrôler sa vie. M. Fédor me (m') ___31___ (dire) que M. Lavare inviterait M. Boncorps et Mme Veutoux à la maison. M. Fédor expliquerait à son neveu qu'il ___32___ (ne plus pouvoir) lui donner d'argent. Mais il dirait à Mme Veutoux qu'il ___33___ (vouloir) qu'elle soit heureuse et qu'il ___34___ (avoir) l'intention de lui offrir un voyage à Tahiti pour sa lune de miel *(honeymoon)* si elle ___35___ (se marier) tout de suite.

D'après le plan, tout le monde penserait que Mme Veutoux avait assassiné M. Fédor et qu'elle était partie pour Tahiti. On la verrait sur la vidéo entrer dans sa chambre le soir du meurtre et on penserait qu'elle l'avait assassiné pour pouvoir se marier avec son jeune amant. Mais en réalité, on assassinerait Mme Veutoux et on laisserait son corps au fond de la forêt. M. Fédor s'habillerait comme elle et il partirait pour Tahiti à sa place. À l'aéroport de Bruxelles, on verrait Mme Veutoux partir pour Tahiti et personne ne saurait que c' ___36___ (être) elle la vraie victime. On accuserait Mme Veutoux de s'être échappée *(of having escaped)* après le meurtre de M. Fédor et on ne la reverrait plus. M. Fédor me laisserait le château et après quelques mois, je mettrais les dix millions d'euros d'assurance sur un compte secret pour M. Fédor.

À ce moment-là, pendant la confession, un policier ___37___ (entrer) et il ___38___ (annoncer) que des chasseurs (hunters) avaient trouvé le corps d'une femme morte dans la forêt et qu'ils avaient donné la description de Mme Veutoux.

Vous pensez probablement avoir compris le mystère du meurtre de François Fédor. Vous pensez que le/la domestique va être **arrêté(e)** et que le vieux Midas est parti vivre sur une île tropicale. Mais êtes-vous certain(e) d'avoir trouvé les vrais criminels? Ah! Les voilà **en croisière** quelque part dans l'océan Pacifique. Écoutons un peu leur conversation.

— Quel coup! Tu es **un** vrai **génie,** mon chéri. Qui aurait pensé que nous pourrions réussir! Tout le monde pense que je suis morte et que François est l'assassin. Après toutes ces années, nous allons enfin pouvoir vivre ensemble **sans nous préoccuper de** ce vieux tyran. Je me souviens de la première fois que je t'ai vu quand tu as commencé à travailler pour lui! Quel coup de foudre! Et le pauvre François! Il n'avait aucune idée que je l'ai quitté parce que nous étions amants.

— Je trouve toujours **incroyable** qu'il ait investi toute sa fortune dans cette société qui n'existait pas. Il avait tellement confiance en moi! Ha ha ha!

— Mais pourquoi pas? Le vrai vieux Midas, c'était toi. Tu avais multiplié dix fois sa fortune. Sans toi, cet imbécile aurait perdu tout son argent longtemps avant! Mais maintenant, toute cette fortune est à nous! S'il avait su que tous ces **créanciers** que tu payais n'étaient personne d'autre que moi, son ex-femme! Ha ha ha! Qu'est-ce que tu as fait de son corps?

— Il était vraiment surpris quand, **au lieu de l'amener à** l'aéroport de Bruxelles, nous sommes allés au fond des Ardennes! Quand je lui ai expliqué que toi et moi, nous étions amants depuis le début, j'ai pensé pendant un moment que je n'aurais pas besoin de l'assassiner. Le pauvre, **il a failli avoir** une attaque! Et il était très comique, habillé comme toi.

— Quel dommage que nous n'ayons pas de photos! J'aurais aimé voir ça! Ha ha ha! Mais qu'est-ce qu'on dira si on trouve son corps?

— On pensera sans doute que c'est le/la domestique qui l'a assassiné pour ces dix millions d'euros d'assurance!

— Mais il y a un dernier détail que je ne comprends pas. Comment est-ce que tu as persuadé ton jeune associé de jouer le rôle de Jean Jigaulaux? Il a si bien joué! Pendant un moment, j'ai vraiment eu l'impression que j'allais me marier avec lui.

— Ce jeune homme était tellement ambitieux qu'il aurait fait **n'importe quoi** pour avoir ma clientèle. Je lui ai promis de lui laisser tous mes clients, mais il ne savait pas que je n'en avais qu'un seul, et que c'était François Fédor.

— Ça, c'est trop! Tu es cruel… vicieux! C'est pour ça que je t'aime! Ha ha ha!

Naturellement Valérie Veutoux et Laurent Lavare ont dû changer de noms. Si on vous les présente aujourd'hui, vous ferez la connaissance d'Anabelle Atout et de son mari Richard!

---

arrêté(e) *arrested*
en croisière *on a cruise*
un génie *a genius*
sans nous préoccuper de *without worrying about*
incroyable *unbelievable*
créanciers *creditors*
au lieu de l'amener à *instead of taking him to*
il a failli avoir *he almost had*
n'importe quoi *anything*

Appendice A

L'alphabet phonétique

Voyelles

[a] madame

[e] thé

[ɛ] être

[ə] que

[i] qui

[o] eau

[ɔ] porte

[ø] peu

[œ] sœur

[u] vous

[y] sur

Semi-voyelles

[j] bien

[ɥ] puis

[w] oui

Voyelles nasales

[ɑ̃] quand

[ɛ̃] vin

[ɔ̃] non

Consonnes

[b] bleu

[d] dormir

[f] faire

[g] gris

[ʒ] jaune

[k] quand

[l] lire

[m] marron

[n] nouveau

[ɲ] enseigner

[p] parler

[R] rester

[s] sur

[ʃ] chat

[t] triste

[v] vers

[z] rose

Appendice B

Tableau des conjugaisons

Verbes auxiliaires

VERBE INFINITIF	PRÉSENT	PASSÉ COMPOSÉ	IMPARFAIT	FUTUR
		INDICATIF		
avoir *to have*	j'ai tu as il/elle a nous avons vous avez ils/elles ont	j'ai eu tu as eu il/elle a eu nous avons eu vous avez eu ils/elles ont eu	j'avais tu avais il/elle avait nous avions vous aviez ils/elles avaient	j'aurai tu auras il/elle aura nous aurons vous aurez ils/elles auront
être *to be*	je suis tu es il/elle est nous sommes vous êtes ils/elles sont	j'ai été tu as été il/elle a été nous avons été vous avez été ils/elles ont été	j'étais tu étais il/elle était nous étions vous étiez ils/elles étaient	je serai tu seras il/elle sera nous serons vous serez ils/elles seront

Verbes réguliers

VERBE INFINITIF	PRÉSENT	PASSÉ COMPOSÉ	IMPARFAIT	FUTUR
		INDICATIF		
-er verbs				
parler *to talk,* *to speak*	je parle tu parles il/elle parle nous parlons vous parlez ils/elles parlent	j'ai parlé tu as parlé il/elle a parlé nous avons parlé vous avez parlé ils/elles ont parlé	je parlais tu parlais il/elle parlait nous parlions vous parliez ils/elles parlaient	je parlerai tu parleras il/elle parlera nous parlerons vous parlerez ils/elles parleront
-ir verbs				
finir *to finish*	je finis tu finis il/elle finit nous finissons vous finissez ils/elles finissent	j'ai fini tu as fini il/elle a fini nous avons fini vous avez fini ils/elles ont fini	je finissais tu finissais il/elle finissait nous finissions vous finissiez ils/elles finissaient	je finirai tu finiras il/elle finira nous finirons vous finirez ils/elles finiront
-re verbs				
vendre *to sell*	je vends tu vends il/elle vend nous vendons vous vendez ils/elles vendent	j'ai vendu tu as vendu il/elle a vendu nous avons vendu vous avez vendu ils/elles ont vendu	je vendais tu vendais il/elle vendait nous vendions vous vendiez ils/elles vendaient	je vendrai tu vendras il/elle vendra nous vendrons vous vendrez ils/elles vendront

CONDITIONNEL PRÉSENT	SUBJONCTIF PRÉSENT	IMPÉRATIF
j'aurais	que j'aie	
tu aurais	que tu aies	aie
il/elle aurait	qu'il/qu'elle ait	
nous aurions	que nous ayons	ayons
vous auriez	que vous ayez	ayez
ils/elles auraient	qu'ils/qu'elles aient	
je serais	que je sois	
tu serais	que tu sois	sois
il/elle serait	qu'il/qu'elle soit	
nous serions	que nous soyons	soyons
vous seriez	que vous soyez	soyez
ils/elles seraient	qu'ils/qu'elles soient	

CONDITIONNEL PRÉSENT	SUBJONCTIF PRÉSENT	IMPÉRATIF
je parlerais	que je parle	
tu parlerais	que tu parles	parle
il/elle parlerait	qu'il/qu'elle parle	
nous parlerions	que nous parlions	parlons
vous parleriez	que vous parliez	parlez
ils/elles parleraient	qu'ils/qu'elles parlent	
je finirais	que je finisse	
tu finirais	que tu finisses	finis
il/elle finirait	qu'il/qu'elle finisse	
nous finirions	que nous finissions	finissons
vous finiriez	que vous finissiez	finissez
ils/elles finiraient	qu'ils/qu'elles finissent	
je vendrais	que je vende	
tu vendrais	que tu vendes	vends
il/elle vendrait	qu'il/qu'elle vende	
nous vendrions	que nous vendions	vendons
vous vendriez	que vous vendiez	vendez
ils/elles vendraient	qu'ils/qu'elles vendent	

Verbes réfléchis

VERBE INFINITIF	PRÉSENT	PASSÉ COMPOSÉ	IMPARFAIT	FUTUR
se laver *to wash* *oneself*	je me lave tu te laves il/elle se lave nous nous lavons vous vous lavez ils/elles se lavent	je me suis lavé(e) tu t'es lavé(e) il/elle s'est lavé(e) nous nous sommes lavé(e)s vous vous êtes lavé(e)(s) ils/elles se sont lavé(e)s	je me lavais tu te lavais il/elle se lavait nous nous lavions vous vous laviez ils/elles se lavaient	je me laverai tu te laveras il/elle se lavera nous nous laverons vous vous laverez ils/elles se laveront

Header spanning PRÉSENT through FUTUR: INDICATIF

Verbes à changements orthographiques

VERBE INFINITIF	PRÉSENT	PASSÉ COMPOSÉ	IMPARFAIT	FUTUR
préférer *to prefer*	je préfère tu préfères il/elle préfère nous préférons vous préférez ils/elles préfèrent	j'ai préféré tu as préféré il/elle a préféré nous avons préféré vous avez préféré ils/elles ont préféré	je préférais tu préférais il/elle préférait nous préférions vous préfériez ils/elles préféraient	je préférerai tu préféreras il/elle préférera nous préférerons vous préférerez ils/elles préféreront
acheter *to buy*	j'achète tu achètes il/elle achète nous achetons vous achetez ils/elles achètent	j'ai acheté tu as acheté il/elle a acheté nous avons acheté vous avez acheté ils/elles ont acheté	j'achetais tu achetais il/elle achetait nous achetions vous achetiez ils/elles achetaient	j'achèterai tu achèteras il/elle achètera nous achèterons vous achèterez ils/elles achèteront
appeler *to call*	j'appelle tu appelles il/elle appelle nous appelons vous appelez ils/elles appellent	j'ai appelé tu as appelé il/elle a appelé nous avons appelé vous avez appelé ils/elles ont appelé	j'appelais tu appelais il/elle appelait nous appelions vous appeliez ils/elles appelaient	j'appellerai tu appelleras il/elle appellera nous appellerons vous appellerez ils/elles appelleront
essayer *to try*	j'essaie tu essaies il/elle essaie nous essayons vous essayez ils/elles essaient	j'ai essayé tu as essayé il/elle a essayé nous avons essayé vous avez essayé ils/elles ont essayé	j'essayais tu essayais il/elle essayait nous essayions vous essayiez ils/elles essayaient	j'essaierai tu essaieras il/elle essaiera nous essaierons vous essaierez ils/elles essaieront
manger *to eat*	je mange tu manges il/elle mange nous mangeons vous mangez ils/elles mangent	j'ai mangé tu as mangé il/elle a mangé nous avons mangé vous avez mangé ils/elles ont mangé	je mangeais tu mangeais il/elle mangeait nous mangions vous mangiez ils/elles mangeaient	je mangerai tu mangeras il/elle mangera nous mangerons vous mangerez ils/elles mangeront
commencer *to begin*	je commence tu commences il/elle commence nous commençons vous commencez ils/elles commencent	j'ai commencé tu as commencé il/elle a commencé nous avons commencé vous avez commencé ils/elles ont commencé	je commençais tu commençais il/elle commençait nous commencions vous commenciez ils/elles commençaient	je commencerai tu commenceras il/elle commencera nous commencerons vous commencerez ils/elles commenceront

Header spanning PRÉSENT through FUTUR: INDICATIF

CONDITIONNEL PRÉSENT	SUBJONCTIF PRÉSENT	IMPÉRATIF
je me laverais	que je me lave	
tu te laverais	que tu te laves	lave-toi
il/elle se laverait	qu'il/qu'elle se lave	
nous nous laverions	que nous nous lavions	lavons-nous
vous vous laveriez	que vous vous laviez	lavez-vous
ils/elles se laveraient	qu'ils/qu'elles se lavent	

CONDITIONNEL PRÉSENT	SUBJONCTIF PRÉSENT	IMPÉRATIF
je préférerais	que je préfère	
tu préférerais	que tu préfères	préfère
il/elle préférerait	qu'il/qu'elle préfère	
nous préférerions	que nous préférions	préférons
vous préféreriez	que vous préfériez	préférez
ils/elles préféreraient	qu'ils/qu'elles préfèrent	
j'achèterais	que j'achète	
tu achèterais	que tu achètes	achète
il/elle achèterait	qu'il/qu'elle achète	
nous achèterions	que nous achetions	achetons
vous achèteriez	que vous achetiez	achetez
ils/elles achèteraient	qu'ils/qu'elles achètent	
j'appellerais	que j'appelle	
tu appellerais	que tu appelles	appelle
il/elle appellerait	qu'il/qu'elle appelle	
nous appellerions	que nous appelions	appelons
vous appelleriez	que vous appeliez	appelez
ils/elles appelleraient	qu'ils/qu'elles appellent	
j'essaierais	que j'essaie	
tu essaierais	que tu essaies	essaie
il/elle essaierait	qu'il/qu'elle essaie	
nous essaierions	que nous essayions	essayons
vous essaieriez	que vous essayiez	essayez
ils/elles essaieraient	qu'ils/qu'elles essaient	
je mangerais	que je mange	
tu mangerais	que tu manges	mange
il/elle mangerait	qu'il/qu'elle mange	
nous mangerions	que nous mangions	mangeons
vous mangeriez	que vous mangiez	mangez
ils/elles mangeraient	qu'ils/qu'elles mangent	
je commencerais	que je commence	
tu commencerais	que tu commences	commence
il/elle commencerait	qu'il/qu'elle commence	
nous commencerions	que nous commencions	commençons
vous commenceriez	que vous commenciez	commencez
ils/elles commenceraient	qu'ils/qu'elles commencent	

Verbes irréguliers

VERBE INFINITIF	PRÉSENT	PASSÉ COMPOSÉ	IMPARFAIT	FUTUR
aller *to go*	je vais tu vas il/elle va nous allons vous allez ils/elles vont	je suis allé(e) tu es allé(e) il/elle est allé(e) nous sommes allé(e)s vous êtes allé(e)(s) ils/elles sont allé(e)s	j'allais tu allais il/elle allait nous allions vous alliez ils/elles allaient	j'irai tu iras il/elle ira nous irons vous irez ils/elles iront
s'asseoir *to sit* *(down)*	je m'assieds tu t'assieds il/elle s'assied nous nous asseyons vous vous asseyez ils/elles s'asseyent	je me suis assis(e) tu t'es assis(e) il/elle s'est assis(e) nous nous sommes assis(es) vous vous êtes assis(es) ils/elles se sont assis(es)	je m'asseyais tu t'asseyais il/elle s'asseyait nous nous asseyions vous vous asseyiez ils/elles s'asseyaient	je m'assiérai tu t'assiéras il/elle s'assiéra nous nous assiérons vous vous assiérez ils/elles s'assiéront
battre *to beat*	je bats tu bats il/elle bat nous battons vous battez ils/elles battent	j'ai battu tu as battu il/elle a battu nous avons battu vous avez battu ils/elles ont battu	je battais tu battais il/elle battait nous battions vous battiez ils/elles battaient	je battrai tu battras il/elle battra nous battrons vous battrez ils/elles battront
boire *to drink*	je bois tu bois il/elle boit nous buvons vous buvez ils/elles boivent	j'ai bu tu as bu il/elle a bu nous avons bu vous avez bu ils/elles ont bu	je buvais tu buvais il/elle buvait nous buvions vous buviez ils/elles buvaient	je boirai tu boiras il/elle boira nous boirons vous boirez ils/elles boiront

connaître
to be
  acquainted
  with,
to know
	je connais
	tu connais
	il/elle connaît
	nous connaissons
	vous connaissez
	ils/elles connaissent
		j'ai connu
		tu as connu
		il/elle a connu
		nous avons connu
		vous avez connu
		ils/elles ont connu
			je connaissais
			tu connaissais
			il/elle connaissait
			nous connaissions
			vous connaissiez
			ils/elles connaissaient
				je connaîtrai
				tu connaîtras
				il/elle connaîtra
				nous connaîtrons
				vous connaîtrez
				ils/elles connaîtront

courir *to run*	je cours tu cours il/elle court nous courons vous courez ils/elles courent	j'ai couru tu as couru il/elle a couru nous avons couru vous avez couru ils/elles ont couru	je courais tu courais il/elle courait nous courions vous couriez ils/elles couraient	je courrai tu courras il/elle courra nous courrons vous courrez ils/elles courront
croire *to believe*	je crois tu crois il/elle croit nous croyons vous croyez ils/elles croient	j'ai cru tu as cru il/elle a cru nous avons cru vous avez cru ils/elles ont cru	je croyais tu croyais il/elle croyait nous croyions vous croyiez ils/elles croyaient	je croirai tu croiras il/elle croira nous croirons vous croirez ils/elles croiront

CONDITIONNEL PRÉSENT	SUBJONCTIF PRÉSENT	IMPÉRATIF
j'irais	que j'aille	
tu irais	que tu ailles	va
il/elle irait	qu'il/qu'elle aille	
nous irions	que nous allions	allons
vous iriez	que vous alliez	allez
ils/elles iraient	qu'ils/qu'elles aillent	
je m'assiérais	que je m'asseye	
tu t'assiérais	que tu t'asseyes	assieds-toi
il/elle s'assiérait	qu'il/qu'elle s'asseye	
nous nous assiérions	que nous nous asseyions	asseyons-nous
vous vous assiériez	que vous vous asseyiez	asseyez-vous
ils/elles s'assiéraient	qu'ils/qu'elles s'asseyent	
je battrais	que je batte	
tu battrais	que tu battes	bats
il/elle battrait	qu'il/qu'elle batte	
nous battrions	que nous battions	battons
vous battriez	que vous battiez	battez
ils/elles battraient	qu'ils/qu'elles battent	
je boirais	que je boive	
tu boirais	que tu boives	bois
il/elle boirait	qu'il/qu'elle boive	
nous boirions	que nous buvions	buvons
vous boiriez	que vous buviez	buvez
ils/elles boiraient	qu'ils/qu'elles boivent	
je connaîtrais	que je connaisse	
tu connaîtrais	que tu connaisses	connais
il/elle connaîtrait	qu'il/qu'elle connaisse	
nous connaîtrions	que nous connaissions	connaissons
vous connaîtriez	que vous connaissiez	connaissez
ils/elles connaîtraient	qu'ils/qu'elles connaissent	
je courrais	que je coure	
tu courrais	que tu coures	cours
il/elle courrait	qu'il/qu'elle coure	
nous courrions	que nous courions	courons
vous courriez	que vous couriez	courez
ils/elles courraient	qu'ils/qu'elles courent	
je croirais	que je croie	
tu croirais	que tu croies	crois
il/elle croirait	qu'il/qu'elle croie	
nous croirions	que nous croyions	croyons
vous croiriez	que vous croyiez	croyez
ils/elles croiraient	qu'ils/qu'elles croient	

Verbes irréguliers (suite)

VERBE INFINITIF	PRÉSENT	PASSÉ COMPOSÉ	IMPARFAIT	FUTUR
devoir *must,* to have to, *to owe*	je dois tu dois il/elle doit nous devons vous devez ils/elles doivent	j'ai dû tu as dû il/elle a dû nous avons dû vous avez dû ils/elles ont dû	je devais tu devais il/elle devait nous devions vous deviez ils/elles devaient	je devrai tu devras il/elle devra nous devrons vous devrez ils/elles devront
dire *to say,* to tell	je dis tu dis il/elle dit nous disons vous dites ils/elles disent	j'ai dit tu as dit il/elle a dit nous avons dit vous avez dit ils/elles ont dit	je disais tu disais il/elle disait nous disions vous disiez ils/elles disaient	je dirai tu diras il/elle dira nous dirons vous direz ils/elles diront
dormir *to sleep*	je dors tu dors il/elle dort nous dormons vous dormez ils/elles dorment	j'ai dormi tu as dormi il/elle a dormi nous avons dormi vous avez dormi ils/elles ont dormi	je dormais tu dormais il/elle dormait nous dormions vous dormiez ils/elles dormaient	je dormirai tu dormiras il/elle dormira nous dormirons vous dormirez ils/elles dormiront
écrire *to write*	j'écris tu écris il/elle écrit nous écrivons vous écrivez ils/elles écrivent	j'ai écrit tu as écrit il/elle a écrit nous avons écrit vous avez écrit ils/elles ont écrit	j'écrivais tu écrivais il/elle écrivait nous écrivions vous écriviez ils/elles écrivaient	j'écrirai tu écriras il/elle écrira nous écrirons vous écrirez ils/elles écriront
envoyer *to send*	j'envoie tu envoies il/elle envoie nous envoyons vous envoyez ils/elles envoient	j'ai envoyé tu as envoyé il/elle a envoyé nous avons envoyé vous avez envoyé ils/elles ont envoyé	j'envoyais tu envoyais il/elle envoyait nous envoyions vous envoyiez ils/elles envoyaient	j'enverrai tu enverras il/elle enverra nous enverrons vous enverrez ils/elles enverront
faire *to do,* to make	je fais tu fais il/elle fait nous faisons vous faites ils/elles font	j'ai fait tu as fait il/elle a fait nous avons fait vous avez fait ils/elles ont fait	je faisais tu faisais il/elle faisait nous faisions vous faisiez ils/elles faisaient	je ferai tu feras il/elle fera nous ferons vous ferez ils/elles feront
falloir *to be necessary*	il faut	il a fallu	il fallait	il faudra
lire *to read*	je lis tu lis il/elle lit nous lisons vous lisez ils/elles lisent	j'ai lu tu as lu il/elle a lu nous avons lu vous avez lu ils/elles ont lu	je lisais tu lisais il/elle lisait nous lisions vous lisiez ils/elles lisaient	je lirai tu liras il/elle lira nous lirons vous lirez ils/elles liront

CONDITIONNEL PRÉSENT	SUBJONCTIF PRÉSENT	IMPÉRATIF
je devrais	que je doive	
tu devrais	que tu doives	
il/elle devrait	qu'il/qu'elle doive	
nous devrions	que nous devions	
vous devriez	que vous deviez	
ils/elles devraient	qu'ils/qu'elles doivent	
je dirais	que je dise	
tu dirais	que tu dises	dis
il/elle dirait	qu'il/qu'elle dise	
nous dirions	que nous disions	disons
vous diriez	que vous disiez	dites
ils/elles diraient	qu'ils/qu'elles disent	
je dormirais	que je dorme	
tu dormirais	que tu dormes	dors
il/elle dormirait	qu'il/qu'elle dorme	
nous dormirions	que nous dormions	dormons
vous dormiriez	que vous dormiez	dormez
ils/elles dormiraient	qu'ils/qu'elles dorment	
j'écrirais	que j'écrive	
tu écrirais	que tu écrives	écris
il/elle écrirait	qu'il/qu'elle écrive	
nous écririons	que nous écrivions	écrivons
vous écririez	que vous écriviez	écrivez
ils/elles écriraient	qu'ils/qu'elles écrivent	
j'enverrais	que j'envoie	
tu enverrais	que tu envoies	envoie
il/elle enverrait	qu'il/qu'elle envoie	
nous enverrions	que nous envoyions	envoyons
vous enverriez	que vous envoyiez	envoyez
ils/elles enverraient	qu'ils/qu'elles envoient	
je ferais	que je fasse	
tu ferais	que tu fasses	fais
il/elle ferait	qu'il/qu'elle fasse	
nous ferions	que nous fassions	faisons
vous feriez	que vous fassiez	faites
ils/elles feraient	qu'ils/qu'elles fassent	
il faudrait	qu'il faille	
je lirais	que je lise	
tu lirais	que tu lises	lis
il/elle lirait	qu'il/qu'elle lise	
nous lirions	que nous lisions	lisons
vous liriez	que vous lisiez	lisez
ils/elles liraient	qu'ils/qu'elles lisent	

Verbes irréguliers (suite)

VERBE INFINITIF	PRÉSENT	INDICATIF PASSÉ COMPOSÉ	IMPARFAIT	FUTUR
mettre *to put (on), to place, to set*	je mets tu mets il/elle met nous mettons vous mettez ils/elles mettent	j'ai mis tu as mis il/elle a mis nous avons mis vous avez mis ils/elles ont mis	je mettais tu mettais il/elle mettait nous mettions vous mettiez ils/elles mettaient	je mettrai tu mettras il/elle mettra nous mettrons vous mettrez ils/elles mettront
obtenir *to obtain*	j'obtiens tu obtiens il/elle obtient nous obtenons vous obtenez ils/elles obtiennent	j'ai obtenu tu as obtenu il/elle a obtenu nous avons obtenu vous avez obtenu ils/elles ont obtenu	j'obtenais tu obtenais il/elle obtenait nous obtenions vous obteniez ils/elles obtenaient	j'obtiendrai tu obtiendras il/elle obtiendra nous obtiendrons vous obtiendrez ils/elles obtiendront
ouvrir *to open*	j'ouvre tu ouvres il/elle ouvre nous ouvrons vous ouvrez ils/elles ouvrent	j'ai ouvert tu as ouvert il/elle a ouvert nous avons ouvert vous avez ouvert ils/elles ont ouvert	j'ouvrais tu ouvrais il/elle ouvrait nous ouvrions vous ouvriez ils/elles ouvraient	j'ouvrirai tu ouvriras il/elle ouvrira nous ouvrirons vous ouvrirez ils/elles ouvriront
partir *to leave*	je pars tu pars il/elle part nous partons vous partez ils/elles partent	je suis parti(e) tu es parti(e) il/elle est parti(e) nous sommes parti(e)s vous êtes parti(e)(s) ils/elles sont parti(e)s	je partais tu partais il/elle partait nous partions vous partiez ils/elles partaient	je partirai tu partiras il/elle partira nous partirons vous partirez ils/elles partiront
pleuvoir *to rain*	il pleut	il a plu	il pleuvait	il pleuvra
pouvoir *to be able, can*	je peux tu peux il/elle peut nous pouvons vous pouvez ils/elles peuvent	j'ai pu tu as pu il/elle a pu nous avons pu vous avez pu ils/elles ont pu	je pouvais tu pouvais il/elle pouvait nous pouvions vous pouviez ils/elles pouvaient	je pourrai tu pourras il/elle pourra nous pourrons vous pourrez ils/elles pourront
prendre *to take*	je prends tu prends il/elle prend nous prenons vous prenez ils/elles prennent	j'ai pris tu as pris il/elle a pris nous avons pris vous avez pris ils/elles ont pris	je prenais tu prenais il/elle prenait nous prenions vous preniez ils/elles prenaient	je prendrai tu prendras il/elle prendra nous prendrons vous prendrez ils/elles prendront
recevoir *to receive*	je reçois tu reçois il/elle reçoit nous recevons vous recevez ils/elles reçoivent	j'ai reçu tu as reçu il/elle a reçu nous avons reçu vous avez reçu ils/elles ont reçu	je recevais tu recevais il/elle recevait nous recevions vous receviez ils/elles recevaient	je recevrai tu recevras il/elle recevra nous recevrons vous recevrez ils/elles recevront

CONDITIONNEL PRÉSENT	SUBJONCTIF PRÉSENT	IMPÉRATIF
je mettrais	que je mette	
tu mettrais	que tu mettes	mets
il/elle mettrait	qu'il/qu'elle mette	
nous mettrions	que nous mettions	mettons
vous mettriez	que vous mettiez	mettez
ils/elles mettraient	qu'ils/qu'elles mettent	
j'obtiendrais	que j'obtienne	
tu obtiendrais	que tu obtiennes	obtiens
il/elle obtiendrait	qu'il/qu'elle obtienne	
nous obtiendrions	que nous obtenions	obtenons
vous obtiendriez	que vous obteniez	obtenez
ils/elles obtiendraient	qu'ils/qu'elles obtiennent	
j'ouvrirais	que j'ouvre	
tu ouvrirais	que tu ouvres	ouvre
il/elle ouvrirait	qu'il/qu'elle ouvre	
nous ouvririons	que nous ouvrions	ouvrons
vous ouvririez	que vous ouvriez	ouvrez
ils/elles ouvriraient	qu'ils/qu'elles ouvrent	
je partirais	que je parte	
tu partirais	que tu partes	pars
il/elle partirait	qu'il/qu'elle parte	
nous partirions	que nous partions	partons
vous partiriez	que vous partiez	partez
ils/elles partiraient	qu'ils/qu'elles partent	
il pleuvrait	qu'il pleuve	
je pourrais	que je puisse	
tu pourrais	que tu puisses	
il/elle pourrait	qu'il/qu'elle puisse	
nous pourrions	que nous puissions	
vous pourriez	que vous puissiez	
ils/elles pourraient	qu'ils/qu'elles puissent	
je prendrais	que je prenne	
tu prendrais	que tu prennes	prends
il/elle prendrait	qu'il/qu'elle prenne	
nous prendrions	que nous prenions	prenons
vous prendriez	que vous preniez	prenez
ils/elles prendraient	qu'ils/qu'elles prennent	
je recevrais	que je reçoive	
tu recevrais	que tu reçoives	reçois
il/elle recevrait	qu'il/qu'elle reçoive	
nous recevrions	que nous recevions	recevons
vous recevriez	que vous receviez	recevez
ils/elles recevraient	qu'ils/qu'elles reçoivent	

Verbes irréguliers (suite)

VERBE INFINITIF	PRÉSENT	PASSÉ COMPOSÉ	IMPARFAIT	FUTUR
savoir *to know*	je sais tu sais il/elle sait nous savons vous savez ils/elles savent	j'ai su tu as su il/elle a su nous avons su vous avez su ils/elles ont su	je savais tu savais il/elle savait nous savions vous saviez ils/elles savaient	je saurai tu sauras il/elle saura nous saurons vous saurez ils/elles sauront
sortir *to go out*	je sors tu sors il/elle sort nous sortons vous sortez ils/elles sortent	je suis sorti(e) tu es sorti(e) il/elle est sorti(e) nous sommes sorti(e)s vous êtes sorti(e)(s) ils/elles sont sorti(e)s	je sortais tu sortais il/elle sortait nous sortions vous sortiez ils/elles sortaient	je sortirai tu sortiras il/elle sortira nous sortirons vous sortirez ils/elles sortiront
suivre *to follow*	je suis tu suis il/elle suit nous suivons vous suivez ils/elles suivent	j'ai suivi tu as suivi il/elle a suivi nous avons suivi vous avez suivi ils/elles ont suivi	je suivais tu suivais il/elle suivait nous suivions vous suiviez ils/elles suivaient	je suivrai tu suivras il/elle suivra nous suivrons vous suivrez ils/elles suivront
venir *to come*	je viens tu viens il/elle vient nous venons vous venez ils/elles viennent	je suis venu(e) tu es venu(e) il/elle est venu(e) nous sommes venu(e)s vous êtes venu(e)(s) ils/elles sont venu(e)s	je venais tu venais il/elle venait nous venions vous veniez ils/elles venaient	je viendrai tu viendras il/elle viendra nous viendrons vous viendrez ils/elles viendront
vivre *to live*	je vis tu vis il/elle vit nous vivons vous vivez ils/elles vivent	j'ai vécu tu as vécu il/elle a vécu nous avons vécu vous avez vécu ils/elles ont vécu	je vivais tu vivais il/elle vivait nous vivions vous viviez ils/elles vivaient	je vivrai tu vivras il/elle vivra nous vivrons vous vivrez ils/elles vivront
voir *to see*	je vois tu vois il/elle voit nous voyons vous voyez ils/elles voient	j'ai vu tu as vu il/elle a vu nous avons vu vous avez vu ils/elles ont vu	je voyais tu voyais il/elle voyait nous voyions vous voyiez ils/elles voyaient	je verrai tu verras il/elle verra nous verrons vous verrez ils/elles verront
vouloir *to want,* *to wish*	je veux tu veux il/elle veut nous voulons vous voulez ils/elles veulent	j'ai voulu tu as voulu il/elle a voulu nous avons voulu vous avez voulu ils/elles ont voulu	je voulais tu voulais il/elle voulait nous voulions vous vouliez ils/elles voulaient	je voudrai tu voudras il/elle voudra nous voudrons vous voudrez ils/elles voudront

CONDITIONNEL PRÉSENT	SUBJONCTIF PRÉSENT	IMPÉRATIF
je saurais	que je sache	
tu saurais	que tu saches	sache
il/elle saurait	qu'il/qu'elle sache	
nous saurions	que nous sachions	sachons
vous sauriez	que vous sachiez	sachez
ils/elles sauraient	qu'ils/qu'elles sachent	
je sortirais	que je sorte	
tu sortirais	que tu sortes	sors
il/elle sortirait	qu'il/qu'elle sorte	
nous sortirions	que nous sortions	sortons
vous sortiriez	que vous sortiez	sortez
ils/elles sortiraient	qu'ils/qu'elles sortent	
je suivrais	que je suive	
tu suivrais	que tu suives	suis
il/elle suivrait	qu'il/qu'elle suive	
nous suivrions	que nous suivions	suivons
vous suivriez	que vous suiviez	suivez
ils/elles suivraient	qu'ils/qu'elles suivent	
je viendrais	que je vienne	
tu viendrais	que tu viennes	viens
il/elle viendrait	qu'il/qu'elle vienne	
nous viendrions	que nous venions	venons
vous viendriez	que vous veniez	venez
ils/elles viendraient	qu'ils/qu'elles viennent	
je vivrais	que je vive	
tu vivrais	que tu vives	vis
il/elle vivrait	qu'il/qu'elle vive	
nous vivrions	que nous vivions	vivons
vous vivriez	que vous viviez	vivez
ils/elles vivraient	qu'ils/qu'elles vivent	
je verrais	que je voie	
tu verrais	que tu voies	vois
il/elle verrait	qu'il/qu'elle voie	
nous verrions	que nous voyions	voyons
vous verriez	que vous voyiez	voyez
ils/elles verraient	qu'ils/qu'elles voient	
je voudrais	que je veuille	
tu voudrais	que tu veuilles	veuille
il/elle voudrait	qu'il/qu'elle veuille	
nous voudrions	que nous voulions	veuillons
vous voudriez	que vous vouliez	veuillez
ils/elles voudraient	qu'ils/qu'elles veuillent	

Vocabulaire français–anglais

This list contains words appearing in *Horizons*, except for absolute cognates. The definitions of active vocabulary words are followed by the number of the chapter where they are first presented. A (P) refers to the *Chapitre préliminaire*. When several translations, separated by commas, are listed before a chapter number, they are all considered active. Since verbs are sometimes introduced lexically in the infinitive before the conjugation of the present indicative is presented, consult the *Index* to find out the chapter where a conjugation is introduced. An *(m)*, *(f)*, or *(pl)* following a noun indicates that it is masculine, feminine, or plural. *Inv* means that a word is invariable. An asterisk before a word beginning with an **h** indicates that the **h** is aspirate.

A

à to, at, in (P) ; **À bientôt!** See you soon! (P) ; **à cause de** due to, because of ; **À ce soir.** See you tonight/this evening. (2) ; **à côté (de)** next to (3) ; **À demain!** See you tomorrow! (P) ; **à... heure(s)** at ... o'clock (P) ; **à la campagne** in the country (3) ; **à la française** French-style ; **à la maison** at home (P) ; **à la page...** on page ... (P) ; **à l'avance** in advance (9) ; **à l'étranger** in another country, abroad (9) ; **à l'heure** on time (4) ; **à l'université** at the university (P) ; **à peu près** about ; **à pied** on foot (4) ; **À plus (tard)!** See you later! (P) ; **À plus!** See you later! (P) ; **À quelle heure?** At what time? (P) ; **à suivre** to be continued (6) ; **À tout à l'heure!** See you in a little while! (P) ; **au café** at the café (2) ; **au centre-ville** downtown (3) ; **au coin de** on the corner of (10) ; **au cours de** in the course of, during, while on (10) ; **au-dessus de** above ; **au premier (deuxième) étage** on the first (second) floor (3) ; **Au revoir!** Good-bye! (P) ; **à votre avis** in your opinion (8) ; **café au lait** coffee with milk (2) ; **du lundi au vendredi** from Monday to Friday *(every week)* (P) ; **j'habite à** *(+ ville)* I live in *(+ city)* (P)

abandonner to abandon, to leave
abolir to abolish
abonnement *(m)* subscription
abonner: s'abonner à to subscribe to
abord: d'abord first (2)
aboyer to bark
abricot *(m)* apricot
abriter to shelter
absolument absolutely
Acadie *(f)* Acadia
accent *(m)* accent (P) ; **accent aigu / circonflexe / grave** acute / circumflex / grave accent (P) ; **Ça s'écrit avec ou sans accent?** That's written with or without an accent? (P)
accepter to accept (7)
accès *(m)* access
accidentellement accidentally
accompagner to accompany
accomplir to accomplish
accord *(m)* agreement ; **D'accord!** Okay! (2) Agreed! ; **se mettre d'accord** to come to an agreement
accordéon *(m)* accordion
accorder to give ; **s'accorder** to grant each other
achat *(m)* purchase
acheter to buy (4)
acteur *(m)* actor (6)
actif (active) active, working
Action *(f)* **de grâce: fête** *(f)* **de l'Action de grâce** Thanksgiving
activité *(f)* activity (2)
actrice *(f)* actress (6)
actuellement currently

adapter: s'adapter to adapt
addition *(f)* check, bill
adjectif *(m)* adjective (3)
administratif(-ive): pavillon *(m)* **administratif** administration building
admirer to admire (9)
adopter to adopt
adorer to adore, to love
adresse *(f)* address (3) ; **adresse** *(f)* **courriel** e-mail address (3)
aérien(ne) aerial
aérobique *(f)* aerobics: **faire de l'aérobique** to do aerobics (8)
aéroport *(m)* airport (10)
affaire *(f)* thing, belonging, business ; **classe** *(f)* **affaires** business class (9) ; **femme d'affaires** businesswoman (5) ; **homme d'affaires** businessman (5)
affiche *(f)* poster (3)
affiché(e) posted
africain(e) African
Afrique *(f)* Africa (9) ; **Afrique du Sud** *(f)* South Africa
âge *(m)* age (4) ; **Quel âge a...?** How old is ... ? (4)
âgé(e) old ; **plus âgé(e) que** older than (4)
agence *(f)* **de voyages** travel agency (9)
agent *(m)* agent ; **agent** *(m)* **de police** police officer ; **agent** *(m)* **de voyages** travel agent (9)
agir to act, to take action
agité(e) agitated
agneau *(m)* lamb
agréable pleasant (1)
aider to help (5) ; **Je peux vous aider?** May I help you? (5)
aïe ouch
aigu(ë) acute (P), shrill
ail *(m)* garlic
aile *(f)* wing
ailleurs elsewhere ; **par ailleurs** furthermore
aimable kind, amiable
aimer to like, to love (2) ; **Aimeriez-vous... ?** Would you like ... ? (8) ; **aimer mieux** to like better, to prefer (2) ; **Est-ce que tu aimes/vous aimez...?** Do you like ... ? (1) ; **J'aime/Je n'aime pas...** I like/I don't like ... (1) ; **J'aimerais...** I would like ... ; **J'aimerais autant...** I would just as soon ... (10) ; **s'aimer** to love each other (7)
aîné(e) oldest *(child)*
ainsi thus ; **ainsi que** as well as
air *(m)* air, look, appearance ; **avoir l'air** *(+ adjectif)* to look / to seem *(+ adjective)* (4) ; **de plein air** outdoor (4)
aise *(f)* ease ; **mal à l'aise** ill at ease
ajouter to add
alcool *(m)* alcohol (8)
alcoolisé(e) alcoholic
Algérie *(f)* Algeria (9)
algérien(ne) Algerian
aliment *(m)* food

alimentaire food
Allemagne *(f)* Germany (9)
allemand *(m)* German (1)
allemand(e) German
aller (à) to go (to) (2) ; **aller à la chasse** to go hunting ; **aller à la pêche** to go fishing ; **aller à pied** to walk, to go on foot (4) ; **aller simple** *(m)* one-way ticket (9) ; **aller très bien à quelqu'un** to look very good on someone ; **aller voir** to go see, to visit *(a person)* (4) ; **Allez au tableau.** Go to the board. (P) ; **Allons.** Let's go. (4) **billet aller-retour** *(m)* round-trip ticket (9) ; **Ça va?** How's it going? *(familiar)* (P) ; **Ça va.** It's going fine. (P) ; **Comment allez-vous?** How are you? *(formal)* (P) ; **Comment ça va?**, How's it going? *(familiar)* (P) ; **Comment vas-tu?** How are you? *(informal)* ; **je vais** I go, I am going (2) ; **Je vais très bien** I'm doing very well. (P) ; **J'y suis allé(e)** I went there (5) **On va... ?** Shall we go ... ? (2) ; **Où êtes-vous allé(e)?** Where did you go? (5) **Qu'est-ce que vous allez prendre?** What are you going to have? (2) ; **Qu'est-ce qui ne va pas?** What's wrong? (10) ; **s'en aller** to go away
allergie *(f)* allergy (10)
allô hello *(on the telephone)* (6)
allumer to light
alors so, then, therefore (1) ; **alors que** whereas
alpinisme *(m)* mountain climbing ; **faire de l'alpinisme** to go mountain climbing
amande *(f)* almond
amant(e) *(mf)* lover
ambitieux(-ieuse) ambitious
améliorer to improve (8)
amener to take, to bring
américain(e) American
Amérique *(f)* America (9) ; **Amérique centrale** *(f)* Central America (9) ; **Amérique** *(f)* **du Nord** North America (9) ; **Amérique** *(f)* **du Sud** South America (9)
ami(e) *(mf)* friend (P) ; **petit ami** *(m)* boyfriend (2) ; **petite amie** *(f)* girlfriend (2) ; **résauter avec des amis** to connect (social networking) with friends (2)
amitié *(f)* friendship
amour *(m)* love ; **le grand amour** *(m)* true love (7)
amoureux(-euse) (de) in love (6) ; **tomber amoureux(-euse) de** to fall in love with (6) ; **vie amoureuse** *(f)* love life
amphithéâtre *(m)* lecture hall (1)
amusant(e) fun (5)
amuser to amuse ; **s'amuser** to have fun (7)
an *(m)* year (5) ; **avoir... ans** to be ... years old (4) ; **jour** *(m)* **de l'an** *(m)* New Year's Day
ananas *(m)* pineapple
ancien(ne) former, old, ancient
ancré(e) rooted
ange *(m)* angel

anglais *(m)* English (P)
anglais(e) English
Angleterre *(f)* England ; **Nouvelle-Angleterre** *(f)* New England
anglophone English-speaking
animal *(m) (pl* **animaux)** animal (3)
année *(f)* year (4) ; **les années** *(fpl)* **trente** the thirties
anniversaire *(m)* birthday (4) ; **anniversaire** *(m)* **de mariage** wedding anniversary
annonce *(f)* advertisement, announcement
anorak *(m)* ski jacket, anorak (5)
Antarctique *(m)* Antarctica
anthropologie *(f)* anthropology
antibiotique *(m)* antibiotic
antihistaminique *(f)* antihistamine
antillais(e) West Indian
Antilles *(fpl)* West Indies (9)
antique ancient
anxiété *(f)* anxiety
août *(m)* August (4)
apéritif *(m)* before-dinner drink (8)
apparence *(f)* appearance
apparenté(e) related
appartement *(m)* apartment (3)
appartenance *(f)* belonging
appartenir (à) to belong (to)
appeler to call ; **Comment s'appelle… ?** What is … 's name? (4) ; **Comment t'appelles-tu ?** What's your name? *(familiar) ;* **Comment vous appelez-vous ?** What's your name? *(formal)* (P) ; **Il/Elle s'appelle…** His/Her name is … (4) ; **Je m'appelle…** My name is … (P) ; **s'appeler** to be named (7), to be called ; **Tu t'appelles comment ?** What's your name? *(informal)* (P)
appétit *(m)* appetite
apporter to bring
apprécier to appreciate (6) ; **apprécier des vues panoramiques** to go sightseeing (2)
apprendre to learn (4) ; **Apprenez les mots de vocabulaire.** Learn the vocabulary words. (P)
apprentissage *(m)* apprenticeship
approcher : s'approcher (de) to approach
approprié(e) appropriate
approximatif(-ive) approximate
après after (P) ; **après les cours** after class (4) ; **d'après** according to
après-demain the day after tomorrow
après-midi *(m)* afternoon (P) ; **cet après-midi** this afternoon (4) ; **Il est une heure de l'après-midi.** It's one o'clock in the afternoon. (P) ; **l'après-midi** in the afternoon, afternoons (P)
arbre *(m)* tree (1)
arc *(m)* arch, bow
archéologique archeological
archipel *(m)* archipelago
architecte *(mf)* architect
argent *(m)* money, silver (2)
Argentine *(f)* Argentina (9)
arrêt *(m)* stop ; **arrêt** *(m)* **d'autobus** bus stop (3)
arrêter to arrest, to stop ; **s'arrêter** to stop (7)
arrivée *(f)* arrival (9) ; **porte** *(f)* **d'arrivée** arrival gate (9)
arriver to arrive (3), to happen
art *(m)* art ; **les beaux-arts** the fine arts (1) ; **arts visuels** visual arts
artichaut *(m)* artichoke
article *(m)* article (9)
artisanat *(m)* craft industry, cottage industry
artiste *(mf)* artist, performer
ascenseur *(m)* elevator (3)
asiatique Asian
Asie *(f)* Asia (9)
aspect physique *(m)* physical appearance (7)
asperges *(fpl)* asparagus
aspirine *(f)* aspirin (10)
assassin *(m)* murderer, assassin
assassiner to murder, to assassinate

asseoir : Asseyez-vous. Sit down. ; **s'asseoir** to sit (down)
assez fairly, rather (P) ; **assez (de)** enough (of) (1) ; **assez tard** rather late (5)
assiette *(f)* plate
assis(e) seated
assister à to attend
associer to associate ; **associé(e)** associated
assurance *(f)* insurance
Atlantique *(m)* Atlantic
atroce atrocious, dreadful
attachement *(m)* bond
attaque *(f)* attack
attendre to wait (for) (7)
attente *(f)* waiting
attention : faire attention (à) to pay attention (to), to watch out (for) (8)
attirant(e) attractive
attirer to attract
attraper to catch, to get hold of
auberge *(f)* inn ; **auberge** *(f)* **de jeunesse** youth hostel (10)
aubergine *(f)* eggplant
auburn *(inv)* auburn (4)
aucun(e) : ne… aucun(e) no, none, not one
audacieux(-euse) audacious, bold
au-delà beyond
au-dessus above
auditif(-ive) auditory
aujourd'hui today (P)
auparavant beforehand
auprès de among
auquel (à laquelle, auxquels, auxquelles) to which
aussi too, also (P) ; **aussi… que** as … as (1)
austral(e) southern
Australie *(f)* Australia (9)
autant (de)… (que) as much … (as), as many … (as) ; **J'aimerais autant…** I would just as soon … (10)
autobus *(m)* bus (4) ; **arrêt** *(m)* **d'autobus** bus stop (3) ; **en autobus** by bus (4)
autocar *(m)* bus (4) ; **en autocar** by bus (4)
autochtone aboriginal ; **études autochtones** aboriginal studies
automne *(m)* autumn, fall (5) ; **en automne** in autumn (5)
autoportrait *(m)* self-portrait (P)
autre other (P) ; **dans un autre cours** in another class (P) ; **quelquefois… d'autres fois** sometimes … other times (7) ; **Qu'est-ce que je peux vous proposer d'autre ?** What else can I get you? (8) ; **autre part** somewhere else
autrefois formerly, in the past
Autriche *(f)* Austria
auxiliaire *(m)* auxiliary
avance *(f)* advance ; **à l'avance** in advance (9) ; **en avance** early
avancer to advance
avant before (P) ; **avant de quitter** before leaving ; **avant tout** above all
avec with (P) ; **avec elle/lui** with her/him (2) ; **avec ma famille** with my family (P) ; **Avec plaisir !** With pleasure! (6)
avenir *(m)* future
aventure *(f)* adventure ; **film** *(m)* **d'aventure** adventure movie
avenue *(f)* avenue (10)
avion *(m)* airplane (4) ; **en avion** by airplane (4)
avis *(m)* opinion ; **à votre avis** in your opinion (8)
avoir to have (3) ; **avoir… ans** to be … years old (4) ; **avoir besoin de** to need (4) ; **avoir chaud** to be hot (4) ; **avoir cours** to have class (6) ; **avoir de la fièvre** to have fever ; **avoir du mal à…** to have difficulty … , to have a hard time … ; **avoir envie de** to feel like, to want (4) ; **avoir faim** to be hungry (4) ; **avoir froid** to be cold (4) ; **avoir l'air**

(+ *adjectif*) to look / to seem (+ *adjective*) (4) ; **avoir le nez bouché** to have a stopped-up nose ; **avoir le nez qui coule** to have a runny nose ; **avoir les cheveux/les yeux…** to have … hair/eyes (4) ; **avoir lieu** to take place ; **avoir l'intention de** to plan on, to intend to (4) ; **avoir mal (à)** one's … hurts (10), to ache ; **avoir peur (de)** to be afraid (of), to fear (4) ; **avoir pitié (de)** to have pity (on / for) (10) ; **avoir raison** to be right (4) ; **avoir soif** to be thirsty (4) ; **avoir sommeil** to be sleepy (4) ; **avoir tort** to be wrong (4) ; **j'ai faim** I'm hungry (2) ; **j'ai soif** I'm thirsty (2) ; **il y a…** there is/there are … (1), ago (5) ; **Quel âge a… ?** How old is … ? (4) ; **j'avais 15 ans** I was fifteen (6)
avril *(m)* April (4)
ayant having

B

baccalauréat (bac) *(m)* Bachelor's degree
bacon *(m)* bacon (8)
bagages *(mpl)* baggage
bagne *(m)* penal colony
baguette *(f)* loaf of French bread (8)
baie *(f)* bay
bail *(f)* lease
bain *(m)* bath (7) ; **maillot** *(m)* **de bain** swimsuit (5) ; **salle** *(f)* **de bains** bathroom (3)
baisser to lower
bal *(m)* ball, dance (6)
balcon *(m)* balcony (10)
baleine *(f)* whale
banane *(f)* banana (8)
bancaire : carte *(f)* **bancaire** bank card, debit card (9)
banlieue *(f)* suburbs (3) ; **en banlieue** in the suburbs (3)
banque *(f)* bank (10)
banquier *(m)* banker
barbe *(f)* beard (4)
bas *(m)* bottom
bas(se) low ; **table basse** *(f)* coffee table
basé(e) sur based on (6)
baseball *(m)* baseball (2)
basilique *(f)* basilica
basketball *(m)* basketball (1)
baskets *(fpl)* tennis shoes (5)
bateau *(m)* boat (4) ; **en bateau** by boat (4) ; **faire du bateau** to go boating (5)
bâtiment *(m)* building (1)
batterie *(f)* drums (2)
bavard(e) talkative (1)
beau (bel, belle, *pl* **beaux, belles)** beautiful, handsome (1) ; **beau-frère** *(m)* brother-in-law ; **beau-père** *(m)* father-in-law (4) ; **beaux-arts** *(mpl)* fine arts (1) ; **beaux-parents** *(mpl)* stepparents, in-laws (4) ; **belle-mère** *(f)* mother-in-law (4) ; **belle-sœur** *(f)* sister-in-law ; **Il fait beau.** The weather's nice. (5)
beaucoup a lot (P) ; **beaucoup (de)** a lot (of) (1)
beauté *(f)* beauty (7)
bébé *(m)* baby
beige beige (3)
belge Belgian
Belgique *(f)* Belgium (9)
belle : *La Belle et la Bête Beauty and the Beast* (6)
bénéfique beneficial
benjamin(e) the youngest child *(of more than two)*
besoin *(m)* need ; **avoir besoin de** to need (4)
bête *(f)* beast (6), animal ; *La Belle et la Bête Beauty and the Beast* (6)
bête stupid, dumb (1)
bêtise *(f)* foolish thing, stupidity
beurre *(m)* butter (8)
beurré(e) buttered
bibliothèque *(f)* library (1), bookcase
bien well (P), very ; **à bien des égards** in many regards ; **bien d'autres** many others ; **bien**

que although ; **Bien sûr!** Of course! (5) ; **c'est bien de…** it's good to … (10) ; **Ce n'est pas bien de…** It's bad to… (10) ; **Je voudrais bien.** Sure, I'd like to.
bienfaiteur *(m),* **bienfaitrice** *(f)* benefactor
bientôt soon (P) ; **À bientôt!** See you soon! (P)
bienvenu(e) welcome
bière *(f)* beer (2)
biftek *(m)* steak (8) ; **biftek hâché** *(m)* ground beef
bikini *(m)* bikini (5)
bilingue bilingual
billard *(m)* billiards
billet *(m)* ticket (9), bill ; **billet électronique** e-ticket (9)
bichimie *(f)* biochemistry
biologie *(f)* biology (1)
bios : produits bios *(mpl)* organic products (8)
bise *(f)* kiss
bistro(t) *(m)* restaurant, pub (6)
blanc(he) white (3) ; **vin blanc** *(m)* white wine (2)
blessure *(f)* injury
bleu(e) blue (3)
bleuets *(mpl)* blueberries
blogue *(m)* blog
blond(e) blond (4)
blouse *(f)* blouse (5)
blouson *(m)* windbreaker, jacket
bœuf *(m)* beef (8)
boire to drink (4)
boisson *(f)* drink (2)
boîte *(f)* box, can (8) ; **boîte** *(f)* **de nuit** nightclub (1)
bol *(m)* bowl
bon(ne) good (1) ; **Bonne année!** Happy New Year! ; **Bon anniversaire!** Happy birthday! ; **Bonne fin de semaine!** Have a good weekend! *(Fr. Can.)* **Bonne idée!** Good idea! (4) ; **Bonne journée!** Have a good day! ; **Bon séjour!** Enjoy your stay! (10) ; **Bon week-end!** Have a good weekend!
bonheur *(m)* happiness (7)
Bonjour. Hello, Good morning. (P)
Bonsoir. Good evening. (P)
bord *(m)* edge ; **à bord** on board ; **au bord de** at the edge of ; **bord** *(m)* **de la mer** seaside
botte *(f)* boot (5)
bouc *(m)* goatee
bouche *(f)* mouth (10)
bouché(e) stopped-up
boucherie *(f)* butcher's shop (8)
boulangerie *(f)* bakery (8)
boule *(f)* ball
boulevard *(m)* boulevard (10)
boulot *(m)* work *(familiar)*
bout *(m)* end (3) ; **au bout (de)** at the end (of) (3)
bouteille (de) *(f)* bottle (of) (8)
boutique *(f)* shop (4) ; **boutique** *(f)* **de cadeaux** gift shop (10)
bras *(m)* arm (10)
Brésil *(m)* Brazil (9)
Bretagne *(f)* Brittany
bricoler to do handiwork (2)
brillant(e) brilliant
britannique British
brocoli *(m)* broccoli
brosser to brush ; **se brosser (les cheveux / les dents)** to brush (one's hair / one's teeth) (7)
brouillard *(m)* fog, mist, haze ; **il y a du brouillard** it is foggy
bruit *(m)* noise (10)
brûler to burn ; **se brûler la main** to burn your hand
brun(e) brown (3), *(with hair)* medium/dark brown (4), brunette, darkhaired
Bruxelles Brussels
buanderie *(f)* laundry room

bureau *(m)* desk (3), office (1) ; **bureau** *(m)* **de poste** post office (10) ; **bureau** *(m)* **de tabac** tobacco shop
bus *(m)* bus (4)
but *(m)* goal ; **à but non lucratif** nonprofit

C

ça that (P) ; **Ça fait combien?** How much is it? (2) ; **Ça fait… dollars.** That's … dollars. (2) ; **Ça me plaît!** I like it! (3) ; **Ça lui plaît?** Does he/she like it? (9) ; **Ça s'écrit comment?** How is that written? (P) ; **Ça s'écrit…** That's written … (P) ; **Ça te/vous dit?** How does that sound to you? (4) ; **Ça te plaît!** You like it! (3) ; **Ça va?** How's it going? *(familiar)* (P) ; **Ça va.** It's going fine. (P) ; **C'est ça!** That's right! ; **comme ci comme ça** so-so (2) ; **Comment ça va?** How's it going? *(familiar)* (P) ; **Qu'est-ce que ça veut dire?** What does that mean? (P)
cabine *(f)* **d'essayage** fitting room (5)
cacher to hide ; **se cacher** to hide oneself, to be hidden
cadet(te) *(mf)* the middle child, the younger child *(of two)*
cadien(ne) Cajun (4)
cadeau *(m)* gift, present (7) ; **boutique** *(f)* **de cadeaux** gift shop (10)
cadre *(m)* frame, surroundings
café *(m)* café (1), coffee (2) ; **café** *(m)* **au lait** coffee with milk (2)
cafétéria *(f)* university cafeteria (6)
cahier *(m)* workbook (P), notebook ; **Faites les devoirs dans le cahier.** Do the homework in the workbook. (P)
Californie *(f)* California (9)
calme calm (4)
calmement calmly
calmer : se calmer to calm down
camarade *(mf)* pal ; **camarade** *(mf)* **de chambre** roommate (P) ; **camarade** *(mf)* **de classe** classmate (6)
camerounais(e) Cameroonian
campagne *(f)* country (3), campaign ; **à la campagne** in the country (3)
camping *(m)* camping, campground (5) ; **faire du camping** to go camping (5)
campus *(m)* campus (1)
Canada *(m)* Canada (9)
canadien(ne) Canadian (P)
canapé *(m)* couch (3), open-faced sandwich
candidat(e) *(mf)* candidate, applicant
canne à sucre *(f)* sugar cane
cantaloup *(m)* cantaloupe
capitale *(f)* capital
caprice *(m)* whim
car *(m)* bus (4)
car because
caractère *(m)* character ; **en caractères gras** boldfaced
carafe (de) *(f)* carafe (of) *(a decanter)* (8)
caravane *(f)* RV
caraïbe Caribbean ; **mer** *(f)* **des Caraïbes** Caribbean Sea
cardiaque cardiac, of the heart
carnaval *(m)* carnival
carotte *(f)* carrot (8)
carte *(f)* menu (8), card, map ; **carte** *(f)* **bancaire** bank card, debit card (9) ; **carte** *(f)* **de crédit** credit card (9) ; **carte** *(f)* **d'identité** identity card ; **carte** *(f)* **postale** postcard (9)
cas *(m)* case ; **dans tous les cas** in any case
casquette *(f)* cap
casseau *(m)* **de fraises** a pint of strawberries (8)
casser to break ; **se casser la jambe** to break one's leg
catégorie *(f)* category
cathédrale *(f)* cathedral

cauchemar *(m)* nightmare
cause *(f)* cause ; **à cause de** because of
cave *(f)* cellar
CD *(m)* CD (3) ; **lecteur** *(m)* **CD** CD player (3)
ce (cet, cette) this, that (7) ; **ce que** what, that which ; **ce qui** what, that which (3) ; **ces** these, those (2) ; **ce soir** tonight, this evening (1) ; **ce trimestre** this term (P) ; **cette fin de semaine** this weekend (4) ; **Ce sont…** They are …, These are … Those are … (1) ; **C'est…** It's … (P), he is, she is, that is, this is (1) ; **c'est-à-dire** in other words, that is to say ; **Qu'est-ce que c'est?** What is it? (2) ; **Qui est-ce?** Who is it? (2)
ceinture *(f)* belt
cela that (7) ; **depuis cela** since then (7)
célèbre famous (4)
célébrer to celebrate
célibataire single, unmarried (1)
celui (celle) the one
cellulaire *(m)* cell phone
cent *(m)* one hundred (3)
centime *(m)* centime *(one hundredth part of a euro)* (2)
central(e) *(mpl* **centraux)** central ; **Amérique** *(f)* **centrale** Central America (9)
centre *(m)* centre ; **centre commercial** *(m)* shopping centre, mall (4) ; **centre** *(m)* **d'étudiants** student centre ; **centre** *(m)* **de vacances** resort (10)
centre-ville *(m)* downtown (3)
cependant however
céréales *(fpl)* cereal (8)
cérémonie *(f)* ceremony
cerise *(f)* cherry (8)
certain(e) certain ; **certains** some, certain people
certainement certainly
certificat *(m)* certificate
cesser to cease
ceux (celles) those (ones) (8)
chacun(e) each one
chaîne *(f)* chain ; **chaîne hi-fi** *(f)* stereo (2)
chaise *(f)* chair (3)
chalet de ski *(m)* ski lodge (10)
chaleur *(f)* warmth
chaleureux(-euse) warm (1)
chambre *(f)* bedroom (3) ; **camarade** *(mf)* **de chambre** roommate (P) ; **chambre** *(f)* **des maîtres** master bedroom ; **chambre** *(f)* **d'hôte** bed and breakfast
champ *(m)* field
champignon *(m)* mushroom ; **raviolis** *(mpl)* **aux champignons** mushroom ravioli
chance *(f)* luck (5) ; **Quelle chance!** What luck! (5)
chandail *(m)* pullover / sweater (5)
changement *(m)* change
changer to change
chanson *(f)* song
chanter to sing (2)
chanteur(-euse) *(mf)* singer
chapeau *(m)* hat
chapitre *(m)* chapter
chaque each, every ; **chaque chose** each thing (3)
charcuterie *(f)* delicatessen, deli meats, cold cuts (8)
charger to charge, to load ; **se charger de** to take charge of
charité *(f)* charity
charmant(e) charming
chasse *(f)* hunt, hunting ; **aller à la chasse** to go hunting
chasseur *(m)* hunter
chat *(m)* cat (3)
châtain light/medium brown *(with hair)* (4)
château *(m)* castle
chaud(e) hot (2) ; **avoir chaud** to be hot (4) ; **chocolat chaud** *(m)* hot chocolate (2) ; **Il fait chaud.** It's hot. (5)

chaussette *(f)* sock
chaussure *(f)* shoe (5)
chauve *(inv)* bald
chef *(m)* head, boss, chief
chef-d'œuvre *(m)* masterpiece
chef-lieu *(m)* administrative centre
chemin *(m)* road ; **indiquer le chemin** to give directions, to show the way (10)
chemise *(f)* shirt (5)
cher(-ère) expensive (3), dear
chercher to look for (3), to seek ; **aller / venir chercher quelqu'un** to go / come pick up someone (10)
chéri(e) *(mf)* honey, darling
cheval *(m)* *(pl* **chevaux***)* horse ; **faire du cheval** to go horseback riding
cheveux *(mpl)* hair (4)
cheville *(f)* ankle ; **se fouler la cheville** to sprain one's ankle
chez… at / in / to / by … 's house/place (2) ; in *(a person)* (7)
chien *(m)* dog (3)
chiffre *(m)* number, numeral
Chili *(m)* Chile (9)
chimie *(f)* chemistry (1)
Chine *(f)* China (9)
chinois *(m)* Chinese
chocolat *(m)* chocolate (2) ; **gâteau au chocolat** *(m)* chocolate cake (8) ; **pain au chocolat** *(m)* chocolate-filled croissant (8)
chocolaterie *(f)* chocolate store
choisir (de faire) to choose (to do) (8)
choix *(m)* choice (8)
chose *(f)* thing (3) ; **quelque chose** something (2)
chou *(m)* cabbage ; **choux** *(mpl)* **de Bruxelles** Brussels sprouts
chou-fleur *(m)* cauliflower
ci : ce (cet, cette)…-ci this … (5) ; **ce mois-ci** this month (4) ; **ces…-ci** these … (5) ; **ci-dessous** below ; **ci-dessus** above ; **comme ci comme ça** so-so (2)
ciel *(m)* sky
cinéaste *(mf)* filmmaker
ciné-club *(m)* cinema club (2)
cinéma *(m)* movie theatre (1) ; **aller au cinéma** to go to the movies (2)
cinématographique film
cinq five (P)
cinquante fifty (2) ; **cinquante et un** fifty-one (2)
cinquième fifth (3)
circonstance *(f)* circumstance
citoyen(ne) *(mf)* citizen
citron *(m)* lemon (2) ; **citron vert** *(m)* lime ; **thé** *(m)* **au citron** tea with lemon (2)
clair(e) light, clear ; **bleu clair** light blue
clairement clearly
classe *(f)* class (1) ; **classe** *(f)* **d'affaires** business class (9) ; **première classe** *(f)* first class ; **salle** *(f)* **de classe** classroom (1)
classique classic (2), classical
clavier *(m)* keyboard
clé *(f)* key ; **carte** *(f)* **clé** key card (10)
client(e) *(mf)* customer
climat *(m)* climate (9)
clinique *(f)* **médicale** health centre
club *(m)* club ; **club** *(m)* **de gym** gym, fitness club (1) ; **club** *(m)* **de sport** sports club
coca *(m)* cola (2) ; **coca** *(m)* **diète** diet cola (2)
code *(m)* code ; **code postal** *(m)* postal code (3)
cœur *(m)* heart ; **au cœur de** in the heart of
coin *(m)* corner (3) ; **au coin de** on the corner of (10) ; **café** *(m)* **du coin** neighbourhood café ; **dans le coin (de)** in the corner (of) (3)
collation *(f)* snack
coller to stick, to glue
collectionner to collect
collectivité *(f)* community
collège *(m)* college
collègue *(mf)* colleague

colocataire *(mf)* housemate (P)
Colombie *(f)* Colombia (9)
colon *(m)* colonist
colonie *(f)* colony
coloniser to colonize
colonne *(f)* column
combien (de) how much, how many (3) ; **Ça fait combien? / C'est combien?** How much is it? (2) ; **Combien font… et… / moins… ?** How much is … plus … / minus … ? (P) ; **Pendant combien de temps?** For how long? (5) ; **Vous êtes combien dans votre (ta) famille?** How many are there in your family? (4)
combinaison *(f)* slip, combination
combiner to combine
comédie *(f)* comedy
comique comical
commander to order (2), to command
comme like, as, for (1), since (7), for (8) ; **comme ci comme ça** so-so (2) ; **comme tu vois** as you see (3) ; **tout comme** just as
commencer (à) to begin (to), to start (2) ; **Le cours de français commence à…** French class starts at … (P)
comment how (P) ; **Ça s'écrit comment?** How is that written? (P) ; **Comment allez-vous?** How are you? *(formal)* (P) ; **Comment ça va?** How's it going? *(familiar)* (P) ; **Comment dit-on… en français/en anglais?** How does one say … in French/in English? (P) ; **Comment est-il/elle (sont-ils/elles)?** What is he/she (are they) like? (1) ; **Comment? Répétez, s'il vous plaît.** What? Please repeat. (P) ; **Comment s'appelle… ?** What is … 's name? (4) ; **Comment vas-tu?** How are you? *(familiar)* (P) ; **Comment vous appelez-vous?** What's your name? *(formal)* (P) ; **Tu t'appelles comment?** What's your name? *(informal)* (P)
commerçant(e) *(mf)* shopkeeper (8), merchant
commerce *(m)* business (1) ; **cours de commerce** business course (1)
commercial : centre commercial *(m)* shopping centre, mall (4)
commettre to commit
commode *(f)* dresser, chest of drawers (3)
commode convenient (3)
commun(e) common
communauté *(f)* community
communiquer to communicate (10)
compagnie *(f)* company ; **en compagnie de** accompanied by
comparaison *(f)* comparison
comparé(e) compared
comparer to compare (6)
compatibilité *(f)* compatibility (7)
compétence *(f)* skill, competency
complément d'objet direct / indirect *(m)* direct / indirect object
complet(-ète) complete (8) ; **en phrases complètes** *(f)* in complete sentences (P)
complètement completely
compléter to complete
comporter : se comporter to behave (10)
composer to compose ; **composé(e) de** composed of ; **se composer de** to be made up of
compréhension *(f)* understanding (7)
comprenant including
comprendre to understand (4), to include (8) ; **compris(e)** included (10) ; **Oui, je comprends. / Non, je ne comprends pas.** Yes, I understand. / No, I don't understand. (P) ; **Vous comprenez?** Do you understand? (P)
comptabilité *(f)* accounting (1)
comptable *(mf)* accountant
comptant *(m)* cash ; **en comptant** in cash (10)
compte *(m)* **en banque** bank account
compter to count, to plan on (9) ; **Comptez de… à…** Count from … to … (P)

concentrer : se concentrer sur to concentrate on
concernant concerning
concert *(m)* concert (1) ; **de concert avec** along with
concombre *(m)* cucumber
confiance *(f)* confidence ; **avoir confiance** to have confidence (4)
confirmer to confirm
confiserie *(f)* candy shop, confectionary
confiture *(f)* jam, jelly (8)
confort *(m)* comfort
confortable comfortable (3)
confus(e) confused
conjoint(e) de fait *(mf)* common-law partner
conjuguer to conjugate
connaissance *(f)* acquaintance, knowledge ; **faire la connaissance de** to meet *(for the first time)* (7)
connaître to know, to get to know, to be familiar / acquainted with (4) ; **Connaissez-vous… ?** Do you know … ? (6) ; **faire connaître** to inform
connu(e) known
consacrer to devote ; **consacré(e) à** devoted to
conseil *(m)* piece of advice (8), council, committee
conseiller(-ère) *(mf)* counselor, adviser
conséquent : par conséquent consequently
conserver to keep
conserves *(fpl)* canned goods (8)
considérer to consider ; **considéré(e)** considered ; **se considérer** to consider oneself
consommation *(f)* consumption, drink
consonne *(f)* consonant
constamment constantly
construire to construct, to build
construit(e) built
consulat *(m)* consulate
consulter to consult
conte *(m)* story (6) ; **conte** *(m)* **de fées** fairy tale (6)
content(e) happy, glad (8)
contexte *(m)* context
continent *(m)* continent (9)
continu(e) continuous
continuer (tout droit) to continue (straight ahead) (10)
contraire *(m)* contrary ; **au contraire** on the contrary
contre against
contrôle *(m)* control
contrôler to control (8) ; **contrôlé(e)** controlled, supervised
convenable appropriate, suitable
convenir to be suitable ; **Ça te/vous convient?** Does that work for you? (9)
copain *(m)* *(male)* friend, pal (6)
copieux(-euse) copious, large (8)
copine *(f)* *(female)* friend, pal (6)
Corée *(f)* Korea
corporel(le) of the body
corps *(m)* body (7)
correctement correctly
correspondant(e) corresponding
correspondre (à) to correspond (to)
costume *(m)* suit *(for a man)* (5)
côte *(f)* coast ; **côte** *(f)* **de porc** pork chop (8)
côté *(m)* side (3) ; **à côté (de)** next to (3) ; **côté jardin** on the courtyard side (10)
Côte d'Azur *(f)* Riviera
Côte d'Ivoire *(f)* Ivory Coast (9)
couchant setting
coucher : se coucher to go to bed (7) ; **chambre à coucher** *(f)* bedroom
couler to run *(liquids)*
couleur *(f)* colour (3) ; **De quelle couleur est/sont… ?** What colour is/are … ? (3)
couloir *(m)* hall, corridor (3) ; **au bout du couloir** at the end of the hall (10)

coup *(m)* stroke, blow ; **coup** *(m)* **de foudre** love at first sight (7) ; **coup** *(m)* **de téléphone** telephone call ; **tout à coup** all of a sudden (6) ; **tout d'un coup** all at once (6)

couper to cut ; **se couper le doigt** to cut one's finger

cour *(f)* court, courtyard

couramment fluently

courant(e) present, current, common ; **au courant de** aware of

courgette *(f)* zucchini

courir to run (9)

courriel *(m)* e-mail (2)

courrier *(m)* mail

cours *(m)* class, course (P) ; **au cours de** in the course of, during, while on (10) ; **avoir cours** to have class (6) ; **cours** *(m)* **de français** French class (P) ; **dans un autre cours** in another class (P) ; **en cours** in class (P) ; **suivre un cours** to take a course

course *(f)* errand (5), race ; **faire des courses** to run errands (5) ; **faire les courses** to go grocery shopping (5)

court *(m)* **de tennis** tennis court

court(e) short (4)

cousin(e) *(mf)* cousin (4)

couteau *(m)* knife

coûter to cost (5)

coutume *(f)* custom

couvert(e) de covered with

couverture *(f)* blanket, cover (4)

cravate *(f)* tie (5)

crayon *(m)* pencil (P) ; **Prenez une feuille de papier et un crayon ou un stylo.** Take out a piece of paper and a pencil or a pen. (P)

créancier(-ière) *(mf)* creditor

creatif(-ve) creative

crédit : carte *(f)* **de crédit** credit card (9)

créer to create

crème *(f)* cream (8) ; **crème** *(f)* **glacée (à la vanille)** (vanilla) ice cream

créole Creole

crêpe *(f)* pancake

crevette *(f)* shrimp (8)

crier to shout

criminel(le) *(mf)* criminal

criminology *(f)* criminology

critique *(f)* criticism

croire (à) (que) to believe (in) (that) ; **je crois** I think

croisière *(f)* cruise

croissant *(m)* croissant (8)

cru(e) raw

cruel(le) cruel (6)

cuillère *(f)* spoon

cuir *(m)* leather

cuisine *(f)* kitchen (3), cuisine, cooking (4) ; **faire la cuisine** to cook (5)

cuisinier(-ère) *(mf)* cook

cuisinière *(f)* stove

cuit(e) medium ; **bien cuit(e)** well-done

cultiver to cultivate (7)

culture *(f)* culture (9), cultivation

culturel(le) cultural (4)

curieux(-euse) curious, odd

D

dame *(f)* lady

Danemark *(m)* Denmark

dans in (P) ; **dans la rue…** on … Street (10)

danse *(f)* dance

danser to dance (2)

danseur(-euse) *(mf)* dancer

date *(f)* date (4) ; **Quelle est la date ?** What is the date? (4)

dater de to date from

de of, from, about (P) ; **de la, de l'** some, any (8) ; **de luxe** deluxe (10) ; **De rien.** You're welcome. (P) ; **du lundi au vendredi** from Monday to Friday *(every week)* (P) ; **parler de** to talk about

débarquement *(m)* landing

débrouillard(e) resourceful

début *(m)* beginning (6) ; **au début (de)** at the beginning (of) (6)

décédé(e) dead ; deceased (4)

décembre *(m)* December (4)

décidément decidedly, for sure

décider to decide (6) ; **se décider** to make up one's mind

décision *(f)* decision (7) ; **prendre une décision** to make a decision (7)

décorer to decorate

découverte *(f)* discovery

découvrir to discover

décret *(m)* decree

décrire to describe (9)

défini(e) definite

définir to define

degré *(m)* degree

déjà already (5)

déjeuner *(m)* breakfast (5)

délicieux(-euse) delicious (6)

demain tomorrow (P) ; **À demain !** See you tomorrow! (P)

demande *(f)* request

demander to ask (for) (2) ; **se demander** to wonder

demi(e) half (P) ; **demi-heure** *(f)* half hour (7) ; **Il est deux heures et demie.** It's half past two. (P) ; **un kilo et demi de** a kilo and a half of (8)

demi-frère *(m)* stepbrother, half-brother

demi-sœur *(f)* stepsister, half-sister

démocratique democratic

dénoncer to denounce, to turn in

dent *(f)* tooth (7)

départ *(m)* departure (9)

département *(m)* department *(a French administrative region)*

dépendre (de) to depend (on) (5) ; **Ça dépend.** That depends.

dépense *(f)* expense

dépenser to spend

déplaisant(e) unpleasant

depuis since, for (7), from ; **depuis cela** since then (7)

dérivé(e) derived

dernier(-ère) last, **la fin de semaine dernière** last weekend (5)

derrière behind (3)

des some (1)

dès since, right after ; **dès que** as soon as

désagréable unpleasant (1)

désastreux(-euse) disastrous

descendre (de) to go down, to get off (5) ; **descendre dans / à** to stay at *(a hotel)* (5)

déshabiller to undress ; **se déshabiller** to get undressed (7)

désigner to designate, to indicate

désirer to desire ; **Vous désirez ?** What would you like?, May I help you? (2)

désolé(e) sorry ; **être désolé(e) que** to be sorry that … (10)

désordre : en désordre in disorder (3)

désordonné(e) messy

dessert *(m)* dessert (8)

dessin *(m)* drawing

dessiner to draw

dessous : au-dessous de below ; **ci-dessous** below

dessus : au-dessus de above ; **ci-dessus** above

détaillé(e) detailed

détendre : se détendre to relax (4)

détenir to hold, to possess

déterminer to determine

détester to hate ; **se détester** to hate each other (7)

dette *(f)* debt

deux two (P) ; **deux-tiers** two-thirds

deuxième second (3)

devant in front of (3)

développement *(m)* development ; **développement** *(m)* **international et mondialisation** *(f)* international development and globalization

devenir to become (4)

deviner to guess

devinette *(f)* riddle

devise *(f)* **étrangère** foreign currency (9)

devoir must, to have to, to owe (6) ; **il/elle doit** he/she must (3)

devoirs *(mpl)* homework (P) ; **Faites les devoirs dans le cahier.** Do the homework in the workbook. (P)

diable *(m)* devil

diamant *(m)* diamond

dictionnaire *(m)* dictionary

dieu *(m)* god

différent(e) different

différer to differ

difficile difficult (P)

difficulté *(f)* difficulty

dimanche *(m)* Sunday (P)

diminuer to diminish

dinde *(f)* turkey

dîner *(m)* lunch (8)

dîner to eat lunch (2)

diplôme *(m)* diploma, degree

dire to say, to tell (6) ; **Ça te/vous dit ?** How does that sound to you? (4) ; **Ça veut dire…** That means … (P) ; **Comment dit-on… en français/en anglais ?** How do you say … in French/in English? (P) ; **On dit…** One says … (P) ; **On dit que…** They say that … (4) ; **Qu'est-ce que ça veut dire ?** What does that mean? (P) ; **se dire** to tell each other (7)

directement directly

directeur(-trice) *(mf)* director

discuter to discuss ; to question

disparaître to disappear ; **disparu(e)** having disappeared

disposer de to have available

disputer to dispute ; **se disputer (avec)** to argue (with) (7)

dissiper to dissipate

distraction *(f)* entertainment (5)

divers(e) diverse, different

diversité *(f)* diversity

divisé(e) divided

divorcer to divorce ; **divorcé(e)** divorced (1)

dix ten (P) ; **dix-huit** eighteen (P) ; **dix-huitième** eighteenth (3) ; **dix-neuf** nineteen (P) ; **dix-sept** seventeen (P)

dixième tenth (3)

doctorat *(m)* doctorate

documentaire *(m)* documentary

dodo *(m)* bedtime *(familiar)*

doigt *(m)* finger (10)

dollar *(m)* dollar (3)

domestique *(mf)* servant

dominant(e) dominant

dominer to dominate

dommage : C'est dommage ! It's a shame! It's a pity! That's too bad! (7)

donc so, therefore, thus, then (7)

donner to give (2) ; **donner lieu à** to give rise to ; **Donnez-moi votre examen.** Give me your exam. (P)

données *(fpl)* data

dont of which, (among) which, whose (7)

dormir to sleep (2) ; **je dors** I'm sleeping, I sleep (2)

dos *(m)* back (10)

dossier *(m)* file

douane *(f)* customs (9)

douche *(f)* shower (7)

doué(e) talented

doute *(m)* doubt ; **sans doute** without a doubt, doubtlessly, probably (8)

douter to doubt (10)

doux (douce) sweet, soft, gentle (6)

douzaine (de) *(f)* dozen (8)

douze twelve (P)

dramatique dramatic

dramaturge *(m)* playwright

drame *(m)* drama

drapeau *(m)* flag

drôle funny, odd

droit *(m)* law *(field of study)*, right *(legal)* ; **droits** *(mpl)* **de l'homme** human rights ; **tout droit** straight (ahead) (10)

droite *(f)* right *(direction)* ; **à droite (de)** to the right (of) (3) ; **de droite** conservative (7)

du (de la, de l', des) some, any (8)

dur(e) hard ; **œuf dur** *(m)* hard-boiled egg (8)

durant during

durer to last

DVD *(m)* DVD (2) ; **lecteur** *(m)* **DVD** DVD player (3)

dynamique active (1)

E

eau *(f)* water (2)

échange *(m)* exchange

échanger to exchange

échapper to escape ; **s'échapper** to escape

écharpe *(f)* scarf

école *(f)* school (6) ; **école** *(f)* **secondaire** high school (6)

économie *(f)* economy

économique economic

écossais(e) plaid

écouter to listen (to) (2) ; **Écoutez la question.** Listen to the question. (P)

écran *(m)* screen

écrire to write (2) ; **Ça s'écrit…** That's written … (P) ; **Ça s'écrit avec un accent ou sans accent?** That's written with or without an accent? (P) ; **Ça s'écrit comment?** How is that written? (P) ; **écrire un courriel** to write an e-mail ; **écrit(e)** written ; **Écrivez la réponse en phrases complètes.** Write the answer in complete sentences. (P)

écrivain *(m)* writer

éducation *(f)* education

effet *(m)* effect ; **effets personnels** personal belongings (10) ; **effets spéciaux** special effects (6) ; **en effet** in fact

égal(e) *(mpl* **égaux***)* equal ; **sans égal** unequalled

également also, as well, equally, likewise

égalité *(f)* equality

église *(f)* church (4)

égoïsme *(m)* selfishness (7)

égoïste selfish

Égypte *(f)* Egypt (9)

électrique electrical

électronique electronic ; **billet** *(m)* **électronique** e-ticket (9)

élève *(mf)* pupil, student

élevé(e) high, elevated

elle she, it (1), her ; **elles** they (1), them ; **elle-même** herself

embarquement *(m)* boarding ; **porte** *(f)* **d'embarquement** departure gate (9)

embêtant(e) annoying (3)

embrasser to kiss ; **s'embrasser** to kiss each other, to embrace each other (7)

émission *(f)* broadcast, show

emmener to take

emploi *(m)* employment, use ; **emploi** *(m)* **du temps** schedule

employé(e) *(mf)* employee (10)

employer to use ; **s'employer** to be used

emporter to carry away

emprisonner to imprison (6)

emprunter (à) to borrow (from)

en some, any, about it/them, of it/them (8) ; **Je vous/t'en prie.** You're welcome. ; **s'en aller** to go away

en in (P) ; **de temps en temps** from time to time (4) ; **en avance** early ; **en avion** by plane (4) ; **en désordre** in disorder (3) ; **en espèces** in cash (10) ; **en face (de)** across from, facing (3) ; **en ligne** online (7) ; **en même temps** at the same time ; **en ordre** in order (3) ; **en outre** in addition ; **en retard** late (10) ; **en solde** on sale (5) ; **en vacances** on vacation (4) ; **être en train de…** to be in the process of … ; **partir en voyage** to leave on a trip (5) ; **partir en fin de semaine** to go away for the weekend (5)

enceinte pregnant (10)

encore still (4), again, more (8) ; **ne… pas encore** not yet (5)

encourager to encourage

endormir : s'endormir to fall asleep (7)

endroit *(m)* place (9)

énergie *(f)* energy

énergique energetic

énerver to irritate

enfance *(f)* childhood

enfant *(mf)* child (4)

enfin finally (7)

engagé(e) involved

enlever to take off, to remove

ennemi(e) *(mf)* enemy

ennui *(m)* trouble

ennuyer to bore ; **s'ennuyer (de)** to get bored (with), to be bored (with) (7)

ennuyeux(-euse) boring (1)

énorme enormous

enquête *(f)* investigation, survey

enquêter to investigate, to survey

enregistrer to record

enseignement *(m)* teaching, education

enseigner to teach

ensemble *(m)* whole group

ensemble together (2)

ensuite then, afterward (4)

entendre to hear (7) ; **s'entendre bien/mal (avec)** to get along well/badly (with) (7)

enthousiaste enthusiastic

entier(-ère) entire, whole ; **à part entière** complete

entre between (3), among

entrée *(f)* appetizer, first course (8), entry ticket, entrance, entry

entreprise *(f)* firm, enterprise

entrer (dans) to enter (5), to go in

entretien *(m)* conversation, interview, maintenance

envahir to invade

enveloppe *(f)* envelope

envie : avoir envie de to feel like, to want (4)

environ around, about (4)

environnement *(m)* environment

environnemental environmental

envoyer to send (2) ; **envoyer un texto** to send a text message (2)

épice *(f)* spice

épicerie *(f)* grocer's shop (8) ; **épicerie fine** fine deli

épinards *(mpl)* spinach

époque *(f)* time period ; **à cette époque-là** at that time, in those days

épouser to marry ; **s'épouser** to get married

équipe *(f)* team

érable *(m)* maple ; **sirop** *(m)* **d'érable** maple syrup

escalade *(f)* (rock) climbing

escalier *(m)* stairs, staircase (3)

escargot *(m)* snail (8)

esclavage *(m)* slavery

esclave *(mf)* slave

Espagne *(f)* Spain (9)

espagnol *(m)* Spanish (P)

espagnol(e) Spanish

espèce *(f)* species

espérer to hope (3)

espionage : un film *(m)* **d'espionnage** spy movie

espion(ne) *(mf)* spy

espoir *(m)* hope

esprit *(m)* mind, spirit (7)

essayage : cabine *(f)* **d'essayage** fitting room (5)

essayer to try on (5) ; **essayer (de faire)** to try (to do)

essentiel(le) essential ; **Il est essentiel de…** It's essential to … (10)

est *(m)* east ; **la partie est** the eastern part

est-ce que *(particle used in questions)* (1)

et and (P) ; **et quart/et demi(e)** a quarter past/half past (P) ; **Combien font… et… ?** How much is … plus … ? (P)

établir to establish ; **s'établir** to establish oneself, to settle

établissement *(m)* establishment

étage *(m)* floor (3) ; **à l'étage** on the same floor, down the hall ; **À quel étage?** On what floor? (3) ; **au premier (deuxième) étage** on the first (second) floor (3)

étagère *(f)* shelf, bookcase (3)

étape *(f)* stopping place, step

état *(m)* state, condition ; **États-Unis** *(mpl)* United States

été *(m)* summer (5) ; **en été** in summer (5)

étendre : s'étendre to extend ; **étendu(e)** stretched out

étendue *(f)* expansion

éternuer to sneeze (10)

ethnique ethnic

étoile *(f)* star

étonner to surprise, to amaze, to astonish ; **être étonné(e) que…** to be astonished that … (10)

étouffant(e) stifling

étrange strange

étranger(-ère) foreign (1) ; **à l'étranger** abroad (9)

être to be (1) ; **c'est** it's (P), he is, she is, it is, this is, that is (1) ; **C'est quel jour aujourd'hui?** What day is today? (P) ; **Comment est / sont… ?** What is / are … like? (1) ; **être à** to belong to ; **Je suis…** I'm … (P) **Je ne suis pas…** I'm not … (P) ; **le français est…** French is … (P) ; **Nous sommes….** There are … of us. (4) ; **Quelle est la date?** What is the date? (4) ; **tu es/vous êtes** you are (P) ; **Tu es d'où?** Where are you from? *(familiar)* (1)

études *(fpl)* studies, going to school (1)

étudiant(e) *(mf)* student (P) ; **centre d'étudiants** student centre

étudier to study (1) ; **J'étudie/Je n'étudie pas…** I study/I don't study … (1) ; **Qu'est-ce que vous étudiez/tu étudies?** What are you studying?, What do you study? (1)

euro *(m)* euro (2)

Europe *(f)* Europe (9)

européen(ne) European

eux them, they ; **eux-mêmes** themselves

événement *(m)* event

éviter to avoid (8)

évoquer to evoque

exact(e) accurate

exactement exactly (10)

examen *(m)* test, exam (P) ; **Préparez l'examen pour le prochain cours.** Prepare for the exam for the next class. (P)

excentrique eccentric

exclamer : s'exclamer to exclaim, to cry out

excuser to excuse, to forgive ; **Excusez-moi.** Excuse me. (P)

exemple *(m)* example ; **par exemple** for example (2)

exercice *(m)* exercise (P) ; **faire de l'exercice** to exercise (2) ; **Faites l'exercice A à la page 21.** Do exercise A on page 21. (P)

exiger to require ; **exiger que** to insist that (10)

exister to exist
exotique exotic (9)
expérience *(f)* experience, experiment
explication *(f)* explanation
expliquer to explain (10)
explorateur(-trice) *(mf)* explorer
exploser to explode
exposition *(f)* exhibit (4)
expression *(f)* expression (10)
expresso *(m)* espresso (2)
exprimer to express
expulser to throw out
exquis(e) exquisite
extérieur *(m)* outside, exterior
extra(ordinaire) great, terrific (4) ; extraordinary
extraterrestre *(mf)* extraterrestrial
extraverti(e) outgoing, extroverted (1)

F

face *(f)* face ; **en face (de)** across from, facing (3) ; **face à** across from, confronted with
facile easy (P)
facilement easily (7)
faciliter to facilitate, to make easy
façon *(f)* way
facture *(f)* bill
fade tasteless
faillir : il a failli avoir he almost had
faillite (f) bankrupty ; **faire la faillite** to go bankrupt
faim *(f)* hunger ; **avoir faim** to be hungry (4) ; **j'ai faim** I'm hungry (2)
faire to do, to make (2) ; **Ça fait... dollars.** That's … dollars. (2) ; **Combien font... et... / moins...?** How much is … plus / minus … ? (P) ; **faire attention (à)** to pay attention (to), to watch out (for) (8) ; **faire connaître** to inform ; **faire de l'aérobique** to do aerobics (8) ; **faire de la gymnastique** to do gymnastics ; **faire de l'alpinisme** to go mountain climbing ; **faire de la méditation** to meditate (8) ; **faire de la musculation** to do weight training, to do bodybuilding (8) ; **faire de la musique** to play music ; **faire de la planche à neige** to go snowboarding ; **faire de la planche à roulettes** to skateboard (6) ; **faire de la planche à voile** to go windsurfing ; **faire de la plongée avec un tuba** to go snorkeling ; **faire de la plongée sous-marine** to go scuba diving ; **faire de la voile** to go sailing ; **faire de l'escalade** to go rock climbing ; **faire de l'exercice** to exercise (2) ; **faire des courses** to run errands (5) ; **faire des haltères** weightlifting ; **faire des projets** to make plans (4) ; **faire des randonnées** to go hiking (8) ; **faire du bateau** to go boating (5) ; **faire du camping** to go camping (5) ; **faire du cheval** to go horseback riding ; **faire du jardinage** to garden (5) ; **faire du jogging** to jog (2) ; **faire du magasinage** to go shopping ; **faire du patin (à glace)** to go (ice-)skating ; **faire du patin à roues alignées** to go rollerblading (6) ; **faire du ski** to go skiing (2) ; **faire du sport** to play sports (6) ; **faire du vélo** to go bike-riding (2) ; **faire du VTT (vélo tout terrain)** to go all-terrain biking (5) ; **faire du yoga** to do yoga (8) ; **faire la connaissance de** to meet *(for the first time)* (7) ; **faire la cuisine** to cook (5) ; **faire la fête** to party ; **faire la vaisselle** to do the dishes (5) ; **faire le lavage** to do laundry (5) ; **faire le ménage** to do housework (5) ; **faire les courses** to go grocery shopping (5) ; **faire mal** to hurt ; **faire mieux (de)** to do better (to) (8) ; **faire noir** to be dark ; **faire partie de** to be a part of ; **faire quelque chose** to do something (2) ; **faire sa toilette** to wash up (7) ; **faire sa valise** to pack your bag (9) ; **faire une piqûre** to give a shot ; **faire une promenade** to go for a walk (5) ; **faire une réservation** to make a reservation (9) ; **faire un tour** to take a tour, to go for a ride (4) ; **faire un voyage** to take a trip (5) ; **Faites les devoirs dans le cahier.** Do the homework in the workbook. (P) ; **Faites l'exercice A à la page 21.** Do exercise A on page 21. (P) ; **Il fait beau / chaud / soleil / frais / froid / mauvais.** It's nice / hot / sunny / windy / cool / cold / bad. (5) ; **Il fait bon / humide.** It's nice / humid. ; **Il va faire…** It's going to be … (5) ; **Je fais du…** I wear size…. (5) ; **Quelle taille faites-vous?** What size do you wear? (5) ; **Quel temps fait-il?** What's the weather like? (5) ; **Quel temps va-t-il faire?** What's the weather going to be like? (5) ; **Qu'est-ce que vous aimez faire?** What do you like to do? (5) ; **Qu'est-ce que vous avez fait?** What did you do? (5) **Qu'est-ce que vous faites/tu fais?** What are you doing? What do you do? (2)
fait : en fait in fact
falloir : il faut… it is necessary … , one must … , one needs … (8) ; **il me/te/nous/vous/lui/leur faut** I/you/we/you/he (she)/they need(s) (9) ; **il ne faut pas** one shouldn't, one must not … (10) ; **Qu'est-ce qu'il vous faut?** What do you need? (8)
familial(e) *(mpl/* **familiaux)** family ; **salle** *(f)* **familiale** family room
familier(-ère) familiar, informal
famille *(f)* family (P) ; **nom** *(m)* **de famille** family name, surname (3)
fantastique fantastic
fatigué(e) tired (6)
faut *See* **falloir**
fauteuil *(m)* armchair (3)
faux (fausse) false
favoris *(mpl)* sideburns
favoriser to favour, to further
fée *(f)* fairy ; **conte** *(m)* **de fées** fairy tale (6)
femme *(f)* woman, wife (2) ; **ex-femme** *(f)* ex-wife ; **femme** *(f)* **d'affaires** business **woman** (5)
fenêtre *(f)* window (3)
fer *(m)* iron ; **chemin** *(m)* **de fer** railroad
férié(e) : jour férié *(m)* holiday
ferme *(f)* farm
fermer to close (2) ; **Fermez votre livre.** Close your book. (P)
féroce ferocious (6)
festival *(m)* festival (4)
fête *(f)* holiday, celebration (4), party (1) ; **faire la fête** to party ; **fête du Canada** Canada Day ; **fête des Mères** *(f)* Mother's Day ; **fête des Pères** *(f)* Father's Day ; **fête du Travail** *(f)* Labour Day ; **fête nationale** *(f)* national holiday
fêter to celebrate
feu *(m)* fire, traffic light
feuille *(f)* **de papier** sheet of paper (P) ; **Prenez une feuille de papier et un crayon ou un stylo.** Take out a piece of paper and a pencil or a pen. (P)
février *(m)* February (4)
fiancé(e) engaged (1)
fiancer : se fiancer to get engaged (7)
fidélité *(f)* faithfulness
fier(-ère) proud
fièvre *(f)* fever ; **avoir de la fièvre** to have fever
figure *(f)* face (7)
fille *(f)* girl ; daughter (4) ; **fille unique** *(f)* only child
film *(m)* movie, film (1) ; **film romantique** romantic movie, love story (6) ; **voir un film** to watch a movie (2)
fils *(m)* son (4) ; **fils unique** *(m)* only child
fin *(f)* end ; **fin** *(f)* **de semaine** weekend ; **la fin de semaine** weekends, on the weekend (P)
fin(e) fine
finalement finally (6)
financier(-ère) financial
finir (de faire) to finish (doing) (8) ; **Le cours de français finit à…** French class finishes at … (P)
fissure *(f)* crack, fissure
fixe fixed ; **menu à prix fixe** set-price menu
fixer to set, to fix
fleur *(f)* flower ; **à fleurs** floral
fleuri(e) with a floral pattern
fois *(f)* time (5), occasion ; **à la fois** at the same time ; **d'autres fois** other times (7) ; **Il était une fois…** Once upon a time … (6)
foncé(e) dark ; **bleu foncé** dark blue
fonction *(f)* function
fonctionnement *(m)* functioning, operation, running
fond *(m)* bottom, back, background ; **au fond de** at the end of
fondateur founding
fonder to found ; **fondé(e)** founded
fontaine *(f)* fountain
football *(m)* football (1) ; **match** *(m)* **de football** football game (1)
force *(f)* force, strength
forcer to force
forêt *(f)* forest
forme *(f)* shape ; **en forme** in shape (8) ; **en forme de** in the shape of
former to form, to educate
formidable great
formulaire *(m)* form
formule *(f)* formula, expression
fort *(m)* : **Ce n'est pas mon fort.** That's not my thing. (1)
fort(e) strong (8)
fort very
fou (folle) crazy
foudre *(f)* lightning, thunderbolt ; **coup** *(m)* **de foudre** love at first sight (7)
fouler : se fouler la cheville to sprain one's ankle
four (à micro-ondes) *(m)* (microwave) oven
fourchette *(f)* fork
foyer *(m)* home
frais (fraîche) fresh (8) ; **Il fait frais.** It's cool. (5)
fraise *(f)* strawberry (8) ; **casseau** *(m)* **de fraises** pint of strawberries (8)
framboise *(f)* raspberry
franc (franche) frank, honest
français *(m)* French (P) ; **cours** *(m)* **de français** French class (P)
français(e) French (1) ; **à la française** French style
France *(f)* France (1)
franciscain(e) Franciscan
francophone French-speaking
francophonie *(f)* French-speaking world
frère *(m)* brother (1) ; **beau-frère** *(m)* brother-in-law ; **demi-frère** *(m)* stepbrother, half-brother
frigo *(m)* refrigerator
frire to fry
frisson *(m)* shiver (10) ; **avoir des frissons** to have the shivers (10)
frit(e) fried
frites *(fpl)* French fries (2) ; **steak-frites** *(m)* steak and fries (8)
frivole frivolous
froid(e) distant (1), cold ; **avoir froid** to be cold (4) ; **Il fait froid.** It's cold. (5)
fromage *(m)* cheese (2)
fromagerie *(f)* cheese shop
fruit *(m)* fruit (8) ; **fruits** *(mpl)* **de mer** shellfish (8) ; **jus** *(m)* **de fruit** fruit juice (2)
fuir to flee, to run away
fumé(e) smoked (8)
fumée *(f)* smoke
fumer to smoke (3)
fumeur(-euse) *(mf)* smoker ; **fumeur/non-fumeur** smoking/non-smoking (10)

furieux(-euse) furious (10)
futur *(m)* future (tense)

G

gagner to win (2), to gain ; **gagner de l'argent** to earn money, to make money
garage *(m)* garage
garçon *(m)* boy (4)
garder to keep
gare *(f)* train station ; **gare routière** bus station
gâté(e) spoiled (6)
gâteau *(m)* cake (8)
gauche *(f)* left ; **à gauche (de)** to the left (of) (3) ; **de gauche** liberal (7)
gaufres *(fpl)* waffles
gendarmerie *(f)* police station
généalogie *(f)* genealogy
général(e) *(mpl* **généraux)** general ; **en général** in general (2)
généralement generally
génie *(m)* genius ; engineering
genre *(m)* gender, kind, type, genre
gens *(mpl)* people (1)
gentil(le) nice (1)
géographie *(f)* geography (9)
géographique geographical
geste *(m)* gesture
glace *(f)* ice, **crème** *(f)* **glacée à la vanille** (vanilla) ice cream
golf *(m)* golf (2)
gomme *(f)* **à mâcher** gum (10)
gorge *(f)* throat (10)
goût *(m)* taste
goûter to taste (9)
gouvernement *(m)* government
grâce *(f)* grace ; **grâce à** thanks to, due to ; **fête** *(m)* **de l'Action de grâce** Thanksgiving
gracieux(-euse) gracious (6)
grammaire *(f)* grammar
gramme *(m)* gram (8)
grand(e) big, tall (1) ; **le grand amour** *(m)* true love (7)
grandir to grow, to grow up, to get taller (8)
grand-mère *(f)* grandmother (4)
grand-père *(m)* grandfather (4)
grands-parents *(mpl)* grandparents (4)
gras(se) *(f)* fatty ; **en caractères gras** boldfaced ; **matière grasse** *(f)* fat (8)
gratuit(e) free (of charge)
Grèce *(f)* Greece
grêler : il grêle it's hailing
grenier *(m)* attic
grillé(e) grilled, toasted (8) ; **pain grillé(e)** toast
grippe *(f)* flu (10)
gris(e) gray (3)
grog *(m)* **au rhum** rum toddy
gros(se) heavy, big (1)
grossesse *(f)* pregnancy
grossir to gain weight (8)
groupe *(m)* group (6) ; **en groupe** in a group
grouper to group
guichet *(m)* ticket window ; **guichet automatique** ATM (10)
guide *(m)* guide, guidebook (9)
guitare *(f)* guitar (2)
Guyane *(f)* French Guiana (9)
gymnase *(m)* gym (1)
gymnastique *(f)* gymnastics ; **faire de la gymnastique** to do gymnastics

H

habiller to dress ; **s'habiller** to get dressed (7)
habitant(e) *(mf)* inhabitant
habiter to live ; **j'habite à** *(+ ville)* I live in *(+ city)* (P) ; **j'habitais** I lived, I used to live (6) ; **Vous habitez… ?** Do you live … ? (P)

habitude *(f)* habit ; **comme d'habitude** as usual ; **d'habitude** usually (2)
habituer : s'habituer (à) to get used to, to get accustomed to
*****haché(e)** chopped (up)
haltères : faire des haltères weightlifting
*****hamburger** *(m)* hamburger (8)
*****Hanoukka** *(f)* Hanukkah
*****haricots verts** *(mpl)* green beans (8)
*****haut(e)** high ; **en haut** at the top
*****hautbois** *(m)* oboe
*****hein ?** huh?
hériter to inherit
hésitation *(f)* hesitation (7)
hésiter to hesitate
heure *(f)* hour, time (P) ; **à l'heure** on time (4) ; **À tout à l'heure !** See you in a little while! (P) ; **heure d'ouverture** opening time (6) ; **heure officielle** official time (6), 24-hour clock ; **Il est… heure(s).** It's … o'clock. (P) ; **Quelle heure est-il ?** What time is it? (P)
heureusement luckily
heureux(-euse) happy (7)
hideux(-euse) hideous
hier yesterday (5) ; **hier soir** last night, yesterday evening (5)
hi-fi : chaîne *(f)* **hi-fi** stereo (2)
histoire *(f)* history (1) ; story (9)
historique historic (9)
hiver *(m)* winter (5) ; **en hiver** in winter (5)
*****hockey** *(m)* hockey (2)
*****homard** *(m)* lobster (8)
homme *(m)* man (1) ; **homme** *(m)* **d'affaires** businessman (5)
honnête honest
honnêteté *(f)* honesty
hôpital *(m)* *(pl* **hôpitaux)** hospital
horaire *(m)* schedule (6)
horreur *(f)* horror ; **film** *(m)* **d'horreur** horror film
horrible horrible (6)
*****hors-d'œuvre** *(m)* *(inv)* hors d'œuvre, appetizer (8)
hôte *(m)* host ; **chambre** *(f)* **d'hôte** bed and breakfast
hôtel *(m)* hotel (5)
hôtelier(-ère) *(mf)* hotel manager (10)
hôtesse *(f)* hostess
*****houmous** *(m)* hummus
huile *(f)* oil
*****huit** eight (P)
*****huitième** eighth (3)
huître *(f)* oyster (8)
humain(e) human ; **sciences humaines** *(fpl)* social sciences (1)
humeur *(f)* mood ; **de bonne humeur** in a good mood
humour *(m)* humour ; **sens** *(m)* **de l'humour** sense of humour (7)
hypothèque *(f)* mortgage

I

ici here (P) ; **d'ici** from here (P) ; **par ici** this way (5)
idéal *(m)* *(pl* **idéaux)** ideal
idéaliste idealistic (1)
idée *(f)* idea ; **Quelle bonne idée !** What a good idea! (6)
identifier to identify
identité *(f)* identity ; **carte** *(f)* / **pièce** *(f)* **d'identité** identity card
il he (1), it (P) ; **il faut…** it is necessary … , one must … (8) ; **il ne faut pas…** one shouldn't … , one must **not** … (10) ; **ils** they (1) ; **il y a…** there is … , there are … (1), ago (5) ; **Quelle heure est-il ?** What time is it? (P) ; **Qu'est-ce qu'il y a…?** What

is there … ? (1), What's the matter? ; **s'il vous plaît** please (P)
île *(f)* island (9)
image *(f)* picture
imaginaire imaginary
imaginer to imagine
immédiatement immediately
immeuble *(m)* apartment building (3)
immigrant(e) *(mf)* immigrant
immunologie *(f)* immunology
imparfait *(m)* imperfect
impatient(e) impatient (4)
impératif *(m)* imperative
imperméable *(m)* raincoat (5)
importance *(f)* importance (7)
important(e) important
importer to be important ; **n'importe où** (just) anywhere ; **n'importe quoi** (just) anything
impressionnant(e) impressive
imprimé(e) print
inaccessibilité *(f)* inaccessibility
inattendu(e) unexpected
inciter à to make one feel
inclure to include ; **inclus(e)** included
inconvénient *(m)* disadvantage, inconvenience
incroyable incredible
Inde *(f)* India
indéfini(e) indefinite
indicatif(-ive) indicative
indications *(fpl)* directions (10)
indice *(m)* clue
indifférence *(f)* indifference (7)
indifférent(e) indifferent
indigène native
indigestion *(f)* indigestion (10)
indiquer to show, to indicate (3) ; **indiqué(e)** indicated ; **indiquer le chemin** to give directions, to show the way (10)
Indonésie *(f)* Indonesia
industrialisé(e) industrialized
industrie *(f)* industry
infidélité *(f)* unfaithfulness (7)
infinitif *(m)* infinitive
infirmière : études infirmières nursing studies
influencer to influence ; **s'influencer** to influence each other
informatique *(f)* computer science (1)
informer to inform ; **s'informer** to find out information (9)
infusion *(f)* herbal tea
inscrire to register ; **s'inscrire** to register (3)
inspecteur *(m)* inspector
installations *(fpl)* arrangements, facilities
installer to install ; **s'installer (à / dans)** to settle (in), to move (into) (7), to set up business
instant *(m)* instant ; **Un instant !** Just a moment!
institut *(m)* institute
instrument *(m)* **de musique** musical instrument
insulter to insult
intellectuel(le) intellectual (1)
intelligent(e) intelligent (1)
intention : avoir l'intention de to plan on, to intend to (4)
intéressant(e) interesting (P)
intéresser to interest ; **s'intéresser à** to be interested in (7)
intérêt *(m)* interest
intérieur *(m)* inside
Internet *(m)* Internet ; **sur Internet** online (9)
interrogatif(-ive) interrogative, question
interroger to question
interrompre to interrupt
intime intimate
investir to invest
invitation *(f)* invitation (6)
invité(e) *(mf)* guest
inviter (à) to invite (to) (2)
iPod *(m)* iPod (3)

irréel(le) unreal
irresponsable irresponsible
irriter to irritate
isolé(e) isolated
Israël *(m)* Israel (9)
Italie *(f)* Italy (9)
italien(ne) Italian
italique : en italique in italics
itinéraire *(m)* itinerary

J

jalousie *(f)* jealousy (7)
jaloux(-ouse) jealous (7)
jamais : ne… jamais never (2)
jambe *(f)* leg (10)
jambon *(m)* ham (2) ; **sandwich** *(m)* **au jambon** ham sandwich (2)
janvier *(m)* January (4)
Japon *(m)* Japan (9)
japonais *(m)* Japanese
jardin *(m)* garden, yard ; **côté jardin** on the courtyard side (10)
jardinage *(m)* gardening ; **faire du jardinage** to garden (5)
jaune yellow (3)
jazz *(m)* jazz (1)
je (j') I (P)
jean *(m)* jeans (5)
jet *(m)* stream
jeter to throw
jeu *(m)* game ; **jeu d'ordinateur** computer game ; **jeu vidéo** video game
jeudi *(m)* Thursday (P)
jeune young (1) ; **jeunes** *(pl)* young people
jeunesse *(f)* youth (7) ; **auberge** *(f)* **de jeunesse** youth hostel (10)
jogging : faire du jogging to jog (2)
joindre : se joindre à to join
joli(e) pretty (1)
jouer to act *(in movies and theatre)* ; **bien jouer** to act well *(in movies and theatre)* (6) ; **jouer à** to play *(a sport or game)* (2) ; **jouer de** to play *(an instrument)* (2)
jour *(m)* day (P) ; **C'est quel jour aujourd'hui ?** What day is today? (P) ; **jour** *(m)* **de l'an** New Year's Day ; **tous les jours** every day (P)
journal *(m)* *(pl* **journaux)** newspaper (5), journal
journaliste *(mf)* journalist
journée *(f)* day (2), daytime ; **Bonne journée !** Have a good day! ; **toute la journée** the whole day (2)
joyeux(-euse) happy ; **Joyeux Noël !** Merry Christmas!
juger to judge
juif(-ive) *(mf)* Jew
juillet *(m)* July (4)
juin *(m)* June (4)
jumeau (jumelle) twin (1)
jupe *(f)* skirt (5)
jus (de fruit) *(m)* (fruit) juice (2)
jusqu'à until, up to (2)
juste just (10), fair, correct
justement precisely, exactly, as a matter of fact (3)

K

kilo (de) *(m)* kilo(gram) (of) (8)
kilomètre *(m)* kilometre

L

la the (1), her, it (5)
là there (8) ; **à ce moment-là** at that time ; **ce…-là** that … ; **là-bas** over there (8)
laboratoire *(m)* **de langues / d'informatique** language / computer laboratory (1)
lac *(m)* lake
laid(e) ugly (1)

laisser to leave (behind) (3), to let ; **laisser tomber** to drop
lait *(m)* milk (8) ; **café** *(m)* **au lait** coffee with milk (2)
laitue *(f)* lettuce (8)
lampe *(f)* lamp (3)
lancer to throw, to fire
langue *(f)* language (1) ; tongue
laqué(e) lacquered, with a gloss finish
large wide
lavage *(m)* laundry (5)
lave *(f)* lava
laver to wash ; **se laver (la figure/les mains)** to wash (one's face/one's hands) (7)
laveuse *(f)* washer
lave-vaisselle *(m)* dishwasher
le the (1), him, it (5) ; **le lundi** on Mondays (P) ; **le matin** in the morning, mornings (P) ; **le week-end** on the weekend, weekends (P)
leçon *(f)* lesson
lecteur (lectrice) *(mf)* reader ; **lecteur** *(m)* **CD** CD player (3) ; **lecteur** *(m)* **DVD** DVD player (3) ; **lecteur** *(m)* **MP3** MP3 player
lecture *(f)* reading
léger(-ère) light (8)
légume *(m)* vegetable (8)
lendemain *(m)* the next day (5)
lent(e) slow
lentement slowly (5)
lequel (laquelle, lesquels, lesquelles) which, which one(s) (6)
les the (1) ; them (5)
lettre *(f)* letter (9)
leur (to, for) them (9)
leur their (1)
lever : se lever to get up (7)
liaison *(f)* linking, link
liberté *(f)* freedom
librairie *(f)* bookstore (1)
libre free (2) ; **temps libre** *(m)* free time (4) ; **Tu es libre ce soir ?** Are you free this evening? (2)
lien *(m)* link, tie
lier to connect, to link ; **lié(e)** linked
lieu *(m)* place ; **au lieu de** instead of ; **avoir lieu** to take place
ligne *(f)* figure ; line ; **en ligne** online (7)
limité(e) limited
limiter to limit, to border ; **se limiter à** to limit oneself to
linguistique linguistic
liquide *(m)* liquid (10)
lire to read (2) ; **je lis** I am reading, I read (2) ; **Lisez la page 17.** Read page 17. (P)
liste *(f)* list
lit *(m)* bed (3) ; **rester au lit** to stay in bed (2)
litre *(m)* litre (8)
littéraire literary
littérature *(f)* literature (1)
livre *(m)* book (P) ; **Fermez votre livre.** Close your book. (P) ; **Ouvrez votre livre à la page 23.** Open your book to page 23. (P)
livre (de) *(f)* pound (of), half-kilo (of) (8)
local(e) *(mpl* **locaux)** local (9)
locataire *(mf)* renter
location *(f)* rental ; **voiture** *(f)* **de location** rental car (5)
locuteur *(m)* speaker
logement *(m)* lodging (3)
logique logical
logiquement logically
loi *(f)* law
loin (de) far (from) (3)
loisir *(m)* leisure activity
long : le long de along (9)
long(ue) long (4)
longtemps a long time (5)
lors de at the time of
lorsque when
loterie *(f)* lottery

louer to rent (4)
Louisiane *(f)* Louisiana
loyer *(m)* rent (3)
lui him (6), (to, for) him/her (9) ; **lui-même** himself
lundi *(m)* Monday (P)
lune *(f)* moon ; **lune** *(f)* **de miel** honeymoon
lunettes *(fpl)* glasses (4) ; **lunettes** *(fpl)* **de soleil** sunglasses (5)
luth *(m)* lute
lutte *(f)* struggle, fight
luxe *(m)* luxury ; **de luxe** deluxe (10)
lycée *(m)* high school (6)

M

madame (Mme) *(f)* Mrs., madam (P)
mademoiselle (Mlle) *(f)* Miss (P)
mâcher : gomme *(f)* **à mâcher** gum (10)
magasin *(m)* store, shop
magasinage *(m)* shopping, **faire du magasinage** to go shopping (2)
magazine *(m)* magazine (9)
magnifique magnificent
mai *(m)* May (4)
maigrir to lose weight (8)
maillot *(m)* **de bain** swimsuit (5)
main *(f)* hand (7) ; **main dans la main** hand in hand (7)
maintenant now (P)
mais but (P)
maïs *(m)* corn
maison *(f)* house (1) ; **à la maison** (at) home (P)
maître *(m)* owner
maîtrise *(f)* master's degree
majorité *(f)* majority
mal *(m)* bad, evil ; **avoir mal à…** one's … hurt(s) (10) ; **faire mal (à)** to hurt
mal badly (P) ; **mal à l'aise** ill at ease ; **pas mal** not bad(ly) (P)
malade *(mf)* sick person
malade ill, sick (2) ; **tomber malade** to get sick (10)
maladie *(f)* illness
malaise *(f)* discomfort
Malgache *(mf)* Madagascan
malheureux(-euse) unhappy
malhonnête dishonest
maman *(f)* mama, mom
mamie *(f)* granny, grandma (7)
mandarine *(f)* tangerine
manger to eat (2) ; **manger dans un resto rapide** to eat in a fast-food restaurant (2) ; **salle** *(f)* **à manger** dining room (3)
manière *(f)* manner, way
manquer to miss, to lack
manteau *(m)* overcoat (5)
maquiller : se maquiller to put on make-up (7)
marchand(e) *(mf)* merchant, shopkeeper (6)
marché *(m)* market (8)
marcher to walk (8), to work
mardi *(m)* Tuesday (P)
marge *(f)* margin
mari *(m)* husband (2) ; **ex-mari** *(m)* ex-husband
mariage *(m)* marriage (7)
marié(e) married (1)
marier : se marier (avec) to get married (to) (7)
marketing *(m)* marketing (1)
Maroc *(m)* Morocco (9)
marocain(e) Moroccan
marraine *(f)* godmother
mars *(m)* March (4)
massif *(m)* group of mountains, clump
match *(m)* match, game (1)
matelas *(m)* mattress
matérialiste materialistic
maternel(le) maternal ; **maternelle** *(f)* kindergarten
mathématiques (maths) *(fpl)* mathematics (math) (1)

maths *(fpl)* math (1)

matière *(f)* matter ; **matières grasses** *(fpl)* fats (8)

matin *(m)* morning (P) ; **À huit heures du matin.** At eight o'clock in the morning. (P) ; **le matin** mornings, in the morning (P)

matinée *(f)* morning (2)

mauvais(e) bad (1) ; **Il fait mauvais.** The weather's bad. (5)

me (to, for) me (9), myself (7) ; **Ça me plaît!** I like it! (3) ; **il me faut…** I need … (9)

mécanique *(inv)* mechanical

méchant(e) mean (1)

mécontent(e) displeased

médecin *(m)* doctor (10), physician

medical(e) *(mpl* **médicaux)** medical ; **clinique** *(f)* **médicale** health centre

médicament *(m)* medication, medicine (10), drugs

médiocre mediocre

Méditerranée : (mer) Méditerranée *(f)* Mediterranean (Sea)

meilleur(e) best (1), better

mélange *(m)* mixture

melon *(m)* **d'eau** watermelon

membre *(m)* member ; **membre de plein droit** full member

même same (1), even ; **moi-même** myself

mémoire *(f)* memory

menacant(e) threatening

menace *(f)* threat

ménage *(m)* housework (5), household

menthe *(f)* mint

mentionner to mention

menu *(m)* menu ; **menu à prix fixe** set-price menu

mer *(f)* sea (9) ; **fruits** *(mpl)* **de mer** shellfish (8)

merci thank you, thanks (P)

mercredi *(m)* Wednesday (P)

mère *(f)* mother (4)

mérité(e) deserved, earned

méritoire deserving

messager(-ère) *(mf)* messenger (6)

messieurs (MM.) gentlemen, sirs

mètre *(m)* metre

métro *(m)* subway (4) ; **en métro** by subway (4)

métropolitain(e) metropolitan

mettre to put (on) (5), to place ; **mettre la table** to set the table

meubles *(mpl)* furniture, furnishings (3)

meurtre *(m)* murder

Mexique *(m)* Mexico (9)

mi- mid-, half- ; **cheveux mi-longs** *(mpl)* shoulder-length hair (4)

microbiologie *(f)* microbiology

micro-ondes *(m)* microwave (oven)

midi *(m)* noon (P)

mieux (que) better (than) (2) ; **aimer mieux** to prefer (2) ; **il vaut mieux…** it's better … (10) ; **le mieux** the best (7)

milieu *(m)* middle, milieu, environment ; **au milieu (de)** in the middle (of)

mille one thousand (2)

milliard *(m)* billion

million : un million (de) *(m)* one million (3)

mince thin (1)

minéral(e) *(mpl* **minéraux) : eau minérale** *(f)* mineral water (2)

mini-bar *(m)* mini-bar (10)

minorité *(f)* minority

minuit *(m)* midnight (P)

minute *(f)* minute (5)

mobile *(m)* motive

mobilier *(m)* furnishings

modèle *(m)* model

moderne modern (1)

moi me (P) ; **Donnez-moi votre examen.** Give me your exam. (P) ; **Excusez-moi.** Excuse me. (P) ; **moi-même** myself ; **Pour moi… s'il vous plaît.** For me … please. (2)

moindre : le moindre the least

moins minus (P), less ; **au moins** at least ; **Combien font… moins… ?** How much is … minus … ? (P) ; **de moins en moins** fewer and fewer, less and less ; **le moins** the least ; **moins de** fewer, less (8) ; **moins le quart** a quarter until (P) ; **moins… que** less … than (1)

mois *(m)* month (3) ; **ce mois-ci** this month (4) ; **par mois** per month (3)

moitié *(f)* half

moment *(m)* moment ; **à ce moment-là** at that time ; **au dernier moment** at the last minute

mon (ma, mes) my (3) ; **ma famille** my family (P) ; **mes amis** my friends (1)

monde *(m)* world, crowd, **tout le monde** everybody, everyone (1)

mondial(e) *(mpl* **mondiaux)** world(-wide)

mondialisation *(f)* globalization

monnaie *(f)* change (2), currency

monotonie *(f)* monotony

monsieur (M.) *(m)* Mr., sir (P)

monstre *(m)* monster (6)

mont *(m)* mount

montagne *(f)* mountain (5) ; **aller à la montagne** to go to the mountains (5)

monter (dans) to go up ; to get on/in (5), to set up, to climb, to raise

montgolfière *(f)* hot air balloon

montre *(f)* watch (5)

montrer to show (3)

monument *(m)* **aux anciens combattants** Veterans' War Memorial (4)

morceau de *(m)* piece of (8)

mort *(f)* death

mort(e) dead (5)

mosquée *(f)* mosque

mot *(m)* word (P) ; **Apprenez les mots de vocabulaire.** Learn the vocabulary words. (P)

moto *(f)* motorcycle

moucher : se moucher to blow your nose (10)

moule *(f)* mussel (8)

mourir to die (5)

moustache *(f)* moustache (4)

mouvement *(m)* movement

moyen *(m)* means ; **moyen** *(m)* **de transport** means of transportation (4)

moyen(ne) medium, average ; **de taille moyenne** medium-sized (4) ; **Moyen-Orient** *(m)* Middle East (9)

muet(te) silent

multicolore *(inv)* multicoloured

multiplier to multiply

mur *(m)* wall (5)

musculation : faire de la musculation to do weight training, to do bodybuilding

musée *(m)* museum (4)

musical(e) *(mpl* **musicaux)**

musicien(ne) *(mf)* musician

musicien(ne) musical

musique *(f)* music (1)

mystère *(m)* mystery

N

nager to swim (2)

naissance *(f)* birth

naître to be born (5) ; **être né(e)** to be born (5)

nappe *(f)* tablecloth

natation *(f)* swimming

national(e) *(mpl* **nationaux)** national (4)

nationalité *(f)* nationality (3)

nature *(f)* nature (7)

naturel(le) natural

naturellement naturally

nautique : faire du ski nautique *(m)* to go water-skiing (5)

navette *(f)* shuttle (10)

ne : je ne travaille pas I don't work (P) ; **ne… aucun(e)** none, not one ; **ne… jamais** never

(2) ; **ne… ni… ni…** neither … nor ; **ne… nulle part** nowhere ; **ne… pas (du tout)** not (at all) (1) ; **ne… pas encore** not yet (5) ; **ne… personne** nobody, no one ; **ne… plus** no more, no longer (8) ; **ne… que** only ; **ne… rien** nothing (5) ; **ne… rien que** nothing but ; **n'est-ce pas?** right? (1) ; **n'importe où** (just) anywhere

né(e) born (5) ; **être né(e)** to be born (5)

nécessaire necessary (10)

néerlandais(e) Dutch

négliger to neglect

négocier to negotiate

neige *(f)* snow (5) ; **faire de la planche à neige** to go snowboarding

neiger to snow (5)

nerveux(-euse) nervous

n'est-ce pas? right? (1)

Net : surfer sur le Net to surf the Web (2)

neuf nine (P)

neuf (neuve) brand-new

neutre neutral

neveu *(m)* *(pl* **neveux)** nephew (4)

neuvième ninth (3)

nez *(m)* nose (10) ; **avoir le nez bouché** to have a stopped-up nose ; **avoir le nez qui coule** to have a runny nose

ni : ne… ni… ni… neither … nor

nièce *(f)* niece (4)

niveau *(m)* level

Noël *(m)* Christmas

noir(e) black (3), dark

noisette *(inv)* hazel *(with eyes)* (4)

nom *(m)* name, noun (3) ; **au nom de** in the name of ; **nom de famille** family name, last name (3)

nombre *(m)* number, numeral (P)

nombreux(-euse) numerous

nommer to name ; **nommé(e)** named

non no (P) ; **non?** right? (1) ; **non plus** neither (3)

nord *(m)* north ; **Amérique** *(f)* **du Nord** North America (9)

normal(e) *(mpl* **normaux)** normal

normalement normally

Normandie *(f)* Normandy

Norvège *(f)* Norway

note *(f)* note (4), grade ; **régler la note** to pay the bill (10)

noter to note, to notice

notre *(pl* **nos)** our (3)

nourrir to feed, to nourish, to nurture (8) ; **se nourrir** to feed onself, to nourish oneself, to nurture oneself (8)

nourriture *(f)* food, nourishment

nous we (1) ; (to, for) us (9), ourselves (7) ; **Nous sommes…** There are … of us. (4)

nouveau (nouvel, nouvelle) new (1) ; **de nouveau** again, anew ; **Nouvelle-Angleterre** *(f)* New England ; **Nouvelle-Calédonie** *(f)* New Caledonia (9) ; **La Nouvelle-Orléans** *(f)* New Orleans

nouvelle *(f)* : **les nouvelles** the news (2)

novembre *(m)* November (4)

nu(e) naked

nuage *(m)* cloud

nuit *(f)* night (5) ; **boîte** *(f)* **de nuit** nightclub (1)

numéro *(m)* number, issue

O

obéir (à) to obey (8)

objectif *(m)* objective

objet *(m)* object

obliger to force, to make ; **obligé(e)** obliged, forced

observer to observe

obtenir to get, to obtain (9)

occasion *(f)* occasion

occidental(e) (*mpl* **occidentaux**) western
occupé(e) busy
occuper to occupy ; **s'occuper de** to take care of
océan (*m*) ocean
Océanie (*f*) Oceania (9)
octobre (*m*) October (4)
odeur (*f*) odour, smell
œil (*pl* **yeux**) (*m*) eye (7) ; **avoir les yeux…** to have … eyes (4)
œuf (*m*) egg (8) ; **œuf dur** (*m*) hard-boiled egg (8)
œuvre (*f*) work
office (*m*) **de tourisme** Tourist Office (10)
officiel(le) official
offrir to offer ; **offrant** offering
oignon (*m*) onion (8) ; **soupe** (*f*) **à l'oignon** onion soup (8)
oiseau (*m*) bird
omelette (*f*) omelette (8)
on one, they, we, people, you (4) ; **Comment dit-on… en français/en anglais?** How does one say … in French/in English? (P) ; **On…?** Shall we …?, How about … ? (4) ; **On dit…** One says … (P) ; **On dit que…** They say that … (4) ; **On va…?** Shall we go … ? (2)
oncle (*m*) uncle (4)
Ontario (*m*) Ontario (9)
onze eleven (P)
optimiste optimistic (1)
or (*m*) gold
orage (*m*) storm
orange (*f*) orange (8) ; **jus** (*m*) **d'orange** orange juice (8)
orange (*inv*) orange (3)
Orangina (*m*) Orangina (*an orange drink*) (2)
orchestre (*m*) orchestra, band (4)
ordinateur (*m*) computer (2), **jeu** (*m*) **d'ordinateur** computer game
ordonnance (*f*) prescription (10)
ordonné(e) tidy
ordre (*m*) order ; **en ordre** in order (3)
oreille (*f*) ear (10)
organiser to organize ; **s'organiser** to get organized
orgue (*f*) organ
origine (*f*) origin ; **d'origine…** of … origin (7)
orteil (*m*) toe (10)
orthographique spelling
ou or (P)
où where (1) ; **d'où** from where (1) ; **n'importe où** (just) anywhere ; **Tu es d'où?** Where are you from? (*familiar*) (1)
oublier to forget (8)
ouest (*m*) west
oui yes (P)
ours (*m*) bear ; **ours polaire** polar bear
outre-mer overseas
ouvert(e) outgoing (1), open
ouverture (*f*) opening ; **heures d'ouverture** opening times (6)
ouvrable: jours ouvrables (*m*) workdays
ouvrir to open ; **Ouvrez votre livre à la page 23.** Open your book to page 23. (P)

P

pacifique pacific, peaceful
page (*f*) page (P) ; **Faites l'exercice A à la page 21.** Do exercise A on page 21. (P) ; **Lisez la page 17.** Read page 17. (P) ; **Ouvrez votre livre à la page 23.** Open your book to page 23. (P)
pain (*m*) bread (8) ; **pain au chocolat** (*m*) chocolate-filled croissant (8) ; **pain à grains entiers** (*m*) loaf of whole-grain bread (8) ; **pain de seigle** (*m*) rye bread ; **pain doré** (*m*) French toast ; **pain grillé** (*m*) toast (8)
palais (*m*) palace (6)
pâle pale
pamplemousse (*m*) grapefruit
panier (*m*) basket
panique (*f*) panic

paniqué(e) panicked
panoramique panoramic
pantalon (*m*) pants (5)
papa (*m*) dad, papa
papier (*m*) paper ; **feuille** (*f*) **de papier** sheet of paper (P) ; **Prenez une feuille de papier et un crayon ou un stylo.** Take out a piece of paper and a pencil or a pen. (P)
Pâque juive (*f*) Passover
Pâques (*fpl*) Easter
paquet (*m*) package, bag (8)
par per (3), by ; **par ailleurs** furthermore ; **par conséquent** consequently ; **par contre** on the other hand ; **par exemple** for example (2) ; **par *hasard** by chance ; **par ici** this way (5) ; **par la fenêtre** through the window ; **par mois** per month (3) ; **par terre** on the ground / floor (3)
paraître to appear
parapluie (*m*) umbrella (5)
parascolaire extracurricular
parc (*m*) park (1)
parce que because (P)
Pardon. Excuse me. (P)
pardonner to forgive, to pardon
parent (*m*) parent (4), relative (5) ; **chez mes parents** at my parents' house (3)
parenthèses (*fpl*) parentheses
paresseux(-euse) lazy (1)
parfait(e) perfect (7)
parfaitement perfectly (7)
parfois sometimes (5)
parfum (*m*) perfume
Parisien(ne) (*mf*) Parisian
parler to talk, to speak (2) ; **Je parle/Je ne parle pas…** I speak/I don't speak … (P) ; **parler au téléphone** to talk on the phone (1) ; **se parler** to talk to each other (7) ; **Vous parlez…?** Do you speak … ? (P)
parmi among
paroisse (*f*) parish
parrain (*m*) godfather
part: à part… besides … ; **mettre à part** to set aside ; **quelque part** somewhere
part (*f*) share
partager to share (3), to divide up ; **partagé(e)** shared, divided (3)
partenaire (*mf*) partner (7)
participer (à) to participate (in)
particulier(-ère) particular, private ; **en particulier** especially
partie (*f*) **; faire partie de** to be a part of
partir (de… pour) to leave (from … for), to go away (4) ; **à partir de** starting from ; **partir en voyage** to leave on a trip (5)
partout everywhere (3)
pas not (P) ; **je ne comprends pas** I don't understand (P) ; **ne… pas (du tout)** not (at all) (1) ; **ne… pas encore** not yet (5) ; **Pas de problème!** No problem! (3) ; **Pas mal.** Not badly. (P) ; **pas plus** no more (4) ; **Pas très bien.** Not very well. (P)
passant(e) (*mf*) passer-by
passé (*m*) past (6) ; **dans le passé** in the past (6)
passeport (*m*) passport (9)
passer to spend, to pass (2) ; **passer chez** to go by …'s house (2) ; **passer le temps / la matinée / la soirée** to spend one's time / the morning / the evening (4) ; **passer un film** to show a movie (6) ; **s'en passer** to do without ; **se passer** to happen (7)
passe-temps (*m*) pastime (2)
passion (*f*) passion (7)
pastilles: pastilles (*fpl*) **contre la toux** cough drops
pâte (*f*) paste, dough ; **pâtes** (*fpl*) pasta
pâté (*m*) pâté, meat spread (8)
patience (*f*) patience ; **avoir de la patience** to have patience (4)

patient(e) patient (6)
patin (*m*) skate ; **patin** (*m*) **à glace** ice-skate, ice-skating ; **patin** (*m*) **à roues alignées** rollerblading
patiner to skate ; **on patinait** we went skating, we used to go skating (6)
pâtisserie (*f*) pastry shop, pastry
patrimoine (*m*) patrimony, heritage
patron(ne) (*mf*) owner, boss
pauvre poor
pavé (de) (*m*) thick slice (of) (8)
pavillon: pavillon (*m*) **administrative** administration building
payer to pay (2)
pays (*m*) country (3)
paysage (*m*) landscape (9)
Pays-Bas (*mpl*) Netherlands
pêche (*f*) peach (8), fishing ; **aller à la pêche** to go fishing
peigner: se peigner to comb one's hair (7)
peindre to paint
peinture (*f*) painting
pendant during, for (5)
penser to think (2) ; **je pense que le français est…** I think that French is … (P) ; **penser à** to think about ; **Qu'en pensez-vous?** What do you think? (5)
penseur (*m*) thinker
perçu(e) perceived
perdre to lose (7) ; **perdre du temps** to waste time (7) ; **perdu(e)** lost ; **se perdre** to get lost (7)
père (*m*) father (4)
période (*f*) period
permettre (de) to permit, to allow ; **permis(e)** permitted, allowed
Pérou (*m*) Peru (9)
personnage (*m*) character
personnalisé(e) personalized ; **service personnalisé** personal service
personnalité (*f*) personality (1)
personne (*f*) person (6) ; **ne… personne** nobody, no one
personnel(le) personal ; **effets personnels** (*mpl*) personal belongings (3)
persuader to persuade
pessimiste pessimistic (1)
pétoncles (*mpl*) scallops
petit(e) small, short (1) ; **petit ami** (*m*) boyfriend (2) ; **petit à petit** little by little (6) ; **petite amie** (*f*) girlfriend (2) ; **petite annonce** (*f*) classified ad ; **petits pois** (*mpl*) peas (8)
petite-fille (*f*) granddaughter (7)
petit-fils (*m*) grandson (7)
petits-enfants (*mpl*) grandchildren
peu little (P) ; **un peu difficile** a little difficult/ hard (P)
peuple (*m*) people, nation
peuplé(e) populated
peur (*f*) fear ; **avoir peur (de)** to be afraid (of) (4), to fear ; **faire peur à** to frighten
peut-être perhaps, maybe (3)
pharmacie (*f*) pharmacy (10)
philosophie (*f*) philosophy (1)
photo (*f*) photo
phrase (*f*) sentence (P) ; **Écrivez la réponse en phrases complètes.** Write the answer in complete sentences. (P)
physique (*f*) physics (1)
physique physical ; **aspect physique** (*m*) physical appearance (7)
piano (*m*) piano (2)
pièce (*f*) room (3) ; **pièce** (*f*) **de théâtre** play (4) ; **pièce** (*f*) **d'identité** identity card
pied (*m*) foot (10) ; **aller à pied** to walk, to go on foot (4)
pin (*m*) pine
pique-nique (*m*) picnic
pire worse
piscine (*f*) swimming pool (4)

pitié *(f)* pity ; **avoir pitié (de)** to have pity (on / for) (10)

pizza *(f)* pizza (8)

placard *(m)* closet (3)

place *(f)* square, place, plaza (10) ; **à sa place** in its place (3)

plage *(f)* beach (4)

plaindre : **se plaindre** to complain

plaire to please ; **Ça me plaît !** I like it! (3) ; **Ça t'a plu ?** Did you like it? (6) ; **Ça te plaira !** You'll like it! (9) ; **Ça te plaît !** You like it! (3) ; **Il/Elle me plaît.** I like him / her. (5) ; **s'il vous plaît** please (P)

plaisant(e) pleasant

plaisir *(m)* pleasure ; **Avec plaisir !** With pleasure! (6) ; **faire plaisir à** to please

plan *(m)* map (10), level

planche *(f)* **à neige** snowboarding ; **planche à voile** windsurfing ; **faire de la planche à neige / voile** to snowboard / windsurf

plante *(f)* plant (3)

planter to plant

plat *(m)* dish (8) ; **plat préparé** *(m)* ready-to-serve dish (8) ; **plat principal** main dish (8)

plateau *(m)* tray

plein(e) full ; **de plein air** outdoor (4) ; **plein de** full of, a lot of

pleurer to cry

pleuvoir to rain (5)

plongée *(f)* : **plongée avec un tuba** snorkeling ; **plongée sous-marine** scuba diving

pluie *(f)* rain (5)

plupart : **la plupart** *(f)* the most part ; **la plupart de** *(f)* the majority of ; **la plupart du temps** most of the time (7)

plus plus ; **À plus (tard) !** See you later! (P) ; **de plus** in addition ; **de plus en plus de** more and more of ; **en plus** besides, furthermore ; **ne… plus** no more, no longer (8) **non plus** neither (3) ; **pas plus** no more (4) ; **plus de** more (8) ; **plus… que** more … than (1) ; **plus tard** later (4)

plusieurs several (8)

plutôt rather (1) ; instead (4) ; **plutôt que** rather than

poème *(m)* poem (9)

point *(m)* point ; **à point** medium rare

poire *(f)* pear (8)

pois : **petits pois** *(mpl)* peas (8)

poisson *(m)* fish (8)

poissonnerie *(f)* fish market (8)

poivre *(m)* pepper (8)

poivron *(m)* (a) pepper

poli(e) polite

police *(f)* police, policy

policier(-ère) detective, police

politesse *(f)* politeness

politique *(f)* politics (7), policy

politique political ; **homme politique** *(m)* politician

polo *(m)* knit shirt (5)

Pologne *(f)* Poland

Polynésie française *(f)* French Polynesia (9)

pomme *(f)* apple (8) ; **pomme** *(f)* **de terre** potato (8)

ponctuel(le) punctual

populaire popular, pop (1)

porc *(m)* pork (8) ; **côte** *(f)* **de porc** pork chop (8) ; **rôti** *(m)* **de porc** pork roast

portable *(m)* laptop (3)

porte *(f)* door (3) ; **porte** *(f)* **d'arrivée** arrival gate (9) ; **porte** *(f)* **d'embarquement** departure gate (9)

portefeuille *(m)* wallet (5)

porter to wear, to carry (4)

portugais *(m)* Portuguese

poser to place ; **poser une question** to ask a question (3)

posséder to possess, to own

possible possible ; **Pas possible !** I don't believe it!

possibilité *(f)* possibility (4)

postal(e) *(mpl* **postaux)** : **carte postale** *(f)* postcard (9) ; **code postal** *(m)* postal code (3)

poste *(f)* post office ; **bureau** *(m)* **de poste** post office (10)

pot **(de)** *(m)* jar (of) (8)

poubelle *(f)* trash can

poulet *(m)* chicken (8)

pour for (P), in order to (1) ; **pour cent** percent

pourboire *(m)* tip

pourcentage *(m)* percentage

pourquoi why (6) ; **Pourquoi pas ?** Why not? (2)

pourtant however (8)

pouvoir *(m)* power

pouvoir to be able, can, may (6) ; **Je peux vous aider ?** May I help you? (5) ; **on peut** one can (4)

pratique *(f)* practice

pratiquer to practice, to play *(a sport),* to do

précédent(e) preceding

préciser to specify

préféré(e) favourite (3)

préférence *(f)* preference

préférer to prefer (2) ; **je préfère** I prefer (1)

premier(-ère) first (1)

prendre to take (4) ; **Ça prend combien de temps ?** How long does it take? (4) ; **Je vais prendre…** I'm going to have … (2) ; **prendre la place de** to take the place of (6) ; **prendre possession de** to take possession of ; **prendre son déjeuner** to have one's breakfast (5) ; **prendre un bain** to take a bath (7) ; **prendre une décision** to make a decision (7) ; **prendre une douche** to take a shower (7) ; **prendre un verre** to have a drink (2) ; **Prenez une feuille de papier et un crayon ou un stylo.** Take out a piece of paper and a pencil or a pen. (P) ; **Qu'est-ce que vous allez prendre ?** What are you going to have? (2)

prénom *(m)* first name (3)

préoccuper to worry ; **se préoccuper (de)** to worry (about)

préparatifs *(mpl)* preparations (9)

préparer to prepare (2) ; **plat préparé** ready-to-serve dish (8) ; **préparer les cours** to prepare for class, to study (2) ; **Préparez l'examen pour le prochain cours.** Prepare for the exam for the next class. (P)

près **(de)** near (1), nearly

présent(e) present

présenter to introduce, to present ; **Je vous/te présente…** I would like to introduce … to you. ; **se présenter** to arise, to introduce oneself

presque almost, nearly (2)

presse *(f)* press

prêt(e) ready (4)

prêter to loan, to lend

prier to beg, to request, to pray ; **Je vous en prie.** You're welcome.

primaire : **école primaire** *(f)* elementary school

principal(e) *(mpl* **principaux)** main (8)

printemps *(m)* spring (5) ; **au printemps** in spring (5)

priorité *(f)* priority

prisonnier(-ère) *(mf)* prisoner

privé(e) private

prix *(m)* price ; **menu** *(m)* **à prix fixe** set-price menu (8)

probablement probably

problème *(m)* problem ; **pas de problème** no problem (7)

prochain(e) next (4) ; **le prochain cours** the next class (P)

producteur(-trice) producer

produit *(m)* product (8) ; **produits bios** *(mpl)* organic products (8)

professeur(e) *(mf)* professor (P) ; **Le professeur dit aux étudiants…** The professor says to the students … (P)

profession *(f)* profession (7)

professionnel(le) professional (7)

profiter de to take advantage of (9)

profond(e) deep

programme *(m)* program

projet *(m)* plan (4) ; **faire des projets** to make plans (4)

promenade *(f)* walk (5) ; **faire une promenade** to take a walk (5)

promener : **promener le chien** to walk the dog ; **se promener** to go for a walk (7)

promettre **(de)** to promise (6)

promouvoir to promote

pronom *(m)* pronoun

prononcer to pronounce

prononciation *(f)* pronunciation

propos : **à propos de** about

proposer to offer, to suggest, to propose ; **Qu'est-ce que je peux vous proposer d'autre ?** What else can I get you? (8)

propre clean (3), own

protéger to protect ; **protégé(e) par** protected by

provençal *(m)* Provençal

Provence *(f)* Provence

province *(f)* province (3)

provoquer to cause

prune *(f)* plum

pruneau *(m)* prune

psychologie *(f)* psychology (1)

public(-que) public

puis then (4)

puisque since

pull *(m)* pullover / sweater

pureté *(f)* purity

pyjama *(m)* pajamas

Q

qualité *(f)* quality

quand when (2)

quantité *(f)* quantity

quarante forty (2) ; **quarante et un** forty-one (2)

quart *(m)* quarter ; **Il est deux heures et quart.** It's a quarter past two. (P)

quartier *(m)* neighbourhood (3)

quatorze fourteen (P)

quatre four (P)

quatre-vingts eighty (2) ; **quatre-vingt-un** eighty-one (2) ; **quatre-vingt-dix** ninety (2) ; **quatre-vingt-onze** ninety-one (2)

quatrième fourth (3)

que that (P), than, as (1), what (2), which, whom (7) ; **ce que** what, that which (2) ; **Je pense que…** I think that … (P) ; **ne… que** only ; **ne… rien que** nothing but ; **que ce soit** whether it be ; **qu'est-ce que** what (1) ; **Qu'est-ce que ça veut dire ?** What does that mean? (P) ; **Qu'est-ce que c'est ?** What is it? (2)

quel(le) which, what (3) ; **À quelle heure ?** At what time? (P) ; **C'est quel jour aujourd'hui ?** What day is today? (P) ; **n'importe quel(le)…** (just) any … ; **Quel âge a… ?** How old is … ? (4)

quelque some ; **quelque chose** something (2) ; **quelque part** somewhere ; **quelques** a few, several (5) ; **quelques-un(e)s** *(mf)* a few ; **quelqu'un** someone, somebody (6)

quelquefois sometimes (2)

quelques-un(e)s *(mf)* a few

question *(f)* question (P) ; **Écoutez la question.** Listen to the question. (P) ; **Répondez à la question.** Answer the question. (P)

qui who (2), that, which, who (7) ; **ce qui** what (7) ; **Qu'est-ce qui ne va pas ?** What's wrong?

(10) ; **Qu'est-ce qui s'est passé?** What happened? (6) ; **Qui est-ce?** Who is it? (2)
quinze fifteen (P)
quinzième fifteenth (3)
quitter to leave (4) ; **se quitter** to leave each other (7)
quoi what ; **n'importe quoi** (just) anything ; **à quoi bon** what's the point
quotidien(ne) daily (7)

R

raccompagner to (re)accompany
raconter to tell (7), to recount
radio *(f)* radio (2), X-ray
radis *(m)* radish
raisin *(m)* grape(s) (8)
raison *(f)* reason ; **avoir raison** to be right (4), **en raison de** because of
raisonnable reasonable
ralentissement *(m)* slowing down
ramadan *(m)* Ramadan
randonnée *(f)* hike (8) ; **faire des randonnées** to go hiking (8)
rangé(e) orderly, put away, in its place (3)
ranger to arrange, to order (7)
rapide rapid (8) ; **resto** *(m)* **rapide** fast-food restaurant
rapporter to bring back ; **se rapporter à** to be related to
rarement rarely (2)
raser : se raser to shave (7)
rassembler : se rassembler to gather
rater to lose out on, to miss
raviolis *(mpl)* **aux champignons** mushroom ravioli (8)
rayé(e) striped
réagir (à) to react (to)
réaliste realistic (1)
réalité *(f)* reality
récemment recently (5)
réception *(f)* front desk (10), receiving
recevoir to receive (9)
recherche *(f)* research
rechercher to seek ; **recherché(e)** sought
réciproque reciprocal
recommander to recommend (10) ; **recommandé(e)** recommended
réconcilier : se réconcilier to make up with each other (7)
reconnaître to recognize (9) ; **se reconnaître** to recognize each other (7)
recoucher : se recoucher to go back to bed (7)
recréer to recreate
récrire to rewrite
rédaction *(f)* composition (9)
réel(le) real
réfléchi(e) reflexive
réfléchir (à) to think (about) (8), to reflect (on)
refléter to reflect
réfrigérateur *(m)* refrigerator
regard *(m)* look
regarder to look at, to watch (2) ; **se regarder** to look at each other (2)
régime *(m)* diet ; regime ; **être au régime** to be on a diet
région *(f)* region (4)
régional(e) *(mpl régionaux)* regional (4)
règlement *(m)* payment
régler to adjust ; **régler la note** to pay the bill (10)
regretter to regret (6)
régulier(-ière) regular
régulièrement regularly (8)
relation *(f)* relationship (7)
religieux(-euse) religious
religion *(f)* religion (7)
relire to reread
remarquer to notice
remercier (de) to thank (for) (10)

remettre to put back
remonter to go back (up)
remplacer to replace
remplir to fill up
renaissance *(f)* revival
rencontre *(f)* meeting, encounter (7)
rencontrer to meet for the first time or by chance, to run into (1) ; **se rencontrer** to run into each other (7)
rendez-vous *(m)* date, appointment ; **Rendez-vous à…** Let's meet at …
rendre (quelque chose à quelqu'un) to return, to return something to someone (7) ; **rendre (+ *adjectif*)** to make (+ *adjective*) ; **rendre visite à quelqu'un** to visit someone (7) ; **se rendre (à / chez)** to go (to)
renfermé(e) withdrawn (1)
renommé(e) renowned
renseignement *(m)* information (3)
rentrer to return, to come / go back (home) (2)
réparti(e) distributed
repartir to start again, to leave again
repas *(m)* meal (6) ; **repas** *(m)* **léger** snack
répéter to repeat (2) ; **Répétez, s'il vous plaît.** Repeat, please. (P) ; **se répéter** to be repeated
répondre (à) to answer (6) ; **Répondez à la question.** Answer the question. (P)
réponse *(f)* answer (P) ; **Écrivez la réponse en phrases complètes.** Write the answer in complete sentences. (P)
reposer to set down ; **se reposer** to rest (7)
représenter to represent
république *(f)* republic ; **République** *(f)* **tchèque** Czech Republic
résauter : résauter avec des amis to connect (social networking) with friends (2)
réservation *(f)* reservation (9) ; **faire une réservation** to make a reservation (9)
réserver to reserve (9)
réservé(e) private
résidence *(f)* dormitory (1), residence hall
résoudre to resolve
respecter to respect
respiration *(f)* breathing
responsabilité *(f)* responsiblity
responsable responsible
ressemblance *(f)* similarity
ressembler à to look like, to resemble
ressortir : faire ressortir to make stand out
reste *(m)* rest (7) ; **le reste (de)** the rest (of) (7)
rester to stay (2) ; **rester au lit** to stay in bed (2)
resto rapide *(m)* fast-food restaurant (1) ; **manger dans un resto rapide** to eat in a fast-food restaurant (2)
résultat *(m)* result
résumé *(m)* summary
retard *(m)* delay ; **en retard** late (10)
retirer (de l'argent) to take out, to withdraw (money) (10) ; **se retirer** to retire
retour *(m)* return (9) ; **billet aller-retour** *(m)* round-trip ticket (9)
retourner to return (5) ; **se retourner** to turn around
retrouver to meet (4), to find (again) ; **retrouver des amis** to meet friends (4) ; **se retrouver** to meet each other *(by design)* (7)
réunion *(f)* meeting
réunir : se réunir to meet, to get together
réussir (à) to succeed (at/in), to pass *(a test)* (7)
rêve *(m)* dream
réveil *(m)* alarm clock (7), awakening
réveiller to wake up ; **se réveiller** to wake up (7)
réveillon *(m)* **du jour de l'An** New Year's Eve
révélateur(-trice) revealing
révéler to reveal ; **se révéler** to be revealed
revendre to resell, to sell back (7)
revenir to come back (4)
revenu *(m)* income
rêver (de) to dream (about, of) (7)

réviser to review
révision *(f)* review
revoir to see again ; **Au revoir!** Good-bye! (P)
revue *(f)* magazine
rez-de-chaussée *(m)* ground floor (3)
rhum *(m)* rum
rhume *(m)* cold (10)
riche rich (2)
richesse *(f)* wealth
rideau *(m)* curtain (3)
ridicule ridiculous
rigidité *(f)* inflexibility (7)
rien nothing ; **de rien** you're welcome (P) ; **ne… rien** nothing (5) ; **ne… rien de spécial** nothing special (5) ; **ne… rien que** nothing but ; **rien du tout** nothing at all (6)
rire to laugh
rivière *(f)* river
riz *(m)* rice (8)
robe *(f)* dress (5)
Rocheuses : les Rocheuses *(fpl)* the Rockies
rock *(m)* rock music (1)
rôle *(m)* role
romain(e) Roman
roman *(m)* novel (9)
romancier (-ière) *(mf)* novelist
romantique romantic ; **film** *(m)* **romantique** romantic movie, love story (6)
rond *(m)* circle
rosbif *(m)* roast beef (8)
rose pink (3)
rosier *(m)* rosebush
rôti(e) roasted ; **rôti** *(m)* **de porc** pork roast
rouge red (3) ; **vin rouge** *(m)* red wine (2)
route *(f)* route, way
routine *(f)* routine (7)
roux (rousse) red *(with hair)* (4)
royaume *(m)* kingdom ; **Royaume-Uni** *(m)* United Kingdom (9)
rue *(f)* street (3) ; **dans la rue…** on … Street (10)
rural(e) *(mpl ruraux)* rural
ruse *(f)* trick
russe *(m)* Russian
Russie *(f)* Russia (9)
rythme *(m)* rhythm

S

sac *(m)* purse (5)
sage good, well-behaved (4)
saignant(e) rare
sain(e) healthy (8)
Saint-Valentin *(f)* Valentine's Day
saison *(f)* season (5)
salade *(f)* salad (8) ; **salade** *(f)* **de tomates** tomato salad (8)
salarié(e) *(mf)* wage earner
sale dirty (4)
salle *(f)* room ; **salle** *(f)* **à manger** dining room (3) ; **salle** *(f)* **de bains** bathroom (3) ; **salle** *(f)* **de classe** classroom (1) ; **salle** *(f)* **de séjour** family room, den ; **salle** *(f)* **familiale** family room
salon *(m)* living room (3)
saluer to greet
Salut! Hi! (P)
salutation *(f)* greeting
samedi *(m)* Saturday (P)
sandale *(f)* sandal (5)
sandwich *(m)* sandwich (2)
sans without (P) ; **Ça s'écrit avec ou sans accent?** That's written with or without an accent? (P) ; **sans égal** unequaled
santé *(f)* health (8)
satisfait(e) satisfied
saucisse *(f)* sausage (8) ; **petites saucisses** *(f)* breakfast sausages
saucisson *(m)* salami (8)
sauf except (2)

saumon (*m*) salmon (8)
sauver to save ; **sauvé(e)** saved
savoir to know (how) (9) ; **Je ne sais pas.** I don't know. (P)
science (*f*) science ; **sciences (humaines)** (*fpl*) (social) sciences (1)
scientifique scientific
scolaire school
scolarité (*f*) education
se herself, himself, itself, oneself, themselves (7) ; **Il/Elle se trouve…** It is located …
séance (*f*) showing (6)
sec (sèche) dry
sécheuse (*f*) dryer
second(e) second
secondaire secondary ; **école** (*f*) **secondaire** high school (6)
seconde (*f*) second (5)
sécurité (*f*) security, safety
sein (*m*) breast ; **au sein de** within
seize sixteen (P)
seizième sixteenth (3)
séjour (*m*) stay (7)
sel (*m*) salt (8)
selon according to
semaine (*f*) week (P) ; **en semaine** weekdays ; **les jours de la semaine** the days of the week (P) ; **fin** (*f*) **de semaine** weekend
sembler to seem
Sénégal (*m*) Senegal (9)
sens (*m*) meaning, sense ; **sens** (*m*) **de l'humour** sense of humour (7)
sentiment (*m*) feeling (7)
sentimental(e) (*mpl* **sentimentaux**) sentimental, emotional (7)
sentir : se sentir to feel (8)
séparer to separate ; **séparé(e)** separated
sept seven (P)
septembre (*m*) September (4)
septième seventh (3)
sérieux(-euse) serious
serrer to squeeze
serveur (*m*) server (2)
serveuse (*f*) server (8)
service (*m*) service (8)
serviette (*f*) napkin, serviette
servir to serve (4) ; **servi(e)** served (10) ; **se servir de** to use
seul(e) alone (P), only (1), single, lonely ; **le/la seul(e)** the only one
seulement only (8)
sexy (*inv*) sexy
short (*m*) shorts (5)
si if (5), yes (*in response to a question in the negative*) (8) ; **s'il vous plaît** please (P)
siècle (*m*) century
sieste (*f*) nap ; **faire la sieste** to take a nap
similarité (*f*) similarity
simple simple ; **aller simple** (*m*) one-way ticket (9)
simplement simply (10) ; **tout simplement** quite simply (10)
sinon if not, otherwise
sirop (*m*) syrup, cough syrup ; **sirop d'érable** maple syrup
site (*m*) site (9)
situé(e) situated
six six (P)
sixième sixth (3)
ski (*m*) skiing (2) ; **chalet de ski** (*m*) ski lodge (10) ; **faire du ski** to go skiing (2) ; **faire du ski nautique** to go waterskiing (5)
soccer (*m*) soccer (1)
social(e) (*mpl* **sociaux**) social
société (*f*) company, society
sœur (*f*) sister (1) ; **belle-sœur** (*f*) sister-in-law ; **demi-sœur** (*f*) stepsister (6), half-sister
soi oneself
soif (*f*) thirst ; **avoir soif** to be thirsty (4) ; **j'ai soif** I'm thirsty (2)

soin (*m*) care
soir (*m*) evening (P) ; **à huit heures du soir** at eight in the evening (P) ; **ce soir** tonight, this evening (2) ; **le soir** in the evening, evenings (P)
soirée (*f*) evening (4), party (6)
soixante sixty (2) ; **les années soixante** the sixties ; **soixante-dix** seventy (2) ; **soixante et onze** seventy-one (2) ; **soixante et un** sixty-one (2)
soldat (*m*) soldier
solde : en solde on sale (5)
sole (*f*) sole (fish)
soleil (*m*) sun ; **Il fait soleil.** It's sunny. (5) ; **lunettes** (*fpl*) **de soleil** sunglasses (5)
sombre dark, gloomy
sommeil (*m*) sleep ; **avoir sommeil** to be sleepy (4)
sommet (*m*) summit
son (*m*) sound
son (sa, ses) her, his, its (3)
sondage (*m*) poll
sonner to ring (7)
sorte (*f*) kind, sort
sortie (*f*) outing (6), exit
sortir to go out (2) ; to take out
soudain suddenly (6)
soudain(e) sudden
soudainement suddenly
souhaiter to wish (10)
souligner to emphasize
soupçonner to suspect
souper (*m*) dinner
souper to have dinner ; **souper au restaurant** to have dinner in a restaurant (2)
soupe (*f*) soup (8) ; **soupe** (*f*) **à l'oignon** onion soup (8)
sourire to smile
sous under (3)
sous-marin(e) underwater ; **plongée sous-marine** (*f*) scuba diving
sous-sol (*m*) basement (3)
sous-vêtements (*mpl*) underwear
souvenir (*m*) memory
souvenir : se souvenir (de) to remember (7)
souvent often (2)
spécial(e) (*mpl* **spéciaux**) special ; **effets spéciaux** (*mpl*) special effects (6) ; **ne… rien de spécial** nothing special (5)
spécialisé(e) specialized
spécialité (*f*) specialty (4)
spectacle (*m*) show
spiritualité (*f*) spirituality (7)
sport (*m*) sports (1) ; **faire du sport** to play sports (2)
sportif(-ive) athletic (1)
stade (*m*) stadium (1)
stage (*m*) internship
stagiaire (*mf*) intern
station (*f*) station ; **station estivale** (*f*) summer resort (10)
stationnement (*m*) parking lot
statut (*m*) statute, status
stimuler to stimulate
stratégie (*f*) strategy
stress (*m*) stress (8)
stressé(e) stressed (out)
stylo (*m*) pen (P) ; **Prenez une feuille de papier et un crayon ou un stylo.** Take out a piece of paper and a pencil or a pen. (P)
sublime sublime, amazing (2)
succès (*m*) success
sucre (*m*) sugar (8)
sucré(e) sweet, sugary
sud (*m*) south ; **Amérique** (*f*) **du Sud** South America (9)
Suède (*f*) Sweden
suffire to suffice ; **Suffit!** That's enough!
suffisant(e) sufficient

suggérer to suggest (6)
Suisse (*f*) Switzerland (9)
suisse Swiss
suite : toute de suite right away (6)
suivant(e) following (3)
suivre to follow (7) ; **à suivre** to be continued (6) ; **suivre un cours** to take a course
sujet (*m*) subject ; **au sujet de** about
super great (P) ; **Super!** Great! (4)
superficie (*f*) area
supérieur(e) superior, higher
supermarché (*m*) supermarket (8)
supplément (*m*) extra charge (10)
supplémentaire supplementary
supporter to bear, to tolerate, to put up with (7)
sur on (1)
sûr(e) sure ; **Bien sûr!** Of course! (5)
surfer sur le Net to surf the Web (2)
surgelé(e) frozen (8)
surgir to arise, to come up, to appear suddenly
surprenant(e) surprising
surprendre to surprise ; **surpris(e)** surprised (10)
surtout especially (8), above all
survêtement (*m*) jogging suit (5)
survivre to survive
sweat (*m*) sweatshirt
sympathique (sympa) nice (1)
symptôme (*m*) symptom (10)
synagogue (*f*) synagogue
synonyme synonymous
système (*m*) system (9) ; **système** (*m*) **de transports en commun** public transportation system (9)

T

tabac (*m*) tobacco (8)
table (*f*) table (3) ; **à table** at the table ; **table basse** (*f*) coffee table
tableau (*m*) board (P), painting, picture (3), scene ; **Allez au tableau.** Go to the board. (P) ; **tableau** (*m*) **d'affichage** bulletin board
taille (*f*) size (4) ; **de taille moyenne** medium-sized, of medium height (4) ; **Quelle taille faites-vous?** What size do you wear? (5)
tailleur (*m*) woman's suit
talon (*m*) heel ; **talons *hauts** (*m*) high heels
tambours (*mpl*) drums
tandis que whereas, while
tant (de) so much, so many ; **en tant que** as ; **tant que** as long as
tante (*f*) aunt (4)
tapis (*m*) rug (3)
tard late (4) ; **À plus tard!** See you later! (P) ; **assez tard** rather late (5) ; **plus tard** later (4)
tarte (*f*) pie (8) ; **tarte** (*f*) **aux pommes** apple pie (8)
tartelette (*f*) **(aux fraises/aux cerises)** (strawberry/cherry) tart (8)
tartine (*f*) bread with butter and jelly
tasse (*f*) cup
tatouage (*m*) tattoo ; **avoir un tatouage** to have a tattoo
taxi (*m*) taxi (4) ; **en taxi** by taxi (4)
te (to, for) you (9), yourself (7) ; **Ça te dit?** How does that sound to you? (4) ; **Ça te plaît?** Do you like it? (3) ; **Je te présente…** I would like to introduce … to you. ; **s'il te plaît** please
technique technical (1) ; **cours technique** (*m*) technical course (1)
technologie (*f*) technology
technologique technological
tee-shirt (*m*) T-shirt (5)
tel(le) : tel(le) que such as ; **un(e) tel(le)** such a (7)
télé (*f*) TV (2)
téléphone (*m*) telephone (2) ; **au téléphone** on the telephone (2) ; **numéro** (*m*) **de téléphone** telephone number (3)
téléphoner (à) to phone (3) ; **se téléphoner** to phone each other (7)

téléspectateur(-trice) *(mf)* television viewer
télévision (télé) *(f)* television (2) ; **télévision à écran plat** flat-screen television (10)
tellement so much, so (6)
température *(f)* temperature
temple *(m)* temple, Protestant church
temps *(m)* time (2), weather (5) ; **Ça prend combien de temps?** How long does it take? (4) ; **de temps en temps** from time to time (2) ; **emploi** *(m)* **du temps** schedule ; **en même temps** at the same time ; **en tout temps** at all times, at any time ; **le temps qu'il fait** what the weather is like (5) ; **passer du temps** to spend time (2) ; **passer le temps** to spend one's time (2) ; **Pendant combien de temps?** For how long? (5) ; **Quel temps fait-il?** What's the weather like? (5) ; **temps libre** *(m)* free time (4) ; **temps verbal** *(m)* tense
tennis *(m)* tennis (1) ; **court** *(m)* **de tennis** tennis court
terme *(m)* term ; **mettre terme à** to put an end to
terminaison *(f)* ending
terminer to finish
terrasse *(f)* terrace
terre *(f)* earth ; **par terre** on the ground / floor (3) ; **pomme** *(f)* **de terre** potato (8)
territoire *(m)* territory
test *(m)* test (2)
tête head (10)
têtu(e) stubborn
Texas *(m)* Texas (9)
texto *(m)* text message (2)
thé *(m)* tea (2)
théâtre *(m)* theatre, drama (1)
thon *(m)* tuna (8)
timbre *(m)* stamp (10)
timide shy, timid (1)
tiroir *(m)* drawer
toi you (P) ; **Et toi?** And you? *(familiar)* (P)
toilette : toilettes *(fpl)* toilet, restroom (3) ; **faire sa toilette** to wash up (7)
tomate *(f)* tomato (8)
tomber to fall (5) ; **tomber amoureux(-euse) (de)** to fall in love (with) (6) ; **tomber malade** to get sick (10)
ton (ta, tes) your (3) ; **tes amis** your friends (1)
tongs *(fpl)* flip-flops
tort : avoir tort to be wrong (4)
tôt early (4)
toucher to touch
toujours always (2), still
tour *(m)* tour, ride (4) ; **faire un tour** to take a tour, to go for a ride (4)
tour *(f)* tower
tourisme *(m)* tourism ; **office** *(m)* **de tourisme** Tourist Office (10)
touriste *(mf)* tourist
touristique touristic (9)
tourner (à droite/à gauche) to turn (right/left) (10), to stir, to film ; **se tourner (vers)** to turn (**toward**) ; **tourné(e)** filmed
tousser to cough (10)
tout (toute, tous, toutes) everything, all (3), whole ; **(À) tout à l'heure!** (See you) in a little while! (P), a while ago ; **C'est tout.** That's all. (8) ; **ne... pas du tout** not at all (2) ; **rien du tout** nothing at all (6) ; **tous (toutes) les deux** both ; **tous les jours** every day (P) ; **tous les soirs** every evening ; **tout à coup** all of a sudden (6) ; **tout à fait** completely ; **tout de suite** right away (6) ; **tout droit** straight (10) ; **tout d'un coup** all at once (6) ; **tout en** while ; **toute la journée** the whole day (2) ; **tout le monde** everybody, everyone (6) ; **tout près (de)** right by, very near (3) ; **tout simplement** quite simply (10)

toux *(f)* cough ; **pastilles** *(fpl)* **contre la toux** cough drops
traditionnel(le) traditional (8)
traduction *(f)* translation
traduire to translate
train *(m)* train (4) ; **en train** by train (4) ; **être en train de...** to be in the process of ...
trait *(m)* trait (7)
tranche *(f)* slice (8)
tranquille *(inv)* tranquil, calm
transformer : se transformer en to change into
transmettre to transmit ; to pass on
transport *(m)* transportation (4) ; **moyen** *(m)* **de transport** means of transportation (4) ; **système** *(m)* **de transports en commun** public transportation system (9)
transporter to transport
travail *(m)* *(pl* **travaux)** work (6) ; **fête** *(f)* **du Travail** Labour Day
travailler to work (2) ; **Je travaille...** I work ... (P) ; **Je ne travaille pas...** I do not work ... (P) ; **Tu travailles?/Vous travaillez?** Do you work? (P)
travers : à travers across
traverser to cross, to go across (10)
treize thirteen (P)
trente thirty (P)
très very (P) ; **Je vais très bien.** I'm doing very well. (P)
trimestre *(m)* term (P)
triste sad (10)
trois three (P)
troisième third (3)
trompe *(f)* horn
trompette *(f)* trumpet
trop too, too much (3) ; **trop de** too much, too many (6)
tropical(e) *(mpl* **tropicaux)** tropical (9)
trou *(m)* hole
trouver to find (4) ; **Il/Elle se trouve...** It is located ..., He/She/It finds himself/herself/ itself
truite *(f)* trout
tu you (P)
tuba : faire de la plongée avec un tuba : to go snorkeling
tuer to kill
Tunisie *(f)* Tunisia
Turquie *(f)* Turkey
tuque *(f)* toque
typique typical
typiquement typically
tyran *(m)* tyrant

U

un(e) one, a (P)
uni(e) (à) close (to), united, solid-coloured ; **Royaume-Uni** *(m)* United Kingdom (9)
union : Union *(f)* **européenne** European Union
unique only, single, unique
uniquement only (6)
universel(le) universal
universitaire university (1)
université *(f)* university ; **à l'université** at the university (P)
urgence *(f)* emergency
usage *(m)* use
utile useful (10)
utiliser to use, to utilize

V

vacances *(fpl)* vacation (4) ; **centre** *(m)* **de vacances** resort (10) ; **partir en vacances** to leave on vacation (4)

vacancier(-ière) *(mf)* vacationer
vachement really *(slang)*
vague *(f)* wave
vaisselle *(f)* dishes ; **faire la vaisselle** to wash dishes (5) ; **lave-vaisselle** *(m)* dishwasher
valeur *(f)* value
valise *(f)* suitcase (9) ; **faire sa valise** to pack one's bag (9)
valoir to be worth ; **il vaut mieux (que)...** it's better (that) ... (10)
vanille *(f)* vanilla (8)
vanité *(f)* vanity (7)
vaniteux(-euse) vain
varié(e) varied
varier to vary
variété *(f)* variety
vaut See **valoir**
veau *(m)* veal
végétalien(ne) vegan
végétarien(ne) vegetarian
vélo *(m)* bicycle (2) ; **à vélo** by bike (4) ; **faire du vélo** to ride a bike (2)
vendeur(-euse) *(mf)* salesperson (5)
vendre to sell (7)
vendredi *(m)* Friday (P)
venir to come (2) ; **venir de (+ infinitif)** to have just *(+ participe passé)* ; **Viens voir!** Come see! (3)
vent *(m)* wind (5)
vente *(f)* sale
venter : il vente it is windy (5)
ventre *(m)* stomach (10), belly
verbe *(m)* verb
verglas : Il y a du verglas. It's icy.
vérifier to check
vérité *(f)* truth
verre *(m)* glass (2) ; **prendre un verre** to have a drink (2) ; **verres de contact** contact lenses
vers *(m)* verse
vers toward(s), about, around (2)
verser to pour, to pay
vert(e) green (3)
veste *(f)* sports coat
vêtements *(mpl)* clothes (3) ; **sous-vêtements** *(mpl)* underwear
veuf *(m)* widower (7)
veuve *(f)* widow (7)
viande *(f)* meat (8)
vicieux(-euse) vicious
victime *(f)* victim
vidéo *(f)* video (2) ; **jeu vidéo** *(m)* video game (2)
vie *(f)* life (5)
viennois(e) Viennese
vierge *(f)* virgin
Vietnam *(m)* Vietnam (9)
vieux (vieil, vieille) old (1)
vif(-ive) lively, bright ; **bleu vif** bright blue
village *(m)* village, town
ville *(f)* city (3) ; **en ville** in town (3)
vin *(m)* wine (2)
vingt twenty (P)
vingtième twentieth
violence *(f)* violence (6)
violet(te) violet (3)
violon *(m)* violin
violoncelle *(m)* cello
virus *(m)* virus (10)
visage *(m)* face
visite *(f)* visit ; **rendre visite à quelqu'un** to visit someone (7)
visiter to visit *(a place)* (1)
visiteur(-euse) *(mf)* visitor
vital(e) *(mpl* **vitaux)** vital
vitamine *(f)* vitamin (8)
vite quick(ly), fast (7)
vivre to live

vocabulaire *(m)* vocabulary (P) ; **Apprenez les mots de vocabulaire.** Learn the vocabulary words. (P)

voici here is, here are (2)

voilà there is, there are (2)

voile *(f)* sailing ; **faire de la planche à voile** *(f)* to go windsurfing

voir to see (1) ; **aller voir** to go see, to visit (4) ; **comme tu vois** as you see (3) ; **se voir** to see each other (7) ; **voir un film** to watch a movie (2) ; **Voyons !** Let's see! (5)

voisin(e) *(mf)* neighbour

voiture *(f)* car (3) ; **en voiture** by car (4) ; **voiture** *(f)* **de location** rental car (5)

voix *(f)* voice

vol *(m)* flight (9)

volaille *(f)* poultry (8)

volcan *(m)* volcano

voleur *(m)* thief

volleyball *(m)* volleyball (2)

volonté *(f)* will, wish

volontiers gladly (8), willingly

volupté *(f)* voluptuousness

vomir to vomit (10)

voter to vote

votre *(pl* **vos***)* your (2) ; **Ouvrez votre livre à la page 23.** Open your book to page 23. (P)

vouloir to want (6) ; **Ça veut dire…** That means … (P) ; **Je voudrais (bien)…** I would like … (2) ; **Qu'est-ce que ça veut dire ?** What does that mean? (P) ; **Qu'est-ce que vous voudriez faire ?** What would you like to do? (2) ; **Tu voudrais… ?** Would you like … ? (2)

vous you (P), (to, for) you (9), yourself(-selves) (7) ; **Et vous ?** And you? *(formal)* (P) ; **Je vous présente…** I would like to introduce … to you. ; **s'il vous plaît** please (P) ; **vous-même** yourself

voyage *(m)* trip (4) ; **agence** *(f)* **de voyages** travel agency (9) ; **agent** *(m)* **de voyages** travel agent (9) ; **faire un voyage** to take a trip (5) ; **partir en voyage** to leave on a trip (5) ; **voyage** *(m)* **de noces** honeymoon

voyager to travel (2)

voyelle *(f)* vowel

vrai(e) true (2)

vraiment really, truly (2)

VTT (vélo tout terrain) : faire du VTT to go all-terrain biking (5)

vue *(f)* view (3)

W

Web *(m)* Web ; **site** *(m)* **Web** website (9)

week-end *(m)* weekend ; **Bon week-end !** Have a good weekend! ; **le week-end** on the weekend, weekends

wi-fi *(m)* wi-fi (10)

Y

y there (1) ; **il y a** there is, there are (1), ago (5) ; **j'y suis allé(e)** I went there (5)

yeux *(mpl)* *(sing* **œil***)* eyes (4)

Yom Kippour *(m)* Yom Kippur

Z

zéro *(m)* zero (P)

Vocabulaire anglais–français

The *Vocabulaire anglais–français* includes all words presented in *Horizons* for active use, as well as others that students may need for more personalized expression. The definitions of active vocabulary words are followed by the number of the chapter where they are first presented. A (P) refers to the *Chapitre préliminaire.* When several translations, separated by commas, are listed before a chapter number, they are all considered active. Since verbs are sometimes introduced lexically in the infinitive before the conjugation of the present indicative is presented, consult the *Index* to find out the chapter where a conjugation is introduced. An *(m)*, *(f)*, or *(pl)* following a noun indicates that it is masculine, feminine, or plural. *Inv* means that a word is invariable. An asterisk before a word beginning with an **h** indicates that the **h** is aspirate.

A

a un(e) (P); **a few** quelques (5); **a lot** beaucoup (P)
able: be able pouvoir (6)
aboriginal autochtone
about vers (2), environ (4); **about it/them** en (8); **About what?** À propos de quoi?; **talk about** parler de (1); **think about** penser à
above au-dessus de; **above all** surtout (8)
abroad à l'étranger (9)
absolutely absolument
accent accent *(m)* (P); **without an accent** sans accent (P)
accept accepter (7)
accident accident *(m)*
accompany accompagner
according to selon
account compte *(m)*
accountant comptable *(mf)*
accounting comptabilité *(f)* (1)
ache avoir mal (à) (10)
acquaintance: make the acquaintance of faire la connaissance de (7)
acquainted: be / get acquainted with connaître (7)
across from en face (de) (3); **go across** traverser (10)
act jouer *(in movies and theatre)* (6); agir
active dynamique (1)
activity activité *(f)* (2)
actor acteur *(m)* (6)
actress actrice *(f)* (6)
actually effectivement, réellement
adapt s'adapter
add ajouter
address adresse *(f)* (3); **e-mail address** adresse *(f)* courriel (3)
adjective adjectif *(m)* (3)
administration building pavillon administratif *(m)*
admire admirer (9)
adopted adopté(e)
adore adorer
adult adulte *(mf)*
advance avance *(f)*; **in advance** à l'avance (9)
advantage avantage *(m)*; **take advantage of** profiter de (9)
adventure aventure *(f)*; **adventure movie** film *(m)* d'aventure
advertisement publicité *(f)*; **classified ad** petite annonce *(f)*
advertising publicité *(f)*
advice conseils *(mpl)* (8); **give a piece of advice** donner un conseil
aerobics: do aerobics faire de l'aérobique (8)
afraid: be afraid (of) avoir peur (de) (4)
Africa Afrique *(f)* (9)
African africain(e)
after après (P); **after having done …** après avoir fait… ; **day after tomorrow** après-demain
afternoon après-midi *(m)* (P); **in the afternoon, afternoons** l'après-midi (P); **It's one o'clock in the afternoon.** Il est une heure de l'après-midi. (P); **this afternoon** cet après-midi (4)
afterward après (P), ensuite (4)
again encore (8), de nouveau
against contre (10)
age âge *(m)* (4)
agency: travel agency agence *(f)* de voyages (9)
agent agent *(m)*; **travel agent** agent *(m)* de voyages (9)
ago il y a (5); **How long ago?** Il y a combien de temps? (5)
agree être d'accord; **Agreed!** D'accord! (2)
ahead: straight ahead tout droit (10)
air air *(m)*
airplane avion *(m)* (4); **by airplane** en avion (4)
airport aéroport *(m)* (10)
alarm: alarm clock réveil *(m)* (7)
alcohol alcool *(m)* (8)
alcoholic drink boisson alcoolisée *(f)*
algebra algèbre *(f)*
Algeria Algérie *(f)* (9)
alive vivant(e)
all tout (toute, tous, toutes) (3); **above all** surtout (8); **all at once** tout à coup (6); **all day** toute la journée (2); **all of the time** tout le temps; **all sorts of** toutes sortes de; **all the better** tant mieux; **not at all** ne… pas du tout (1); **nothing at all** rien du tout (6); **That's all.** C'est tout. (8)
allergy allergie *(f)* (10)
allow permettre (de); **allowed** permis(e)
almost presque (2)
alone seul(e) (P)
along le long de (9); **get along well / badly** s'entendre bien / mal (7)
already déjà (5)
also aussi (P)
although bien que, quoique
always toujours (2)
a.m. du matin (P)
amaze étonner; **amazed** étonné(e) (10)
America Amérique *(f)* (9)
American américain(e)
among parmi
amusing amusant(e) (5)
an un(e) (1)
and et (P)
angry fâché(e); **get angry** se fâcher
animal animal *(m)* (*pl* animaux) (3)
animated animé(e)
anniversary *(wedding)* anniversaire *(m)* de mariage
annoying embêtant(e) (3)
another un(e) autre (P); **another glass of …** encore un verre de… ; **another thing** autre chose; **one another** se, nous, vous (7)
answer réponse *(f)* (P)
answer répondre (à) (6); **Answer the question.** Répondez à la question. (P)
anthropology anthropologie *(f)*
antibiotic antibiotique *(f)*
any du, de la, de l', de, des, en (8)
anymore: not anymore ne… plus (8)
anyone quelqu'un (6); **(just) anyone** n'importe qui; **not … anyone** ne… personne
anything quelque chose (2); **(just) anything** n'importe quoi; **not … anything** ne… rien (5)
anyway quand même
anywhere: (just) anywhere n'importe où; **not … anywhere** ne… nulle part
apartment appartement *(m)* (3); **apartment building** immeuble *(m)* (3)
appear paraître
appearance: physical appearance aspect physique *(m)* (7)
appetite appétit *(m)*
appetizer *hors-d'œuvre *(m)* (8)
apple pomme *(f)* (8); **apple pie** tarte *(f)* aux pommes (8)
appointment rendez-vous *(m)*
appreciate apprécier (6)
appropriate approprié(e), convenable
April avril *(m)* (4)
Arabic arabe *(m)*
architect architecte *(mf)*
architecture architecture *(f)*
Argentina Argentine *(f)* (9)
argue (with) se disputer (avec) (7)
arm bras *(m)* (10)
armchair fauteuil *(m)* (3)
around vers (2), environ (4), autour de
arrange ranger (7)
arranged rangé(e) (3)
arrival arrivée *(f)* (9); **arrival gate** porte *(f)* d'arrivée (9)
arrive arriver (3)
art art *(m)*; **fine arts** beaux-arts *(mpl)* (1)
article article *(m)* (9)
artist artiste *(mf)*
as comme (1); **as … as** aussi… que (1); **as long as** tant que; **as many … (as)** autant de… (que); **as much … (as)** autant de… (que); **as soon as** aussitôt que; **as you see** comme tu vois (3)
ashamed: be ashamed avoir *honte
Asia Asie *(f)* (9)
ask (for) demander (2); **ask a question** poser une question (2)
asleep: fall asleep s'endormir (7)
asparagus asperges *(fmp)*
aspirin aspirine *(f)* (10)
associate associer
astronomy astronomie *(f)*
at à (P); **at home** à la maison (P); **at … 's house / place** chez… (2)
athletic sportif(-ive) (1)
ATM guichet automatique *(m)* (10)
attend assister à
attention attention *(f)*; **pay attention (to)** faire attention (à) (8)
attract attirer
auburn auburn *(inv)* (4)

August août *(m)* (4)
aunt tante *(f)* (4)
Australia Australie *(f)* (9)
automatic automatique; **automatic teller machine** guichet atomatique *(m)* (10)
autumn automne *(m)* (5); **in autumn** en automne (5)
available disponible
avenue avenue *(f)* (10)
average moyen(ne) (4)
avoid éviter (8)
away: go away partir (4), s'en aller; **put away** bien rangé(e) (3); **right away** tout de suite (6)

B

baby bébé *(m)*
back dos *(m)* (10)
back: bring back rapporter; **come back** revenir (4); **give back** rendre (7); **go back** rentrer (2), retourner (5); **go back to bed** se recoucher (7); **in the back of** au fond de; **sell back** revendre (7)
bacon bacon *(m)* (8)
bad mauvais(e) (1); **really bad** nul(le); **That's too bad!** C'est dommage! (7); **The weather's bad.** Il fait mauvais. (5)
badly mal (P); **not badly** pas mal (P)
bag sac *(m)* (5), paquet *(m)* (8); **pack your bag** faire sa valise (9)
baggage bagages *(mpl)*
bakery boulangerie *(f)* (8); **bakery-pastry shop** boulangerie-pâtisserie
balcony balcon *(m)*
bald chauve
ball balle *(f)*, *(inflated)* ballon *(m)*
banana banane *(f)* (8)
band orchestre *(m)* (4), groupe *(m)*
bank banque *(f)* (10); **bank card** carte bancaire *(f)* (9)
banker banquier *(m)*
bar bar *(m)*
baseball baseball *(m)* (2)
based: based on basé(e) sur (6)
basement sous-sol *(m)* (3)
basketball basketball *(m)* (1)
bath bain *(m)* (7); **take a bath** prendre un bain (7)
bathe prendre un bain (7), se baigner
bathroom salle *(f)* de bains (3)
be être (1); **be able** pouvoir (6); **be afraid (of)** avoir *peur (de) (4); **be ashamed** avoir *honte; **be bored** s'ennuyer (7); **be born** naître, (être) né(e) (5); **be cold** avoir froid (4); **be familiar with** connaître (4); **be hot** avoir chaud (4); **be hungry** avoir faim (4); **be interested in** s'intéresser à (7); **be named** s'appeler (7); **be right** avoir raison (4); **be sleepy** avoir sommeil (4); **be thirsty** avoir soif (4); **be wrong** avoir tort (4); **be … years old** avoir… ans (4); **here is/are** voici (2); **How are you?** Comment allez-vous? (P); **How is it going?** Comment ça va? (P); **I am …** Je suis… (P); **I'm hungry.** J'ai faim. (2); **I'm thirsty.** J'ai soif. (2); **isn't it?** n'est-ce pas?, non? (); **It is located…** Il/Elle se trouve… ; **It's Monday.** C'est lundi. (P); **My name is …** Je m'appelle… (P); **There are … of us.** Nous sommes…. (4); **there is/are** il y a (1), voilà (2); **The weather's nice / bad / cold / cool / hot / sunny.** Il fait beau / mauvais / froid / frais / chaud / soleil. (5); **to be continued** à suivre (6); **you are** tu es/vous êtes (P)
beach plage *(f)* (4)
beans: green beans *haricots verts *(mpl)* (8)
bear supporter (7)
beard barbe *(f)* (4)
beast bête *(f)* (6)
beat battre

beautiful beau (bel, belle, *pl* beaux, belles) (1)
beauty beauté (7)
because parce que (P); **because of** à cause de
become devenir (4)
bed lit *(m)* (2); **bed and breakfast** chambre *(f)* d'hôte; **go back to bed** se recoucher (7); **go to bed** se coucher (7); **stay in bed** rester au lit (2)
bedroom chambre *(f)* (3)
beef bœuf *(m)* (8); **roast beef** rosbif *(m)* (8)
beer bière *(f)* (2); **draft beer** demi *(m)*
before avant (P); **before (doing)** avant de (faire); **before-dinner drink** apéritif *(m)* (8)
beforehand auparavant
begin commencer (2); **French class begins at …** Le cours de français commence à… (P)
beginning début *(m)*; **at the beginning (of)** au début (de) (6)
behave se comporter (10)
behaved: well-behaved sage (4)
behind derrière (3)
beige beige (3)
Belgium Belgique *(f)* (9)
believe (in) croire (à)
belong to appartenir à, être à
belongings effets personnels *(mpl)* (3), affaires *(fpl)*
belt ceinture *(f)*
beside à côté de (3)
besides de plus, d'ailleurs
best (le/la) meilleur(e) *(adjective)* (2), (le) mieux *(adverb)*
better meilleur(e) *(adjective)*, mieux *(adverb)* (2); **do better (to) …** faire mieux (de)… (8); **it's better …** il vaut mieux… (10)
between entre (3)
beverage boisson *(f)* (2)
bicycle vélo *(m)* (3)
bicycle-riding: go bicycle-riding faire du vélo (2)
big grand(e) (1), gros(se) (1)
bike vélo *(m)* (2); **by bike** à vélo (4); **ride a bike** faire du vélo (2)
bikini bikini *(m)* (5)
bilingual bilingue
bill *(restaurant)* addition *(f)*, *(utilities)* facture *(f)*; **pay the bill** *(at a hotel)* régler la note (10)
billiards billard *(m)*
biology biologie *(f)* (1)
bird oiseau *(m)*
birth naissance *(f)*; **date of birth** date *(f)* de naissance
birthday anniversaire *(m)* (4)
bizarre bizarre
black noir(e) (3)
blackboard tableau *(m)* (P)
blanket couverture *(f)* (3)
blond blond(e) (4)
blood sang *(m)*
blouse blouse *(f)* (5)
blow: blow the nose se moucher (10)
blue bleu(e) (3)
blueberry bleuet *(m)*
blues *(music)* blues *(m)*
board tableau *(m)* (P)
boat bateau *(m)* (4); **by boat** en bateau (4)
boating: go boating faire du bateau (5)
body corps *(m)* (7)
bodybuilding: to do bodybuilding faire de la musculation
book livre *(m)* (P)
bookcase étagère *(f)* (3)
bookstore librairie *(f)* (1)
boot botte *(f)* (5)
border frontière *(f)*
bored: be bored s'ennuyer (7)
boring ennuyeux(-euse) (1)
born né(e) (5); **be born** naître (5); **He/She was born …** Il/Elle est né(e)… (5)
borrow emprunter

boss patron(ne) *(mf)*
both les deux
bottle (of) bouteille (de) *(f)* (8)
boulevard boulevard *(m)* (10)
bowl bol *(m)*
box (of) boîte (de) *(f)*
boy garçon *(m)* (4)
boyfriend petit ami *(m)* (2)
bracelet bracelet *(m)*
brave courageux(-euse)
Brazil Brésil *(m)* (9)
bread pain *(m)* (8); **bread with butter and jelly** tartine *(f)*; **loaf of French bread** baguette *(f)* (8); **(loaf of) whole-grain bread** pain à grains entiers *(m)* (8)
break casser; **break down** *(machine)* tomber en panne; **break one's arm** se casser le bras
breakfast déjeuner *(m)* (5); **bed and breakfast** chambre *(f)* d'hôte; **to have one's breakfast** prendre son déjeuner (5)
breathe respirer
brief bref (brève)
briefly brièvement
briefs slip *(m)*
bright *(colours)* vif(-ive)
bring *(a thing)* apporter, *(a person)* amener; **bring back** rapporter
Britain: Great Britain Grande-Bretagne *(f)*
broccoli brocoli *(m)*
brother frère *(m)* (1); **brother-in-law** beau-frère *(m)*
brown marron *(inv)*; brun(e) (3), **medium/dark brown** *(with hair)* châtain (4)
brunette brun(e)
brush (one's hair/one's teeth) se brosser (les cheveux/les dents) (7)
Brussels sprouts choux *(mpl)* de Bruxelles
build construire
building bâtiment *(m)* (1); **administration building** centre administratif *(m)*; **apartment building** immeuble *(m)* (3)
burn (oneself) (se) brûler
bus *(in city)* autobus *(m)* (3), *(between cities)* autocar *(m)* (4); **bus stop** arrêt *(m)* d'autobus (3)
business affaires *(fpl)*; **business class** classe *(f)* affaires (9), **business course** cours *(m)* de commerce (1)
businessman homme *(m)* d'affaires (5)
businesswoman femme *(f)* d'affaires (5)
busy chargé(e), occupé(e)
but mais (P); **nothing but** ne… rien que
butcher's shop boucherie *(f)* (8)
butter beurre *(m)* (8); **bread with butter and jelly** tartine *(f)*
buy acheter (4)
by par; **by bike / boat / bus / car / plane / taxi** à vélo / en bateau / en autobus (autocar) / en voiture / en avion / en taxi (4); **by chance** par *hasard; **by the way** à propos; **go by …'s house** passer chez… (2); **right by** tout près (de) (10)
Bye! Salut!, Ciao!

C

cab taxi *(m)* (4)
cabbage chou *(m)*
café café *(m)* (1)
cafeteria cafétéria *(f)* (6)
Cajun cadien(ne) (4)
cake gâteau *(m)* (8); **chocolate cake** gâteau au chocolat (8)
calculator calculatrice *(f)*
Caledonia: New Caledonia Nouvelle-Calédonie *(f)* (9)
California Californie *(f)* (9)
call communication *(f)*; appel *(m)*
call téléphoner (3), appeler (6); **Who's calling?** Qui est à l'appareil?

calm calme (4), tranquille
calm down se calmer
camera appareil photo (m)
campground camping (m) (5)
camping camping (m) (5); **go camping** faire du camping (5)
campus campus (m) (1); fac(ulté) (f)
can (of) boîte (de) (f) (8)
can (be able) pouvoir (6); **one can** on peut (4)
Canada Canada (m) (9)
Canadian canadien(ne) (P)
canceled annulé(e)
candy bonbon (m)
canned goods conserves (fpl) (8)
cap casquette (f)
capital capitale (f)
car voiture (f) (3); **by car** en voiture (4); **rental car** voiture (f) de location (5)
carafe (of) carafe (de) (f)
card carte (f); **bank card** carte bancaire (f) (9); **credit card** carte (f) de crédit (9); **debit card** carte bancaire (f) (9); identity **card** carte (f) d'identité; **play cards** jouer aux cartes; **telephone card** carte téléphonique (f)
care: I don't care. Ça m'est égal.; **take care of** s'occuper de, (health) (se) soigner
career carrière (f)
careful soigneux(-euse); **be careful** faire attention (à)
carefully soigneusement, attentivement
carpenter charpentier (m)
carrot carotte (f) (8)
carry porter (4); **carry away** emporter
cartoon dessin animé (m)
cash: in cash en comptant (10)
cashier caissier(-ère) (mf)
cassette cassette (f); **video cassette** vidéocassette (f); **video cassette player** magnétoscope (m)
castle château (m)
cat chat (m) (3)
cathedral cathédrale (f)
Catholic catholique
cauliflower chou-fleur (m)
cause cause (f)
cause causer
CD CD (m) (3), disque compact (m); **CD player** lecteur (m) CD (3)
celebrate célébrer, fêter
cell phone cellulaire (m) (3)
cent centime (m) (2)
centime centime (m) (2)
central central(e) (mpl centraux); **Central America** Amérique centrale (f) (9)
centre centre (m); **shopping centre** centre commercial (m) (4)
century siècle (m)
cereal céréales (fpl) (8)
certain certain(e), sûr(e)
certainly certainement
certificate certificat (m)
chair chaise (f) (3)
chance: by chance par *hasard; **have the chance to** avoir l'occasion de
change monnaie (f) (2)
change changer (de) (6); **change one's mind** changer d'avis
character (disposition) caractère (m), (from a story) personnage (m)
charge: extra charge supplément (m) (10); **in charge of** responsable de
cheap bon marché
check addition (f)
cheese fromage (m) (2); **cheese sandwich** sandwich (m) au fromage (2)
chemistry chimie (f) (1)
cherry cerise (f) (8)
chest poitrine (f); **chest of drawers** commode (f) (3)

chicken poulet (m) (8)
child enfant (mf) (4)
childhood enfance (f)
Chile Chili (m) (9)
chill frisson (m) (10)
China Chine (f) (9)
Chinese chinois(e)
chips chips (fpl)
chocolate chocolat (m) (2); **chocolate cake** gâteau (m) au chocolat (8); **chocolate-filled croissant** pain (m) au chocolat (8)
choice choix (m) (8)
choose (to do) choisir (de faire) (8)
chore: household chore tâche domestique (f)
Christian chrétien(ne)
Christmas Noël (m); **Merry Christmas!** Joyeux Noël!
church église (f) (4), (Protestant) temple (m)
cinema cinéma (m) (1); **cinema club** ciné-club (m) (2)
circumstance circonstance (f)
city ville (f) (3)
class cours (m) (P), classe (f) (1); **first class** première classe (f); **French class** cours (m) de français (P); **have class** avoir cours (6); **tourist class** classe touriste (f); **Prepare the exam for the next class.** Préparez l'examen pour le prochain cours. (P)
classic classique (m) (2)
classical classique (1)
classmate camarade (mf) de classe
classroom salle (f) de classe (1)
clean propre (3)
climate climat (m) (9)
climb (tree) grimper, (rocks) escalader
climbing: go mountain climbing faire de l'alpinisme; **go rock climbing** faire de l'escalade
clinic clinique (f)
clock horloge (f); **alarm clock** réveil (m) (7)
close fermer (2); **Close your book.** Fermez votre livre. (P)
close (to) (location) près (de) (1); (a friend) proche
closet placard (m) (3)
clothes vêtements (mpl) (3)
cloud nuage (m)
cloudy nuageux(-euse); **It's cloudy.** Il y a des nuages.
club club (m); **cinema club** ciné-club (m) (2); **fitness club** gymnase (1); **nightclub** boîte (f) de nuit (1)
coach classe touriste (f)
coast côte (f)
coat manteau (m) (5), pardessus (m)
code: postal code code postal (m) (3)
coffee (with milk) café (m) (au lait) (2); **coffee table** table basse (f)
coin pièce (f) de monnaie
Coke coca (m) (2)
cola coca (m) (2); **diet cola** coca diète (m) (2)
cold froid(e); **be cold** avoir froid (4); **cold cuts** charcuterie (f) (8); **It's cold.** Il fait froid. (5)
cold rhume (m) (10)
colleague collègue (mf)
collect collectionner
college: go to college étudier à l'université
Colombia Colombie (f) (9)
colour couleur (f) (3); **What colour is/are … ?** De quelle couleur est/sont… ? (3)
comb one's hair se peigner (7)
come venir (4); **come back** revenir (4); **come down (from)** descendre (de) (5); **come get someone** venir chercher quelqu'un (10); **Come see!** Viens voir! (3)
comedy comédie (f)
comfortable confortable (3)
commercial publicité (f)
communicate communiquer (10)

communication communication (f)
compact disc disque compact (m), CD (m) (3)
company société (f), compagnie (f), entreprise (f)
compare comparer (6)
compatibility compatibilité (f) (7)
complain se plaindre
complete complet(-ète) (8); **in complete sentences** en phrases complètes (P)
completely tout à fait
complicated compliqué(e)
composition rédaction (f) (9), composition (f)
computer ordinateur (m) (2); **computer lab** laboratoire d'informatique (1); **computer science** informatique (f) (1)
concern concerner
concert concert (m) (1)
condition condition (f)
confidence confiance (f); **have confidence** avoir confiance (4)
confused confus(e)
congratulations félicitations (fpl)
conservative de droite (7)
conserve conserver
constantly constamment
contact contact (m); **contact lenses** lentilles (fpl)
content content(e) (8)
continent continent (m) (9)
continue (straight ahead) continuer (tout droit) (10); **to be continued** à suivre (6)
contrary: on the contrary par contre; au contraire
control contrôler (8)
convenient commode (3)
cook faire la cuisine (5); (faire) cuire
cooking cuisine (f) (4)
cool frais (fraîche); **The weather's cool.** Il fait frais.
copious copieux(-euse) (8)
corn maïs (m)
corner coin (m) (3); **in the corner (of)** dans le coin (de) (3); **on the corner of** au coin (de) (10)
cost coûter (5)
cotton coton (m)
couch canapé (m) (3)
cough tousser (10)
count compter (2); **Count from … to …** Comptez de… à… (P)
country campagne (f) (3), pays (m) (3); **country music** musique country (f); **in the country** à la campagne (3)
couple couple (m)
course cours (m) (1); **first course** (of a meal) entrée (f) (8); **in the course of** au cours de (10); **Of course!** Bien sûr! (5), Évidemment!; **take a course** suivre un cours
court: tennis court court (m) de tennis
courtyard cour (f); **on the courtyard side** côté jardin (10)
cousin cousin(e) (mf) (4)
cover couverture (f) (3)
cover couvrir
crab crabe (m)
crazy fou (folle)
cream crème (f) (8); **ice cream** crème glaceé (f) (8)
create créer
credit card carte (f) de crédit (9)
crime crime (m), criminalité (f)
criminal criminel(le) (mf)
criticize critiquer
croissant croissant (m) (8); **chocolate-filled croissant** pain (m) au chocolat (8)
cross traverser (10)
cruel cruel(le) (6)
crustaceans fruits (mpl) de mer (8)
cry pleurer
cucumber concombre (m)

cuisine cuisine *(f)* (4)
cultivate cultiver (7)
cultural culturel(le) (4)
culture culture *(f)* (9)
cup tasse *(f)*
cure guérir
curly frisé(e)
current actuel(le)
currently actuellement
curtain rideau *(m)* (*pl* rideaux) (3)
custom coutume *(f)*
customs *(border)* douane *(f)* (9)
cut: cold cuts charcuterie *(f)* (8)
cut (one's finger) (se) couper (le doigt); cut class sécher un cours
cycling cyclisme *(m)*

D

dad(dy) papa *(m)*
daily quotidien(ne) (7)
dairy product produit laitier *(m)*
dance danse *(f)*; bal *(m)* (2)
dance danser (2)
dancer danseur(-euse) *(mf)*
danger danger *(m)*
dangerous dangereux(-euse)
dark foncé(e); dark brown *(with hair)* brun(e) (4); to be dark *(outside)* faire noir
darling chéri(e) (4) *(mf)*
date date *(f)* (4); rendez-vous *(m)*; What is the date? Quelle est la date? (4)
date sortir avec
daughter fille *(f)* (4)
day jour *(m)* (P), journée *(f)* (2); day after tomorrow après-demain; day before yesterday avant-hier; every day tous les jours (P); Father's Day fête *(f)* des Pères; the following day le lendemain *(m)* (5); Have a good day! Bonne journée!; Mother's Day fête *(f)* des Mères; the next day le lendemain *(m)* (5); the whole day toute la journée (2); What day is today? C'est quel jour, aujourd'hui? (P)
daycare crèche *(f)*
daytime journée *(f)*
dead mort(e) (5)
death mort *(f)*
debit: debit card carte bancaire *(f)* (9)
deceased décédé(e) (4)
December décembre *(m)* (4)
decide décider (de) (6)
decision décision *(f)*; make a decision prendre une décision (7)
degree *(temperature)* degré *(m)*, *(university)* diplôme *(m)*
delay retard *(m)*
deli(catessen) charcuterie *(f)* (8); deli meats charcuterie *(f)* (8)
delicious délicieux(-euse) (6)
delighted ravi(e); Delighted to meet you. Enchanté(e).
deluxe de luxe (10)
demand exiger
democratic démocratique
den salle *(f)* de séjour
dentist dentiste *(mf)*
department département *(m)*; department store grand magasin *(m)*
departure départ *(m)* (9); departure gate porte *(f)* d'embarquement (9)
depend (on) dépendre (de) (5); That depends. Ça dépend.
deposit déposer
depressed déprimé(e)
depressing déprimant(e)
depression déprime *(f)*
descend descendre (5)

describe décrire (9)
description description *(f)*
desire désirer (2)
desk bureau *(m)* (3); front desk réception *(f)* (10)
despite malgré
dessert dessert *(m)* (8)
destroy détruire
detective movie film policier *(m)*
detest (each other) (se) détester (7)
develop (se) développer
dictionary dictionnaire *(m)*
die mourir (5)
diet régime *(m)*; be on a diet être au régime; diet cola coca *(m)* diète (2)
different différent(e)
differently différemment
difficult difficile (P)
difficulty difficulté *(f)*
dine (out) souper (au restaurant) (2)
dining: dining room salle à manger *(f)* (3)
dinner dîner *(m)* (8); before-dinner drink apéritif *(m)* (8); have dinner dîner
diploma diplôme *(m)*
direct diriger
direct direct(e)
directions indications *(fpl)* (10); give directions indiquer le chemin (10)
directly directement
dirty sale (3)
disadvantage inconvénient *(m)*
disappointed déçu(e)
disc: compact disc disque compact *(m)*, CD *(m)* (3); compact disc player lecteur *(m)* CD (3)
distant froid(e) (1)
discover découvrir
discuss discuter (de)
disguise (oneself) (se) déguiser
dish plat *(m)* (8); do the dishes faire la vaisselle (5); main dish plat principal (8); ready-to-serve dish plat préparé *(m)* (8)
dishwasher lave-vaisselle *(m)*
disorder désordre *(m)* (3); in disorder en désordre (3)
diversity diversité *(f)*
divided partagé(e) (3)
diving: scuba diving plongée sous-marine *(f)*
divorce divorcer
divorced divorcé(e) (1)
do faire (2); do aerobics faire de l'aérobique (8); do better (to) ... faire mieux (de)... (8); do handiwork bricoler (2); Do the homework. Faites les devoirs. (P); do weight training faire de la musculation; Do you ... ? Est-ce que vous... ? (1); I do not ... Je ne... pas (P)
doctor médecin *(m)* (10)
doctorate doctorat *(m)*
dog chien *(m)* (3)
dollar dollar *(m)* (3)
domestic domestique
door porte *(f)* (3); next door à côté
dormitory résidence universitaire *(f)* (1)
doubt doute *(m)*; without doubt sans doute (8)
doubt that ... douter que...(10)
doubtless sans doute (8)
down: go / come down descendre (5)
downtown au centre-ville *(m)* (3)
dozen (of) douzaine (de) *(f)* (8)
draft beer demi *(m)*
drama drame *(m)*; drama course cours *(m)* de théâtre (1)
dramatic dramatique
draw dessiner
drawer tiroir *(m)*; chest of drawers commode *(f)* (3)
drawing dessin *(m)*
dream rêve *(m)*
dream (about, of) rêver (de) (7)
dress robe *(f)* (5)

dress habiller; get dressed s'habiller (7)
dresser commode *(f)* (3)
drink boisson *(f)* (2); before-dinner drink apéritif *(m)* (8); have a drink prendre un verre (2)
drink boire (4)
drive conduire; go for a drive faire un tour en voiture
drop laisser tomber
drums batterie *(f)* (2)
dry sécher; dry cleaner's teinturerie *(f)*
duck canard *(m)* (8)
due to à cause de
dumb bête (1)
during pendant (5), au cours de (10)
DVD DVD *(m)* (2); DVD player lecteur *(m)* DVD (3)

E

each chaque (3); each one chacun(e); each other se, vous, nous (7), l'un(e) l'autre
ear oreille *(f)*
early tôt (4), en avance
earn gagner
earring boucle *(f)* d'oreille
earth terre *(f)*
easily facilement (7)
east est *(m)*; Middle East Moyen-Orient *(m)* (9)
Easter Pâques *(fpl)*
easy facile (P)
eat manger (2); eat one's breakfast prendre son déjeuner (5); eat dinner souper (2); eat dinner out souper au restaurant (2); eat lunch dîner (2)
eccentric excentrique
ecological écologique
economics sciences économiques *(fpl)*
economy économie *(f)*
editor rédacteur(-trice) *(mf)*
educate éduquer
education éducation *(f)*
effect effet *(m)* (6); special effects effets spéciaux *(mpl)* (6)
egg œuf *(m)* (8); hard-boiled egg œuf dur *(m)* (8)
Egypt Égypte *(f)* (9)
eight *huit (P)
eighteen dix-huit (P)
eighth *huitième (3)
eighty quatre-vingts (2); eighty-one quatre-vingt-un (2)
either ... or ... soit... soit...
election élection *(f)*
element élément *(m)*
elementary school école primaire/élémentaire *(f)*
elevator ascenseur *(m)* (10)
eleven onze (P)
else: What else? Quoi d'autre?; What else can I get you? Qu'est-ce que je peux vous proposer d'autre? (8)
elsewhere ailleurs
e-mail mail *(m)* (2), courriel *(m)*; e-mail address adresse *(f)* courriel (3)
embarrassed gêné(e)
embassy ambassade *(f)*
embrace (each other) (s')embrasser (7)
employee employé(e) *(mf)* (10); government employee fonctionnaire *(mf)*
encounter rencontre *(f)* (7)
end fin *(f)*; at the end (of) au bout (de) (3); at the end of the hallway au bout du couloir (10)
end finir (8), (se) terminer; end up doing finir par faire; French class ends ... Le cours de français finit... (P)
energetic énergique
energy énergie *(f)*
engaged fiancé(e) (1); get engaged se fiancer (7)

engineer ingénieur *(m)*
engineering études *(fpl)* d'ingénieur, génie *(m)*
English anglais *(m)* (P)
English anglais(e)
enjoy: Enjoy your stay! Bon séjour! (10)
enough assez (de) (1)
enter entrer (dans) (5)
enterprise entreprise *(f)*
entertainment distractions *(fpl)* (5)
enthusiastic enthousiaste
entire entier(-ère)
environment environnement *(m)*
equality égalité *(f)*
equals: … plus … equals … … et… font… (P)
errand course *(f)* (5); **run errands** faire des courses (5)
especially surtout (8)
espresso expresso *(m)* (2)
essential essentiel(le)
establish établir
euro euro *(m)* (2)
Europe Europe *(f)* (9)
European européen(ne)
eve: New Year's Eve party le réveillon *(m)* du jour de l'An
even même; **even though** bien que
evening soir *(m)* (P), soirée *(f)* (4); **At ten o'clock in the evening.** À dix heures du soir. (P); **Good evening.** Bonsoir. (P); **in the evening, evenings** le soir (P); **See you this evening.** À ce soir. (2)
every chaque (3), tout (toute, tous, toutes); **every day** tous les jours (P)
everybody tout le monde (6)
everyone tout le monde (6)
everything tout (3)
everywhere partout (3)
exactly justement (3), exactement (10)
exam examen *(m)* (P)
example exemple *(m)*; **for example** par exemple (2)
excellent excellent(e) (6)
except sauf (2)
exception exception *(f)*; **with the exception of** à l'exception de
exchange money changer de l'argent
exciting passionnant(e)
excuse excuser; **Excuse me.** Excusez-moi, Pardon. (P)
executive cadre *(m)*
exercise exercice *(m)* (P)
exercise faire de l'exercice (2)
exhausted épuisé(e)
exhibit exposition *(f)* (4)
ex-husband ex-mari *(m)*
exotic exotique (9)
expensive cher (chère) (3)
experience expérience *(f)*
explain expliquer
express exprimer
expression expression *(f)* (10)
extra charge supplément *(m)* (10)
extracurricular parascolaire
extraordinary extra(ordinaire) (4)
extroverted extraverti(e) (1)
ex-wife ex-femme *(f)*
eye œil *(m)* *(pl* yeux) (10); **to have … eyes** avoir les yeux… (4)

F

face figure *(f)* (7), visage *(m)*
facing en face (de) (3)
fact fait *(m)*; **in fact** en fait
fail échouer (à)
fair juste
fairly assez (P)
fairy tale conte *(m)* de fées (6)
fall automne *(m)* (5); **in the fall** en automne (5)

fall tomber (5); **fall asleep** s'endormir (7); **fall in love (with)** tomber amoureux(-euse) (de) (6)
false faux (fausse)
familiar: be familiar with connaître (4)
family famille *(f)* (P); **family name** nom *(m)* de famille (3); **family room** salle *(f)* de séjour
famous célèbre (4), fameux(-euse)
far (from) loin (de) (3); **as far as** jusqu'à (10)
farm ferme *(f)*
fashion mode *(f)*; **designer fashion** *haute couture *(f)*
fast vite (7), rapide (8)
fast food restaurant resto rapide *(m)* (1)
fat gros(se) (1)
father père *(m)* (4); **father-in-law** beau-père *(m)* (4); **Father's Day** fête *(f)* des Pères
fats matières grasses *(fpl)* (8)
favourite préféré(e) (3)
fear avoir peur (de) (4)
February février *(m)* (4)
feed nourrir (8), donner à manger à; **to feed oneself** se nourrir (8)
feel (se) sentir (8); **feel like** avoir envie de (4)
feeling sentiment *(m)* (7)
ferocious féroce (6)
festival festival *(m)* (4)
fever fièvre *(f)*; **have fever** avoir de la fièvre
few: a few quelques (5), quelques-un(e)s
fewer moins de (8); **fewer … than** moins de… que
fiancé fiancé *(m)*
fiancée fiancée *(f)*
field champ *(m)*
fifteen quinze (P)
fifth cinquième (3)
fifty cinquante (2); **fifty-one** cinquante et un (2)
fight combattre, se battre; **fight (against)** lutter (contre)
fill (in) remplir
film film *(m)* (1)
finally finalement (6), enfin (7)
find trouver (4); **find out information** s'informer (9)
fine: fine arts beaux-arts *(mpl)* (1); **It's going fine.** Ça va. (P)
finger doigt *(m)* (10)
finish (doing) finir (de faire) (8), terminer
first premier(-ère) (1), d'abord (4); **at first** au début; **first course** *(of a meal)* entrée *(f)* (8); **first floor** premier étage *(m)* (3); **first name** prénom *(m)* (3); **in first class** en première classe; **love at first sight** coup *(m)* de foudre (7)
fish poisson *(m)* (8); **fish market** poissonnerie *(f)* (8)
fishing pêche *(f)*; **go fishing** aller à la pêche (8)
fitness club gymnase *(m)* (1)
fitting room cabine *(f)* d'essayage (5)
five cinq (P)
fixed: at a fixed price à prix fixe
flight vol *(m)* (9)
flip-flops tongs *(fpl)*
floor étage *(m)* (3); **ground floor** rez-de-chaussée *(m)* (3); **on the floor** par terre (3); **on the second floor** au deuxième étage (3)
Florida Floride *(f)*
flower fleur *(f)*
flu grippe *(f)* (10)
fluently couramment
foggy: It's foggy. Il y a du brouillard.
folk music folk *(m)*
folklore folklore *(m)*
follow suivre (7)
following suivant(e) (3)
food aliments *(mpl)*, nourriture *(f)*
foot pied *(m)* (10); **go on foot** aller à pied (4)
football football *(m)* (1)
for pour (P), pendant (5), depuis (7), comme (8); **for example** par exemple (2); **For how long?**

Pendant combien de temps? (5); **for the last three days** depuis les trois derniers jours; **go away for the weekend** partir en fin de semaine (5); **look for** chercher (3); **watch out for** faire attention à (8)
forbidden: It's forbidden to … Il est inderdit de…
foreign étranger(-ère) (1), **foreign currency** devise *(f)* étrangère (9)
foreseen prévu(e)
forest forêt *(f)*
forget oublier (8)
forgive pardonner
fork fourchette *(f)*
former ancien(ne)
formerly autrefois, jadis
forty quarante (2); **forty-one** quarante et un (2)
four quatre (P)
fourteen quatorze (P)
fourth quatrième (3)
France France *(f)* (1)
frankly franchement
free libre (2), *(price)* gratuit(e); **Are you free this evening?** Tu es libre ce soir? (2); **free time** temps libre *(m)* (4)
freedom liberté *(f)*
French français *(m)* (P); **French class** cours *(m)* de français (P); **French-speaking** francophone; **How do you say … in French?** Comment dit-on… en français? (P)
French français(e) (1); **French fries** frites *(fpl)* (8); **French Guiana** Guyane *(f)* (9); **French Polynesia** Polynésie française *(f)* (9); **loaf of French bread** baguette *(f)* (8)
frequently fréquemment
fresh frais (fraîche) (8)
Friday vendredi *(m)* (P)
friend ami(e) *(mf)* (P), copain *(m)*, copine *(f)* (6)
friendly amical(e) *(mpl* amicaux)
fries frites *(fpl)* (2)
frisbee: to play frisbee jouer au frisbee
from de (P), depuis; **from Monday to Friday** *(every week)* du lundi au vendredi (P)
front: front desk réception *(f)* (10); **in front of** devant (3)
frozen surgelé(e) (8)
fruit fruit *(m)* (8); **fruit juice** jus *(m)* de fruit (2)
full plein(e)
fun amusant(e) (1); **have fun** s'amuser (7); **make fun of** se moquer de
funny drôle
furious furieux(-euse); **to be furious that …** être furieux (furieuse) que… (10)
furnishings meubles *(mpl)* (3)
furniture meubles *(mpl)* (3)
furthermore en plus (8)
futon futon *(m)*
future avenir *(m)*

G

gain gagner; **gain weight** grossir (8), prendre du poids
game match *(m)* (1), jeu *(m)* (2); **video game** jeu vidéo *(m)*
garage garage *(m)*
garden jardin *(m)*
garden faire du jardinage (5), jardiner
gardening jardinage *(m)*
gate: arrival gate porte *(f)* d'arrivée (9); **departure gate** porte *(f)* d'embarquement (9)
general: in general en général (2)
generally généralement
generous généreux(-euse)
gentle doux(-ce) (6)
gentleman monsieur *(m)*; **ladies-gentlemen** messieurs-dames
geography géographie *(f)* (9)
geology géologie *(f)*

German allemand *(m)* (1)
German allemand(e)
Germany Allemagne *(f)* (9)
get obtenir (9), recevoir; **get along** s'entendre (7); **get bored** s'ennuyer (7); **get dressed** s'habiller (7); **get engaged** se fiancer (7); **get lost** se perdre (7); **get married (to)** se marier (avec) (7); **get off** descendre (de) (5); **get older** vieillir; **get on** monter (dans) (5); **get ready** se préparer; **get sick** tomber malade (10); **get taller** grandir (8); **get to know** connaître (4); **get undressed** se déshabiller (7); **get up** se lever (7); **get well** guérir; **go/come get someone** aller/venir chercher quelqu'un (10)
gift cadeau *(m)* (7); **gift shop** boutique *(f)* de cadeaux (10)
girl (jeune) fille *(f)* (4)
girlfriend petite amie *(f)* (2)
give donner (2); **give (something) back (to someone)** rendre (quelque chose à quelqu'un) (7); **give directions** indiquer le chemin (10); **Give me your exam.** Donnez-moi votre examen. (P)
glad content(e) (8)
gladly avec plaisir (6), volontiers (8)
glass verre *(m)* (2); **a glass of** un verre de (2)
glasses lunettes *(fpl)* (4)
global global(e) *(mpl* globaux)
glove gant *(m)*
go aller (2), se rendre (à / chez); **go across** traverser (10); **go all-terrain biking** faire du VTT (5); **go away** partir (4), s'en aller; **go back** rentrer (2), retourner (5); **go bike-riding** faire du vélo (5); **go boating** faire du bateau (5); **go by / past** passer (2); **go camping** faire du camping (5); **go down** descendre (5); **go for a ride** faire un tour (4); **go for a walk** faire une promenade (5); **go in-line skating** faire du patin à roues alignées (6); **go grocery shopping** faire les courses (6); **go hiking** faire des randonnées (8); **go in** entrer (dans) (5); **going to school** aller à l'école (1); **go jogging** faire du jogging (2); **go on foot** aller à pied (4); **go out** sortir (2); **go pick up someone** aller chercher quelqu'un (10); **go scuba diving** faire de la plongée sous-marine; **go see** aller voir (4); **go shopping** faire du magasinage (2); **go skiing** faire du ski (2); **go to bed** se coucher (7); **Go to the board!** Allez au tableau! (P); **go to the movies** aller au cinéma (2); **go up** monter (5); **go for a walk** se promener (5); **go water-skiing** faire du ski nautique; **go windsurfing** faire de la planche à voile; **How's it going?** Comment ça va? (P); **It's going fine.** Ça va. (P)
goal but *(m)*
God Dieu *(m)*
golf golf *(m)* (2)
good: canned goods conserves *(fpl)* (8)
good bon(ne) (1), sage (4); **Good evening.** Bonsoir. (P); **Good idea!** Bonne idée! (4); **good in/at** fort(e) en; **Good morning.** Bonjour. (P); **Have a good day!** Bonne journée!; **Have a good weekend!** Bonne fin de semaine!; **It's good to …** C'est bien de… (10); **One has a good time!** On s'amuse bien!
good-bye au revoir (P)
government gouvernement *(m)*, sciences politiques; **government worker** fonctionnaire *(mf)*
gracious gracieux(-euse) (6)
grade note *(f)*
gram (of) gramme (de) *(m)* (8)
grammar grammaire *(f)*
grandchildren petits-enfants *(mpl)*
granddaughter petite-fille *(f)* (7)
grandfather grand-père *(m)* (4)

grandma mamie *(f)* (7)
grandmother grand-mère *(f)* (4)
grandparents grands-parents *(mpl)* (4)
grandson petit-fils *(m)* (7)
grape(s) raisin *(m)* (8)
grapefruit pamplemousse *(m)*
graphic artist graphiste *(mf)*
gray gris(e) (3)
great super (P), extra(ordinaire) (4), génial(e) *(mpl* géniaux); formidable, magnifique; **Great Britain** Grande-Bretagne *(f)*
green vert(e) (3); **green beans** *haricots verts *(mpl)* (3)
greet saluer
grilled grillé(e) (8)
grocery: go buy groceries faire les courses (5); **grocery store** épicerie *(f)* (8)
ground terre *(f)*; **ground floor** rez-de-chaussée *(m)* (3); **on the ground** par terre (3)
ground beef bifteck *haché *(m)*
group groupe *(m)* (6)
grow (up) grandir (8)
guess deviner
Guiana: French Guiana Guyane *(f)* (9)
guide guide *(m)* (9)
guidebook guide *(m)* (9)
guilty coupable
guitar guitare *(f)* (2)
gum gomme à mâcher *(f)* (10)
gym gymnase *(m)* (1)

H

hair cheveux *(mpl)* (4); **comb one's hair** se peigner (7); **hair stylist** coiffeur(-euse) *(mf)*
half moitié *(f)*
half demi (P); **a kilo and a half (of)** un kilo et demi (de) (8); **half-brother** demi-frère *(m)*; **half hour** demi-heure *(f)* (7); **half-sister** demi-sœur *(f)*; **It's half past two.** Il est deux heures et demie. (P)
hall couloir *(m)* (3); **at the end of the hall** au bout du couloir (10); **lecture hall** amphithéâtre *(m)* (1); **residence hall** résidence universitaire *(f)* (1)
ham jambon *(m)* (2); **ham sandwich** sandwich au jambon *(m)* (2)
hamburger *hamburger *(m)* (8)
hand main *(f)* (7); **hand in hand** main dans la main (7), **on the other hand** par contre
handiwork: do handiwork bricoler (2)
handsome beau/bel (belle) (1)
hang up raccrocher
Hanukkah *Hanoukka *(f)*
happen se passer (7), arriver; **What happened?** Qu'est-ce qui s'est passé? (7)
happiness bonheur *(m)* (7)
happy content(e) (8), heureux(-euse) (7); **Happy Birthday!** Bon anniversaire!
hard dur(e); **have a hard time** avoir du mal à
hard-boiled egg œuf dur *(m)* (8)
hardly ne… guère
hard-working travailleur(-euse)
hat chapeau *(m)*
hate (each other) (se) détester (7)
hatred *haine *(f)*
have avoir (2); **have a drink** prendre un verre (2); **have breakfast** prendre le déjeuner (5); **have class** avoir cours (6); **have difficulty doing** avoir du mal à faire; **have dinner** souper (2); **have fun** s'amuser (7); **have just (done)** venir de (faire); **have lunch** dîner (2); **have to** devoir 6)
hazel *(with eyes)* noisette *(inv)* (4)
he il (1); **he is …** c'est…, il est… (1)
head tête *(f)* (10)
health santé *(f)* (8); **health centre** infirmerie *(f)*
healthy sain(e) (8)
hear entendre (7)

heart cœur *(m)*
heavy lourd(e); gros(se) (1)
Hebrew hébreu *(m)*
heels: high heels *talons hauts *(mpl)*
height *hauteur *(f)*, taille *(f)*; **of medium height** de taille moyenne (4)
hello bonjour (P), *(on the telephone)* allô (6)
help aider (5); **May I help you?** Je peux vous aider? (5)
henceforth désormais
her la (5); **to her** lui (9); **with her** avec elle
her son (sa, ses) (3)
here ici (P); **here is/are** voici (2)
herself se (7), elle-même
hesitation hésitation *(f)* (7)
Hi! Salut! (P)
high *haut(e), élevé(e); **high fashion** *haute couture *(f)*; **high heels** *talons hauts *(mpl)*; **high school** école secondaire *(f)* (6)
hiking: to go hiking faire des randonnées (8)
him le (5); **to him** lui (9); **with him** avec lui (6)
himself se (7), lui-même
his son (sa, ses) (3)
historic historique (9)
history histoire *(f)* (1)
hobby passe-temps *(m)*
hockey *hockey *(m)* (2)
hold tenir
holiday fête *(f)* (4); **national holiday** fête nationale *(f)*
home: at home à la maison (P); **come / go back home** rentrer (2)
homework devoirs *(mpl)* (P); **Do the homework.** Faites les devoirs. (P)
honest honnête
honey miel *(m)*, chéri(e)
honeymoon lune *(f)* de miel, voyage *(m)* de noces
hope espérer (3)
horrible horrible (6), affreux(-euse)
horror movie film *(m)* d'épouvante
hors d'œuvre *hors-d'œuvre *(m)* *(inv)* (8), entrée *(f)*
horse cheval *(m)* *(pl* chevaux); **ride a horse** monter à cheval
horseback: go horseback riding faire du cheval
hose: panty hose collant *(m)*
hospital hôpital *(m)* *(pl* hôpitaux)
hostel: youth hostel auberge *(f)* de jeunesse (10)
hot chaud(e) (2); **be hot** avoir chaud (4); **hot chocolate** chocolat chaud *(m)* (2); **The weather's hot.** Il fait chaud. (5)
hotel hôtel *(m)* (5); **hotel manager** hôtelier(-ère) *(mf)* (10)
hour heure *(f)* (P); **half hour** demi-heure *(f)* (7)
house maison *(f)* (1); **at / to / in my house** chez moi (2); **pass by the house of …** passer chez… (2)
household ménage *(m)*; **household chore** tâche domestique *(f)*
housemate colocataire *(mf)* (P)
housework ménage *(m)* (5)
housing logement *(m)* (3)
how comment (P); **How are you?** Comment allez-vous? (P); **How does that sound?** Ça te dit? (4); **How do you say … ?** Comment dit-on … ? (P); **How long does it take?** Ça prend combien de temps? (4); **how many** combien (de) (3); **How many people are there in your family?** Vous êtes combien dans votre (ta) famille? (4); **how much** combien (de) (3); **How much is it?** C'est combien?, Ça fait combien? (2); **How much is … plus / minus … ?** Combien font… et / moins… ? (P); **How old is … ?** Quel âge a… ? (4); **How's it going?** Comment ça va? (P); **How's the weather?** Quel temps fait-il? (5)
however pourtant (8)
human humain(e)
humid: It's humid. Il fait humide.

humour: sense of humour sens *(m)* de l'humour (7)
hundred: one hundred cent (2)
hunger faim *(f)*
hungry: be hungry avoir faim (4); **I'm hungry.** J'ai faim. (2)
hunter chasseur *(m)*
hunting chasse *(f)*; **go hunting** aller à la chasse
hurry se dépêcher (de); **hurried** pressé(e)
hurt: hurt (someone) faire mal (à quelqu'un); **one's… hurt(s)** avoir mal (à)… (10)
husband mari *(m)* (2)

I

I je, j' (P)
ice glace *(f)*; **ice cream** glace *(f)* (8)
ice-skating patin *(m)* à glace; **go ice-skating** faire du patin à glace
icy: It's icy. Il y a du verglas.
idea idée *(f)*
idealistic idéaliste (1)
identify identifier
identity card carte *(f)* d'identité
if si (5)
ill malade (10)
illness maladie *(f)*
image image *(f)*
immediately immédiatement, tout de suite
impatient impatient(e) (4)
importance importance *(f)* (7)
important important(e)
imprison emprisonner (6)
improve améliorer (8)
impulsive impulsif(-ive)
in dans (P), en (P), chez (+ *a person*) (7); **go in** entrer (dans) (5); **I live in** (+ *city*) J'habite à (+ *ville*) (P); **in advance** à l'avance (9); **in bed** au lit (2); **in front of** devant (3); **in love** amoureux(-euse); **in order to** pour (1); **in the country** à la campagne (3); **in the morning** le matin (P); **in your opinion** à votre avis (8)
include comprendre (8); **included** compris(e) (10)
indecision indécision *(f)*
indefinite indéfini(e)
independent indépendant(e)
India Inde *(f)*
Indies: West Indies Antilles *(fpl)* (9)
indifference indifférence *(f)* (7)
indigestion indigestion *(f)* (10)
inequality inégalité *(f)*
inexpensive pas cher(-ère)
infidelity infidélité *(f)* (7)
inflexibility rigidité *(f)* (7)
influence influencer
inform (oneself) (s')informer (9)
information renseignements *(mpl)* (3); **find out information** s'informer (9)
in-laws beaux-parents *(mpl)*
insensitivity insensibilité *(f)*
inside à l'intérieur, dedans
insist exiger (10), insister
instant instant *(m)*
instead plutôt (4)
instructions instructions *(fpl)*
intellectual intellectuel(le) (1)
intelligent intelligent(e) (1)
intend (to) avoir l'intention de (4)
interested: be interested in s'intéresser à (7)
interesting intéressant(e) (P)
international international(e) (*mpl* internationaux)
Internet Internet *(m)* (9); **on the Internet** sur Internet (9)
interpret interpréter
interpreter interprète *(mf)*
introduce présenter; **Let me introduce … to you.** Je vous/te présente…

introverted introverti(e)
investigation enquête *(f)*
invitation invitation *(f)* (6)
invite inviter (à) (2)
iPod iPod *(m)* (3)
Iraq Irak *(m)*
Iran Iran *(m)*
island île *(f)* (9)
Israel Israël *(m)* (9)
it ce (P), il (P), elle (1), le, la (5); **How's it going?** Comment ça va? (P); **it's …** c'est… (P); **It's going fine.** Ça va. (P); **of it** en (8)
Italian italien *(m)*
Italian italien(ne)
Italy Italie *(f)* (9)
its son (sa, ses) (3)
Ivory Coast Côte d'Ivoire *(f)* (9); **from/of the Ivory Coast** ivoirien(ne)

J

jacket veste *(f)*, blouson *(m)*; **ski jacket** anorak *(m)* (5); **windbreaker jacket** blouson *(m)*
jam confiture *(f)* (8)
January janvier *(m)* (4)
Japan Japon *(m)* (9)
Japanese japonais *(m)*
Japanese japonais(e)
jar (of) pot (de) *(m)* (8)
jazz jazz *(m)* (1)
jealous jaloux(-ouse) (7)
jealousy jalousie *(f)* (7)
jeans jean *(m)* (5)
jelly confiture *(f)* (8)
jewelry bijoux *(mpl)*
job poste *(m)*, travail *(m)* (6)
jog faire du jogging (2)
jogging jogging *(m)* (2); **go jogging** faire du jogging (2); **jogging suit** survêtement *(m)* (5)
join rejoindre
journal journal *(m)* (*pl* journaux)
journalism journalisme *(m)*
journalist journaliste *(mf)*
juice jus *(m)* (2)
July juillet *(m)* (4)
June juin *(m)* (4)
just seulement (8), juste (10); **I would just as soon …** J'aimerais autant… (10); **have just (done)** venir de (faire); **just anything** n'importe quoi

K

keep garder
key clé *(f)*; **key card** carte *(f)* clé (10)
keyboard clavier *(m)*
kidney rein *(m)*
kilo (of) kilo (de) *(m)* (8); **half a kilo** livre *(f)* (8)
kilometer kilomètre *(m)*
kind genre *(m)*; **all kinds of …** toutes sortes de…
kindergarten école maternelle *(f)*
kingdom royaume *(m)*; **United Kingdom** Royaume-Uni *(m)* (9)
kiosk kiosque *(m)*
kiss baiser *(m)*, bise *(f)*
kiss (each other) (s')embrasser (7)
kitchen cuisine *(f)* (3)
knee genou *(m)*
knife couteau *(m)*
knit shirt polo *(m)* (5)
know (*person, place*) connaître (4), (*how, answers*) savoir (9); **Do you know how to …?** Savez-vous…? (9); **get to know** connaître (4); **I don't know.** Je ne sais pas. (P); **known** connu(e); **What do you know about … ?** Que savez-vous de…?
knowledge connaissance *(f)*

L

laboratory: computer lab laboratoire *(m)* d'informatique (1); **language lab** laboratoire *(m)* de langues (1)
lack of manque de *(m)*
lady dame *(f)*; **ladies-gentlemen** messieurs dames; **lady's suit** tailleur *(m)*
lake lac *(m)*
lamb agneau *(m)*
lamp lampe *(f)* (3)
landscape paysage *(m)* (9)
language langue *(f)* (1); **language lab** laboratoire *(m)* de langues (1)
laptop portable *(m)* (3)
large grand(e) (1); copieux(-euse) (8)
last durer
last dernier(-ère) (5)
late tard (4), en retard (10); **later** plus tard (4); **See you later!** À tout à l'heure!, À plus tard!, À plus! (P)
laugh rire
laundry linge *(m)*; **do laundry** faire le lavage (5)
law loi *(f)*; (*field*) droit *(m)*
lawyer avocat(e) *(mf)*
lazy paresseux(-euse) (1)
learn apprendre (à) (4); **Learn …** Apprenez… (P)
leave quitter (4), partir (de) (4), sortir (de) (6), (*something behind*) laisser (3), s'en aller; **leave each other** se quitter (7)
lecture hall amphithéâtre *(m)* (1)
left gauche *(f)* (3); **to the left (of)** à gauche (de) (3)
leg jambe *(f)* (10)
leisure activity loisir *(m)*
lemon citron *(m)* (2); **tea with lemon** thé *(m)* au citron (2)
lend prêter
lense: contact lenses verres de contact *(mpl)*
less moins de (8); **less … than** moins… que (1)
let laisser; **Let's see!** Voyons! (5)
letter lettre *(f)* (9)
lettuce laitue *(f)* (8)
level niveau *(m)*
liberal de gauche (7)
library bibliothèque *(f)* (1)
life vie *(f)* (6)
lift weights faire des haltères
light (*weight*) léger(-ère) (8), (*colour*) clair(e)
like aimer (2); **Did you like it?** Ça t'a plu? (6); **Does he/she like it?** Ça lui plaît? (9); **Do you like … ?** Est-ce que vous aimez… ? (1); **I like …** J'aime… (1); **I like it!** Il/Elle me plaît! (5); **I would like …** Je voudrais (bien)… (2); **like each other** s'aimer (7); **What would you like?** Vous désirez? (2); **You'll like it!** Ça te/vous plaira! (9); **You would like …** Tu voudrais…, Vous voudriez… (e)
like comme (1); **What is / are … like?** Comment est/sont… ? (1)
lime citron vert *(m)*
line ligne *(f)*; **online** en ligne (7)
lip lèvre *(f)*
liquid liquide *(m)* (10)
listen (to) écouter (2); **Listen to the question.** Écoutez la question. (P)
literature littérature *(f)* (1); **classical literature** littérature classique; **literature class** cours de littérature (1)
little (of) peu (de) (8); **a little** un peu (P); **little by little** petit à petit (6)
little petit(e) (1)
litre (of) litre (de) *(m)* (8)
live habiter (2); **Do you live … ?** Vous habitez…? (P); **I live in …** (+ *city*) J'habite à… (+ *ville*) (P)
liver foie *(m)*
living room salon *(m)* (3)
loaf of French bread baguette *(f)* (8)

loafers mocassins *(mpl)*
loan prêter
lobster *homard *(m)* (8)
local local(e) *(mpl* locaux) (9)
located situé(e); **It is located …** Il/Elle se trouve…
lock fermer à clé
lodge: ski lodge chalet *(m)* de ski (10)
lodging logement *(m)* (3)
lonely seul(e)
long long(ue) (4); **a long time** longtemps (5); **as long as** tant que; **How long does it take?** Combien de temps est-ce que ça prend? (4); **no longer** ne… plus (8)
look (at) regarder (2); **look (+ *adjective*)** avoir l'air (+ *adjectif*) (4); **look at each other** se regarder (7); **look for** chercher (3); **look like** ressembler à; **look very good on someone** aller très bien à quelqu'un
lose perdre (7); **get lost** se perdre (7); **lose weight** maigrir (8), perdre du poids
lot: a lot beaucoup (P), **a lot of** beaucoup de (1); **not a lot** pas grand-chose
love amour *(m)*; **fall in love (with)** tomber amoureux(-euse) de (6); **love at first sight** coup *(m)* de foudre (7); **love story** film *(m)* d'amour (6); **true love** le grand amour (7)
love aimer (2), adorer; **love each other** s'aimer (7)
luck chance *(f)* (5); **What luck!** Quelle chance! (5)
lucky: be lucky avoir de la chance
luggage bagages *(mpl)*
lunch dîner *(m)* (8); **have lunch** dîner (2)
lung poumon *(m)*
luxury luxe *(m)*
lyrics paroles *(fpl)*

M

machine machine *(f)*; **automatic teller machine** guichet automatique *(m)* (10)
madam (Mrs.) madame (Mme) (P)
magazine magazine *(m)* (9)
magnificent magnifique
mail courrier *(m)*; **e-mail** courriel *(m)* (2), courrier électronique *(m)*; **mail carrier** facteur *(m)*, factrice *(f)*
main principal(e) *(mpl* principaux); **main dish** plat principal (8)
major in se spécialiser en
majority: the majority of the time la plupart du temps (7)
make faire (2); **make (+ *adjective*)** rendre (+ *adjectif)*; **make a decision** prendre une décision (7); **make money** gagner de l'argent; **make up with each other** se réconcilier (7); **made up of** composé(e) de
make-up maquillage *(m)*; **put on make-up** se maquiller (7)
mall: shopping mall centre commercial *(m)* (4)
mama maman *(f)*
man homme *(m)* (1); monsieur *(m)*
management gestion *(f)*
manual worker ouvrier(-ère) *(mf)*
many beaucoup (de) (1); **how many** combien (de) (1); **How many people are there in your family?** Vous êtes combien dans votre (ta) famille? (4); **so many** tant (de); **too many** trop (de) (8)
map plan *(m)* (10), carte *(f)*
March mars *(m)* (4)
market marché *(m)* (8)
marketing marketing *(m)* (1)
marriage mariage *(m)* (7)
married marié(e) (1); **get married (to)** se marier (avec) (7)
marvelous merveilleux(-euse)
mathematics mathématiques (maths) *(fpl)* (1)
matter: It doesn't matter to me. Ça m'est égal.; **What's the matter?** Qu'est-ce qu'il y a?

May mai *(m)* (4)
may pouvoir (6); **May I help you?** Je peux vous aider? (5)
maybe peut-être (3)
me moi (P), me (9); **Give me …** Donnez-moi… (P)
meal repas *(m)* (6)
mean: What does that mean? Qu'est-ce que ça veut dire? (P)
mean méchant(e) (1)
means moyen *(m)*; **means of transportation** moyen *(m)* de transport (4)
meat viande *(f)* (8); **meat spread** pâté *(m)* (8)
medical médical(e) *(mpl* médicaux)
medication médicament *(m)* (10)
medicine *(studies)* médecine *(f)*, *(medication)* médicament *(m)* (10)
medium moyen(ne); **medium brown** *(with hair)* châtain (4); **medium-height** de taille moyenne (4)
meet *(by design)* retrouver (4), *(by chance, for the first time)* rencontrer (1), *(for the first time)* faire la connaissance de (7), se réunir; **Let's meet at …** Rendez-vous à…; **meet each other** *(by chance, for the first time)* se rencontrer, *(by design)* se retrouver (7)
meeting réunion *(f)*
melon melon *(m)*
member membre *(m)*
memory souvenir *(m)*, mémoire *(f)*
menu *(set-price)* menu *(m)* (à prix fixe), carte *(f)*
merchant marchand(e) *(mf)* (6)
Merry Christmas! Joyeux Noël!
message message *(m)*
messenger messager(-ère) *(mf)* (6)
Mexico Mexique *(m)* (9)
microwave oven four *(m)* à micro-ondes
middle milieu *(m)*; **in the middle of** au milieu de
Middle East Moyen-Orient *(m)* (9)
midnight minuit *(m)* (P)
milk lait *(m)* (8); **coffee with milk** café *(m)* au lait (2)
million: one million un million (de) (3)
mind esprit *(m)* (7)
mine le mien (la mienne, les miens, les miennes)
mineral water eau minérale *(f)* (2)
minus: How much is … minus … ? Combien font… moins… ? (P)
minute minute *(f)* (5); **at the last minute** au dernier moment
mirror miroir *(m)*
mischievous espiègle
miss mademoiselle (Mlle) (P)
mistake erreur *(f)*; **make a mistake** se tromper
mister (Mr.) monsieur (M.) (P)
mistrust se méfier de
modern moderne (1)
mom maman *(f)*
moment instant *(m)*, moment *(m)*
Monday lundi *(m)* (P)
money argent *(m)* (2)
monster monstre *(m)* (6)
month mois *(m)* (3); **per month** par mois (3); **this month** ce mois-ci (4)
mood: in a good/bad mood de bonne/mauvaise humeur
more plus (1), encore (8), plus de (8); **more and more of** de plus en plus de; **more … than** plus… que (1); **no more** ne… plus (8), pas plus (4)
morning matin *(m)* (P); **at eight o'clock in the morning** à huit heures du matin (P); **Good morning.** Bonjour. (P); **in the morning, mornings** le matin (P); **morning hours** matinée *(f)* (2)
Morocco Maroc *(m)* (9)
mosque mosquée *(f)*
most: most of the time la plupart du temps (7), **the most** le (la) plus

motorcycle moto *(f)*
mother mère *(f)* (4); **mother-in-law** belle-mère *(f)* (4); **Mother's Day** fête *(f)* des Mères
mountain montagne *(f)* (4); **go mountain climbing** faire de l'alpinisme; **go to the mountains** aller à la montagne (5)
moustache moustache *(f)* (4)
mouth bouche *(f)* (10)
move (into) s'installer (à/dans) (7)
movement mouvement *(m)*
movie film *(m)* (1); **go to the movies** aller au cinéma (2); **movie theatre** cinéma *(m)* (1); **romantic movie** film *(m)* romantique (6); **show a movie** passer un film (6)
MP3 player lecteur *(m)* MP3
Mr. monsieur (M.) (P)
Mrs. madame (Mme) (P)
much beaucoup (de) (1); **as much … (as)** autant de… (que); **how much** combien (de) (1); **How much is it?** C'est combien?, Ça fait combien? (2); **not much** ne… pas grand-chose; **so much** tellement (6), tant; **too much** trop (3)
muscular musclé(e)
museum musée *(m)* (4)
mushroom champignon *(m)*
music musique *(f)* (1); **listen to music** écouter de la musique
musical *(movie)* comédie musicale *(f)*
musical musicien(ne)
musician musicien(ne) *(mf)*
mussel moule *(f)* (8)
must devoir (6); **he/she must** il/elle doit (3); **one must …** il faut… (8)
my mon (ma, mes) (3); **at / in / to my house** chez moi (2); **my best friend** mon meilleur ami *(m)*, ma meilleure amie *(f)* (1); **my friends** mes amis (1); **My name is …** Je m'appelle… (P); **with my family** avec ma famille (P)
myself me (7), moi-même

N

naive naïf(-ïve)
name nom *(m)* (3); **family name** nom *(m)* de famille (3); **first name** prénom *(m)* (3); **His/Her name is …** Il/Elle s'appelle… (4); **last name** nom *(m)* de famille (3); **My name is …** Je m'appelle… (P); **What is his/her name?** Comment s'appelle-t-il/elle? (4); **What's your name?** Tu t'appelles comment? *(familiar)* (P), Comment vous appelez-vous? *(formal)* (P)
named nommé(e); **be named** s'appeler (7)
nap sieste *(f)*; **take a nap** faire la sieste
napkin serviette de table *(f)* (10)
nationality nationalité *(f)* (3)
natural naturel(le)
nature nature *(f)* (7)
near près (de) (1)
nearly presque (1)
necessary nécessaire (10); **it is necessary to …** Il faut… (8), il est nécessaire (de)… (10)
neck cou *(m)*
necklace collier *(m)*
necktie cravate *(f)* (5)
nectarine nectarine *(f)*
need avoir besoin de (4); **I/you/we/you/he/she/ they need(s)** Il me/te/nous/vous/lui/leur faut (9); **one needs …** il faut… (8)
needy nécessiteux *(mpl)*
neighbour voisin(e) *(mf)* (9)
neighbourhood quartier *(m)* (1)
neither non plus (3); **neither … nor** ne… ni… ni…
nephew neveu *(pl* neveux) *(m)* (4)
nervous nerveux(-euse); **feel nervous** se sentir mal à l'aise
network réseauter; **connect (social networking) with friends** réseauter avec des amis (2)

never ne… jamais (2)

new nouveau / nouvel (nouvelle) (1); neuf (neuve); **Happy New Year!** Bonne année!; **New Caledonia** Nouvelle-Calédonie (f) (9); **New Orleans** La Nouvelle-Orléans; **New Year's Eve** le réveillon (m) du jour de l'An

news nouvelles (fpl), (television programme) informations (fpl)

newspaper journal (m) (5)

next prochain(e) (4), ensuite (4); **next to** à côté (de) (3); **the next class** le prochain cours (P); **the next day** le lendemain (m) (5)

nice sympathique (sympa) (1), gentil(le) (1); **The weather's nice.** Il fait beau. (5)

niece nièce (f) (4)

night nuit (f) (5); **night stand** table (f) de chevet

nightclub boîte (f) de nuit (1); **to go to a club** aller en boîte (2)

nightgown chemise (f) de nuit

nine neuf (P)

nineteen dix-neuf (P)

ninety quatre-vingt-dix (2); **ninety-one** quatre-vingt-onze (2)

ninth neuvième (3)

no non (P); **no longer** ne… plus (8); **no more** ne… plus (8), pas plus (4); **no one** ne… personne; **No problem!** Pas de problème! (3)

nobody ne… personne

noise bruit (m) (10)

none ne… aucun(e)

non-smoking section section non-fumeur (f)

noon midi (m) (P)

nor: neither … nor ne… ni… ni

normal normal(e) (mpl normaux)

normally normalement

north nord (m); **North America** Amérique (f) du Nord (9)

nose nez (m) (10)

not ne… pas (P); **I do not work.** Je ne travaille pas. (1); **not at all** ne… pas du tout (1); **not badly** pas mal (P); **not one** ne… aucun(e); **not yet** ne… pas encore (5); **Why not?** Pourquoi pas? (2)

notebook cahier (m)

nothing ne… rien (5); **nothing at all** rien du tout (6); **nothing but** ne… rien que; **nothing special** ne… rien de spécial (5)

notice remarquer

noun nom (m) (3)

nourish nourrir (8); **nourish oneself** se nourrir (8)

nourishment nourriture (f)

novel roman (m) (9)

November novembre (m) (4)

now maintenant (P)

nowadays de nos jours

nowhere nulle part

number chiffre (m), numéro (m); nombre (m) (P); **telephone number** numéro (m) de téléphone (3)

numeral chiffre (m) (P)

numerous nombreux(-euse)

nurse infirmier(-ière) (mf)

nurture nourrir (8); **nurture oneself** se nourrir (8)

O

obey obéir (à) (8)

object objet (m)

observe observer

obtain obtenir (9)

obvious évident(e)

obviously évidemment

ocean océan (m)

Oceania Océanie (f) (9)

o'clock: It's … o'clock. Il est… heure(s). (P)

October octobre (m) (4)

of de (1); **Of course!** Bien sûr! (5); Évidemment!; **of it/them** en (8)

off: get off descendre (de) (5)

offer proposer (8), offrir

office bureau (m) (1); **post office** bureau (m) de poste (10); **Tourist Office** office (m) de tourisme (10)

official time l'heure officielle (f) (6)

often souvent (2)

oil huile (f)

okay d'accord (2); **It's going okay.** Ça va.

old vieux/vieil (vieille) (1), âgé(e); **be … years old** avoir… ans (4); **get older** vieillir; **How old is …?** Quel âge a…? (4); **older than …** plus âgé(e) que … (4); **oldest** aîné(e)

omelette omelette (f) (8)

on sur (1); **get on** monter dans (5); **on foot** à pied (4); **on Mondays** le lundi (P); **on page …** à la page… (P); **on sale** en solde (5); **on … Street** dans la rue… (10); **on the corner (of)** au coin (de) (10); **on the courtyard side** côté jardin (10); **on the ground/floor** par terre (3); **on the weekend** la fin de semaine (P); **on time** à l'heure (4); **On what floor?** À quel étage? (3); **put on** mettre (5); **try on** essayer (5)

once une fois (6); **all at once** tout d'un coup (6); **once more** encore une fois; **Once upon a time …** Il était une fois… (6)

one un(e) (P); on (4); **no one** ne… personne; **not one** ne… aucun(e); **one another** se, nous, vous (7)

oneself se (7)

one-way ticket aller simple (m) (9)

onion oignon (m) (8); **onion soup** soupe (f) à l'oignon (8)

online en ligne (7), sur Internet (9)

only uniquement (6); seul(e) (1), seulement (8), ne… que; **only child** fille unique (f), fils unique (m)

Ontario Ontario (m) (9)

open ouvrir; **Open your book.** Ouvrez votre livre. (P)

opening times heures d'ouverture (fpl) (6)

opinion avis (m); **in your opinion** à votre avis (8)

opportunity: have the opportunity to avoir l'occasion de

opposite contraire (m)

optimistic optimiste (1)

or ou (P)

orange orange (f) (8); **orange juice** jus (m) d'orange (2)

orange orange (3)

Orangina Orangina (m) (2)

orchestra orchestre (m) (4)

order (food and drink) commander (2), ranger (7)

order ordre (m); **in order** en ordre (3); **in order to** pour (1)

orderly bien rangé(e) (3)

organic products produits bios (mpl) (8)

organization organisation (f)

organized organisé(e)

origin origine (f); **of … origin** d'origine… (7)

Orleans: New Orleans La Nouvelle-Orléans

other autre (1); **each other** se, nous, vous (7); **on the other hand** par contre; **on the other side (of)** de l'autre côté (de); sometimes **… other times** quelquefois… d'autres fois (7)

ought to devoir (6)

our notre (nos) (3)

ourselves nous (7); nous-mêmes

out: dine out souper au restaurant (2); **go out** sortir (2); **Take out a sheet of paper.** Prenez une feuille de papier. (P); **watch out (for)** faire attention (à) (8)

outdoor de plein air (4)

outdoors en plein air

outgoing extraverti(e), ouvert(e) (1)

outing sortie (f) (6)

outside à l'extérieur, dehors, en plein air; **outside of** *hors de

oven four (m); **microwave oven** four (m) à micro-ondes

over (par-)dessus, plus de; **over there** là-bas (8); **start over** recommencer

overcast: The sky is overcast. Le ciel est couvert.

overcoat manteau (m) (5), pardessus (m)

owe devoir

own propre

oyster huître (f) (8)

P

pack your bag faire sa valise (f) (9)

package (of) paquet (de) (m) (8), colis (m)

page page (f) (P)

pain douleur (f)

paint peindre

painter peintre (mf)

painting tableau (m) (3), peinture (f)

pajamas pyjama (m)

pal copain (m), copine (f) (6)

palace palais (m) (6)

pale pâle

panties slip (m); **panty hose** collant (m)

pants pantalon (m) (5)

papa papa (m)

paper papier (m); **sheet of paper** feuille (f) de papier (P)

parade défilé (m)

pardon me pardon (P)

parents parents (mpl) (4)

Parisian Parisien(ne) (mf)

park parc (m) (1)

parking lot stationnement (m) (1)

part partie (f)

participate (in) participer (à)

particular: in particular en particulier

partner partenaire (mf) (7)

part-time à temps partiel

party (social) fête (f) (1), (political) parti (m)

party faire la fête

pass passer (2), (test) réussir à (8); **pass by the house of …** passer chez… (2)

passenger passager(-ère) (mf)

passion passion (f) (7)

Passover la pâque juive (f)

passport passeport (m) (9)

past passé (m); **in the past** dans le passé (6), autrefois

past passé(e) (6); **It's a quarter past two.** Il est deux heures et quart. (P)

pasta pâtes (fpl)

pastime passe-temps (m) (2)

pastry pâtisserie (f) (8)

pâté pâté (m) (8)

patience patience (f) (4); **have patience** avoir de la patience (4)

patient patient(e) (mf)

patient patient(e) (6)

pay (for) payer (2); **pay attention (to)** faire attention (à) (8); **pay the bill** régler la note (10)

peace paix (f)

peaceful tranquille

peach pêche (f) (8)

peanut cacahouète (f)

pear poire (f) (8)

peas petits pois (mpl) (8)

pen stylo (m) (P)

pencil crayon (m) (P)

people gens (mpl) (1), on (4); **poor people** les pauvres (mpl); **some people** certains (mpl); **young people** les jeunes (mpl)

pepper poivre (m) (8)

per par (3)
percent pour cent
perfect perfectionner
perfect parfait(e) (7)
perfectly parfaitement (7)
performer artiste *(mf)*
perhaps peut-être (3)
period période *(f)*, époque *(f)*
permit permettre (de); **permitted** permis(e)
person personne *(f)* (6)
personal personnel(le) (3); **personal belongings** effets personnels (3); **personal**
service service personnalisé *(m)*
personality personnalité *(f)* (1)
personally personnellement
Peru Pérou *(m)* (9)
pessimistic pessimiste (1)
pharmacist pharmacien(ne) *(mf)*
pharmacy pharmacie *(f)* (10)
philosophy philosophie *(f)* (1)
phone téléphone *(m)* (2); **on the phone** au téléphone (2)
phone téléphoner (à) (3); **phone each other** se téléphoner (7)
photo photo *(f)*
physical appearance aspect physique *(m)* (7)
physics physique *(f)* (1)
piano piano *(m)* (2)
picnic pique-nique *(m)*
picture tableau *(m)* (3), photo *(f)*
pie tarte *(f)* (8); **apple pie** tarte *(f)* aux pommes (8)
piece (of) morceau (de) *(m)* (8); **piece of advice** conseil *(m)* (8)
pierced percé(e)
pineapple ananas *(m)*
pink rose (3)
pint (of strawberries) casseau *(m)* de fraises
pity pitié *(f)*; **have pity (for / on)** avoir pitié (de) (10); **what a pity** c'est dommage (7)
pizza pizza *(f)* (8)
place endroit *(m)* (9), place *(f)* (3); **at/to/in … 's place** chez… (2); **in it's place** à sa place (3); **take place** avoir lieu
place mettre
plaid écossais(e)
plan projet *(m)* (4); **make plans** faire des projets (4)
plan organiser; **plan on doing** avoir l'intention de faire (4), compter faire (9); **planned** prévu(e)
plane avion *(m)* (4); **by plane** en avion (4)
plant plante *(f)* (3)
plastic plastique *(m)*; **plastic bag** sac *(m)* en plastique
plate assiette *(f)*
play *(theatre)* pièce *(f)* (4)
play (a sport) jouer (à un sport) (2), faire (du sport) (2); **play music** faire de la musique; **play the piano** jouer du piano (2)
player: CD player lecteur *(m)* CD (3); **DVD player** lecteur *(m)* DVD (3); **MP3 player** lecteur *(m)* MP3
plaza place *(f)* (10)
pleasant agréable (1)
please plaire à
please s'il vous plaît *(formal)* (P), s'il te plaît *(familiar)*
pleasure plaisir *(m)*; **With pleasure!** Avec plaisir! (6)
plum prune *(f)*
plumber plombier *(m)*
plus: How much is … plus … ? Combien font… et… ? (P)
p.m. de l'après-midi, du soir (P)
poem poème *(m)* (9)
point out signaler
police police *(f)*
policeman agent *(m)* de police

polite poli(e)
political politique (1); **political science** sciences politiques *(fpl)*
politics politique *(f)* (7)
poll sondage *(m)*
pollution pollution *(f)*
Polynesia: French Polynesia Polynésie française *(f)* (9)
pool: play pool jouer au billard; **swimming pool** piscine *(f)* (4)
poor pauvre
pop music musique populaire *(f)* (1)
popular populaire (1)
population population *(f)*
pork porc *(m)* (8); **pork chop** côte *(f)* de porc (8); **pork roast** rôti *(m)* de porc
portrait: self-portrait autoportrait *(m)* (P)
Portuguese portugais *(m)*
possibility possibilité *(f)* (4)
possible possible
post office bureau *(m)* de poste (10)
postcard carte postale *(f)* (9)
poster affiche *(f)* (3)
potato pomme *(f)* de terre (8)
poultry volaille *(f)* (8)
pound (of) livre (de) *(f)* (8)
poverty pauvreté *(f)*
powerful puissant(e)
preach prêcher
precisely justement (3)
prefer préférer (2), aimer mieux (2); **I prefer …** Je préfère… (1)
preferable préférable
pregnant enceinte (10)
preparations préparatifs *(mpl)* (9)
prepare préparer (2); **Prepare for the exam.** Préparez l'examen. (P)
prepared: prepared dish plat préparé *(m)* (8)
preschool école maternelle *(f)*
prescription ordonnance *(f)* (10)
present cadeau *(m)* (7)
pretty joli(e) (1), beau/bel (belle) (1)
prevent empêcher
price prix *(m)*; **set-price menu** menu à prix fixe
principal principal(e) *(mpl* principaux) (10)
private privé(e)
probable probable
probably sans doute (8); probablement
problem problème *(m)*; **No problem!** Pas de problème! (3)
process: be in the process of doing être en train de faire
product produit *(m)* (8); **organic products** produits bios *(mpl)* (8)
profession profession *(f)* (7), métier *(m)*
professional professionnel(le) (7)
professor professeur(e) *(mf)* (P)
program programme *(m)*
programmer programmeur(-euse) *(mf)*
progress progrès *(m)*; **make progress** faire des progrès
promise promettre (de) (6)
pronunciation prononciation *(f)*
protect (oneself) (against) (se) protéger (contre)
proud fier(-ère)
province province *(f)* (3)
prune pruneau *(m)*
psychology psychologie *(f)* (1)
public: public transportation system système de transports en commun *(mpl)* (9)
pullover (sweater) chandail *(m)* (5)
punish punir
purple violet(te) (3)
purpose: on purpose exprès
purse sac *(m)* (5)
put (on) mettre (5); **put away** bien rangé(e) (3); **put on make-up** se maquiller (7); **put on**

weight grossir (8), prendre du poids; **put up with** supporter (7)

Q

qualify qualifier
quarter quart *(m)* (P); **It's a quarter past two.** Il est deux heures et quart. (P)
question question *(f)* (P); **ask a question** poser une question (7)
quick rapide (8)
quickly vite (7)
quiet tranquille; **be quiet** se taire
quite assez, plutôt; **quite a bit of** pas mal de; **quite simply** tout simplement (10)

R

rabbit lapin *(m)*
radio radio *(f)* (2)
rain pluie *(f)* (5)
rain pleuvoir (5); **It's raining. It rains.** Il pleut. (5)
raincoat imperméable *(m)* (5)
raisin raisin sec *(m)*
Ramadan ramadan *(m)*
rapid rapide (8)
rarely rarement (2)
raspberry framboise *(f)*
rather plutôt (1), assez (1)
raw vegetables crudités *(fpl)* (8)
reach atteindre
react (to) réagir (à)
read lire (2); **Read …** Lisez… (P)
ready (to) prêt(e) (à) (4); **get ready** se préparer; **ready-to-serve dish** plat préparé *(m)* (8)
real réel(le), véritable
realistic réaliste (1)
realize se rendre compte
really vraiment (2)
reason raison *(f)*
reasonable raisonnable
receive recevoir (9)
recent récent(e)
recently récemment (5)
recognize (each other) (se) reconnaître (7)
recommend recommander (10)
record disque *(m)*, *(sports)* record *(m)*
record enregistrer
recorder: video cassette recorder magnétoscope *(m)*
recount raconter (7)
recycle recycler
red rouge (3), *(with hair)* roux (rousse) (4); **red wine** vin rouge *(m)* (3); **turn red** rougir
reflect (on) réfléchir (à) (8)
refrigerator réfrigérateur *(m)*
refuse refuser (de)
region région *(f)* (4)
regional régional(e) *(mpl* régionaux) (4)
register s'inscrire (3)
regret regretter (6)
regularly régulièrement (8)
relationship relation *(f)* (7), rapport *(m)*
relatives parents *(mpl)* (5)
relax se reposer (7), se détendre (4); **relaxed** décontracté(e)
religion religion *(f)* (7)
religious religieux(-euse)
remain rester
remarried remarié(e)
remember se souvenir (de) (7)
rent loyer *(m)* (3)
rent louer (3)
rental car voiture *(f)* de location (5)
repeat répéter (2); **Please repeat.** Répétez, s'il vous plaît. (P)

replace remplacer

require exiger, demander; **required** requis(e), obligatoire

research recherche *(f)*; **do research** faire des recherches

resemble ressembler à

reservation réservation *(f)* (9); **make a reservation** faire une réservation (9)

reserve: nature reserve parc naturel *(m)*

reserve réserver (9)

residence hall résidence universitaire *(f)* (1)

resort centre de vacances *(m)* (10)

resources ressources *(fpl)*

respond (to) répondre (à) (6)

rest: the rest (of) le reste (de) (7)

rest se reposer (7); **rested** reposé(e)

restaurant restaurant *(m)*; **fast food restaurant** resto rapide *(m)* (1); **university restaurant** restau-u *(m)* (6)

restful reposant(e)

restroom toilettes *(fpl)* (3), W.-C. *(mpl)*

retired retraité(e)

return retour *(m)* (9)

return rentrer (9), retourner (5); **return something to someone** rendre quelque chose à quelqu'un (7)

review *(for a test)* réviser

rice riz *(m)* (8)

rich riche (2)

ride: go for a ride faire un tour (4)

right *(direction)* droite *(f)*, *(legal)* droit *(m)*; **to the right of** à droite de (3)

right correct(e); **be right** avoir raison (4); **right away** tout de suite (6); **right by** tout près (de) (3); **right there** juste là; **right?** n'est-ce pas?, non? (1)

ring bague *(f)*

ring sonner (7)

river fleuve *(m)*, rivière *(f)*

road chemin *(m)*, route *(f)*

roast: roast beef rosbif *(m)* (8); **pork roast** rôti *(m)* de porc

rock: rock music rock *(m)* (1); **go rock climbing** faire de l'escalade; **hard rock** *hard rock *(m)*

rollerblade faire du patin à roues alignées (6)

rollerblading patin à roués alignées *(m)*; **go rollerblading** faire du patin à roués alignées (6)

romantic romantique; **romantic movie** film *(m)* romantique (6)

room pièce *(f)* (3), salle *(f)*; **classroom** salle *(f)* de classe (1); **dining room** salle à manger *(f)* (3); **fitting room** cabine *(f)* d'essayage (5); **living room** salon *(m)* (3)

roommate camarade *(mf)* de chambre (P)

round-trip ticket billet aller-retour *(m)* (9)

routine routine *(f)* (7)

row rang *(m)*

rug tapis *(m)* (3)

run courir (9); **run errands** faire des courses (5); **run into (each other)** (se) rencontrer (1)

runny: have a runny nose avoir le nez qui coule

Russia Russie *(f)* (9)

Russian russe *(m)*

S

sack sac *(m)* (5), paquet *(m)* (8)

sad triste

safety sécurité *(f)*

sailing: go sailing faire de la voile

salad salade *(f)* (8)

salami saucisson *(m)* (8)

sale: on sale en solde (5)

salesclerk vendeur(-euse) *(mf)* (5)

salmon saumon *(m)* (8)

salt sel *(m)* (8)

same même (1); **all the same** quand même

sandal sandale *(f)* (5)

sandwich sandwich *(m)* (2); **bread-and-butter sandwich** tartine *(f)*; **cheese sandwich** sandwich au fromage *(m)* (2)

Santa Claus le père Noël

satisfied satisfait(e)

Saturday samedi *(m)* (P)

sauce sauce *(f)*

sausage saucisse *(f)* (8)

save sauver; **save up money** faire des économies

saxophone saxophone *(m)*

say dire (6); **How do you say … in French?** Comment dit-on… en français? (P); **They say that …** On dit que… (4)

scallops pétoncles *(fpl)*

scarf *(winter)* écharpe *(f)*, *(dressy)* foulard *(m)*

scenery paysage *(m)* (9)

schedule *(classes)* emploi *(m)* du temps, *(train)* horaire *(f)*

school école *(f)*; **high school** école secondaire *(f)* (6)

science science *(f)* (1); **computer science** informatique *(f)* (1); **political science** sciences politiques *(fpl)*; **science fiction** science-fiction *(f)*; **social sciences** sciences humaines *(fpl)* (1)

scientist scientifique *(mf)*; **computer scientist** informaticien(ne) *(mf)*

scuba diving plongée sous-marine *(f)*

sculpture sculpture *(f)*

sea mer *(f)* (9)

season saison *(f)* (5)

seat place *(f)*, siège *(m)*

seated assis(e)

second *(time)* seconde *(f)* (5)

second deuxième (5), second(e); **in second class** en classe touriste

secretary secrétaire *(mf)*

section section *(f)*

security sécurité *(f)*

see voir (1); **as you see** comme tu vois (3); **Let's see!** Voyons! (5); **see each other** se voir (7); **See you** in **a little while.** À tout à l'heure. (P); **See you later!** À plus tard!, À plus! (P); **See you soon!** À bientôt! (P); **See you tomorrow!** À demain! (P)

seem avoir l'air… (4), sembler; **It seems to me that …** Il me semble que…

self: myself moi-même; **self-portrait** autoportrait *(m)* (P)

selfishness égoïsme *(m)* (7)

sell vendre (7); **sell back** revendre (7)

send envoyer (2)

Senegal Sénégal *(m)* (9)

sense of humour sens *(m)* de l'humour (7)

sensitive sensible

sentence phrase *(f)* (P); **in complete sentences** en phrases complètes (P)

sentimental sentimental(e) *(mpl* sentimentaux) (7)

separate séparer; **separated** séparé(e)

separately séparément

September septembre *(m)* (4)

serious sérieux(-euse), grave

serve servir (4); **served** servi(e) (10)

server serveur *(m)*, serveuse *(f)* (8)

service service *(m)* (8); **service station** station-service *(f)*

set mettre; **set-price menu** menu à prix fixe; **set the table** mettre la table

settle (in) s'installer (à/dans) (7)

seven sept (P)

seventeen dix-sept (P)

seventh septième (3)

seventy soixante-dix (2); **seventy-one** soixante et onze (2)

several plusieurs (8)

sexy sexy

shall: What shall we do? Qu'est-ce qu'on fait?; **Shall we go … ?** On va… ? (2)

shame *honte *(f)*; **It's a shame!** C'est dommage! (7)

shape forme *(f)*; **in shape** en forme (8)

share partager (3); **shared** partagé(e) (3)

shave se raser (7); **have a shaved head** avoir la tête rasée

she elle (1); **she is …** c'est…, elle est… (1)

sheet of paper feuille *(f)* de papier (P)

shelf étagère *(f)* (3)

shellfish fruits *(mpl)* de mer (8)

shirt chemise *(f)* (5); **knit shirt** polo (5)

shiver frisson *(m)* (10)

shock choquer

shoe chaussure *(f)* (5); **tennis shoes** baskets *(fpl)* (5)

shop boutique *(f)* (4), magasin *(m)*; **butcher's shop** boucherie *(f)* (8); **fish shop** poissonnerie *(f)* (8); **gift shop** boutique *(f)* de cadeaux (10); **tobacco shop** bureau *(m)* de tabac

shopkeeper marchand(e) *(mf)* (6), commerçant(e) *(mf)* (8)

shopping: go grocery shopping faire les courses; **go shopping** faire du magasinage (2); **shopping mall** centre commercial *(m)* (4)

short petit(e) (1), court(e) (4)

shorts short *(m)* (5)

shot piqûre *(f)*; **give a shot** faire une piqûre

should devoir (6); **one shouldn't …** il ne faut pas… (10)

shoulder épaule *(f)*; **shoulder-length** *(with hair)* mi-longs (4)

show montrer (3), indiquer (3); **show a movie** passer un film (6)

shower douche *(f)* (7); **take a shower** prendre une douche (7)

showing séance *(f)* (6)

showtime séance *(f)* (6)

shrimp crevette *(f)* (8)

shuttle navette *(f)* (10)

shy timide (1)

sick malade (10); **get sick** tomber malade (10)

side côté *(m)*; **on the courtyard side** côté jardin (10); **on the other side (of)** de l'autre côté (de)

sight vue *(f)*; **love at first sight** coup *(m)* de foudre (7)

silver argent *(m)* (2)

similar to semblable à, pareil(le) à

simply simplement (10); **quite simply** tout simplement (10)

since depuis, comme (7), depuis que; **since then** depuis cela (7)

sincere sincère

sing chanter (2)

singer chanteur(-euse) *(mf)*

single célibataire (1), seul(e)

sink *(bathroom)* lavabo *(m)*, *(kitchen)* évier *(m)*

sir monsieur (M.) (P)

sister sœur *(f)* (1); **sister-in-law** belle-sœur *(f)*

sit (down) s'asseoir; **Sit down!** Asseyez-vous!

site site *(m)* (9)

situation situation *(f)*

six six (P)

sixteen seize (P)

sixth sixième (3)

sixty soixante (2); **sixty-one** soixante et un (2)

size taille *(f)* (4); **medium-sized** de taille moyenne (4)

skate patin *(m)*

skateboard faire de la planche à roulettes (6)

skating patinage *(m)*; **go (ice-)skating** faire du patin (à glace) (6)

skeptical sceptique

ski ski *(m)* (2); **ski jacket** anorak *(m)* (5); **ski lodge** chalet *(m)* de ski (10)

ski faire du ski (2); **water-ski** faire du ski nautique (5)

skin peau *(f)*
skinny maigre
skirt jupe *(f)* (5)
sleep dormir (2)
sleepy: be sleepy avoir sommeil (4)
slice (of) tranche (de) *(f)*, pavé (de) *(m)* (8)
slightly légèrement
slim down maigrir (8)
slip combinaison *(f)*
slow lent(e); **slow motion** ralenti *(m)*
slowly lentement (8)
small petit(e) (1)
smell sentir
smoke fumer (3); **smoked** fumé(e) (8)
smoking section section fumeur *(f)*
snack collation *(f)*
snail escargot *(m)* (8)
sneeze éternuer (10)
snob snob
snorkeling: go snorkeling faire du tuba
snow neige *(f)* (5)
snow neiger (5)
so alors (1), tellement (6), donc (7); **so many, so much** tant (de); tellement (de); **so-so** comme ci comme ça (2); **so that** afin que
soap savon *(m)*
soccer soccer *(m)* (1)
social social(e) *(mpl* sociaux); **social sciences** sciences humaines *(fpl)* (1); **social worker** assistant(e) social(e) *(mf)*
society société *(f)*
sociology sociologie *(f)*
sock chaussette *(f)*
sofa canapé *(m)* (3)
soft doux(-ce) *(f)*
software logiciel *(m)*
sole sole *(f)*
solid-colored uni(e)
solution solution *(f)*
some des (1), du, de la, de l', en (8), quelques (5), certain(e)s
somebody quelqu'un (6)
someone quelqu'un (6)
something quelque chose (2)
sometimes quelquefois (2), parfois (5)
somewhere quelque part
son fils *(m)* (4)
song chanson *(f)*
soon bientôt (P); **as soon as** aussitôt que; **I would just as soon …** j'aimerais autant… (10); **See you soon.** À bientôt. (P)
sorry désolé(e) (10); **be sorry that …** être désolé(e) que… (10), regretter que… (6)
sort: all sorts of toutes sortes de
sound: How does that sound? Ça te dit? (4)
soup soupe *(f)* (8); **onion soup** soupe *(f)* à l'oignon (8)
south sud *(m)*; **South Africa** Afrique *(f)* du Sud; **South America** Amérique *(f)* du Sud (9)
space espace *(m)*
Spain Espagne *(f)* (9)
Spanish espagnol *(m)* (P)
Spanish espagnol(e)
speak parler (2); **Do you speak … ?** Vous parlez…? (P); **I speak …** Je parle… (P)
special spécial(e) *(mpl* spéciaux) (6); **nothing special** rien de spécial (6)
specialty spécialité *(f)* (4)
speech discours *(m)*
speed vitesse *(f)*
spend *(time)* passer (2), *(money)* dépenser; **spend the evening** passer la soirée (4)
spider araignée *(f)*
spinach épinards *(mpl)*
spirituality spiritualité *(f)* (7)
spite: in spite of malgré
split partagé(e) (3)
spoiled gâté(e) (6)

spoon cuillère *(f)*
sport sport *(m)* (1); **play sports** faire du sport (2); **sports coat** veste *(f)*
spot site *(m)* (9)
sprain one's ankle se fouler la cheville
spring printemps *(m)* (5); **in spring** au printemps (5)
square *(town)* place *(f)* (10)
stadium stade *(m)* (1)
stairs escalier *(m)* (3)
stamp timbre *(m)* (10)
stand: I can't stand … Je ne supporte pas… (7), J'ai horreur de…
star étoile *(f)*
start commencer (2); **French class starts …** Le cours de français commence… (P)
state état *(m)*; **United States** États-Unis *(mpl)*
station: radio station station *(f)* de radio; **service station** station-service *(f)*;
subway station station *(f)* de métro; **train station** gare *(f)*
stay séjour *(m)* (7); **Enjoy your stay!** Bon séjour! (10)
stay rester (2), *(at a hotel)* descendre (à) (5)
steak bifteck *(m)* (8)
steal voler
stepbrother demi-frère *(m)*
stepfather beau-père *(m)* (4)
stepmother belle-mère *(f)* (4)
stepparents beaux-parents *(mpl)*
stepsister demi-sœur *(f)* (6)
stereo chaîne hi-fi *(f)*
still encore (4), toujours
stomach ventre *(m)* (10)
stop: bus stop arrêt *(m)* d'autobus (3)
stop (s')arrêter (7); **stop by the house of …** passer chez… (2); **stopped up** bouché(e)
store boutique *(f)* (4); magasin *(m)*; **bookstore** librairie *(f)* (1)
storm orage *(m)*
story histoire *(f)* (9); conte *(m)* (6)
stove cuisinière *(f)*
straight tout droit (10)
straightened up bien rangé(e) (3)
strange bizarre
strawberry fraise *(f)* (8)
street rue *(f)* (3); **on … Street** dans la rue… (10)
strength force *(f)*
stress stress *(m)* (8)
stressed (out) stressé(e)
strict sévère
striped rayé(e)
strong fort(e) (8)
struggle (against) lutter (contre)
stubborn têtu(e)
student étudiant(e) *(mf)* (P); **student centre** centre *(m)* d'étudiants
studies études *(fpl)* (1)
study étudier (1), préparer les cours (2); **I study …** J'étudie… (1); **What are you studying?** Qu'est-ce que vous étudiez? (1)
stupid bête (1), stupide
style style *(m)*
stylist: hair stylist coiffeur(-euse) *(mf)*
suburbs banlieue *(f)* (3); **in the suburbs** en banlieue (3)
subway métro *(m)* (4); **by subway** en métro (4)
succeed (in) réussir (à) (8)
such a un(e) tel(le) (7)
sudden: all of a sudden tout à coup (6)
suddenly soudain, tout à coup (6), soudainement
suffer souffrir
sufficiently suffisamment
sugar sucre *(m)* (8)
suggest suggérer (6)
suggestion suggestion *(f)*
suit *(for a man)* costume *(m)* (5), *(for a woman)* tailleur *(m)*; **jogging suit** survêtement *(m)* (5)

suitcase valise *(f)* (9)
summer été *(m)* (5); **in summer** en été (5); **summer resort** station estivale *(f)* (10)
sun soleil *(m)*
sunbathe prendre un bain de soleil
Sunday dimanche *(m)* (P)
sunglasses lunettes *(f)* de soleil (5)
sunny: It's sunny. Il fait soleil. (5)
superior supérieur(e)
supermarket supermarché *(m)* (8)
superstore grande surface *(f)*
supplement supplément *(m)* (10)
supplies provisions *(fpl)*
sure sûr(e), certain(e)
surely sûrement
surf *(water)* faire du surf, *(Internet)* surfer; **surf the Web** surfer sur le Net (2)
surprise étonner, surprendre; **be surprised that …** être surpris(e) que… (10)
surrounded (by) entouré(e) (de)
swallow avaler
sweater chandail *(m)* (5)
sweatshirt sweat *(m)*
sweatsuit survêtement *(m)* (5)
Sweden Suède *(f)*
sweet doux(-ce) (6)
sweets bonbons *(mpl)*
swim nager (2), se baigner
swimming pool piscine *(f)* (4)
swimsuit maillot *(m)* de bain (5)
Switzerland Suisse *(f)* (9)
swollen enflé(e)
symptom symptôme *(m)* (10)
synagogue synagogue *(f)*
syrup sirop *(m)*
system: public transportation system système *(m)* de transports en commun (9)

T

table table *(f)* (3)
take prendre (4), *(something along)* apporter, *(a person)* emmener; **take a course** suivre un cours; **take advantage of** profiter de (9); **take a tour** faire un tour (4); **take a trip** faire un voyage (5); **take a walk** faire une promenade (5); **Take out a sheet of paper.** Prenez une feuille de papier. (P); **take place** avoir lieu
tale: fairy tale conte *(m)* de fées (6)
talent talent *(m)*
talented doué(e)
talk parler (e); **talk to each other** se parler (7)
talkative bavard(e) (1)
tall grand(e) (1)
tan bronzer; **tanned** bronzé(e)
tangerine mandarine *(f)*
tart tartelette *(f)* (8); **(strawberry/cherry) tart** tartelette aux fraises/aux cerises (8)
taste goûter (9)
taxi taxi *(m)* (4); **by taxi** en taxi (4)
tea (with lemon) thé *(m)* (au citron) (2)
teacher *(elementary school)* instituteur(-trice) *(mf)*; *(secondary school)* professeur(e) *(mf)*
team équipe *(f)*
technical technique (1); **technical course** cours technique (1)
technician technicien(ne) *(mf)*
technology technologie *(f)*
tee shirt tee-shirt *(m)* (5)
telephone téléphone *(m)* (2); **talk on the telephone** parler au téléphone (2); **telephone card** carte *(f)* téléphonique; **telephone number** numéro *(m)* de téléphone (7)
telephone téléphoner (à) (2); **telephone each other** se téléphoner (7)
television télévision (télé) *(f)* (2), **flatscreen television** télévision à écran plat *(f)* (10)
tell dire (6), se dire (each other) (7), raconter (2)

teller: **automatic teller machine** guichet automtique *(m)* (10)
temperature température *(f)*
temple temple *(m)*
ten dix (P)
tennis tennis *(m)* (1); **tennis court** court *(m)* de tennis; **tennis shoes** baskets *(fpl)* (5)
tenth dixième (3)
term trimestre *(m)* (P)
terrace terrasse *(f)*
test examen *(m)* (P), test *(m)* (7), contrôle *(m)*
Texas Texas *(m)* (9)
than: more … than plus… que (1)
thank (for) remercier (de) (10); **thank you** merci (bien) (P)
thanks merci (bien) (P)
Thanksgiving fête *(f)* de l'Action de grâce
that ça (P), cela (7), ce (cet, cette) (…-là) (3), que (P), qui (7); **I think that …** je pense que… (P); **that is …** c'est… (1)
the le, la, l', les (1)
theatre théâtre *(for live performances) (m)* (1); **movie theatre** cinéma *(m)* (1)
theft vol *(m)*
their leur(s) (1)
them les (5); **of them** en (8); **to them** leur (9); **with them** avec eux, avec elles
themselves se (7), eux-mêmes *(mpl)*, elles-mêmes *(fpl)*
then alors (1), ensuite (4), puis, donc (7)
there là (8), y (4); **over there** là-bas (9); **right there** juste là; **there is, there are** il y a (1), voilà (2); **There are … of us.** Nous sommes…. (4); **There you are!** Te/Vous voilà!
therefore donc (7)
these ces (…-ci) (3); **these are …** ce sont… (1)
they ils, elles, ce (1), on (4)
thick gros(se)
thief voleur *(m)*
thin mince (1); **get thinner** maigrir (8)
thing chose *(f)* (3); **my things** mes affaires *(fpl)*; **That's not my thing.** Ce n'est pas mon fort. (1)
think (about) penser (à) (2), réfléchir (à) (8); **I think that …** Je pense que… (P); **What do you think (about it)?** Qu'en penses-tu?, Qu'en pensez-vous?
third troisième (3); **two-thirds** deux tiers
thirsty: be thirsty avoir soif (4); **I'm thirsty.** J'ai soif. (2)
thirteen treize (P)
thirty trente (P)
this ce (cet, cette) (…-ci) (3); **this evening** ce soir (2); **this is …** c'est… (1); **this month** ce mois-ci (4); **this semester** ce semestre (P); **this way** par ici (5); **those** ces (…-là) (3); **those are …** ce sont… (1); **those (ones)** ceux (celles) (8)
thousand: one thousand mille (3)
three trois (P)
throat gorge *(f)* (10); **have a sore throat** avoir mal à la gorge
through par; **through the window** par la fenêtre
throw jeter; **throw up** vomir (10)
Thursday jeudi *(m)* (P)
thus donc (7)
ticket billet *(m)* (9), ticket *(m)*; **e-ticket** billet électronique (9); **one-way ticket** aller simple (9); **round-trip ticket** billet aller-retour *(m)* (9); **ticket window** guichet *(m)*
tie cravate *(f)* (5)
tight étroit(e)
till: a quarter till moins le quart (P)
time *(clock)* heure *(f)* (P), temps *(m)* (2), *(occasion)* fois *(f)* (5); **a long time** longtemps (5); **at that time** à ce moment-là; **At what time?** À quelle heure? (P); **free time** temps

libre *(m)* (4); **from time to time** de temps en temps (2); **have a hard time** avoir du mal à; **most of the time** la plupart du temps (7); **official time** heure officielle *(f)* (6); **Once upon a time …** Il était une fois… (6); **One has a good time.** On s'amuse bien.; **on time** à l'heure (4); **opening times** heures d'ouverture *(fpl)* (6); **show time** séance *(f)* (6); **sometimes … other times** parfois… d'autres fois (7); **the last time** la dernière fois (5); **time period** époque *(f)*; **What time is it?** Quelle heure est-il? (P)
timid timide (1)
tip pourboire *(m)*
tired fatigué(e) (6)
tiring fatiguant(e)
title titre *(m)*
to à (P); **from Monday to Friday** *(every week)* du lundi au vendredi (P); **to go to a club** aller en boîte (2); **to … 's house/place** chez… (2)
toast pain grillé *(m)*
toasted grillé(e) (8)
tobacco tabac *(m)* (8); **tobacco shop** bureau *(m)* de tabac
today aujourd'hui (P)
toe orteil *(m)* (10)
together ensemble (2)
toilet toilettes *(fpl)* (3), W.-C. *(mpl)*
tolerate supporter (7)
tomato tomate *(f)* (8)
tomorrow demain (P); **day after tomorrow** après-demain; **tomorrow morning** demain matin (4)
tonight ce soir (2); **See you tonight.** À ce soir. (2)
too aussi (P), trop (3); **That's too bad!** C'est dommage! (7); **too many** trop (de) (8); **too much** trop (de) (6)
tooth dent *(f)* (7)
tour tour *(m)*; **take a tour** faire un tour (4)
tourism tourisme *(m)*
tourist touriste *(mf)*; **tourist class** classe touriste *(f)*; **Tourist Office** office *(m)* de tourisme (10)
touristic touristique (9)
toward(s) vers (2)
towel serviette *(f)*
town ville *(f)* (3); **in town** en ville (3)
toy jouet *(m)*
traditional traditionnel(le) (8)
traffic circulation *(f)*
train train *(m)* (4); **by train** en train (4); **train station** gare *(f)*
training: do weight training faire de la muscu(lation) (8); faire des haltères
trait trait *(m)* (7)
translate traduire
translation traduction *(f)*
transportation transport *(m)*; **means of transportation** moyen *(m)* de transport (4); **public transportation** transports *(mpl)* en commun (9)
travel: travel agency agence *(f)* de voyages (9); **travel agent** agent *(m)* de voyages (9)
travel voyager (2)
traveler's cheque chèque *(m)* de voyage
treatment traitement *(m)*
tree arbre *(m)* (1)
trimester trimestre *(m)*
trip voyage *(m)* (4); **take a trip** faire un voyage (5)
tropical tropical(e) *(mpl* tropicaux) (9)
trouble difficulté *(f)*; **have trouble** avoir des difficultés, avoir du mal (à)
truck camion *(m)*, *(pick-up)* camionnette *(f)*
true vrai(e) (8); **true love** le grand amour (7)
truly vraiment (2)
trumpet trompette *(f)*
truth vérité *(f)*
try (on) essayer (5)
T-shirt tee-shirt *(m)* (5)

Tuesday mardi *(m)* (P)
tuna thon *(m)* (8)
Tunisia Tunisie *(f)*
Turkey Turquie *(f)*
turkey dinde *(f)*
turn (right/left) tourner (à droite/à gauche) (10); **turn in (something to someone)** rendre (quelque chose à quelqu'un) (7); **turn on** mettre; **turn red** rougir
turnover: apple turnover chausson *(m)* aux pommes
TV télé *(f)* (2)
twelve douze (P)
twenty vingt (P)
twin jumeau (jumelle) (1)
two deux (P)
type genre *(m)*
typical typique
typically typiquement

U

ugly laid(e) (1)
umbrella parapluie *(m)* (5)
unbearable insupportable
unbelievable incroyable
uncle oncle *(m)* (4)
under sous (3)
understand comprendre (4); **Do you understand?** Vous comprenez? (P); **I understand.** Je comprends. (P); **No, I don't understand.** Non, je ne comprends pas. (P)
understanding compréhension *(f)* (7)
underwear sous-vêtements *(mpl)*
undressed: get undressed se déshabiller (7)
unfaithfulness infidélité *(f)* (7)
unfortunately malheureusement
unhappy malheureux(-euse)
uniquely uniquement (6)
united uni(e); **United Kingdom** Royaume-Uni *(m)* (9); **United States** États-Unis *(mpl)*
university université *(f)* (P), fac(ulté) *(f)*; **university cafeteria** cafétéria *(f)* (6)
university universitaire (1)
unless à moins que
unlikely peu probable
unmarried célibataire (1)
unpack défaire sa valise
unpleasant désagréable (1)
until jusqu'à (2)
up: get up se lever (7); **go up** monter (5); **straightened up** rangé(e) (3); **up to** jusqu'à (2); **wake up** se réveiller (7); **wash up** faire sa toilette (7)
us nous (9)
use utiliser (6), employer
used to habitué(e) à
useful utile (10)
usually d'habitude (2)
utilize utiliser (6)

V

vacation vacances *(fpl)* (4); **on vacation** en vacances
Valentine's Day Saint-Valentin *(f)*
vanilla ice cream crème glacée *(f)* à la vanille (8)
vanity vanité *(f)* (7)
variety variété *(f)*
veal veau *(m)*
vegetable légume *(m)* (8); **vegetable soup** soupe *(f)* de légumes (8)
vegetarian végétarien(ne)
very très (P); **very near** tout près (de) (3)
vest gilet *(m)*
Veterans' War Memorial monument aux anciens combattants (4)
veterinarian vétérinaire *(mf)*

video vidéo *(f)*; **video game** jeu vidéo *(m)*
Vietnam Vietnam *(m)* (9)
view vue *(f)* (3)
vinegar vinaigre *(m)*
violence violence *(f)* (6)
violent violent(e)
violet violet(te) (3)
virus virus *(m)* (10)
visa visa *(m)*
visit visite *(f)*; **medical visit** consultation *(f)*
visit *(place)* visiter (1), *(someone)* aller voir (4), rendre visite à (7)
vitamin vitamine *(f)* (8)
vocabulary vocabulaire *(m)* (P)
voice voix *(f)*
volleyball volleyball *(m)* (2)
vomit vomir (10)
vote voter

W

wait (for) attendre (7)
waiter garçon *(m)*; serveur *(m)* (2)
waitress serveuse *(f)* (8)
wake up (se) réveiller (7)
walk promenade *(f)* (5); **take a walk** faire une promenade (5)
walk aller à pied (4), marcher (8); **walk the dog** promener le chien
walking marche *(f)* à pied; **go walking** se promener (7), faire de la marche à pied
wall mur *(m)* (3)
wallet portefeuille *(m)* (5)
want vouloir (6), avoir envie de (4)
war guerre *(f)*
warm chaleureux (chaleureuse) (1)
warmth chaleur *(f)*
wash (one's face/one's hands) se laver (la figure/ les mains) (7); **wash clothes** faire le lavage (5); **wash the dishes** faire la vaisselle (5); **wash up** faire sa toilette (7)
washbasin lavabo *(m)* (10)
waste gaspiller; **waste time** perdre du temps (7)
watch montre *(f)* (5)
watch regarder (2); **watch out (for)** faire attention (à) (8)
water eau *(f)* (2)
watermelon melon d'eau *(m)*
water-skiing ski nautique *(m)* (5)
way façon *(f)* (6); **show the way** indiquer le chemin (10); **this way** par ici (5)
we nous (1), on (4); **Shall we go … ?** On va… ? (2); **What shall we do?** Qu'est-ce qu'on fait?
weak faible
weakness faiblesse *(f)*
wear porter (4); **I wear size …** Je fais du…. (5); **What size do you wear?** Quelle taille faites-vous? (5)
weather temps *(m)* (5); **The weather's bad / cold / cool / hot / nice / sunny.** Il fait mauvais / froid / frais / chaud / beau / soleil. (5); **What's the weather like?** Quel temps fait-il? (5)

Website site *(m)* Web (9)
wedding mariage *(m)*; **wedding anniversary** anniversaire *(m)* de mariage
Wednesday mercredi *(m)* (P)
week semaine *(f)* (P); **in one/two week(s)** dans huit/quinze jours
weekend fin de semaine *(f)* (P); **Have a good weekend!** Bonne fin de semaine!; **on weekends** la fin de semaine (P)
weigh peser
weight poids *(m)*; **do weight training** faire de la musculation, faire des haltères; **gain weight** grossir (8), prendre du poids; **lose weight** maigrir (8), perdre du poids; **put on weight** grossir (8), prendre du poids
welcome bienvenue *(f)*, **You're welcome.** De rien. (P); Je vous en prie., Je t'en prie.
well bien (P); **get well** guérir; **well-behaved** sage (4)
west ouest *(m)*; **West Indies** Antilles *(fpl)* (9)
what qu'est-ce que (1), que (2), comment (P), quel(le) (3), ce que (5), ce qui (7), quoi; **What day is today?** C'est quel jour, aujourd'hui? (P); **What does that mean in English?** Qu'est-ce que ça veut dire en anglais? (P); **What is/are … like?** Comment est/sont… ? (1); **What is his/her name?** Comment s'appelle-t-il/elle? (4); **What is your name?** Tu t'appelles comment? *(familiar)* (P); Comment vous appelez-vous? *(formal)* (P); **What luck!** Quelle chance! (5); **What's the weather like?** Quel temps fait-il? (5); **What time is it?** Quelle heure est-il? (P)
when quand (2)
where où (1); **from where** d'où (1)
whereas tandis que
which quel(le) (3); que, qui (7); **about/of which** dont (7); **which one** lequel (laquelle) (6)
while tandis que, pendant que; **See you in a little while.** À tout à l'heure. (P); **while on** au cours de (10)
white blanc(he) (3); **white wine** vin blanc *(m)* (2)
who qui (2)
whom qui (2), que (7)
whole tout (toute); **(loaf of) whole-grain bread** pain à grains entiers *(m)* (8); **the whole day** toute la journée (2)
whose dont (7)
why pourquoi (2)
widespread répandu(e)
widow veuve *(f)* (7)
widower veuf *(m)* (7)
wi-fi wi-fi (10)
wife femme *(f)* (2)
win gagner (2)
wind vent *(m)*
windbreaker blouson *(m)*
window fenêtre *(f)* (3); **ticket window** guichet *(m)*
windsurfing: go windsurfing faire de la planche à voile
windy: It's windy. Il vente. (5)
wine vin *(m)* (2)

winter hiver *(m)* (5); **in winter** en hiver (5)
wish souhaiter (10)
with avec (P); chez (+ *personne*) (7); **coffee with milk** café au lait *(m)* (2)
withdraw money retirer de l'argent (10)
withdrawn renfermé(e) (1)
without sans (P); **without doing it** sans le faire
woman femme *(f)* (1); **woman's suit** tailleur *(m)*
wonder se demander
wonderful merveilleux(-euse)
word mot *(m)* (P); **words** *(lyrics)* paroles *(fpl)*
work travail *(m)*
work travailler (2); **Does that work for you?** Ça te/vous convient? (9); **I work …** Je travaille… (P)
workbook cahier *(m)* (P)
worker *(manual)* ouvrier(-ère) *(mf)*
world monde *(m)*
world-(wide) mondial(e) *(mpl* mondiaux)
worry (about) (se) préoccuper (de)
worse pire
would: I would like to … Je voudrais (bien)… (2); **What would you like to do?** Qu'est-ce que vous voudriez faire… (2)
write écrire (2); **How is that written?** Ça s'écrit comment? (P); **Write the answer.** Écrivez la réponse. (P)
writer écrivain *(m)*
wrong: be wrong avoir tort (4); **What's wrong?** Qu'est-ce qui ne va pas? (10)

Y

yard jardin *(m)*
year année *(f)* (4), an *(m)* (4); **be … years old** avoir… ans (4); **Happy New Year!** Bonne année!; **New Year's Eve** le réveillon *(m)* du jour de l'An
yellow jaune (3)
yes oui (P), si *(in response to a question or a statement in the negative)* (8)
yesterday hier (5)
yet pourtant, déjà; **not yet** ne… pas encore (5)
yogurt yaourt *(m)*
you tu, vous (P), te (9); **And you?** Et toi?, Et vous? (P); **See you tomorrow!** À demain! (P); **Thank you!** Merci! (P); **There you are!** Te / Vous voilà!; **with you** avec toi, avec vous
young jeune (1)
your ton (ta, tes) (3); votre (vos) (3); **Open your book.** Ouvrez votre livre. (P); **What is your name?** Tu t'appelles comment? *(familiar)* (P), Comment vous appelez-vous? *(formal)* (P); **your friends** tes amis (1)
yourself te, vous (7); toi-même, vous-même(s)
youth jeunesse *(f)* (7); **youth hostel** auberge *(f)* de jeunesse (10)

Z

zero zéro (P), nul(le)
zucchini courgette *(f)*

■ Index

A

à,
contractions with, 152
with geographical names, 358
with indirect objects, 348
Accent marks, 22
spelling-change, verbs with, 82, 257, 320, 340
Adjectives,
agreement, 36, 42, 50
of colour, 120
common irregular, 36, 42
comparative forms of, 40
demonstrative, 128
interrogative, 128
placement, 50
plural, 36, 42
possessive, 122, 124
Adverbs,
placement, 78, 182
time expressions, 158, 190
Agreement,
adjectives, 36, 42, 50
past participle, 182, 188, 200, 348
possessive adjectives, 122, 124
aller,
conditional, 320
future, 340
imperative, 154, 396
passé composé, 188
present, 152
subjunctive, 384
used with infinitives to express the future, 158
Alphabet, 22
appeler, verbs like, 257, 320, 340
Articles,
definite, 54, 118, 122, 152, 310, 358
indefinite, 48, 116, 310
omission, 48
partitive, 300, 310
avoir,
conditional, 320
expressions with, 90, 146
future, 340
imperative, 154, 396
passé composé, 182
passé composé with, 182
present, 116
subjunctive, 384

B

beau, 36, 42, 50
bien, 6, 76, 78, 112, 182

boire,
imperfect, 314
passé composé, 182, 314
present, 314
subjunctive, 383

C

Canada, 24, 26, 60, 76, 85, 90, 98, 109, 145, 180, 181, 186, 206, 208, 218, 242, 262, 270, 292, 304, 318, 350, 380
Alberta, 178–179
British Columbia, 178–179
Manitoba, 178–179, 208
New Brunswick, 142–143, 145, 170
Newfoundland and Labrador, 142–143, 380
Northwest Territories, 216–217
Nova Scotia, 142–143, 162, 169
Nunavut, 216–217
Ontario, 106–107
Prince Edward Island, 142–143
Québec, 26, 41, 68–69, 77, 121, 134, 296, 304, 312
Saskatchewan, 178–179, 350, 358
Yukon, 216–217, 244
Cardinal numbers, 10, 92, 110
ce,
-ci, -là, 128
demonstrative adjective, 128
vs. **il/elle,** 36, 50
Cinema, 77, 219, 236
Classroom, useful expressions, 20, 22
Clothing, vocabulary for, 198–199
Cognates, 38
Colours, vocabulary for, 120
Commands, 154, 396
commencer, verbs like, 82, 226
Comparison of adjectives, 40
Conditional, 320–321
connaître,
conditional, 352
future, 352
imperfect, 352
passé composé, 352
present, 352
subjunctive, 383
vs. **savoir,** 352
Consonants, final,
pronunciation of, 10, 92
Contractions, 118, 122, 152
Countries,
names of, 252, 294, 356, 372–373
prepositions with, 358

Culture,
Africa, 61, 99, 171, 287, 329, 372–373, 374, 402–403
Antilles, 356, 364, 402–403
Asia, 27, 135, 245, 294–295, 365, 403
Belgium, 85, 252, 253
cafés, 90–91, 96
calendar, 12
Canadian winter, 206
Cajuns, 168–169, 170
Cercle Molière, 208
cinema, 77, 219, 236
clothing sizes, 199
colours, effects on human nature, 132
counting, 10, 92, 110
Creole language, 364–365
daily life, 12, 14, 254
eating habits, 296, 304, 312, 318, 328, 338
écotourisme, 362
education, 20, 41, 46–47, 52, 53, 58, 60,
Europe, 209, 252, 253, 312
fair trade, 400
family, 144–145, 262, 278
France, 15, 46, 53, 85, 90, 109, 121, 218, 236, 252, 253, 270, 328, 344, 350
France d'outre-mer, 336–337, 338, 344, 356, 364–365, 394
francophone music, 402–403,
francophone culture in the Yukon, 244
francophone television in Canada, 98
francophone world, overview, 4–5
French first names, 7
French West Indies, 356, 364, 402–403
friendship, 224
greetings, 6, 7, 8
Guadeloupe, 336–337, 338, 344, 356, 394
health, 318, 380–381
hotels, 374
invitations, 70–71, 121, 218
lifestyles, 262, 278, 318
Louisiana, 32, 168–169
Luxembourg, 252,
Martinique, 336, 337, 338, 344
Michaëlle Jean, 24
Monaco, 252
money, 91, 92,
pastimes, 70–72, 76, 150, 180, 196
Québec, 26, 41, 68–69, 77, 121, 134, 296, 304, 312
relationships, 262–263, 264, 278–279, 286
restaurants, 296–299, 308, 312, 326

Romania, 209, 284
shopping, 198–199, 304–305
sizes, 199
social norms and expectations, 242
Switzerland, 85, 252, 253
universities in Canada, 60
vacation, 338, 344, 350

D
Dates, 160
Days of the week, 12
de,
   contractions with, 118, 122
   with quantity expressions, 48, 116, 308,
     310–311
Quantity, expressions of, 48, 116, 308,
     310–311, 314
   used after a negative, 48, 116, 300, 313
   used to denote possession, 122
Definite articles, 54, 118, 122, 152, 310,
   358
Demonstrative adjectives, 128
devoir,
   conditional, 320
   future, 340
   passé composé, 220
   present, 220
   subjunctive, 383
dire,
   conditional, 346
   future, 346
   imperfect, 346
   passé composé, 182, 346
   present, 346
   subjunctive, 383
Direct object pronouns, 200, 348, 354, 396
Directions, 394
dont, 280
dormir,
   passé composé, 182, 228
   present, 228
   subjunctive, 383
   verbs like, 228, 257

E
écrire,
   conditional, 346
   future, 346
   imperfect, 346
   passé composé, 182, 346
   present, 346
   subjunctive, 383
Education, 20, 41, 46–47, 52–53, 58, 60,
   107
Elision, 14, 42, 78, 86
Emotion, expressions of, 388, 392
en,
   as a pronoun, 314, 396
   with dates, 160
   with geographical names, 358

with seasons, 192
ennuyer, verbs like, 257
-er verbs,
   conditional, 320
   future, 340
   imperative, 154, 396
   imperfect, 226
   passé composé, 182, 396
   present, 78
   subjunctive, 382
est-ce que, 44
être,
   after **quel,** 128
   conditional, 320
   future, 340
   imperative, 154, 396
   imperfect, 226
   passé composé, 182
   passé composé, with 188
   present, 42
   subjunctive, 384

F
faire,
   conditional, 320
   expressions with, 196
   future, 340
   imperfect, 226
   passé composé, 182
   present, 194
   subjunctive, 384
Fairy tales, vocabulary for, 236
Family members, vocabulary for, 144–145
   Food, vocabulary for, 90, 96, 296–299,
     304–307, 312–313
Future,
   formation and use, 340
   expressed using **aller,** 158

G
Gender of nouns, 48
Geographical names,
   prepositions with, 358
   vocabulary for, 356, 358
Greetings, vocabulary for, 6, 8

H
h, aspirate vs. silent, 297
Holidays, 160, 186
Household chores, vocabulary for, 196
Housing, vocabulary for, 108–109

I
Idiomatic verbs, *See Pronominal verbs.*
il/elle, vs. **ce,** 36, 50
il faut, 320, 340, 354, 376, 382, 388, 392
il y a,
   meaning *ago,* 190
   meaning *there is/there are,* 48, 158, 182
Immediate future, 158

Imparfait,
   formation of, 226
   vs. **passé composé,** 232, 234, 238, 276
Imperative,
   Formation of, 154, 396
   with object pronouns, 396
Impersonal expressions, 376, 382
Indefinite articles, 48, 116, 318
   omission of, 48
Indirect object pronouns, 348, 354, 396
   after imperative, 396
Infinitive, 72, 376
   after **savoir,** 352
   vs. subjunctive, 382
Information questions, 86, 88, 128
Interrogative adjectives, 128
Interrogative words, 86
Intonation, 44
Introductions, vocabulary for, 6, 8
Inversion, 88
Invitations, 70–71, 121, 218
-ir verbs,
   conditional, 320
   future, 340
   imperfect, 316
   passé composé, 316
   present, 316
   subjunctive, 382

J
jouer,
   followed by **à** + *sport,* 72
   followed by **de** + *musical instrument,* 72

L
-là, 128
Learning strategies,
   Anticipating a response, 378
   Asking for clarification, 148
   Brainstorming, 133
   Finding the right word, 327
   Guessing meaning from context, 112
   Listening for specific information, 74
   Making intelligent guesses, 96
   Noting the important information, 222
   Planning and predicting, 302
   Previewing content, 132
   Reading for the gist, 38
   Recognizing compound tenses, 342
   Revising what you write, 363
   Scanning to preview a text, 58
   Softening and hardening your tone, 401
   Understanding words with multiple
     meanings, 362
   Using and combining what you know, 58
   Using cognates and familiar words to
     read for the gist, 38
   Using logical order and standard phrases,
     97
   Using real-world knowledge, 242
   Using standard organizing techniques, 207

Learning strategies (*continued*)
Using the sequence of events to make logical guesses, 184
Using visuals to make guesses, 206
Using word families and watching out for **faux amis,** 260
Using your knowledge of the world, 400
Visualizing your topic, 169
Writing for social media, 243
Leisure activities, vocabulary for, 70–73, 76, 150, 156, 180, 196
Liaison, 6, 16, 48, 54, 86, 88, 92, 116
lire,
conditional, 346
future, 346
imperfect, 346
passé composé, 182, 346
present, 346
subjunctive, 383

M
manger, verbs like, 82, 226
Meals, vocabulary for, 90–91, 296–297, 312–313
mettre, 198
passé composé, 198
Money, 92
Months, vocabulary for, 160
Mood, 392
mourir,
conditional, 320
future, 340
passé composé, 188
Movies, vocabulary for, 219

N
Nasal vowels, 10
Necessity, expressions of, 382, 388
Negation, 42
ne... jamais, 76
ne... ni... ni, 73
ne... pas, 42
ne... pas encore, 190
ne... rien, 194
with **futur immédiat,** 158
with imperative, 396
with indefinite article, 48, 116, 311
with infinitives, 194
with pronouns, 154, 200, 264, 348, 354, 396
with partitive, 300, 311
with **passé composé,** 182
n'est-ce pas, 44
Nouns,
gender, 48
plural, 48, 116
nouveau, 42, 50
Numbers,
zero to thirty, 10
thirty to one hundred, 92
above one hundred, 110

ordinal, 110

O
Object pronouns,
with commands, 396
direct, 200, 348, 354, 396
indirect, 348, 354, 396
on, 154
Ordinal numbers, 110

P
Participle, past, 182, 188
agreement of, 188, 202, 272–273
partir,
passé composé, 228
present, 228
subjunctive, 383
Partitive article, 300, 310
Passé composé,
formation with **avoir,** 182
formation with **être,** 188
of pronominal verbs, 272
time expressions used with, 190
vs. **imparfait,** 232, 234, 238, 276
Past participle, 182, 188
agreement of, 188, 202, 272–273
Plural,
of adjectives, 36, 42
of nouns, 48, 116
Possessions, vocabulary for, 114, 122
Possessive adjectives, 122, 124
pouvoir,
conditional, 320
future, 340
passé composé, 220
present, 220
subjunctive, 384
préférer, verbs like, 82, 320, 340
prendre,
imperfect, 226
passé composé, 182
present, 164
subjunctive, 383
verbs like, 164, 182
Prepositions, 114, 118, 152
contractions with, 118, 122, 152
with geographical names, 358
Present subjunctive, formation, use, 382–383, 384, 388, 392
Pronominal verbs,
idiomatic, 257
immediate future, 264
imperative, 396
imperfect, 276
infinitive, 256–257, 264
passé composé, 272–273
present, 256–257, 264
reciprocal, 257
reflexive, 256
Pronouns,
direct object, 200, 348, 354, 396

en, 314, 396
indirect object, 348, 354, 396
on, 154
reflexive, 256–257
relative, 280
subject, 42
y, 152, 396
Pronunciation,
a, au, ai, 152
adjectives, 37
avoir, 116, 188
c vs. **ç,** 82
conditional, 321
consonants, final, 6
de, du, des, 118
definite articles, 54
dormir, verbs like, 228
e, in forms of **ce,** 128
e, unaccented, 8, 54, 128, 340
é vs. **è,** 82
-**er** verbs, 79
être, 116, 188
final consonants, 6
g, 82
h, 6, 296
il vs. **elle,** 37
imperfect, 226, 232
indefinite article, 48
infinitive endings, 72
inversion, 88
-**ir** verbs, 316
liaison, 6, 16, 48, 54, 86, 88, 92, 116
nasal vowels, 10
numbers, 10, 92
o, 124
partir, verbs like, 228
passé composé, 188, 232
prendre, 164
qu, 86
r, 72, 321
s, 316
sortir, verbs like, 228
spelling change verbs, 82
time, 16
venir, 164
vowels, 8, 10, 21

Q
Quantity, expressions of, 48, 116, 308, 310–311, 314
que,
in questions, 86, 88, 128
as a relative pronoun, 280
quel, 128
qu'est-ce que, 86, 128
Questions,
information, 86, 88, 128
using **est-ce que,** 44, 86
using intonation, 44
using inversion, 88
using **n'est-ce pas,** 44

words used in, 86
yes/no, 77
qui,
    as an interrogative pronoun, 86
    as a relative pronoun, 280

R
Reading selections,
    Lan Anh Nguyen, 58
    Café Le Trapèze (menu), 96
    Les couleurs et leurs effets sur la nature humaine, 132
    L'histoire des Cadiens, 168
    L'hiver Canadien, 206
    Les normes sociales et les attentes, 242
    La Roumanie, un pays francophile, 284
    Quel restaurant choisir?, 326
    L'écotourisme, 362
    Le commerce équitable, 400
Relationships, vocabulary about, 262, 264, 278
Relative pronouns, 280
-re verbs,
    conditional, 320
    future, 340
    passé composé, 182
    present, 268
    subjunctive, 382
Reciprocal verbs, *See Pronominal verbs.*
Reflexive verbs, *See Pronominal verbs.*
Restaurants, vocabulary for, 90–91, 296–297, 312–313

S
savoir,
    conditional, 352
    future, 352
    imperfect, 352
    passé composé, 352
    present, 352
    subjunctive, 384
    vs. **connaître,** 352
School, vocabulary related to, 20–22, 46–47, 52
Seasons, vocabulary for, 192
Shopping, vocabulary for, 198–199, 304–305
sortir,
    passé composé, 228
    present, 228
    subjunctive, 383
Spelling-change verbs, 82, 121, 150, 226, 257, 270, 320, 340, 386
Sports, vocabulary for, 40, 70–72, 196
Stagiaires, Les, 56–57, 94–95, 130–131, 166–167, 204–205, 240–241, 282–283, 324–325, 360–361, 398–399
Subject pronouns, 42
Subjunctive,
    formation, 382–383, 384

used after expressions of emotion, 388, 392
used after impersonal expressions, 382, 392
with expressions of desire, 388, 392
with irregular verbs, 383, 384
vs. infinitive, 392
Suggestions, making, 154

T
Tales, fairy, vocabulary for, 236
Time,
    expressions, 12, 16–17, 158, 190
    telling, 16–17
    transportation, vocabulary for, 162
tu vs. **vous,** 42

U
University, vocabulary related to, 20, 22, 26, 46–47, 52, 60

V
Vacation, vocabulary related to, 186, 338, 344, 350
venir,
    conditional, 320
    future, 340
    passé composé, 188
    present, 164
    subjunctive, 383
Verbs,
    -er, 78
    -ir, 316
    -re, 268
vieux, 36, 50
Vocabulary
    addresses, 126
    age, expressing, 144, 146
    alphabet, 22
    body, parts of, 380
    café and restaurant, 90–91, 96, 296–299, 308, 312, 326
    classroom expressions, 20, 22
    clothes, 198–199
    colours, 120
    countries, 252–253, 294–295, 356, 372–373
    courses, 52
    daily activities, 70–72, 76, 84, 150, 156, 196, 228, 256–257, 268
    dates, 160
    days of the week, 12
    describing oneself and other people, 14, 34, 36, 40, 42, 144, 146
    directions, 394
    errands, 386
    fairy tales, 236
    family members, 144–145
    food, 90, 96, 296–299, 304–306, 312–313
    French first names, 7

furnishings, 114, 120
geography, 32–33, 68–69, 106–107, 142–143, 178–179, 216–217, 252–253, 294–295, 356, 336–337, 356, 358, 372–373
greetings, 6, 8
health, 318, 380–381
holidays, 160, 186
hotel, 374, 379
household chores, 196
housing, 108–109
invitations, 70–71, 218
languages, 14, 52
leisure activities, 70–72, 76, 78, 150, 156, 180, 196
months, 160
movies, 219
neighbourhood places, 46–48, 386
numbers, 10, 92, 110
pastimes, 70–72, 76, 78, 150, 156, 180, 196
possessions, 114, 122
quantities, 48, 116, 310, 311, 314
question words, 86
school, 20, 22, 46–47, 52
seasons, 192
shopping, 198-199, 304–305
sports, 40, 70–72, 196
time, expressions of, 12, 16–17, 158, 190
time, telling, 16–17
transportation, 162
travel, 186, 338, 344, 350
university, 20–22, 46–47, 52, 60
vacation, 186, 338, 344, 350
weather, 192, 194
voir,
    conditional, 320
    future, 340
vouloir,
    conditional, 320
    future, 340
    passé composé, 220
    present, 220
    subjunctive, 384
vous vs. **tu,** 42
Vowel sounds, 8, 10, 21
    bel, nouvel, and **vieil** before, 50
    cet before, 128
    liaison before, 6, 16, 48, 54, 86, 88, 92, 116
    nasal, 10
voyager, verbs like, 78, 226

W
Weather, vocabulary for, 192, 194
Week, days of the, 12

Y
y, 152, 200, 396

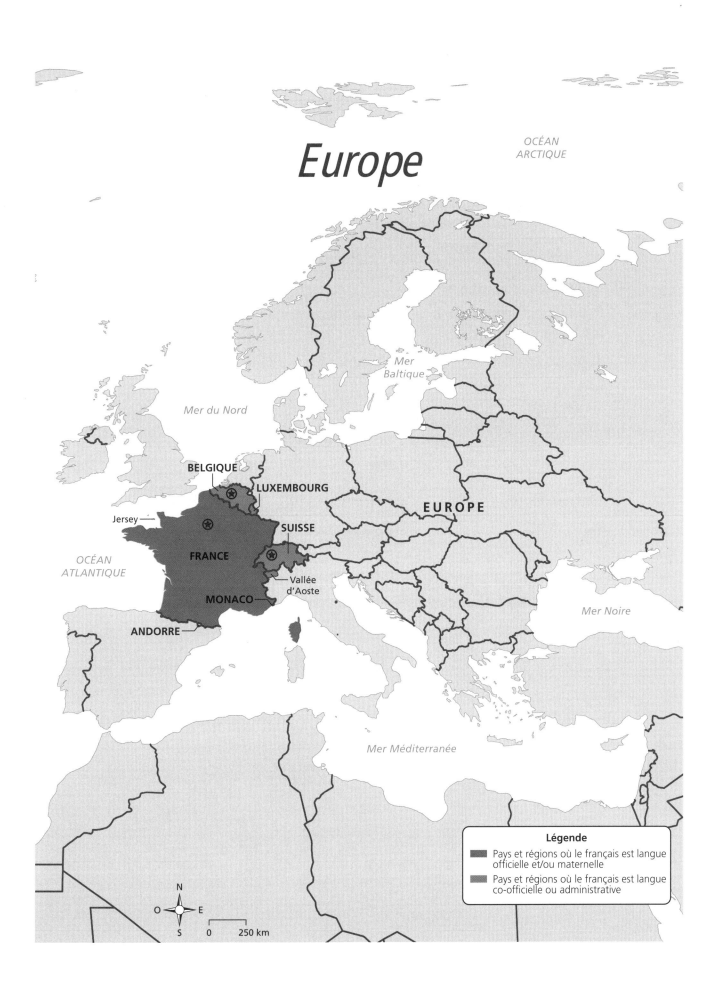

Europe

Mer du Nord

OCÉAN ARCTIQUE

Mer Baltique

EUROPE

OCÉAN ATLANTIQUE

BELGIQUE

LUXEMBOURG

Jersey

SUISSE

FRANCE

Vallée d'Aoste

MONACO

ANDORRE

Mer Noire

Mer Méditerranée

N O E S

0   250 km

Légende

■ Pays et régions où le français est langue officielle et/ou maternelle

■ Pays et régions où le français est langue co-officielle ou administrative

Afrique

TUNISIE

Mer Méditerranée

MAROC

ALGÉRIE

LIBYE

ÉGYPTE

SAHARA
OCCIDENTAL

Mer
Rouge

MAURITANIE

MALI

NIGER

TCHAD

SOUDAN

ÉRYTHRÉE

CAP-VERT

SÉNÉGAL

DJIBOUTI

GAMBIE

BURKINA
FASO

GUINÉE-
BISSAU

GUINÉE

BÉNIN

NIGERIA

ÉTHIOPIE

SIERRA LEONE

GHANA

SOUDAN
DU SUD

SOMALIE

LIBERIA

RÉPUBLIQUE
CENTRAFRICAINE

CÔTE
D'IVOIRE

TOGO

CAMEROUN

SAO TOMÉ-ET-PRINCIPE

OUGANDA

KENYA

GUINÉE ÉQUATORIALE

CONGO

RWANDA

SEYCHELLES

GABON

RÉPUBLIQUE
DÉMOCRATIQUE
DU CONGO

BURUNDI

OCÉAN INDIEN

TANZANIE

COMORES

Afrique

Mayotte

ANGOLA

MALAWI

MAURICE

ZAMBIE

MOZAMBIQUE

MADAGASCAR

Réunion

OCÉAN
ATLANTIQUE

ZIMBABWE

NAMIBIE

BOTSWANA

SWAZILAND

AFRIQUE
DU SUD

LESOTHO

N

O   E

S

0   450 km

Légende

■ Pays et régions où le français est langue
officielle, co-officielle ou administrative

□ Pays et régions où le français est langue
d'enseignement privilégiée